D1213743

L'ART DE L'ALLAITEMENT MATERNEL

LIGUE LA LECHE

12, rue Quintal
Charlemagne (Québec) J5Z 1V9
1-866-allaiter (1-866-255-2483)
514-990-8917
www.allaitement.ca

Couverture et infographie :	Roger Des Roches SÉRIFSANSÉRIF
Photos intérieures :	La Leche League International Ligue La Leche La Leche League France
Illustration de la couverture :	Marie-Andrée Leblond. *La mère et l'enfant* (2004), technique mixte : encre et acrylique 106, Normandie Cowansville Québec, Canada J2K 1J3

Édition originale : *The Womanly Art of Breastfeeding*

Édition en langue française

Dépôt légal: deuxième trimestre 2005
Bibliothèque nationale du Québec
Bibliothèque nationale du Canada
ISBN: 2-920524-12-7

06 07 08 09 10 11 MA 10 9 8 7 6 5

C'est avec beaucoup d'amour que nous dédions
cet ouvrage aux parents nombreux et dévoués qui ont contribué
à faire de la Ligue La Leche ce qu'elle est aujourd'hui,
ainsi qu'à nos conjoints et à nos enfants aussi patients qu'aimants,
qui nous ont aidées, toutes les sept,
à apprendre l'art de l'allaitement maternel.

Ce livre n'aurait jamais vu le jour et les principes fondamentaux
qui sous-tendent le travail de la Ligue La Leche
n'auraient pu résister à l'épreuve du temps,
sans le soutien indéfectible des docteurs Herbert Ratner
et Gregory White, tous deux récemment disparus.
Ces médecins nous ont conseillées et appuyées sans réserve
dès les premiers jours de la Ligue La Leche.
Nous leur en sommes des plus reconnaissantes.

Table des matières

Remerciements

Le jour où nous avons su que nous recevions une subvention gouvernementale pour la publication de ce livre, je ne réalisais pas encore dans quel bateau je venais de m'embarquer pour mener à bon port un tel projet !

Cette course a débuté en mai 2004, juste avant notre congrès annuel, pour se terminer moins d'un an plus tard. Quel beau travail d'équipe que cette mise à jour de *L'Art de l'allaitement maternel* !

Merci à toutes les personnes qui ont consacré du temps et de l'énergie à ce magnifique projet. Grâce au talent et à la générosité de chacune d'entre vous, ce fut une belle et agréable aventure. L'expérience a été enrichissante et nous avons toutes raison d'en être très fières !

Je ne peux passer sous silence le travail colossal des personnes qui ont traduit, pour la première fois, le livre *The Womanly Art of Breastfeeding* en 1966, ainsi que celles qui ont travaillé sur les traductions subséquentes. Vous nous avez ouvert la voie : un immense merci !

Enfin, je désire souligner votre participation à vous tous, chers parents, qui nous avez envoyé vos témoignages et vos photos. En les offrant généreusement à la Ligue La Leche, vous avez accepté de partager votre expérience avec toute la francophonie !

Manon Forcier
Coordonnatrice du projet

La Ligue La Leche tient à remercier les personnes suivantes pour leur participation à la réalisation de ce livre :

Manon Forcier, Carole Pitre-Savard, Claude Didierjean-Jouveau, Mélanie Doyle, Stéphanie Mondou, Marie-Andrée Leblond, Julie Dupuis, Francine Doyle, Marielle Larocque, Luce Martel, Danielle Pitre, Lucie Rochon-Landry, Mylène Schryburt, Ghislaine Reid, Sophie Lesiège, Chantal Desjardins, Renée Landry, Geneviève Dubé, Linda King Gaboriaud, Geneviève Bujold, Gabrielle Archambault, Corinne Dewandre, Barbara Scherwey, Carla Holm, Rita Schroeder, Roger Des Roches, Laurier Blanchet, le Gouvernement du Québec, les Religieuses Hospitalières de St-Joseph, l'Industrielle Alliance et les familles des personnes impliquées dans le projet.

Préface 1

À la naissance de mon deuxième fils, j'ai eu de nombreux problèmes de santé et, alors que mon bébé avait à peine un mois, mon médecin m'a fortement recommandé de le sevrer sans attendre. J'étais découragée car l'allaitement avait déjà été court et difficile avec mon premier fils.

J'avais beaucoup lu et je voulais vivre pleinement cette fois-ci l'expérience de l'allaitement maternel, mais cela commençait mal. De plus, je ne connaissais personne qui avait allaité ou qui allaitait et qui aurait pu m'aider.

De retour à la maison, je me suis rappelée avoir entendu dire, lors d'un cours prénatal, qu'il y avait au Québec un organisme qui soutenait les mères qui allaitaient. J'ai téléphoné immédiatement. Quelle joie d'être accueillie par une femme qui connaissait bien l'allaitement et qui, en plus, l'avait expérimenté elle-même. Suite aux informations reçues, j'ai pu consulter un autre médecin et continuer l'allaitement tout en prenant soin de ma santé. Ce fut le début d'une belle aventure. Sébastien a été allaité jusqu'au sevrage naturel. Il a grandi rapidement et en pleine forme.

J'ai commencé à lire tous les livres qui étaient publiés en anglais par cette organisation fondée par des mères et j'en ai appris beaucoup sur l'allaitement et les soins à donner à mon bébé. J'ai toujours été impressionnée par le fondement scientifique de la documentation de la Ligue La Leche qui s'appuie sur l'expérience réelle et vécue de nombreuses mères à travers le monde.

Quand j'ai réalisé qu'au Québec la Ligue La Leche avait très peu de documentation disponible en français, je me suis mise à la tâche avec l'aide d'une excellente équipe. Cette version du livre *L'Art de l'allaitement maternel* a été traduite en français et disponible à travers le monde en 1983.

Plus de 20 ans ont passé, le livre en est maintenant à sa quatrième révision. Je vous souhaite de tout cœur d'avoir autant de plaisir que moi à le lire et j'espère qu'il vous sera aussi utile qu'il l'a été pour moi quand j'étais une nouvelle mère.

Ginette Bélanger
Consultante en lactation, IBCLC

Préface 2

Conscient du rôle clé de l'allaitement maternel pour assurer la santé et le développement optimal des enfants ainsi que des grands avantages qu'il représente pour le bébé, la mère et la famille, le Québec s'est doté, en 2001, de lignes directrices en matière d'allaitement maternel s'adressant aux divers intervenants qui oeuvrent en périnatalité. Ce document intitulé *L'allaitement maternel au Québec : lignes directrices* a pour but d'assurer l'excellence dans l'information transmise à la population et d'optimiser le soutien donné aux parents et aux enfants.

Le défi lancé aux établissements du réseau de la santé et des services sociaux est grand et il ne peut être relevé sans la présence et la précieuse collaboration d'un groupe d'entraide à l'allaitement comme la Ligue La Leche. Cela nécessite une implication continue et significative de leur part et nous savons que nous pouvons compter sur la Ligue La Leche pour promouvoir et soutenir l'allaitement maternel.

En effet, les nombreuses monitrices actives dans les différentes régions du Québec aident quotidiennement les mères à allaiter grâce au soutien mère à mère, à l'encouragement et à l'information diffusée auprès des familles. De plus, les sessions de formation et de perfectionnement dispensées aux professionnels du réseau de la santé et des services sociaux contribuent à mieux les outiller dans leur travail auprès des familles.

Ainsi, une fois de plus, la nouvelle adaptation de cet ouvrage *L'Art de l'allaitement maternel* s'avère une ressource indispensable qui laisse transparaître toutes les valeurs humaines et sociales entourant ce geste de vie.

Renée Lamontagne
Sous-ministre adjointe
Direction générale des services sociaux
Ministère de la Santé et des Services sociaux

Préface 3

Je ne serais pas en vie aujourd'hui si ce n'était de l'allaitement maternel.

En 1941, lors de ma naissance, mon petit village, situé sur les contreforts de la chaîne de montagnes entre la Thaïlande et la Malaisie, était pris dans la tourmente des combats du début de la Seconde Guerre mondiale. Néanmoins, j'ai eu de la chance. Ma mère m'a allaité, m'offrant ainsi son amour et son attention en plus des bienfaits de son lait.

Le pouvoir naturel de l'allaitement maternel est une des plus grandes merveilles du monde. Il est synonyme d'amour et d'attention. Il célèbre la joie extraordinaire de faire grandir une vie nouvelle. Il parle du bonheur d'être femme.

Dans un monde trop souvent dominé par le matérialisme et la cupidité, chaque expression de ce pouvoir de l'allaitement nous rappelle qu'il y a une autre voie, la voie naturelle, celle de l'allaitement maternel.

L'allaitement, c'est le pouvoir de la paix, le pouvoir de ce qui est bon et responsable.

Aujourd'hui, à travers le monde, les femmes revendiquent ce pouvoir en choisissant d'allaiter. Elles célèbrent cette force et ce bonheur en aidant d'autres mères qui souhaitent, elles aussi, faire ce choix naturel.

Aujourd'hui, dans le monde entier, les représentantes de La Leche League International (LLLI) rendent l'allaitement maternel possible. Par le biais du partenariat que la LLLI a développé avec l'Alliance mondiale pour l'allaitement maternel (WABA), des groupes de partout dans le monde s'unissent pour protéger, promouvoir et soutenir mondialement l'allaitement maternel. Ainsi, chaque année du 1er au 7 août ou du 1er au 7 octobre, selon les pays, des milliers de groupes et des millions de personnes célèbrent cette grande cause à l'occasion de la Semaine mondiale de l'allaitement maternel.

L'Organisation des Nations Unies (ONU), plus particulièrement par l'entremise du Fonds des Nations unies pour l'enfance (UNICEF), et l'Organisation mondiale de la santé (OMS) ont adopté une déclaration qui sert de cadre général pour s'assurer que la culture de l'allaitement maternel ne soit pas dévalorisée.

Le plus grand atout pour assurer la continuité de la pratique de l'allaitement maternel demeure toutefois l'exemple vivant de mères du monde entier allaitant, transmettant leur sagesse et partageant leurs connaissances de cet héritage universel. Voilà pourquoi la LLLI est à ce point importante et ce livre si nécessaire.

Le soutien de mère à mère est la façon chaleureuse, familiale et communautaire d'encourager l'allaitement. Ce livre aide à acquérir une grande sagesse en réunissant des informations utiles. Ne vous en séparez pas et n'oubliez pas d'en offrir un exemplaire à une amie. C'est ce type de revendication, de contamination et de prolifération qui aidera de plus en plus les mères et les enfants à partager le bonheur et le pouvoir d'une culture de l'allaitement maternel. C'est bon pour les bébés, les mères, les familles, la communauté, l'écologie et, de plus, c'est économique.

Bonne lecture !

Anwar Fazal
Président
Alliance mondiale pour l'allaitement maternel (WABA)
Récipiendaire du Prix pour un modèle d'existence juste
plus communément appelé le « Prix Nobel alternatif »
Penang, Malaisie, mai 1997

Avant-propos

Qu'y a-t-il de plus naturel que d'allaiter son bébé ? Il suffit de prendre tendrement ce précieux nouveau-né dans vos bras et de lui offrir le sein. Cela semble plutôt facile.

L'allaitement est simple et naturel, si on sait comment faire et ce qui nous attend. Mais, pour allaiter un bébé, on a aussi besoin de renseignements et d'encouragements. C'est ce que nous, les sept fondatrices de la Ligue La Leche, avons vite découvert lors de nos premières expériences d'allaitement. À quelle fréquence doit-on allaiter ? Combien de temps à chaque sein ? Comment savoir si le bébé boit suffisamment ? A-t-il besoin d'autres aliments ? Lesquels ? Que faire s'il semble affamé une heure seulement après la dernière tétée ?

Lorsque nous nous sommes réunies, en 1956, pour fonder la Ligue La Leche, les réponses à ces questions étaient aussi rares que l'allaitement lui-même. À nous sept, nous avions allaité vingt-quatre bébés. Nous avions donc une bonne idée de ce qui convenait ou non à un bébé et de ce qui était utile ou ne l'était pas. Nous avions aussi découvert qu'une bonne information et le soutien d'une autre mère qui allaite représentaient la clé du succès.

En rédigeant *L'Art de l'allaitement maternel*, nous avons voulu proposer une philosophie de maternage et d'éducation. Cet ouvrage est notre manière de partager le sentiment de satisfaction et de plénitude que nombre de mères ont éprouvé en allaitant leur bébé. Il vous laissera entrevoir les moments privilégiés qui vous attendent tout au long de la grande aventure de la maternité.

Les deux premières éditions de *The Womanly Art of Breastfeeding*, publiées en 1958 et 1963, étaient largement fondées sur nos expériences personnelles.

La première traduction française a été publiée au Québec en 1966 sous le titre *L'art de l'allaitement maternel.*

La troisième édition, parue en 1981, avait été revue et augmentée pour faire place à des témoignages que des milliers de parents avaient fait parvenir à la Ligue La Leche.

Une seconde traduction française a été publiée en 1983. Un deuxième tirage, comportant quelques ajouts, a été effectué en 1985.

La quatrième édition apportait de l'information supplémentaire, reflet des dernières recherches médicales, et continuait à offrir des conseils pratiques fondés sur les expériences d'allaitement de mères du monde entier.

La cinquième édition commémorait les 35 ans d'existence de notre organisme. Elle n'a pas fait l'objet d'une importante révision. Des informations spécifiques ont cependant été mises à jour à travers tout le volume et nous avons tenu compte des derniers progrès de la recherche médicale dans les chapitres sur les avantages de l'allaitement maternel.

Dans la traduction française, nous avons voulu apporter une dimension particulière à cette édition en faisant une plus large place aux témoignages de mères francophones afin de refléter les différentes réalités culturelles.

Des révisions majeures ont été apportées à la sixième édition, publiée en 1997. On y a ajouté beaucoup de nouvelles informations qui traduisaient la grande variété de recherches qui avaient été menées jusque là sur la conduite de l'allaitement et les bienfaits du lait maternel. Cette édition célébrait le 40e anniversaire de la Ligue La Leche et souhaitait rejoindre les mères qui allaiteraient au XXIe siècle. Pour la première fois, des références bibliographiques furent incluses dans cette édition.

Le présent ouvrage est la traduction de la septième édition révisée. Cette édition offre un éventail encore plus large de témoignages et de recherches. En effet, de plus en plus d'informations nous parviennent de pays autres que les États-Unis. De nouvelles recherches en Australie nous ont amenées à changer la façon d'expliquer certains aspects de la production de lait. Les renseignements sur la manière d'amener le bébé à prendre le sein de façon plus efficace ont été modifiés, car une observation plus minutieuse des bébés nous a permis de comprendre ce qui fonctionne le mieux. Et, bien entendu, les recherches qui se sont poursuivies sur les différences entre le lait maternel et les produits artificiels ont renforcé notre conviction qu'il n'y a rien de mieux que l'allaitement pour les nourrissons. De plus, dans la version française, nous avons tenu à actualiser certains témoignages afin de refléter ce qui est vécu à l'aube du XXIe siècle dans la francophonie mondiale.

Dans la présente édition, vous constaterez que nous persistons à écrire en pensant à une famille composée d'un père, d'une mère et d'un ou de plusieurs enfants. Certains nous ont fait remarquer que les temps ont changé et que cette vision de la famille n'est plus toujours réaliste. Nous sommes toutefois convaincues que l'allaitement et le maternage s'épanouissent plus facilement dans un tel contexte, bien que nous sachions pertinemment que la réalité peut être différente. Le père étant parfois absent, la mère devient alors le seul soutien de la famille. Cette situation n'est pas facile. Nous souhaitons que toute femme dans cette situation puisse trouver l'aide dont elle a besoin. Mais, quelles que soient les circonstances, une mère peut éprouver une grande satisfaction à allaiter son bébé et à demeurer près de lui. Les efforts qu'elle fera en ce sens lui procureront un sentiment d'accomplissement qui s'intensifiera avec le temps.

Nous souhaitons que toutes les femmes désireuses d'allaiter leur bébé puissent recevoir l'information et le soutien dont elles ont besoin, quel que soit l'endroit où elles habitent. Oui, l'allaitement est simple et naturel. C'est aussi une façon magnifique de faire grandir une vie nouvelle.

Nous apprécions le fait que les bébés naissent de sexes différents et nous nous en réjouissons. Lorsque, dans ce livre, nous faisons référence au bébé par le pronom « il », ce n'est pas par sexisme mais dans un simple souci de clarté, puisqu'une mère est sans nul doute « elle ».

Nous utilisons à quelques occasions le terme « lait artificiel » pour désigner les substituts du lait maternel comme le suggère l'Organisation mondiale de la santé. On définit artificiel comme étant ce qui est fabriqué par l'homme, ce qui est le cas des laits maternisés, des formules lactées pour nourrissons et des préparations lactées pour nourrissons.

Dans le texte, le terme « monitrice » désigne les représentantes de la LLL qui sont également connues sous le nom de *leader* ou « animatrice ».

PREMIÈRE PARTIE

SE PRÉPARER À ALLAITER

Chapitre 1

Pourquoi allaiter ?

L'allaitement est la source de nourriture et de réconfort la plus naturelle pour votre bébé. Pour de nombreuses mères, l'allaitement est l'expression ultime de leur féminité. La grossesse, l'accouchement et l'allaitement constituent une étape particulière dans votre vie de femme, étape remplie d'une extraordinaire gamme d'émotions.

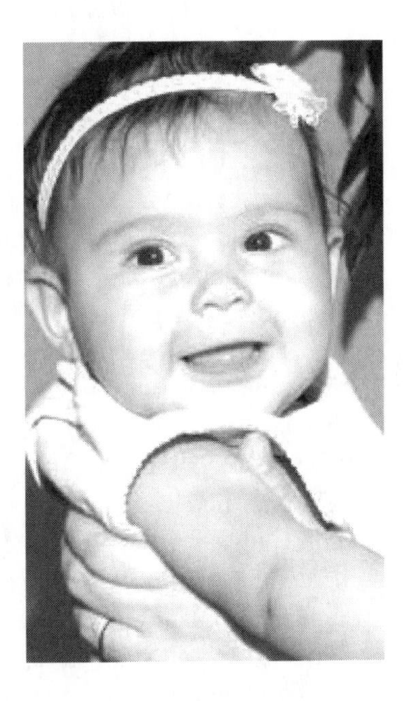

Attendre un enfant vous fait soudainement prendre conscience que votre vie ne sera plus jamais la même. Vous ressentez le besoin d'en savoir davantage sur la maternité et vous vous demandez peut-être si vous serez à la hauteur.

Il est possible que vous éprouviez les mêmes sentiments que cette mère :

> *Lorsque j'attendais mon premier enfant, mon mari et moi nous sentions un peu perplexes à l'idée de devenir parents. Aucun de nos proches amis ou parents n'avaient d'enfants. Ce que nous lisions, entendions ou ressentions nous rendait confus... Après quatre ans et deux bébés allaités, nous nous sentons plus confiants en tant que parents et nous savons à présent à quoi nous fier : notre cœur.*

Tout comme votre corps change et se modifie pour faire place au bébé qui grandit en vous, vous saurez développer vos propres compétences maternelles, adaptées aux besoins de votre bébé, lorsqu'il naîtra. L'allaitement sert alors de transition idéale, tant à la mère qu'au bébé, car tous deux apprennent à se connaître dans les premières heures et les premiers jours qui suivent la naissance.

Une aventure particulière

Au début de la grossesse, le développement de votre bébé est tout à fait remarquable. Dix-huit jours après sa conception, son cœur bat déjà. Vers le quatrième mois, vous le sentez bouger, mouvement qui ne trompe pas et qui ne ressemble à aucun autre. C'est la révélation d'une vie nouvelle. Votre corps change et s'adapte aux besoins de votre bébé. Vos seins augmentent de volume, votre utérus prend de l'expansion. Vous êtes resplendissante, tel un arbre chargé de fruits.

Dans le dernier trimestre, les septième, huitième et neuvième mois, vous êtes peut-être impatiente, désireuse d'arriver à terme et d'avoir votre bébé. Puis, souvent au moment où vous vous y attendez le moins, vous sentez une contraction, puis une autre. Le temps est venu. Vous vous sentez à la fois soulagée et nerveuse. Aujourd'hui, dans quelques heures, votre bébé viendra au monde !

Vous prévenez le médecin ou la sage-femme. Vous vous préparez à donner la vie. Ce jour n'est à nul autre pareil. Votre esprit, votre corps tout entier se concentrent sur ce qui se passe en vous.

Comme une vague, une contraction débute, s'intensifie, atteint un sommet, puis se retire. Vous cherchez à vous concentrer afin de relaxer et de détendre vos muscles. Entre les contractions, temps d'arrêt accueilli avec plaisir, vous prenez un peu de repos.

Puis le rythme s'accélère. Les contractions s'amplifient et se succèdent rapidement. Vous n'avez probablement jamais travaillé aussi fort de votre vie. « Travail » est vraiment le mot approprié ! Et lorsque vous êtes au bord de l'épuisement et du découragement, ceux qui vous accompagnent vous réconfortent : « Continue ! Le bébé sera bientôt là ! »

Arrive enfin ce moment que vous attendiez depuis si longtemps : l'expulsion. Votre bébé est enfin là ! En reprenant votre souffle, vous l'entendez pleurer. Avez-vous jamais entendu quelque chose d'aussi beau ?

Voici qu'on coupe le cordon ombilical : c'est la première séparation. Qui aidera votre nouveau-né dans son passage à ce monde, qui l'apaisera et lui fera sentir qu'il est toujours en sécurité ? Qui, sinon sa mère ?

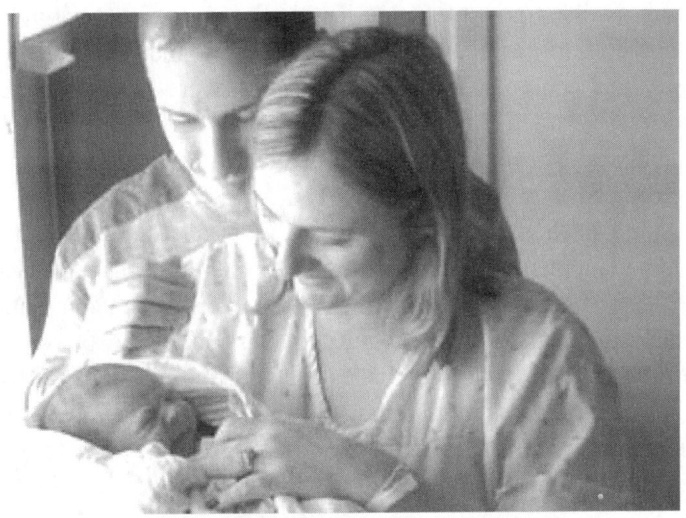

Des parents bercent affectueusement leur nouveau-né, conscients que leur vie ne sera plus jamais la même.

Votre corps le berce à nouveau. Vous le touchez, embrassez sa joue, caressez sa petite tête encore humide. Tètera-t-il ? Peut-être. Il prendra probablement le sein au cours de la première heure. Vous le tenez tout contre vous. Il cherche votre sein. Sa petite bouche attrape votre mamelon. Quel moment merveilleux ! Vous et votre bébé pouvez vous détendre. Après avoir mis autant d'efforts à donner la vie, voilà une douce récompense.

Inconsciemment et sans effort, vous produirez du lait. Au fil des jours passés ensemble, l'allaitement fera de vous un couple. La sécurité et la chaleur de vos bras, le réconfort immédiat de votre lait, l'odeur familière et les battements de votre cœur constituent autant d'aliments indispensables à la croissance physique de votre bébé et au développement rapide de son intelligence. Une telle réalisation exige du temps, mais existe-t-il une tâche plus noble ? Là, réside l'éternelle beauté de la relation mère-enfant, dans cette période de plénitude et de paix.

Vous le serrez dans vos bras, parfaitement consciente de sa dépendance envers vous. Bien sûr, il grandira, s'épanouira et, un jour, vous quittera, mais pas tout de suite… Prenez le temps de vivre ces précieux moments ensemble afin qu'il n'y ait aucun regret. Tous deux, vous commencerez à tisser un nouveau lien qui remplacera celui qui vient d'être coupé. Cet attachement se créera simplement et naturellement par votre présence constante au fil des jours. Indestructible, il établira une première complicité et constituera sa première relation d'amour.

Toutefois, il est possible qu'au lieu de l'accouchement naturel auquel vous vous étiez préparée, vous ayez une césarienne. Ou encore que la grossesse soit écourtée et que le bébé naisse prématurément, si bien qu'on devra l'emmener rapidement recevoir des soins spécialisés. Pour le moment, vous n'avez pas vraiment pu établir une relation significative avec votre bébé.

Ce sont des choses qui arrivent. Ces circonstances peuvent retarder le début de l'allaitement, mais elles ne doivent pas l'empêcher. Pourvu qu'ils aient le soutien nécessaire, la mère et le bébé découvrent souvent en eux une force et une capacité d'adaptation insoupçonnées. À travers les siècles, les mères ont allaité leurs bébés avec plaisir, pourquoi pas vous ?

Commencez à vous préparer avant la naissance du bébé. Il n'y a rien de plus important dans votre planification que de vous préparer à l'allaitement et, le meilleur moment pour commencer, c'est dès aujourd'hui.

Bon pour bébé, bon pour vous

En allaitant votre bébé, vous lui donnez le meilleur aliment qui soit. Aucun autre produit que le lait maternel n'a été testé sur une aussi longue période. Il contient tous les éléments nutritifs dont votre nouveau-né a besoin et il se digère et s'assimile mieux que tout autre aliment pour nourrisson. Son excellente valeur nutritive n'est toutefois qu'un des multiples avantages de l'allaitement dont votre bébé et vous pouvez bénéficier.

La mise au sein du bébé dans les minutes qui suivent l'accouchement provoque la contraction de l'utérus et diminue ainsi la perte de sang. L'allaitement permet également à l'utérus de retrouver sa taille initiale plus rapidement que si vous n'allaitiez pas.

Sa petite tête reposant sur votre sein et son corps réchauffé par votre lait, votre bébé découvre les liens étroits qui vous unissent. C'est ainsi qu'il apprend l'essence même de la vie : l'amour.

En tétant avidement votre sein, votre bébé exécute un exercice qui permet un bon développement de ses mâchoires et de la structure osseuse de son visage. L'allaitement favorise également la prise de poids qui est normale pour votre bébé, ce qui constitue un bon moyen de prévenir une éventuelle tendance à l'obésité.

L'allaitement représente la meilleure protection contre les allergies. Un régime composé uniquement de votre lait, durant les six premiers mois environ, prépare le corps de votre bébé à recevoir d'autres aliments. De plus, le lait maternel le protège contre les infections. En effet, la présence de cellules vivantes propres au lait maternel empêche le développement de bactéries nocives et de virus dans le système encore immature du bébé. Vous aurez donc un bébé plus heureux avec moins de problèmes de santé. Un grand nombre de ces bienfaits sont décrits en détail dans les chapitres suivants.

La croissance du cerveau est primordiale chez le nouveau-né. Or, le lait maternel contient toutes les composantes nécessaires pour faciliter le développement du cerveau et du système nerveux. Une étude a démontré que des bébés prématurés qui avaient reçu du lait maternel avaient, de façon significative, un meilleur QI à l'âge de sept ans et demi et huit ans que des enfants qui n'avaient jamais été nourris au lait maternel. Une autre étude a démontré que les résultats de QI plus élevés ont continué à l'âge adulte.

Pour une femme, l'allaitement représente la suite logique de la grossesse et de l'accouchement. Il fait partie intégrante du processus normal de la reproduction qui comprend la grossesse, l'accouchement et la lactation. Les mères qui allaitent trouvent que l'allaitement est une expérience naturellement agréable.

Une mère qui allaite exclusivement son bébé, sans donner de biberons ni d'aliments solides, verra probablement ses premières menstruations retardées jusqu'à six mois ou plus après la naissance de son bébé, surtout si celui-ci tète fréquemment. Pendant cette période, la mère a peu de chances de devenir enceinte.

De plus, étant donné que l'allaitement brûle de nombreuses calories et que leur métabolisme change, la plupart des mères qui allaitent perdent du poids graduellement sans avoir à suivre un régime.

L'allaitement évite également à la mère certains problèmes de santé. Des études démontrent que les mères qui allaitent, ne serait-ce que quelques mois, sont moins susceptibles de développer un cancer du sein que les femmes qui ont accouché sans jamais allaiter. L'allaitement protège aussi contre le cancer des ovaires, les infections des voies urinaires et l'ostéoporose.

Si on le compare à l'alimentation artificielle, l'allaitement permet de gagner du temps, d'économiser de l'argent et des efforts. La mère ne perd pas de temps à préparer des biberons. Le temps alloué à l'allaitement permet de se détendre. Jour et nuit, automatiquement et fidèlement, le lait maternel est produit et conservé dans les seins. Il est pur, toujours à la bonne température et son approvisionnement est quasi-illimité.

L'allaitement nous permet d'apprécier les façons de faire, différentes mais complémentaires, de l'homme et de la femme dans l'éducation

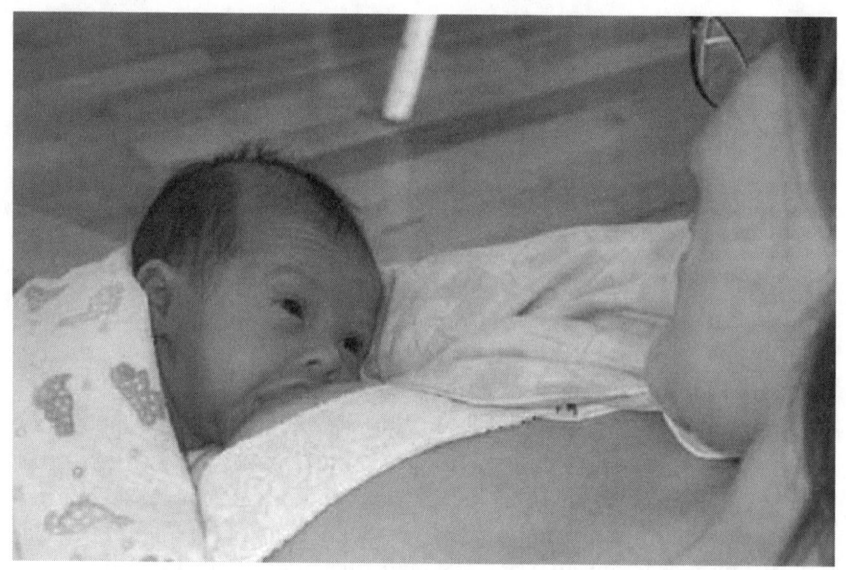

Un nouveau-né bénéficie d'un meilleur départ dans la vie s'il est allaité.

d'un enfant. Si vous avez des enfants plus âgés, l'allaitement contribuera à leur éducation sexuelle. Pour le parent, c'est une façon d'éduquer qui vaut bien les cours offerts dans n'importe quelle école renommée.

L'allaitement demeure le meilleur départ dans la vie d'un bébé. Contrairement à toutes ces choses qu'on qualifie de « meilleures », mais qui demeurent inaccessibles même dans nos rêves les plus fous, le lait maternel, lui, est toujours disponible. Vous n'avez qu'à l'offrir.

Des appuis solides

Si vous habitiez Rome en l'an 180 de notre ère et que vous veniez d'accoucher, il est fort probable que Galien, un médecin qui prononçait des conférences publiques sur l'anatomie et la physiologie, vous donnerait le conseil suivant :

> *Si on met le nouveau-né au sein, il tétera et avalera le lait avidement. Et s'il lui arrive d'avoir mal ou de pleurer, le meilleur moyen de soulager sa peine consiste à lui donner le sein.*

Plus près de nous, le Dr Grantly Dick-Read, connu comme le père du mouvement moderne de l'accouchement naturel, affirme que :

Le bébé naissant n'a que trois besoins : la chaleur des bras de sa mère, le lait de ses seins et sa présence rassurante. L'allaitement comble ces trois besoins.

Le Dr Ashley Montagu, anthropologue et biosociologue de renom, écrit dans *La peau et le toucher :*

Ce qui s'établit pendant la relation d'allaitement constitue les assises du développement de toutes les relations sociales chez l'humain. De plus, les messages que le nourrisson reçoit par le chaud contact corporel de sa mère constituent la première expérience de socialisation de son existence.

En 1985, le regretté James P. Grant, alors directeur général de l'UNICEF, écrit sur les conséquences de vie ou de mort liées à la décision d'allaiter :

L'allaitement constitue un filet de sécurité naturel contre les pires effets de la pauvreté. Si un enfant survit jusqu'à l'âge d'un mois (la période la plus critique de l'enfance), [...] l'allaitement exclusif permet, pour ce qui est de la santé, de diminuer l'écart entre l'enfant né dans un milieu défavorisé et celui né dans un milieu aisé. Sauf dans le cas d'une alimentation très pauvre, le lait maternel d'une mère vivant dans un village africain est identique à celui d'une mère qui habite un appartement de Manhattan [...] C'est un peu comme si l'allaitement sortait l'enfant de la pauvreté pendant ces quelques mois vitaux et lui permettait de commencer sa vie de façon équitable en compensant l'injustice du lieu de sa naissance [...]

Dans un grand nombre de villes des pays en voie de développement, le taux et la durée d'allaitement ont commencé à décliner dramatiquement (ces dernières années) [...]. Cela peut avoir pour conséquence de doubler ou tripler les cas de malnutrition, d'infections et de mortalité infantile.

En août 1990, des membres de l'Organisation mondiale de la santé (OMS) et de l'UNICEF, un organisme des Nations Unies (ONU), se réunissaient à Florence, en Italie et adoptaient, en faveur de l'allaitement maternel, une déclaration connue sous le nom de la *Déclaration Innocenti*. Cette déclaration fut signée par 32 gouvernements et 10 organismes membres de l'ONU et il sert depuis de tremplin à un grand nombre de programmes et d'initiatives pour soutenir l'allaitement maternel.

En août 1994, un groupe de médecins spécialisés en médecine familiale, en obstétrique, en pédiatrie et en médecine préventive, se sont réunis pour créer une nouvelle société médicale baptisée *Academy of Breastfeeding Medecine*, dont la mission se définit ainsi :

> *L'Academy of Breastfeeding Medecine est une organisation mondiale visant à promouvoir, protéger et soutenir l'allaitement materne et la lactation humaine. Sa mission est de réunir dans une même association des membres de différentes spécialités médicales qui ont un objectif commun. Les buts sont : éduquer les médecins, augmenter les connaissances en matière d'allaitement et de lactation humaine, faciliter des pratiques d'allaitement optimales et encourager l'échange d'informations entre les diverses organisations.*

En 1997, l'*American Academy of Pediatrics* déclare publiquement que le lait maternel est le meilleur aliment pour le nouveau-né. L'AAP recommande l'allaitement exclusif sans supplément pendant les six premiers mois. Voici un extrait de cette déclaration officielle :

> *Les avantages de l'allaitement maternel sont si nombreux que l'Académie ne peut qu'en recommander la pratique pendant les six à douze premiers mois de vie. Au point de vue nutritif, le lait maternel est supérieur aux préparations lactées pour nourrissons en ce qui concerne l'apport en graisses, en cholestérol, en protéines et en fer. Il est également prouvé que le lait maternel confère une protection naturelle contre les infections et autres maladies.*
>
> *L'allaitement exclusif est le mode de nutrition idéal et assure à lui seul la croissance et le développement au cours d'approximativement six mois après la naissance. Nous recommandons que l'allaitement continue pendant au moins douze mois et, par la suite, pendant aussi longtemps qu'il est mutuellement désiré.*

En 1989, l'*American Academy of Family Physicians* fait paraître une déclaration de principe en faveur de l'allaitement maternel. Il la réédite en 2001. Elle se lit ainsi :

L'allaitement est la norme physiologique pour les mères et leurs enfants. L'AAFP recommande que tous les bébés, sauf de rares exceptions, soient allaités ou qu'ils reçoivent exclusivement du lait maternel pendant approximativement les six premiers mois de leur vie. L'allaitement devrait être poursuivi, avec l'ajout de compléments alimentaires, pendant la deuxième partie de la première année.

L'allaitement au-delà de la première année offre des avantages considérables à la mère et à l'enfant, et il devrait continuer aussi longtemps qu'il est mutuellement désiré. Les médecins de famille devraient être formés à favoriser, protéger et soutenir l'allaitement maternel.

En 2001, l'Organisation mondiale de la santé recommande, comme alimentation optimale des nourrissons, l'allaitement exclusif pendant les six premiers mois et déclare officiellement :

En santé publique, de façon générale, nous recommandons que les nouveau-nés soient exclusivement nourris au sein pendant les six premiers mois de leur vie pour leur assurer une croissance, un développement et un état de santé optimaux. Par la suite, afin de continuer de répondre à leurs besoins nutritionnels croissants, les bébés devront recevoir une alimentation complémentaire saine et de qualité nutritionnelle adéquate alors que l'allaitement se poursuivra jusqu'à l'âge de deux ans ou davantage.

En 2001, le Dr David Satcher, ministre de la Santé des États-Unis, écrit dans un rapport officiel:

L'allaitement est un des facteurs qui contribuent le plus au développement de l'enfant. L'allaitement procure une série de bénéfices pour la croissance de l'enfant, son système immunitaire et son développement. De plus, l'allaitement améliore la santé de la mère et est peu dispendieux pour le budget familial, le système de santé et le milieu de travail.

La Société de pédiatrie de la Nouvelle-Zélande reconnaît également à l'allaitement des avantages nutritionnels, immunologiques et psychosociaux optimaux pour l'enfant, ainsi que pour la mère.

En Allemagne, la Commission nationale pour l'allaitement maternel fait la déclaration suivante :

L'allaitement est bien plus que la meilleure et la plus saine source de nutrition pour l'enfant. Il est également une nourriture pour le cœur et il prolonge d'une façon toute spéciale la relation étroite que la mère et le bébé ont développé au cours de la grossesse.

La Société canadienne de pédiatrie, les Diététistes du Canada ainsi que Santé Canada publient en 1998 une déclaration commune en faveur de l'allaitement maternel :

L'allaitement maternel est la meilleure façon de nourrir les nouveau-nés. L'allaitement devrait continuer jusqu'à l'âge de deux ans ou davantage.

Le ministère de la Santé de Grande-Bretagne affirme :

L'allaitement maternel a des effets bénéfiques appréciables, qui se prolongent au-delà de la période d'allaitement elle-même, sur la santé à court et à long terme de la mère et de son enfant. Le gouvernement s'engage à promouvoir l'allaitement maternel qui est reconnu comme la meilleure forme de nutrition pour assurer aux nouveau-nés un bon départ dans la vie.

L'allaitement est également bénéfique à la mère.

En France, en 2002, l'Agence Nationale d'Accréditation et d'Évaluation en Santé (ANAES) édicte les recommandations suivantes à l'usage des professionnels de la santé :

L'allaitement maternel exclusif est le mode d'alimentation le plus approprié pour le nourrisson [...] L'effet protecteur de l'allaitement maternel dépend de sa durée et de son exclusivité [...] La poursuite de l'allaitement exclusif pendant six mois présente un avantage pour la santé de l'enfant.

Afin de concentrer les efforts de toutes ces organisations du monde entier qui soutiennent et préconisent l'allaitement maternel, certaines d'entre elles, incluant La Leche League International, se sont regroupées en 1991 pour former un réseau appelé l'Alliance mondiale de l'allaitement maternel (WABA). Pour commémorer la *Déclaration Innocenti*, la WABA a mis en place la Semaine mondiale de l'allaitement maternel, qui se tient chaque année la première semaine du mois d'août ou d'octobre, selon les pays.

L'allaitement maternel représente plus que le choix d'un mode de vie différent. C'est un choix de santé important pour la mère et pour le bébé, c'est la raison pour laquelle les organismes qui se préoccupent de santé publique préconisent l'allaitement. Le ministère de la Santé et des Services sociaux des États-Unis, en collaboration avec le *Ad Council* (Conseil de la publicité) et La Leche League International a lancé en 2003 une campagne publicitaire visant à promouvoir l'allaitement maternel. Le slogan de cette campagne publicitaire : *Les bébés sont faits pour être allaités.*

La clé d'un bon maternage

Bien que votre lait soit important pour votre bébé comme aliment et comme source de protection contre les infections, l'allaitement est plus qu'un simple mode d'alimentation. En effet, c'est la façon la plus naturelle et la plus efficace de comprendre les besoins du bébé et de les satisfaire. « Allaiter son bébé, c'est se procurer une trousse "à monter soi-même" pour apprendre le bon maternage », faisait observer une mère très expérimentée.

L'effet de l'allaitement sur le maternage s'explique par le fait que la mère qui allaite est différente physiquement de celle qui n'allaite pas. Les taux d'hormones diffèrent. Chez la mère qui allaite, le taux de prolactine, l'hormone « maternelle », est élevé.

Nous savons toutes que la maternité peut être très exigeante, mais l'allaitement aide à contrebalancer les efforts que requièrent les soins à un jeune enfant. C'est en quelque sorte comme un « pont » qui va de la mère à l'enfant et de l'enfant à la mère. La D^re^ Lucy Waletzky, une psychiatre qui a allaité ses enfants, explique :

> *Le contact physique intime, particulier à l'allaitement, engendre le sentiment de ne faire qu'un avec son enfant. Cela permet à la mère de satisfaire ses propres besoins de dépendance (besoin d'aimer*

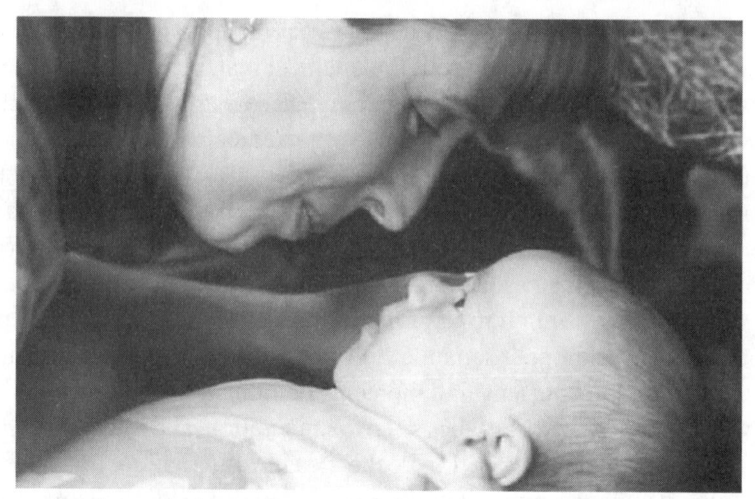

Apprendre à connaître votre bébé peut vous aider à découvrir comment combler ses besoins.

et d'être aimée) tout en comblant ceux de son bébé. En période postnatale, les besoins de la mère peuvent être accentués par la douleur, la fatigue et par le stress psychologique dû à l'adaptation à sa nouvelle maternité. Lorsque ses besoins sont satisfaits, son ressentiment face à la dépendance du bébé (un problème souvent très difficile) est amoindri et les sentiments positifs de la mère peuvent alors s'épanouir sans encombre.

Materner, qu'est-ce que cela signifie ?

Materner, c'est prendre soin de votre bébé, communiquer avec lui et l'encourager à communiquer avec vous. Cela comprend tous ces petits gestes que vous ferez pour garder votre bébé en bonne santé et en sécurité afin que son corps et son esprit se développent. L'allaitement est une forme de communication inégalée entre une mère et son bébé. Tous les sens y jouent un rôle. Votre bébé goûte votre lait, il en reconnaît l'odeur et celle de votre peau. Il se rapproche de vous lorsqu'il sent votre peau contre la sienne. En position d'allaitement, il peut facilement vous regarder dans les yeux. Il entend votre voix. Chaque fois que vous l'allaitez, vous lui dites indirectement : « Oui, je t'aime. Tu es en sécurité. Tout va bien ! » et, de son côté, il vous répond qu'il se sent aimé et qu'il est rassuré. C'est un apprentissage sécurisant pour vous deux.

Depuis la nuit des temps, les mères ont réconforté leurs bébés en leur offrant le sein. Elles savent que quelques minutes au sein peuvent apaiser les sentiments de peur ou de colère d'un tout-petit. Rien ne peut le sécuriser davantage que le contact physique de sa mère et le goût de son lait chaud.

Pour expliquer comment l'allaitement améliore l'interaction de la mère avec son bébé, le Dr William Sears, pédiatre et père de six enfants, écrit ceci :

> *Les mères qui allaitent répondent de façon plus intuitive et avec moins de restrictions à leur bébé. Les signaux de faim ou de détresse du bébé provoque une réaction physiologique chez la mère (un réflexe d'éjection du lait), et elle s'empresse de prendre le bébé et de l'allaiter. Ce type de réaction satisfait autant la mère que le bébé. Si le bébé est alimenté au biberon, la réaction de la mère aux signes de faim ou de détresse de son bébé est très différente. Elle doit d'abord détourner son attention du bébé pour la fixer sur un objet, le biberon, et prendre le temps d'aller le chercher et de le réchauffer.*
>
> *[...] Dans ma pratique médicale, j'ai remarqué que les mères qui allaitent ont tendance à démontrer une très grande sensibilité à leurs bébés. Je crois que c'est le résultat des changements physiologiques qui s'opèrent en elles lorsqu'elles répondent aux signaux de leur bébé.*

Materner signifie cajoler le bébé, accepter que ses désirs et ses besoins soient indissociables. C'est le prendre dans ses bras lorsqu'il est rassasié mais pas encore prêt à dormir. Materner, c'est aussi changer sa couche ou lui faire des coucous. C'est reconnaître que chaque enfant a un besoin inépuisable d'être aimé pour ce qu'il est : un être ayant sa personnalité propre. En vieillissant, ses besoins vont changer. Un bambin a besoin de liberté et il doit être guidé d'un œil vigilant. La façon de répondre ou non à ces premiers besoins aura une grande influence sur le comportement qu'aura un enfant plus tard avec les gens et face à certaines situations. La manière dont l'enfant est materné est non seulement importante pour la mère et l'enfant, mais aussi pour la société. Marian Tompson, une des fondatrices de la Ligue La Leche, fait remarquer que :

> *Quelle que soit l'étendue des progrès technologiques que nous réalisons, les décisions relatives à l'utilisation de cette technologie doivent encore être prises par des gens. Le type de personnes*

que nous formons est d'une importance capitale pour l'avenir du monde. Apprendre à un enfant à être affectueux et attentif, c'est la contribution la plus importante que chacune d'entre nous peut apporter à l'avancement du monde.

Apprendre à connaître son bébé

Le maternage ne s'apprend pas dans les livres. Nous pouvons vous dire, par exemple, que la plupart des jeunes bébés aiment être emmaillotés confortablement et serrés tendrement. Nous pouvons aussi vous affirmer que, vers l'âge de trois mois, la majorité des bébés aiment la compagnie. Ils adorent se retrouver entourés de toute la famille. Il arrive même souvent qu'au lieu de vouloir être nourris ou bercés, ils désirent plutôt socialiser. Ces observations sont probablement vraies pour la plupart des bébés. Il est possible toutefois que votre nouveau-né préfère être libre de bouger les bras et les jambes à sa guise ou que votre bébé de trois mois soit surexcité s'il y a trop d'activité autour de lui et que, en fin de compte, il se sente misérable. Il vous faut donc être attentive aux besoins particuliers de votre bébé.

Cette sensibilité qui vous aide à faire ce qu'il faut au bon moment vous vient de la connaissance que vous avez de votre bébé. Elle s'acquiert au fil du temps passé avec lui et elle se développe davantage et plus rapidement encore si vous l'allaitez. La proximité et l'intimité de l'allaitement permettent de percevoir plus précisément et plus rapidement les émotions et les besoins de ce petit être. Elles permettent également d'apprendre à les satisfaire.

Ann Van Norman, de l'Ontario, nous rapporte de quelle façon l'allaitement lui a permis d'apprendre à connaître les besoins de son bébé.

Je croyais m'être préparée à devenir mère avant la naissance de Sarah. J'avais appris à changer les couches, à donner le bain et à allaiter, mais je n'avais aucun moyen de me préparer à « materner ». J'ai découvert que le maternage s'apprend par l'expérience. Savoir comment réagir avec souplesse au besoin d'amour, d'attention et de stimulation du bébé, comment mettre en veilleuse ses propres besoins et accepter la constance et l'intensité des besoins du bébé, voilà autant de leçons qui s'apprennent par la pratique.

Je crois que l'allaitement m'a permis d'apprendre assez facilement, surtout par le renforcement positif que me donnait Sarah. Elle m'a montré combien elle m'aimait et avait besoin de moi. L'allaiter, c'était prendre le temps de lui répondre, de relaxer et de réfléchir. Je suis une tout autre personne maintenant. Sarah m'a transformée. De tigresse que j'étais, obsédée par tout ce qu'il y avait à faire, je suis devenue une chatte domestique qui se laisse doucement porter par la vie.

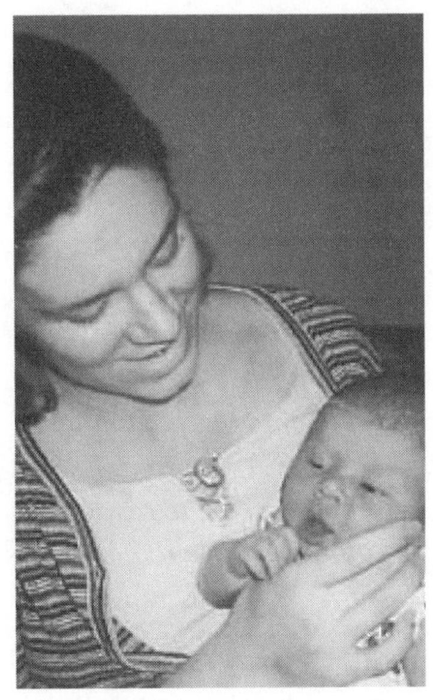

Vous apprécierez de plus en plus votre rôle de mère à mesure que vous apprendrez à connaître votre bébé.

Vous aurez plus de plaisir à materner au fur et à mesure que vous découvrirez cette tendresse intense et profonde tellement naturelle qui lie une mère à son bébé. Ce plaisir grandira aussi à mesure que vous comprendrez ses besoins et que vous prendrez confiance en vos capacités à les satisfaire. Votre plaisir sera encore plus grand lorsque vous constaterez les effets positifs que cette bonne relation aura sur votre bébé tout au long de sa croissance.

Claudia Michon, du Québec, nous fait part de ses sentiments :

Un matin de neige, notre fils est né, serein, me regardant droit dans les yeux. Avant même de le prendre contre nous, mon mari et moi l'avons regardé fébrilement : il avait dix doigts, dix orteils et deux grands yeux. Il ne lui manquait rien ! Il était là, si présent, si heureux. Nous l'avons mis au sein, entre nous, et nous avons dormi longtemps, collés tous les trois, exténués mais souriants au bonheur qui venait de naître.

Les semaines et les mois ont passé. Le berceau a servi une heure ou deux. Nous avons démonté le lit à barreaux, l'avons rangé dans un coin, nous avons plié les couvertures et donné le mobile.

Tout est si simple à présent. Pour l'allaiter nuit et jour, c'est tellement plus facile pour moi de lui tendre le sein alors qu'il repose entre nous, bercé par nos voix, entouré et comblé de notre affection. Les livres sur les soins des bébés ? ! ? Je les ai lus, ils furent très instructifs, mais rapidement, j'ai oublié les leçons et les conseils pour écouter mon enfant et suivre mon instinct.

L'allaitement n'est pas la garantie d'un bon maternage tout comme l'alimentation au biberon ne l'exclut pas. Le plus important, c'est l'amour que vous donnez à votre bébé et le fait que vous faites de votre mieux pour être une bonne mère. Mary White, une des fondatrices de la Ligue La Leche, nous rappelle que :

> *Nous apprenons tous les jours. Nous essayons toutes d'atteindre le sommet, mais nous avons un long chemin à parcourir avant d'y arriver. Cependant, pour chacune d'entre nous, notre bébé est la personne qui peut nous en apprendre le plus. Écoutez-le, donnez-lui ce dont il a besoin. Le don de soi nous fait grandir en tant que mère et femme. En le regardant se développer et s'épanouir, nous contemplons une œuvre dont nous pouvons être fières.*

Chapitre 2

Avant la naissance

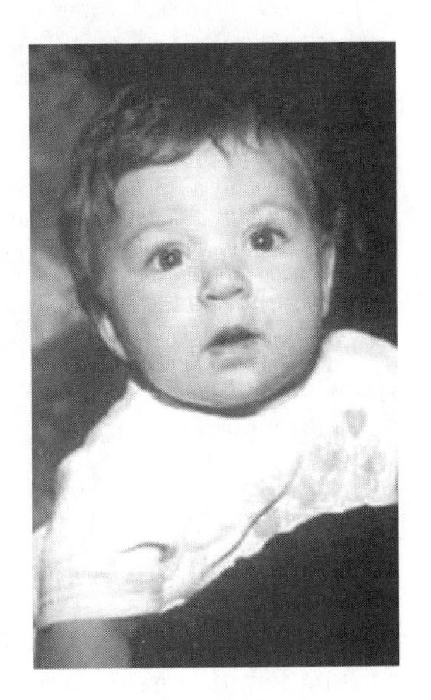

La préparation à la venue d'un bébé représente une des aventures les plus excitantes de la vie d'un couple. Vous ferez des rêves comme tous les parents. Pour votre famille, l'avenir est rempli d'espoir.

Les premiers préparatifs sont souvent d'ordre pratique.Vous choisissez un professionnel de la santé, vous vous renseignez sur les cours prénatals et vous assistez aux réunions de la Ligue La Leche. Vous devrez ensuite songer à redéfinir vos priorités. Les bébés exigent du temps et vous devrez faire certains ajustements. Comment réussirez-vous à changer une occupation habituelle ou à éliminer une activité afin d'intégrer le nouveau membre de la famille à votre vie déjà si bien remplie ?

L'expérience nous a appris que lorsqu'une occupation routinière vient en conflit avec les besoins d'un membre de la famille, elle doit être mise de côté. « Les personnes avant les choses », voilà une règle de conduite qu'il ne faut pas oublier.

On doit également savoir que ces changements ne seront pas que temporaires. La vie ne sera plus comme avant, même lorsque le bébé aura grandi. Avoir un bébé, aimer un enfant, c'est pour la vie. À l'avenir, vous vivrez de nouvelles expériences où tout deviendra possible et vous éprouverez des sentiments d'une intensité que vous n'avez jamais connue.

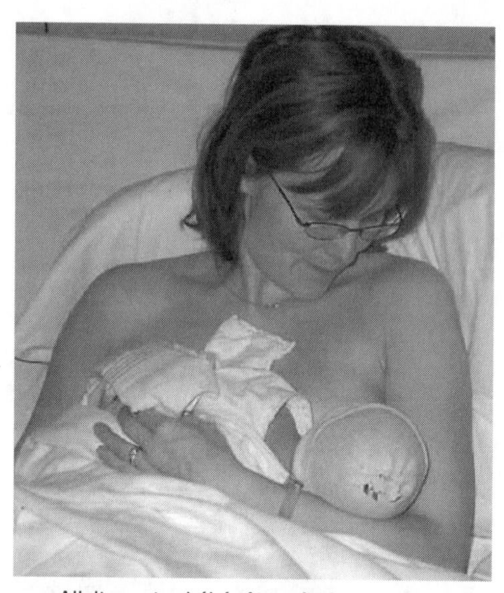

Allaiter votre bébé tôt après la naissance assure un bon départ à l'allaitement.

Il est vrai que l'investissement qu'exige un bébé est énorme. Comme vous l'avez déjà sans doute constaté, la question financière préoccupe bon nombre de couples. L'argent est pourtant rarement ce qui est le plus important ou qui a le plus de valeur. En fait, ce qui n'a pas de prix et qui est le plus difficile à assumer pour les parents, à la fois moralement et physiquement, c'est le don de soi continuel. Les bébés n'ont aucune idée de ce qu'il en coûte à leurs parents qui, jour et nuit, les aiment, s'occupent d'eux et se font du souci à leur sujet. Bien sûr, ils n'en sauront rien tant qu'ils ne deviendront pas eux-mêmes parents. C'est à ce moment-là qu'ils prendront conscience du cadeau qu'ils ont reçu et qu'ils l'offriront à leur tour tout aussi affectueusement.

La préparation à la naissance

Nous avons appris très tôt à la Ligue La Leche que l'expérience vécue par une femme lors de son accouchement influence le début de son allaitement et plusieurs de ses comportements maternels. La participation consciente et active de la mère à l'accouchement favorise un bon départ de l'allaitement.

L'accouchement peut être une expérience enrichissante, heureuse et stimulante. Celles d'entre nous qui ont accouché sans avoir recours aux médicaments ou aux interventions médicales savent que l'expulsion et le premier cri du bébé viennent couronner un moment exceptionnel dans la vie d'une femme. Suite à un sondage sur les souvenirs que les femmes conservent à long terme de leurs accouchements, Penny Simkin, une éducatrice prénatale, nous rapporte que les femmes qui expriment le taux de satisfaction le plus élevé par rapport à leur accouchement « ont rapporté avoir éprouvé des sentiments d'accomplissement, de contrôle, de valorisation ou un accroissement de l'estime de soi. La plupart de celles qui ont exprimé un faible taux de satisfaction ont ressenti de la déception ou de la colère vis-à-vis du fait qu'elles n'avaient pas eu le contrôle ». Elle conclut ainsi : « un sentiment de plénitude maternelle et de valorisation personnelle sont les signes d'une expérience d'accouchement saine ».

L'accouchement est une fonction naturelle et normale pour laquelle le corps de la femme est merveilleusement bien conçu. L'accouchement sans aucune médication est le plus sain tant pour la mère que pour le bébé. Presque toutes les mères sont en mesure, physiquement, de donner naissance à leur bébé sans intervention médicale. Vous avez toutefois besoin de l'assistance d'un médecin ou d'une sage-femme au moment de la naissance de votre bébé. Cette présence se compare à celle d'un surveillant de plage qui est sur place au cas où il y aurait des complications. Dans le déroulement normal et naturel de l'accouchement, ce n'est pas le médecin, ni la sage-femme, mais bien la mère qui met le bébé au monde.

Dix conseils pour un accouchement naturel

La femme d'aujourd'hui est littéralement submergée d'informations contradictoires à propos de l'accouchement. Certaines pratiques obstétricales, autrefois réservées aux accouchements plus compliqués, sont aujourd'hui souvent utilisées de routine et peuvent nuire aux efforts de la femme pour accoucher naturellement. Pour lutter contre cette tendance inquiétante, l'Institut Lamaze International, a préparé un tableau comportant dix conseils pour favoriser un accouchement naturel. Nous l'avons adapté ici avec sa permission :

- Choisissez un endroit qui favorise l'accouchement naturel, un endroit où vous vous sentirez à l'aise. Ce pourrait être chez vous, à la maison de naissance ou à l'hôpital.
- Choisissez un professionnel de la santé qui encourage l'accouchement naturel. Plusieurs femmes ont trouvé que les sages-femmes offrent plus de soutien pendant le travail et font moins d'interventions.
- Ne demandez pas et n'acceptez pas qu'on provoque vos contractions, à moins qu'il n'y ait une raison médicale de le faire. Laissez le travail commencer de lui-même, c'est habituellement la meilleure

indication que votre bébé est prêt à naître. Laissez votre corps trouver son propre rythme.

- Préparez-vous à vous déplacer librement pendant le travail. Vous serez plus confortable, votre travail se fera plus rapidement et votre bébé descendra plus facilement si vous restez debout et si vous vous adaptez à la douleur en changeant de position.
- Envisagez la possibilité d'engager une doula, ou toute autre accompagnante à la naissance, qui pourra vous offrir, à vous et à votre conjoint, un soutien moral et physique constant.
- Demandez à ce que le cœur fœtal ne soit contrôlé que par intermittence plutôt qu'en permanence, pour éviter que des sangles et des fils ne vous retiennent à une machine ou à un endroit spécifique.
- Mangez et buvez aussi souvent que votre corps le réclame. Boire beaucoup de liquide pendant le travail vous donne de l'énergie et vous empêche de vous déshydrater.
- Utilisez des méthodes de gestion de la douleur sans médication. Pour de nombreuses femmes, des bains et des douches chaudes soulagent grandement la douleur. Apprenez à utiliser les ballons, les massages, les compresses chaudes et froides, l'aromathérapie, les techniques de maîtrise de la respiration et autres moyens de soulager la douleur appris dans les cours prénatals.
- N'accouchez pas sur le dos ! Les positions à la verticale (assise, accroupie ou debout), à quatre pattes ou sur le côté sont plus confortables, augmentent l'efficacité de vos contractions et vous permettent d'utiliser les lois de la gravité à votre avantage. Poussez quand vous en sentez le besoin et demandez aux personnes qui vous accompagnent de vous encourager discrètement. Suivez le rythme de votre corps et les indices qu'il vous donne.
- Gardez votre bébé avec vous après la naissance. Le contact peau à peau lui permet de rester au chaud et l'aide à régulariser sa respiration et son rythme cardiaque. En demeurant dans la même pièce que lui, vous pourrez mieux faire connaissance. Vous pourrez également lui offrir le sein très tôt, dès qu'il le réclamera, ce qui constituera un bon départ pour l'allaitement.

Vous trouverez en appendice de plus amples informations sur l'Institut Lamaze International ainsi que sur d'autres organismes qui travaillent à aider les femmes à vivre une expérience d'accouchement naturelle et satisfaisante.

Les effets des médicaments

Les recherches ont démontré que l'usage d'analgésiques et d'anesthésie durant le travail ou l'accouchement peut contribuer à causer des problèmes lors de l'allaitement. Selon une étude, les bébés dont la mère avait eu une péridurale étaient moins alertes, moins aptes à s'orienter et moins coordonnés dans leurs mouvements que ceux dont la mère avait accouché sans médication. De plus, ces différences comportementales pouvaient être observées pendant tout le premier mois de vie. Il a également été prouvé que d'autres médicaments fréquemment utilisés pendant l'accouchement affectaient le réflexe de succion du bébé après la naissance.

Apprendre à donner la vie

Une bonne préparation peut permettre à la mère et à son bébé de vivre une expérience d'accouchement plus sécuritaire et plus heureuse. Votre conjoint et vous pouvez commencer à vous y préparer en essayant d'en apprendre le plus possible sur le sujet. La plupart des craintes, des doutes et des idées fausses que vous pouvez avoir à l'égard de l'accouchement disparaîtront au fur et à mesure que vous serez mieux informés et plus confiants. En assistant à des cours prénatals, vous pourrez mieux comprendre le processus de la naissance, comment y participer et coopérer. Vous pourrez également trouver dans de nombreux ouvrages, dont vous avez la liste en appendice, de plus amples informations sur le sujet.

Avec de la concentration et de la pratique, vous pouvez apprendre des techniques de relaxation qui vous seront très utiles pendant le travail. Puis, au moment de l'expulsion, en poussant avec les contractions, vous aiderez votre bébé à faire son entrée dans le monde où il sera peut-être accueilli par les mains de son père. Pour un père, le fait de voir et de prendre son nouveau-né le lie à son enfant et à la mère de celui-ci d'une façon toute particulière. Et, lorsque vous êtes tous ensemble, mère, père et enfant, vous avez le sentiment de ne faire qu'un.

Si tout se déroule normalement, vous pourrez prendre votre bébé immédiatement après la naissance et le mettre au sein. À ce moment, le flot d'amour et d'émotion que vous éprouverez à l'égard de votre enfant lui assurera spontanément le bien-être et la sécurité qu'il a connus bien avant sa naissance. Ce contact précoce peut être très rassurant et satisfaisant pour vous deux. L'allaitement dans la première heure suivant la naissance favorise la production de lait et assure un bon départ à l'allaitement.

Des études ont démontré que si la mère et son bébé sont séparés après l'accouchement et que la première tétée est retardée, même d'aussi peu que vingt minutes, le bébé pourrait avoir de la difficulté à prendre le sein correctement. Ainsi, il est bien important d'en parler à l'avance à votre médecin ou à votre sage-femme pour vous assurer que votre bébé et vous puissiez être réunis le plus tôt possible après la naissance.

Le choix du lieu de naissance

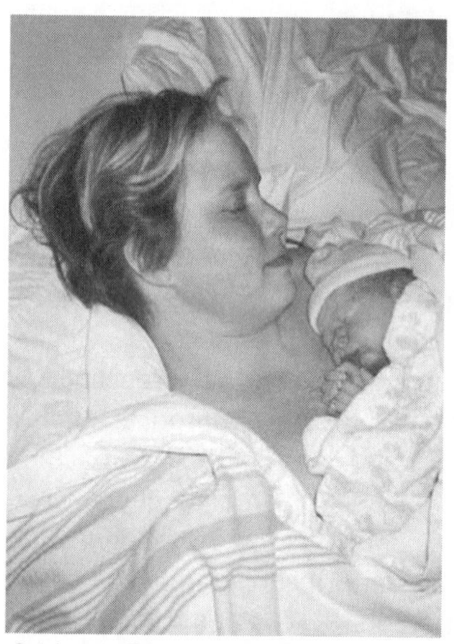

Cajoler et allaiter votre bébé tout de suite après la naissance vous apaisera et vous rassurera tous deux.

De nos jours, les mères considèrent la naissance de leur bébé comme l'événement naturel et normal qu'il est vraiment et non comme un acte médical. Elles cherchent d'autres lieux de naissance que l'hôpital. Dans certaines régions, l'accouchement à domicile et en maison de naissance gagnent en popularité. Des hôpitaux ont réagi en offrant des chambres de naissance et des unités de naissance centrées sur la famille pour remplacer les traditionnelles salles de travail et d'accouchement. Plusieurs de ces changements sont survenus suite aux demandes des parents.

Rita Daaboul, du Québec, a donné naissance à ses deux fils à l'hôpital. Le premier est né par césarienne et le second par voie vaginale. Peu satisfaite de ce qu'elle avait vécu à l'hôpital, elle a choisi d'accoucher de son troisième enfant à la maison de naissance. Elle écrit :

Mon troisième accouchement devait avoir lieu à la maison de naissance. C'était un gros bébé. J'avais peur car, à l'échographie, le radiologiste m'avait dit qu'il pèserait près de 4 kg.

Le travail a commencé par une rupture spontanée de la poche des eaux. Anne, la sage-femme, est restée avec moi en attendant les contractions. Le travail a débuté vers 19 heures. Nous n'étions que trois dans la chambre bleue de la maison de naissance : Anne, mon époux et moi. Quel calme !

Les contractions venaient lentement, de façon intermittente. Le temps me semblait long, mais la sage-femme était toujours là, calme et rassurante. À 6 centimètres de dilatation, une seconde sage-femme, Mejda, l'a rejointe. Pas de péridurale ni de médicament contre la douleur, le travail se déroulait très lentement, à son propre rythme, et les deux sage-femmes attendaient toujours.

Notre fille Émily est née à minuit trente huit, elle pesait 4250 grammes ! ! ! Je n'avais qu'une toute petite déchirure à réparer et c'était tout.

La nuit a passé doucement, mon bébé à côté de moi, personne ne nous a réveillé. J'ai eu droit à une bonne nuit de sommeil malgré l'accouchement.

Le lendemain matin, l'aide natale a été très chaleureuse avec nous. C'est dans la joie et la paix que j'ai pu, la journée même, retourner à la maison et retrouver mes enfants.

Si, au moment de préparer la naissance de votre enfant, vous désirez en apprendre davantage sur les différents choix qui s'offrent à vous, consultez la liste des livres et des organismes qui se trouve en appendice.

La césarienne

Aux États-Unis, le taux d'accouchement par césarienne était de 5,5 % en 1970 et se situait à 24,4 % des naissances en 1987, selon le *National Center for Health Statistics*. En 2002, ce taux atteignait 26,1 %, soit le plus élevé que les États-Unis aient jamais connu. Ce qui signifie que, aux États-Unis, le quart des naissances se font par césarienne, un fait alarmant que plusieurs professionnels de la santé considèrent comme épidémique.

Pratiquer une césarienne est une décision importante qui est souvent prise à un moment critique du travail où les parents ne risquent pas de contester la décision du médecin. Dès le début de la grossesse, il serait sage de demander à votre médecin sa position face à la césarienne. Quelques médecins en sont venus à croire que la césarienne est toujours nécessaire dans les cas de jumeaux, de présentation par le siège ou de travail soi-disant « prolongé ». D'autres médecins la considèrent comme un ultime recours et croient que, bien souvent, il faut seulement un peu plus de temps et de patience. Avec un bon soutien médical et des soins adéquats, la plupart des bébés, même ceux qui sont plus gros, peuvent naître par voie vaginale de façon plus sécuritaire pour la mère et le bébé.

L'incidence de prématurité, de syndrome de détresse respiratoire ou d'autres complications est bien plus fréquente dans le cas d'accouchements par césarienne. De même, la possibilité que la mère et le bébé soient séparés, parfois pendant une assez longue période, est beaucoup plus élevée. Les taux de morbidité et de mortalité sont plus élevés chez les mères qui accouchent par césarienne. La mère a plus de risques de faire une infection, de ressentir de la douleur et de l'inconfort ou d'avoir des conséquences psychologiques telles que la dépression.

Si votre médecin juge nécessaire de planifier un accouchement par césarienne dans votre cas, n'hésitez pas à consulter un autre médecin avant de prendre votre décision.

Si vous avez déjà eu une césarienne, vous devriez également savoir que la plupart des mères sont capables d'accoucher par voie vaginale par la suite. Vous n'aurez pas fatalement tous vos autres bébés par césarienne. Il arrive souvent que les raisons motivant la première césarienne ne s'appliquent pas aux autres accouchements. Les organismes, dont vous trouverez la liste en appendice, peuvent vous offrir de plus amples informations à ce sujet.

Geneviève Bujold, du Québec, partage son expérience avec nous :

Au début de ma deuxième grossesse, je n'étais pas vraiment motivée à tenter un accouchement vaginal après une césarienne (AVAC). Mon premier accouchement s'était terminé par une césarienne d'urgence, Bébé s'étant retrouvé en détresse fœtale après 12 heures de travail. La naissance de mon fils est un des plus beaux souvenirs que je porte, mais j'avais une grande tristesse quand je me rappelais l'état de panique dans lequel il est arrivé. On croit que le poupon en santé nous fera oublier ou accepter la césarienne, mais la cicatrice physique et psychologique est toujours présente.

Au fil de mes lectures, j'ai appris que beaucoup de femmes qui ont accouché par césarienne portent cette douleur. Je devais faire le deuil de l'accouchement que je m'étais imaginé. Je ne pouvais pas réécrire la naissance de mon fils, mais j'étais déterminée à faire tout ce que je pouvais pour que mon deuxième accouchement soit plus harmonieux et, surtout, mettre toutes les chances de mon côté pour faire partie du 80 % des femmes qui réussissent leur AVAC.

Il est fondamental de comprendre quels ont été les motifs de la césarienne, puis de prendre tous les moyens qui s'offrent à nous pour éviter de revivre le même scénario. Dans mon cas, la position de la tête et possiblement l'administration d'ocytocine étaient responsables de la détresse fœtale, donc de la césarienne. Mon médecin m'a dit que l'ocytocine était contre-indiquée lors de l'AVAC. Quant à la position de la tête, le yoga prénatal favoriserait le bon positionnement de Bébé. Mon mari soutenait entièrement ma décision et nous avons fait ensemble l'apprentissage de la Méthode Bonapace, une méthode alternative de gestion de la douleur sans médication.

Nous étions vraiment préparés à courir ce marathon mais, à 32 semaines, Bébé était encore en position de siège. La version externe étant contre-indiquée après une césarienne, la médecine traditionnelle n'offre pas d'autre solution que la césarienne dans ce cas. Mon médecin essayait en vain de me persuader que la césarienne, lorsqu'elle est planifiée, est plus facile pour la mère que l'accouchement vaginal. Malgré tout, je gardais le cap et j'étais déterminée à faire tout en mon pouvoir pour vivre un accouchement naturel. Pour la version, j'ai eu recours à la chiropractie, à des positions de yoga, puis à l'acupuncture. Les semaines passaient et Bébé ne se tournait pas.

J'ai fini par croire que le cordon gênait ses mouvements et qu'il ne pouvait pas se tourner. À chaque semaine, je continuais mes séances d'acupuncture, mais j'apprivoisais petit à petit l'idée de vivre une deuxième césarienne. À 37 semaines, je suis allée faire une dernière échographie pour confirmer la position du bébé et fixer une date pour la césarienne. Quand la technicienne m'a annoncé : « La tête est en bas ! », je ne la croyais pas. J'avais senti beaucoup de mouvements quelques jours avant, mais je n'avais pas cru, peut-être pour ne pas être déçue, que c'était ma petite puce qui se tournait.

Pendant les trois dernières semaines de ma grossesse, j'étais en extase. Pour moi, c'était mission accomplie. J'avais réuni toutes les conditions pour réussir mon AVAC. J'avais évalué mes chances et j'avais même fait une petite place à la possibilité de vivre une autre césarienne. Ainsi, c'est avec le soutien de mon mari et entourée de professionnels motivés et attentifs à mes désirs et mes besoins que j'ai vécu un accouchement naturel. Malgré l'épisiotomie, le rétablissement a été beaucoup plus court et aisé qu'à la césarienne. J'ai un puissant sentiment d'accomplissement, mais le plus beau cadeau, c'est ma rencontre tant attendue avec la petite puce qui naviguait avec moi.

Un nombre croissant de médecins et d'hôpitaux permettent aux pères d'assister à la césarienne. La mère apprécie le réconfort et le soutien apportés par le père et celui-ci est heureux de pouvoir participer à la naissance de leur enfant. Discutez de ces possibilités avec votre médecin.

Des professionnels de la santé attentionnés

Il ne fait aucun doute que le choix du médecin ou de la sage-femme qui vous assistera à l'accouchement est important. Cette personne exercera une grande influence sur la façon dont votre enfant naîtra, tout comme le médecin que vous choisirez pour traiter votre bébé influencera le cours de l'allaitement. Même le médecin qui vous prescrira des médicaments, si jamais vous étiez malade, devra tenir compte à la fois de votre état et du fait que vous allaitez votre bébé. Un médecin n'ayant pas eu l'occasion de se familiariser avec l'allaitement peut être facilement enclin à faire sevrer le bébé lorsqu'il doit traiter la mère ou le bébé. Une telle solution est rarement nécessaire.

Bien des jeunes couples consacrent beaucoup de temps et d'énergie à trouver des professionnels de la santé dont les valeurs s'apparentent aux leurs. Si vous vous trouvez dans une situation où le choix de professionnels de la santé est limité, il devient alors encore plus important de dialoguer avec le médecin.

Assister à des réunions de la Ligue La Leche et à des cours prénatals constitue une bonne façon d'apprendre de l'expérience des autres parents. À mesure que vous vous informerez, en lisant ou en discutant avec d'autres, vous saurez quelles questions poser afin d'en savoir davantage sur les pratiques d'un médecin ou d'un hôpital.

La première étape consistera probablement à choisir le médecin ou la sage-femme qui vous assistera à l'accouchement. Recherchez un médecin qui ne fait pas un usage systématique de la péridurale, de médicaments, d'intraveineuses ou du moniteur foetal durant le travail, qui ne déclenche pas systématiquement le travail, qui n'a pas systématiquement recours à l'anesthésie ou à l'épisiotomie. Informez-vous du taux de césariennes qu'on retrouve chez ses patientes et quelles sont les situations où, selon lui, une césarienne est indiquée. Demandez si la routine hospitalière risque de vous empêcher d'allaiter votre bébé immédiatement après la naissance. Informez-vous si la cohabitation est possible à l'hôpital ou à l'endroit où naîtra votre bébé.

Vous voudrez peut-être rencontrer et parler avec plusieurs professionnels de la santé avant d'arrêter votre choix. Faites une liste des sujets dont vous aimeriez discuter. Lorsque vous prendrez rendez-vous, demandez s'il y a des frais pour ce genre de consultation. Informez la réceptionniste que vous ne voulez pas vous soumettre à un examen complet.

Demandez si le médecin ou la sage-femme fait équipe avec d'autres médecins ou sages-femmes. Il est important de savoir si l'un de ces partenaires risque de remplacer la personne que vous avez choisie à votre accouchement. Assurez-vous que les autres membres de l'équipe respecteront également vos désirs.

Après avoir discuté de vos préoccupations avec votre médecin ou votre sage-femme, vous pourriez écrire ce sur quoi vous vous êtes entendus et demander au médecin ou à la sage-femme de signer votre liste en guise d'acceptation. (Le professionnel de la santé peut évidemment se réserver le droit de modifier les règles en cas d'urgence.) Apportez cette liste avec vous à l'hôpital. Des mères affirment que le simple fait de présenter cette entente signée suffisait à empêcher quelqu'un de procéder à une intervention de routine, d'administrer un médicament au moment de l'accouchement ou de donner automatiquement un biberon d'eau ou de préparation lactée au bébé à la pouponnière.

Le médecin du bébé

Aux États-Unis, comme dans plusieurs pays, les parents peuvent en général choisir le médecin ou autre professionnel de la santé qui s'occupera de leur bébé. Lorsque vous choisirez le médecin qui prendra soin de votre enfant, cherchez une personne favorable à l'allaitement et compétente en la matière. Votre médecin de famille peut s'occuper à la fois de vous et du bébé et vous pourrez discuter d'allaitement au cours des visites prénatales. Sinon, choisissez un pédiatre ou un omnipraticien pour prendre soin du bébé après la naissance. Prenez rendez-vous avec lui avant la naissance et informez-le que vous prévoyez d'allaiter votre bébé. Posez des questions. La majorité de ses patients sont-ils allaités ? Comment traite-t-il le gain de poids lent ?

Un médecin qui n'a pas l'habitude de s'occuper de bébés allaités peut vouloir compléter avec des suppléments ou recommander que vous commenciez les solides trop tôt. Si les réponses ne vous satisfont pas, cherchez un autre médecin. Si cela vous est impossible, faites-lui part de vos préoccupations et expliquez-lui pourquoi l'allaitement est si important pour vous.

Le besoin de dialoguer

Lorsque vous avez affaire à des professionnels de la santé, vous devez prendre l'initiative de faire connaître vos désirs. Une phrase simple et directe peut engager le dialogue. « Docteur, j'ai besoin de discuter de ceci avec vous. C'est très important pour moi. » Si votre bébé doit prendre des médicaments ou être hospitalisé, il vous faut trouver un médecin qui accepte de le traiter sans interrompre l'allaitement, ou le moins possible. Il est toujours préférable de demeurer près de votre bébé lorsqu'il est malade et de l'allaiter si vous le pouvez.

Si votre médecin traitant, ou celui de votre bébé, n'est pas disposé à discuter des solutions que vous préférez, vous devriez peut-être chercher à obtenir une autre opinion médicale.

Se préparer à allaiter

Lorsque vous mentionnerez à d'autres mères que vous prévoyez d'allaiter votre bébé, certaines vous parleront probablement de mamelons douloureux. À une certaine époque, la douleur aux mamelons était une raison fréquemment invoquée par les mères pour cesser l'allaitement et on insistait alors sur la nécessité de « préparer » les mamelons avant la naissance du bébé. Au cours des dernières années, on a découvert que la douleur aux mamelons est principalement causée par une mauvaise position du bébé au sein ou une succion inadéquate. La préparation des mamelons n'est plus considérée comme nécessaire au moment où vous vous préparez à allaiter.

Kittie Frantz, infirmière diplômée, monitrice de la Ligue La Leche et directrice du *Breastfeeding Infant Clinic* à l'*University of Southern California Medical Center*, a été une des premières personnes à insister sur l'importance d'une position appropriée pour un allaitement confortable et efficace. L'évaluation qu'elle a faite de 300 mères qui allaitaient lui a permis de constater que 57 % des mères se plaignaient de douleur aux mamelons et que 43 % n'éprouvaient aucune douleur. Voici ce qu'elle rapporte :

Nous avons observé une différence entre les deux groupes, une différence dans la façon dont les mères tenaient leur bébé et dont les bébés prenaient le sein dans leur bouche. Nous avons enseigné la technique utilisée par les mères ne sentant aucune douleur à celle qui avaient des mamelons douloureux. Dans la plupart des cas, elles ont affirmé que la douleur avait disparu ou diminué considérablement.

Vous trouverez de plus amples informations sur la bonne façon de placer le bébé et de lui faire prendre le sein dans le chapitre intitulé *Les premiers jours.*

Ce que vous pouvez faire

Certaines femmes appliquent une substance hydratante sur leurs seins et leurs mamelons pendant la grossesse. De nombreuses mères utilisent de la lanoline de marque Lansinoh pour les mères qui allaitent. C'est la forme de lanoline purifiée la plus pure qui existe et vous pouvez l'utiliser pendant la grossesse. Certaines mères qui ont la peau très sèche et qui ont déjà souffert de mamelons douloureux lors de l'allaitement d'un premier bébé rapportent qu'elles ont été capables d'allaiter confortablement après avoir utilisé de la lanoline de marque Lansinoh pour les mères qui allaitent pour hydrater leurs mamelons pendant la grossesse.

Puisque le savon peut dessécher la peau, il faut éviter de l'utiliser sur l'aréole et le mamelon. L'eau claire suffit à nettoyer cette région. Lorsque vous allaitez votre bébé, les glandes de Montgomery entourant le mamelon sécrètent une substance qui détruit les bactéries. Par conséquent, il n'est pas nécessaire d'appliquer de l'alcool ni une autre substance antiseptique sur vos mamelons.

Chez certains couples, caresser les seins et sucer les mamelons fait naturellement partie de leurs jeux amoureux. Ce peut être une façon naturelle de préparer les seins de la femme à allaiter leur enfant.

Le massage des seins

Un léger massage des seins aidera à vous sentir plus à l'aise dans la manipulation de vos seins et peut se révéler utile plus tard si vous devez exprimer du lait. Tenez votre sein de vos deux mains en plaçant les doigts sous le sein et les pouces sur le dessus. En partant de la cage thoracique, déplacez vos mains vers le mamelon en serrant légèrement vos doigts contre vos pouces. Faites le tour de votre sein en répétant ce mouvement puis passez à l'autre sein.

Un autre genre de massage du sein consiste à faire de petits cercles avec vos doigts sur une zone précise du sein en exerçant une légère pression. Après quelques secondes, déplacez vos doigts vers une autre zone. Débutez par le haut du sein, près de la cage thoracique, et faites le tour comme pour décrire une spirale en vous rapprochant graduellement de l'aréole.

Les mamelons plats

Pour téter efficacement, le bébé doit amener le mamelon au fond de sa bouche. Si vos mamelons sont plats, le bébé peut avoir de la difficulté à prendre le sein correctement. Si vous choisissez de ne faire aucune préparation, vérifiez au moins si vos mamelons sont plats ou invaginés.

Pour faire ressortir le mamelon, placez le pouce et l'index à la base du mamelon et serrez légèrement entre vos doigts. Vous pourrez alors sentir la démarcation entre la masse de tissus du sein et le mamelon. Tirez alors légèrement sur le mamelon, puis faites-le basculer vers le haut, puis vers le bas. Certains experts croient que faire cet exercice plusieurs fois par jour améliore l'élasticité des mamelons, ce qui permettrait au bébé de le saisir plus facilement. D'autres jugent que ce n'est pas nécessaire.

Si vous essayez ces étirements sur vos mamelons et qu'ils ne semblent pas pointer suffisamment pour vous permettre de les attraper, il se peut que vous ayez des mamelons plats ou invaginés. Une légère pression à environ deux centimètres de la base du mamelon devrait le faire ressortir.

Le Dr J. Brooks Hoffman, du Connecticut, propose la méthode suivante pour aider à faire ressortir les mamelons plats. Placez vos pouces de chaque côté du mamelon, exactement à la base et non autour de l'aréole (la partie plus sombre qui entoure le mamelon). Écartez les pouces l'un de l'autre en poussant fermement. Certains croient que ce mouvement étire le mamelon et brise les adhérences à la base de celui-ci, ce qui lui permet de pointer et de ressortir. Si cet exercice ne vous cause pas d'inconfort, répétez-le cinq fois par jour en déplaçant les pouces autour de la base du mamelon.

Les mamelons invaginés

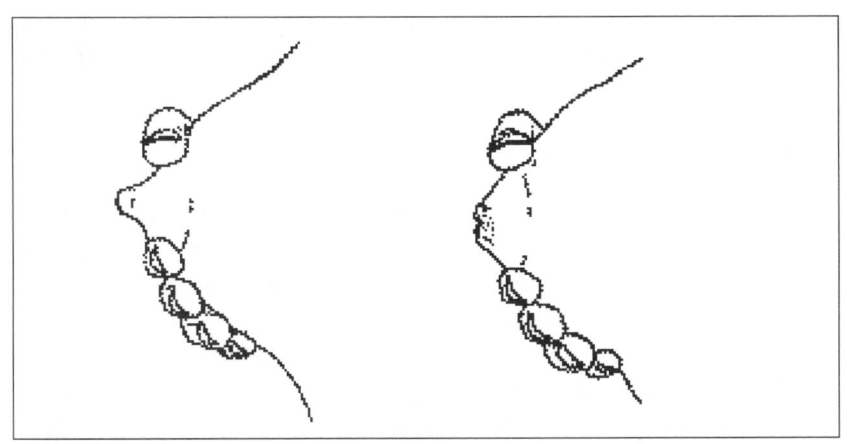

Un mamelon normal ressort quand on pince l'aréole alors qu'un mamelon invaginé se rétracte.

Si vos mamelons ne ressortent pas du tout lorsque vous faites ces exercices, vous avez probablement ce qu'on appelle des « mamelons invaginés ». Un mamelon invaginé rentre dans le sein lorsqu'on exerce une pression sur l'aréole. Certains types de mamelons invaginés semblent poussés vers l'intérieur en permanence. Une mère, qui avait ce genre de mamelons, avait pris l'habitude de les appeler « le modèle repliable du monde des mamelons ». Un mamelon de dimension normale est là, prêt à remplir la tâche pour laquelle il a été conçu, mais, laissé à lui-même, il se replie à l'intérieur du sein au lieu de ressortir lorsque le bébé essaie de téter.

Les mamelons invaginés peuvent nécessiter ou non des traitements. Certains spécialistes en allaitement croient qu'un bébé qui prend bien le sein est capable de tirer un mamelon invaginé assez loin dans sa bouche pour téter. D'autres suggèrent de porter des boucliers ou des coquilles spécialement conçus pour faire ressortir les mamelons. Ces boucliers sont confortables, légers et invisibles sous le soutien-gorge. Si vous désirez les essayer, vous pouvez commencer à les porter quelques heures par jour pendant la grossesse et augmenter graduellement la durée. Chaque bouclier comporte deux parties : un anneau qui se place sur le sein et une coupelle qui s'emboîte dans l'anneau afin d'éloigner le soutien-gorge du mamelon.

Si vous découvrez que vos mamelons sont plats ou invaginés après la naissance et que votre bébé est incapable de prendre le sein correctement, vous pouvez porter les bouliers entre les tétées pour corriger la situation.

Il existe également d'autres méthodes pour faire ressortir les mamelons plats ou invaginés. Si votre nouveau-né ne prend pas le sein correctement, assurez-vous d'en parler avec une personne compétente en allaitement : une monitrice de la Ligue La Leche ou une consultante en lactation (IBCLC).

Exprimer du colostrum

Au cours de la grossesse, vos seins commencent à produire du colostrum afin de se préparer à allaiter. Vous remarquerez peut-être que vos seins laissent perler quelques gouttes pendant les dernières semaines de grossesse ou encore si vous massez vos seins.

À une certaine époque, on recommandait d'exprimer, au cours de la grossesse, quelques gouttes de colostrum chaque jour, mais il n'a pas été prouvé que cette pratique aidait à prévenir l'engorgement ou la douleur aux mamelons.

Des vêtements pour allaiter

Vous serez probablement heureuse de ranger vos vêtements de maternité après la naissance du bébé. Votre silhouette s'amincira et votre poitrine sera temporairement plus généreuse. En fait, presque tous les vêtements permettent d'allaiter, mais certains vous faciliteront la tâche.

Durant la grossesse et au début de l'allaitement, la poitrine s'alourdit et le support d'un soutien-gorge bien ajusté peut se révéler fort important. Agissez en fonction de votre confort. Si vous ne portez pas de soutien-gorge habituellement, vous n'en aurez peut-être pas besoin non plus lorsque vous allaiterez.

Vous vous sentirez probablement plus confortable avec un soutien-gorge conçu pour l'allaitement. Celui-ci est habituellement muni d'un rabat qu'on peut abaisser pour allaiter. Nous vous suggérons d'acheter deux ou trois soutiens-gorge pour commencer. À l'usage, vous saurez s'ils conviennent et s'ils sont faciles à utiliser. Si vous les achetez dans les dernières semaines de la grossesse, assurez-vous que les bonnets et le tour de poitrine sont un peu plus grands. En effet, les seins augmentent de volume après la naissance du bébé et au moment de la montée de lait, il faut donc prévoir un peu d'espace supplémentaire. Un soutien-gorge trop serré, que ce soit au tour de poitrine ou au niveau du bonnet, peut comprimer un canal lactifère ou causer une infection du sein. Il faudra éviter que cela ne se produise.

Au moment de l'essayage en magasin, vérifiez de quelle façon le rabat s'attache. Choisissez un modèle qui se rattache facilement d'une seule main, afin de vous éviter d'avoir à déposer le bébé chaque fois que vous ouvrirez ou fermerez le rabat. Vous pouvez également acheter des compresses d'allaitement lavables ou jetables qui s'insèrent dans le soutien-gorge et qui absorbent le lait qui s'écoule parfois entre les tétées.

Les mères apprennent rapidement à allaiter discrètement en public.

Si vous portez souvent des jupes ou des robes, des demi-bonnets sont probablement plus pratiques, bien qu'un soutien-gorge à bonnet couvrant puisse également être adapté à vos besoins. Il vous suffit de remplacer la pince d'ajustement par un petit morceau de Velcro. Les deux-pièces, jupes, pantalons longs ou courts assortis d'un corsage ample ou d'un tricot sont ce qu'il y a de mieux pour allaiter. Si vous relevez votre chemisier ou votre tricot à partir de la taille, le bébé couvrira la partie dénudée de votre corps. Si vous portez un chemisier, déboutonnez-le à partir de la taille. Avec un trois-pièces, une veste ou un châle, vous pourrez allaiter si discrètement que la personne assise près de vous ne s'apercevra même pas que votre bébé est au sein.

Dans certaines publications de la Ligue La Leche, on trouve souvent de la publicité pour des soutiens-gorge et autres vêtements spécialement conçus pour la femme qui allaite. De nos jours, la mère peut choisir parmi de nombreux styles de vêtements confortables et à la mode pourvus d'ouvertures spéciales permettant d'allaiter discrètement. Des boutiques de vêtements de maternité et des revues de mode offrent souvent des vêtements conçus pour l'allaitement. Des compagnies spécialisées dans la conception de vêtements d'allaitement font souvent paraître de la publicité dans les publications de la Ligue La Leche et sont répertoriées sur le site Web de la LLLI au www.lalecheleague.org.

Allaiter discrètement

Cela nous amène à une de vos possibles préoccupations à propos de l'allaitement. Vous êtes peut-être inquiète à l'idée d'allaiter votre bébé lorsque vous n'êtes pas à la maison ou que vous êtes en présence d'autres personnes. L'*American Academy of Pediatrics* fait remarquer que : « Curieusement, notre société tolère tout ce qu'il y a de plus explicite en matière de sexualité et de violence dans la littérature et dans les médias, mais l'acte naturel qu'est l'allaitement demeure tabou. »

La gêne constitue parfois une excuse pour ne pas allaiter ou pour sevrer au cours des premières semaines. Fait intéressant, des études effectuées auprès de mères qui allaitent démontrent que celles qui cessent tôt l'allaitement connaissent rarement une autre mère qui allaite et n'ont personne pour les aider dans leur nouvelle démarche. Les mères expérimentées savent comment nourrir un bébé si discrètement, qu'elles seules et leur bébé savent ce qui se passe. L'allaitement peut être aussi privé que la mère le souhaite, sans qu'il lui soit nécessaire pour autant de s'isoler avec son bébé.

Il est parfois possible que quelqu'un réagisse mal à la perspective que le bébé prenne le sein en présence d'autres personnes. Dans ce cas, les mères qui allaitent savent que la discrétion est de mise. Certaines préfèrent quitter la pièce le temps de mettre le bébé au sein. Puis, lorsque le bébé tète calmement, elles placent un châle ou une couverture légère sur leur épaule pour couvrir le bébé et, parfaitement à l'aise, elles retournent rejoindre leur groupe d'amis.

Julie Dupont, du Québec, nous fait part de son expérience :

> *Bien que je sois une personne plutôt réservée, lorsqu'il s'agissait d'allaitement, j'étais plutôt frondeuse ! Et, tout en étant discrète, surtout en présence de personnes qui auraient pu se sentir mal à l'aise, je ne me suis jamais empêchée d'allaiter en public. Très rarement suis-je allée à l'écart, et lorsque je l'ai fait, c'était moins par gêne que pour éviter de stresser mon tout-petit avec le bruit.*
>
> *Ma propre attitude décontractée et naturelle convainquait souvent les gens que l'allaitement est une belle et gratifiante relation et qu'elle ne les menaçait pas dans leur vie quotidienne. Bien sûr, ils étaient parfois gênés (surtout les personnes proches comme mes frères, mon beau-père), mais je crois que ma propre attitude détendue les aidait et, peu à peu, ils n'en faisaient plus de cas.*

Que le fait d'être en public ne vous empêche pas de profiter des avantages et de l'aspect pratique de l'allaitement. Les prochains chapitres vous offriront une foule de trucs astucieux pour les voyages et les sorties avec votre bébé allaité.

Chapitre 3

Un réseau de soutien

Comment vous faire comprendre l'importance d'entrer en contact avec d'autres mères qui allaitent ? Aucun livre sur l'allaitement ne peut remplacer le fait de parler avec une mère qui allaite ou de voir son bébé heureux. Quand vous connaissez une femme qui est heureuse d'allaiter, vous avez accès à une source intarissable d'information et d'inspiration. Nous espérons que vous pourrez rencontrer d'autres mères et qu'ensemble vous trouverez le même encouragement et la même satisfaction que nous avons connus.

Selon nous, votre groupe local de la Ligue La Leche est le meilleur endroit pour obtenir ce soutien de mère à mère. Assister aux réunions de la Ligue La Leche pendant votre grossesse est le meilleur moyen de vous préparer à l'allaitement et d'apprendre les réalités du métier de mère. Voici ce qu'en pense une membre de la Ligue La Leche, Betty McLellan, de l'Ontario :

> *J'ai une formation en psychologie, mais ce sont les réunions de la Ligue La Leche et l'exemple d'une monitrice formidable qui m'ont montré d'autres façons de faire que celles utilisées couramment dans notre culture pour s'occuper des enfants. La « psychologie du maternage » s'apprend plus facilement par l'exemple des autres mères et ces exemples sont éloquents aux réunions de la Ligue La Leche.*

Les réunions de la Ligue La Leche

« N'est-il pas naturel d'allaiter ? Ma grand-mère n'a jamais assisté à une réunion de la Ligue La Leche et elle a allaité tous ses enfants. » « Pourquoi les femmes qui allaitent ont-elles besoin du soutien d'un organisme mondial ? » De nombreuses personnes qui ne sont pas familières avec la Ligue La Leche se posent ces questions. De nos jours, de plus en plus de femmes choisissent d'allaiter leurs bébés, mais elles ne comprennent peut-être pas jusqu'à quel point un groupe de soutien comme la Ligue La Leche peut les aider à apprécier leur expérience.

Quand la Ligue La Leche a été fondée, il y a près de 50 ans, l'art de l'allaitement s'était perdu. Les mères avaient commencé à demander conseil aux médecins pour les soins à donner à leur bébé plutôt que d'apprendre de l'expérience des autres mères.

De nos jours, dans tous les coins du monde, des réunions de la Ligue La Leche ont lieu chaque mois. Les informations sont regroupées par thèmes dans une série de quatre réunions. Après la première série et parce qu'il n'y a pas deux séries identiques, plusieurs mères continuent à assister aux réunions pendant plusieurs mois, parfois même des années.

Les réunions ont parfois lieu au domicile d'une membre de la Ligue La Leche ou dans une salle de réunion communautaire. Nous encourageons les mères à amener les bébés qu'elles allaitent avec elles. Ces réunions sont animées par une mère qui a elle-même allaité et qui été accréditée par la Ligue La Leche pour la représenter. Lors de chacune de ces réunions, elle partage des informations sur un thème spécifique. Ce ne sont pas des cours mais bien des discussions instructives auxquelles toutes les personnes présentes peuvent participer. En assistant aux réunions du groupe de la Ligue La Leche de votre région, vous apprendrez les rudiments de l'allaitement maternel et bien plus encore.

La première réunion de la série traite des avantages de l'allaitement. Vous découvrirez qu'il y en a auxquels vous n'aviez pas pensé, comme certains résultats de recherches sur la valeur nutritive du lait maternel et les récits de mères qui ont découvert personnellement les bienfaits de l'allaitement. Après avoir assisté à cette réunion, de nombreuses mères affirment :

> *Je savais que l'allaitement était bon pour mon bébé et pour moi, mais je ne m'imaginais pas jusqu'à quel point. Ma décision d'allaiter s'est confirmée plus que jamais grâce à ces renseignements et je suis fière de savoir que je fais quelque chose d'aussi merveilleux pour mon bébé.*

Le soutien de mère à mère permet à la nouvelle mère d'en apprendre davantage sur l'allaitement.

La deuxième réunion porte habituellement sur la famille et le bébé allaité. Les mères partagent des trucs pour favoriser un bon départ pendant leur séjour à l'hôpital ou à la maison de naissance et au moment du retour à la maison avec le nouveau-né. Le fait de connaître à l'avance le fonctionnement et les pratiques des hôpitaux ou des maisons de naissance de votre région peut être très utile pour une future mère. Lors de cette rencontre, on discute également de comment faciliter l'adaptation affective de tous les membres de la famille, comment alléger la charge de travail, comment établir un bonne sécrétion lactée et comment éviter les problèmes avant qu'ils ne commencent.

Dans la troisième réunion, on parle des techniques de base de l'allaitement et des solutions aux problèmes éventuels. Vous pourrez recevoir des conseils explicites des meilleures expertes au monde : des mères qui ont l'expérience de l'allaitement. Vous retiendrez que peu importe le problème qui survient, il existe presque toujours une solution qui ne requiert pas le sevrage du bébé.

La dernière réunion a pour objet l'alimentation de la femme enceinte et de la mère qui allaite. On y discute également de l'introduction des aliments solides, de même que du moment et de la façon de sevrer le bébé. Au cours de cette réunion, on aborde souvent aussi la question de la discipline chez les bambins.

Presque tous les groupes de la Ligue La Leche ont un service de prêt de livres accessible à leurs membres. Aux réunions, vous pourrez trouver des ouvrages récents qui ne sont peut-être pas disponibles partout et qui traitent de l'allaitement, de l'accouchement, de la nutrition et de l'art d'être parent. La plupart des groupes vendent également des livres, des brochures et divers produits en rapport avec l'allaitement.

Toutes sont les bienvenues

Toutes les femmes que l'allaitement intéresse sont invitées aux réunions de la Ligue La Leche. Toutes les mères sont accueillies à bras ouverts : les mères de toutes races, de toutes religions, les mères monoparentales, les mères qui travaillent et les mères dont la philosophie sur les différents aspects des soins et de l'éducation des enfants peut différer de celle de la Ligue La Leche. Chaque mère est encouragée à puiser dans la philosophie de la Ligue La Leche ce qui lui paraît raisonnable et utile. La grossesse est le moment idéal pour commencer à assister aux réunions, car les informations recueillies à l'avance pourraient se révéler essentielles au moment de la naissance.

Après avoir assisté à sa première réunion de la Ligue La Leche, une femme enceinte a fait ce commentaire : « J'ai lu tous les livres sur le sujet et je pensais tout savoir. J'en ai appris beaucoup plus ce soir que je ne m'y attendais. » Heather Karlheim, de l'Ohio, a eu une réaction semblable après une réunion de la Ligue La Leche. Voici son témoignage :

En tant que pharmacienne et grande lectrice, j'ai passé ma première grossesse à lire tout ce que je pouvais trouver sur l'accouchement, l'allaitement et l'éducation des enfants. J'envisageais la naissance de mon enfant avec confiance.

J'ai une amie qui est monitrice à la Ligue La Leche. Je connaissais donc un peu la Ligue La Leche, mais je n'étais pas convaincue que j'avais « besoin » de cet organisme.

Pendant mon cinquième mois de grossesse, une collègue, enceinte elle aussi, m'a persuadée de l'accompagner à une réunion de la Ligue La Leche. Cette réunion a été un point tournant pour moi.

J'y ai reçu des conseils clairs et beaucoup d'encouragements de la part des autres mères.

À mesure que les mois passaient et que l'allaitement nous comblait ma fille et moi, j'ai continué à fréquenter les réunions de la Ligue La Leche et les amies que je m'y étais faites.

Quand j'y repense, je ne peux croire que j'étais naïve au point de penser que je pourrais « tout » apprendre dans les livres. La Ligue La Leche a été ma bouée de sauvetage quand j'ai navigué sur la mer houleuse de ma première maternité et, croyez-moi, je n'ai pas l'intention de sauter seule à l'eau de sitôt !

La nécessité d'un réseau d'entraide

Bien qu'un grand nombre de femmes allaitent à leur sortie de l'hôpital, la plupart d'entre elles passent au biberon dans les mois, les semaines ou même les jours qui suivent. Pourquoi ? Une production de lait insuffisante, les infections du sein, les mamelons douloureux, la gêne, les critiques de la part de l'entourage et le comportement déconcertant du nouveau-né sont quelques-unes des raisons invoquées. La grande majorité de ces difficultés peuvent être évitées ou surmontées par de bonnes informations et un soutien adéquat. Si une mère qui allaite a des questions ou des inquiétudes, elle peut téléphoner en tout temps à une monitrice pour obtenir de l'aide. Parfois, le simple fait de pouvoir parler à une mère compréhensive, renseignée et compétente en allaitement permet de poursuivre l'allaitement avec succès. Les mères peuvent également bénéficier de l'aide d'une monitrice de la Ligue La Leche en visitant le site Web de la LLLI www.lalecheleague.org. (Pour les pays francophones, consultez la liste en appendice.)

La Dre Ruth A. Lawrence, qui a allaité ses enfants et qui est l'auteure de *Breastfeeding : A Guide for the Medical Profession*, reconnaît que les mères ont besoin d'information et de soutien au cours de leur apprentissage de l'allaitement :

L'allaitement n'est pas un réflexe mais un processus d'apprentissage. Dans notre culture, bien des femmes n'ont jamais vu un bébé au sein. Lorsqu'une mère souhaite allaiter son enfant, une grande partie de sa réussite repose sur un processus d'apprentissage. Le succès de l'allaitement est lié à une bonne information.

Les mères qui assistent aux réunions de la Ligue La Leche découvrent rapidement qu'on en retire beaucoup plus que les seules notions de base de l'allaitement. Le partage avec d'autres mères et les amitiés qui se créent apportent quelque chose de très particulier à ces réunions. Anita Leblanc, du Nouveau-Brunswick, témoigne :

J'ai toujours assisté à quelques réunions de la Ligue La Leche pendant mes grossesses et après la naissance de mes trois plus jeunes enfants. J'ai toujours été chaleureusement accueillie. Je sentais que j'appartenais vraiment à un groupe d'amies qui me comprenaient parce qu'elles avaient les mêmes idées que moi et faisaient face aux mêmes problèmes. C'est là que j'ai pris confiance en moi et que j'ai enfin réussi à répondre aux besoins de mon bébé à peu près n'importe où et devant n'importe qui. C'est aussi la sortie idéale avec un bébé nourri au sein, car s'il existe un endroit où l'allaitement (même d'un bébé plus âgé) est totalement accepté, c'est bien là. Ces réunions m'ont servi et me servent encore de « boost » quand j'ai le moral un peu bas. Le « job » de mère n'est pas facile, ça fait du bien de parler et de partager nos opinions avec d'autres femmes qui ont des enfants de tous les âges.

Dans un témoignage anonyme, une mère nous dit combien la Ligue La Leche l'a aidée à surmonter ses souvenirs d'enfance malheureuse :

La raison pour laquelle je suis si reconnaissante à la Ligue La Leche, c'est qu'elle m'a aidée à comprendre la signification du mot « materner » et qu'elle m'a donné confiance avec mes propres enfants. Ma propre éducation a été effroyable et anarchique. J'avais terriblement peur de devenir mère. Grâce à une relation d'allaitement stable, j'ai pu m'ajuster physiquement et moralement aux besoins de mon bébé. Aux réunions, j'ai vu d'autres mères heureuses avec leurs bébés et leurs bambins, apprenant tout comme moi et disposées à partager. Je me suis liée d'amitié avec plusieurs de ces mères et cela aussi a enrichi ma vie et celle de mes enfants. Et bien sûr, les choses que nous avons apprises bénéficient à mon mari tout autant. Je lis votre périodique de même que tous les anciens numéros dans la bibliothèque du groupe. Je suis reconnaissante d'avoir reçu un aussi bon soutien pour m'encourager à allaiter, ce qui a compensé pour toute l'influence négative que j'avais reçue.

Sally Olson, du Nebraska, avait déjà allaité deux bébés lorsqu'elle a assisté à sa première réunion de la Ligue La Leche. À ce moment-là, son troisième fils n'avait qu'un mois. Elle raconte :

À vrai dire, j'allais à la réunion pour rencontrer d'autres mères car nous venions de nous établir dans une nouvelle ville et je ne connaissais personne. J'y ai trouvé ce que j'allais chercher – l'amitié d'autres mères qui allaitaient – et bien plus encore. Les mères de mon groupe, les feuillets d'information et les livres disponibles à la bibliothèque de la Ligue La Leche m'ont aidée à exprimer en paroles et en actes ce que je ressentais au fond de mon cœur.

Comment trouver la Ligue La Leche ?

Il y a plusieurs façons de trouver le nom de la monitrice de la Ligue La Leche de votre localité. Vous pouvez vérifier si le numéro apparaît dans l'annuaire téléphonique, toutefois plusieurs groupes de la Ligue La Leche ne peuvent pas se permettre de défrayer les coûts d'une telle inscription. Vous pouvez aussi vous rendre à votre bibliothèque locale ou à un centre de santé près de chez vous et demander des renseignements à propos du groupe local de la Ligue La Leche. Si vous assistez à des cours prénatals, la personne qui donne ces cours sait peut-être où joindre le groupe de votre région. Vérifiez si le journal local publie les avis de réunions de la Ligue La Leche, vous pourriez y trouver le numéro de téléphone de la monitrice.

Vous pouvez également écrire ou téléphoner à La Leche League International (LLLI) pour obtenir le nom et le numéro de téléphone de la monitrice la plus près. Voici l'adresse : La Leche League International, P. O. Box 4079, Schaumburg, Illinois, 60168-4079, USA. Vous pouvez aussi composer le numéro sans frais : 1-800-LA-LECHE.

Au Canada, pour les services en anglais : La Leche League, 18C, Industrial Drive, Box 29, Chesterville, Ontario, K0C 1H0. Téléphone : (613) 448-1842. Le numéro sans frais est le 1-800-665-4324. Pour les services en français : Ligue La Leche, 12, rue Quintal, Charlemagne, Québec, J5Z 1V9. Téléphone : (514) 990-8917. Le numéro sans frais est le 1-866-255-2483.

Pour obtenir les coordonnées de la Ligue La Leche dans les autres pays de langue française, consultez la liste en appendice.

Vous pouvez trouver sur Internet au www.lalecheleague.org une liste des réunions que tiennent les groupes dans toutes les régions du monde. Une foule d'informations sur l'allaitement y sont aussi offertes en plusieurs langues.

Lorsque vous vous joignez à la Ligue La Leche, vous participez à un réseau international d'entraide de mère à mère, une source précieuse de

Les mères trouvent de l' information et du soutien
aux réunions de la Ligue La Leche.

soutien et d'aide aux parents. Vous pouvez devenir membre en payant une cotisation annuelle qui comprend un abonnement au périodique que publie la Ligue La Leche dans votre pays. Les autres avantages d'être membre sont nombreux et varient d'un pays à l'autre. Ainsi, aux États-Unis, les membres reçoivent par courrier le catalogue de la LLLI et bénéficient d'un escompte de 10 % à l'achat d'une grande variété de volumes et de publications exceptionnels sur l'allaitement, l'accouchement, la nutrition et l'art d'être parent.

Une partie de votre cotisation permet à la Ligue La Leche de continuer ses activités dans toutes les régions du monde. Votre groupe offre peut-être d'autres avantages aux membres. Informez-vous. Le coût de la cotisation pour devenir membre de la Ligue La Leche peut varier d'un pays à l'autre.

Même les mères qui ne peuvent assister aux réunions mensuelles trouvent le soutien dont elles ont besoin en devenant membre de la Ligue La Leche. Lorsque son premier bébé est né, Elizabeth Hunsaker habitait la Belgique, loin de sa famille et de ses amies. Elle écrit :

J'ai toujours voulu allaiter parce que j'avais lu que c'était ce qu'il y avait de mieux pour le bébé et que l'allaitement créait un lien spécial entre la mère et le bébé. J'ai acheté de nombreux livres sur les soins du bébé et j'ai adhéré à la Ligue La Leche. Notre fils a maintenant dix mois et tète toujours. C'est une expérience que je chérirai toute ma vie. Cela n'a pas toujours été de tout repos, et parfois je me sentais frustrée et découragée.

Votre périodique m'a aidée à traverser des moments difficiles et a contribué à rendre mon expérience d'allaitement plus satisfaisante. Les lettres des autres mères qui vivaient des expériences identiques à la mienne et qui avaient les mêmes opinions à propos de l'allaitement m'ont fait sentir que je n'étais pas seule et que ça en valait la peine.

Une autre mère, Elena Hannah, de Terre-Neuve, affirme que la collection d'anciens numéros d'une amie l'a aidée à traverser des moments difficiles :

Alors que j'étais accablée de problèmes, avec mon premier bébé, une amie m'a fait parvenir les numéros des deux dernières années. Au premier coup d'œil, j'ai su que j'avais trouvé ce qu'il me fallait. La lecture des témoignages, dont bon nombre faisait état de problèmes plus graves que les miens, m'a permis de remettre les choses en perspective. Le message essentiel semblait être : « Tu peux le faire. Tu peux venir à bout des difficultés ! » Quand j'ai eu fini de dévorer la collection, je me suis sentie plus calme et plus confiante. C'est pourquoi aujourd'hui, je veux dire merci à toutes les mères qui m'ont fait partager leurs expériences et merci à la Ligue La Leche de publier une si merveilleuse revue.

La Ligue La Leche s'adresse-t-elle uniquement aux nouvelles mères ? La réponse est non. Les mères expérimentées sont à la base des groupes de la Ligue La Leche, car elles peuvent donner des conseils et offrir l'encouragement qui aide la nouvelle mère à s'en sortir. Les mères ayant des bébés plus âgés ou des bambins trouvent, elles aussi, qu'il y a des avantages à continuer à rester en contact avec la Ligue La Leche. Elizabeth Hormann, une mère expérimentée et monitrice de la Ligue La Leche, explique :

Pourquoi continuer à assister aux réunions de la Ligue La Leche quand son enfant est sevré ? Ce n'est pas toujours facile à expliquer, mais le soutien qu'on y trouve est l'une des bonnes raisons. La Ligue La Leche parle plus que d'allaitement. On y trouve une philosophie de maternage qui s'enrichit de l'expérience des mères qui allaitent et cette philosophie est peu présente ailleurs qu'à la

Ligue La Leche. Nous avons besoin les unes des autres, surtout quand nos enfants grandissent et qu'ils développent d'autres aspects de leur personnalité.

Les mères de bambins sont celles qui ont particulièrement besoin du genre de soutien qu'offre la Ligue La Leche. « Changer de vitesse » pour s'occuper d'un bambin n'est guère facile.

En plus et au-delà de l'information, la Ligue La Leche offre bien davantage aux mères. Une monitrice l'a résumé ainsi :

La Ligue La Leche me donne l'occasion de m'entourer du genre de personnes que je veux côtoyer dans ma vie : des femmes attentives, intelligentes, pour qui la famille est importante, qui considèrent leurs enfants comme une richesse et qui sont heureuses d'être mères.

Au-delà des notions de base

En plus des réunions mensuelles qui sont offertes par les groupes de la Ligue La Leche partout dans le monde, des réunions spéciales sont souvent organisées pour répondre aux demandes des mères. Des réunions sur les bambins ont lieu régulièrement pour échanger avec les mères sur la façon de répondre aux besoins de leurs bébés plus âgés et de leurs bambins. Des réunions pour les mères qui travaillent peuvent être offertes lorsque des mères du groupe expriment le besoin de parler plus précisément des moyens de concilier le travail et l'allaitement. Des réunions pour les couples ou pour les pères peuvent également permettrent aux hommes de partager leurs expériences.

Ajoutons que la Ligue La Leche organise périodiquement des congrès régionaux ou internationaux de un, deux ou trois jours. À cette occasion, on fournit des informations sur l'allaitement et l'art d'être parent qui vont plus loin que les thèmes abordés lors des réunions habituelles de la Ligue La Leche. Experts dans divers domaines, des médecins, des professionnels de la santé, des éducateurs et des parents expérimentés prêtent leur concours en animant une variété d'ateliers tout au long de la journée. À l'heure du déjeuner, on invite souvent un conférencier à prononcer une allocution, sinon il y a une discussion libre. Les mères, les pères et les bébés apprécient l'occasion qui leur est donnée de passer la journée ensemble à un congrès de la Ligue La Leche.

Aux congrès internationaux, qui se tiennent tous les deux ans, des milliers de parents et de professionnels du monde entier se rassemblent pour partager leurs expériences et leur expertise. De plus, La Leche League International organise chaque année des séminaires sur l'allaitement maternel pour les professionnels de la santé. Ces séminaires sont parrainés par l'*American Academy of Pediatrics* et l'*American College of Obstetricians and Gynecologists*. L'*American Academy of Family Physicians* y participe en tant que collaborateur. Ces séminaires sont officiellement reconnus et accrédités par les autres principales associations médicales. Des ateliers pour les spécialistes en lactation sont également organisés en divers endroits pour offrir une formation continue et des crédits d'études aux consultantes en lactation et aux infirmières diplômées. De semblables journées de formation sont aussi offertes aux professionnels de la santé de langue française dans leurs pays respectifs.

La Leche League International offre des formations aux *Breastfeeding Peer Counselors* qui, dans les communautés locales, travaillent à offrir du soutien et de l'aide aux mères qui allaitent.

La *LLL Alumnæ Association* continue à réunir les monitrices et les membres alors que celles-ci appliquent la philosophie de la Ligue La Leche dans de nouvelles étapes de leur vie. Cette association est ouverte à toutes les membres et monitrices actives ou à la retraite.

La Ligue La Leche a été une source d'inspiration et d'encouragement pour les mères depuis près de 50 ans. S'il existe un groupe de la Ligue La Leche dans votre localité, nous vous conseillons vivement de vous joindre à ce réseau d'entraide de mère à mère.

DEUXIÈME PARTIE

LES PREMIERS MOIS

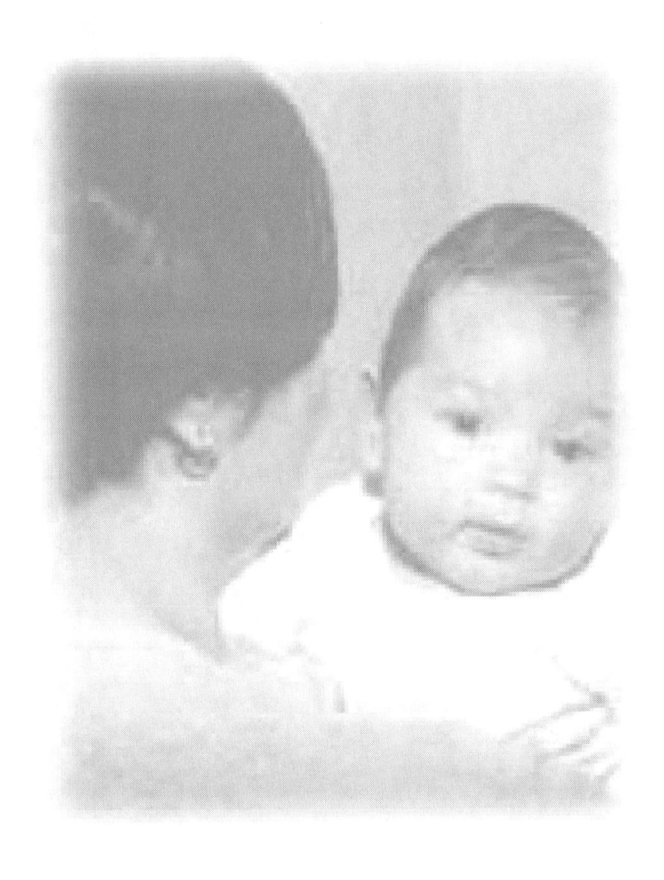

Chapitre 4

Les premiers jours

Le nouveau-né est fascinant. Il semble si petit et si fragile, mais il a déjà certaines aptitudes pour l'aider à survivre. Un nouveau-né distingue clairement le visage de sa mère lorsqu'elle le tient dans ses bras et il préfère effectivement regarder un visage humain. Il entend également très bien. Au cours de leur première heure de vie, la plupart des nouveau-nés connaissent une période d'éveil calme, où ils sont particulièrement réceptifs. La mère et le bébé qui se retrouvent ensemble à ce moment précis vivent alors un échange intense et complexe de messages. Les heures et les jours qui suivent immédiatement la naissance semblent aussi constituer une période particulièrement propice pour que la mère développe un lien d'attachement à son nouveau-né.

Dans leur livre intitulé *La magie du nouveau-né,* le Dr Marshall Klaus et son épouse, Phyllis, décrivent les facultés du nouveau-né :

> *Pendant l'heure qui suit la naissance, les enfants « normaux » passent par une période prolongée de veille calme qui dure environ quarante minutes, pendant laquelle ils regardent directement les visages et les yeux de leur mère et de leur père et peuvent réagir aux voix. C'est comme si les nouveau-nés avaient répété l'approche parfaite de leur première rencontre avec leurs parents.*

La première tétée

Plus vite vous mettrez le bébé au sein, mieux ce sera. La plupart des bébés sont prêts et parfois même impatients de téter dans l'heure qui suit leur naissance. Étonnamment, un bébé né à terme et en bonne santé, qui est placé sur le ventre de sa mère peu après sa naissance, est capable de trouver le chemin jusqu'à son sein et de le saisir sans assistance, à condition qu'il ne soit pas somnolent suite à l'usage de médicaments ou d'anesthésie pendant le travail et l'accouchement. Le réflexe de succion d'un bébé né à terme et en bonne santé est à son meilleur environ vingt à trente minutes après sa naissance. Si on laisse passer ce moment particulièrement propice, le réflexe de succion du bébé pourrait être moins fort au cours des trente-six prochaines heures.

Allaiter tôt après la naissance est aussi bénéfique pour la mère que pour le bébé. En plus de favoriser un bon départ de l'allaitement, cette première tétée accélère également l'expulsion du placenta. Vous perdrez aussi moins de sang, car la succion du bébé provoque la contraction de l'utérus. Quant au bébé, la proximité de sa mère le rassure et le premier lait, le colostrum, est d'une valeur inestimable puisqu'il l'immunise contre les maladies.

Lorsqu'une mère peut accueillir son nouveau-né, en le cajolant et en l'allaitant, et que le bébé reste avec sa mère et tète à volonté, l'allaitement se poursuit habituellement sans trop de problèmes. La mère et son bébé ont besoin d'être ensemble souvent et le plus tôt possible afin d'établir des liens affectifs satisfaisants et une sécrétion lactée adéquate.

Votre première tentative pour allaiter est une occasion d'apprendre, le moment pour vous et votre bébé de faire connaissance. Le bébé peut réagir de plusieurs façons. Il peut simplement sentir le mamelon ou le lécher. De votre côté, vous serez probablement encore sous le coup de l'émotion d'avoir accouché et vous vous sentirez peut-être maladroite en essayant de mettre votre bébé au sein. Il sera difficile de vous détendre s'il y a beaucoup d'activité autour de vous.

Ce qui importe, c'est de prendre votre bébé contre vous, de lui parler et de le rassurer. Soutenez le sein de votre main (comme décrit un peu plus loin) et chatouillez les lèvres du bébé avec votre mamelon. Au moment où il ouvrira la bouche toute grande, rapprochez-le de vous pour qu'il puisse facilement saisir le mamelon et une bonne partie de l'aréole, le cercle foncé qui entoure le mamelon. Il est possible qu'il tète un peu et s'endorme ou encore qu'il préfère regarder autour de lui. Ne vous inquiétez pas si votre bébé ne prend pas le sein immédiatement. Il le fera bientôt. La première occasion que vous avez d'offrir le sein ne fait que préparer le terrain pour les heures et les jours qui suivront, quand votre bébé et vous apprendrez à mieux vous connaître.

Si des complications d'ordre médical vous empêchent d'allaiter immédiatement après l'accouchement, tout n'est pas perdu. Vous et votre bébé aurez la possibilité de vous reprendre lorsque vous pourrez être réunis et commencer l'allaitement. Nous traiterons plus loin de l'allaitement lorsque surviennent certains problèmes d'ordre médical ou lors de situations particulières. Si vous êtes à l'hôpital, vous pouvez peut-être obtenir de l'aide d'une consultante en lactation. Si une difficulté ou un problème particulier se présente, vous pouvez également communiquer avec une monitrice de la Ligue La Leche.

La mise au sein

Mettre votre bébé au sein simplement et sans difficulté deviendra bientôt pour vous une seconde nature. Il est vraiment beaucoup plus facile d'allaiter que de décrire la façon de le faire.

Un des avantages d'assister aux réunions de la Ligue La Leche pendant votre grossesse, c'est que vous pourrez y voir des mères allaiter leur bébé. Ceci vous aidera plus que n'importe quelle photo ou description. Ce sera l'occasion d'observer des mères qui ont trouvé des façons confortables d'allaiter des bébés de tous les âges et de différentes tailles. Vous les verrez probablement utiliser des oreillers, des coussins, des tabourets ou des appuis-bras pour faciliter la mise au sein de leur bébé. Évidemment, il n'y a pas deux mères ou deux bébés semblables et à mesure que le bébé grandit et tète mieux, la position pour le mettre au sein devient moins importante.

La tétée en détail

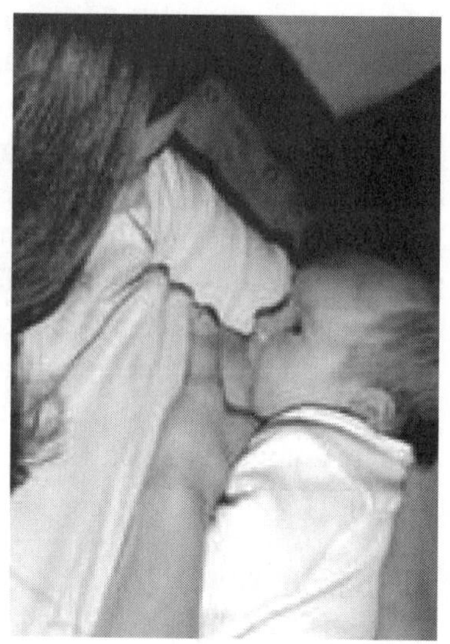
Quand le bébé prend bien le sein, allaiter ne cause pas de douleur.

Les étapes suivantes décrivent la manière appropriée de mettre le bébé au sein afin qu'il puisse téter efficacement et obtenir du lait en quantité suffisante. Bien placer le bébé au sein permet également de prévenir la douleur aux mamelons.

1. Installez-vous correctement. Les premières fois, il est plus facile de commencer l'allaitement en position assise. Assoyez-vous dans votre lit, dans un fauteuil confortable ou dans une chaise berçante. Les oreillers sont indispensables. Placez-en un derrière votre dos, un autre sous votre coude et un dernier sur vos genoux pour soutenir le bébé. Utilisez un tabouret pour surélever vos genoux. Si vous êtes assise dans votre lit, mettez des oreillers sous vos genoux. Vous devez vous sentir à l'aise et ne ressentir aucune tension.

2. Installez votre bébé correctement. Le bébé doit être étendu sur le côté, tout son corps vous faisant face et ses genoux ramenés près de votre corps. Pour allaiter dans la position de la « madone », posez sa tête au creux de votre coude. Soutenez son dos de votre avant-bras et tenez ses fesses ou le haut de sa cuisse avec votre main. L'oreille du bébé, son épaule et sa hanche doivent former une ligne droite. Sa tête doit suivre l'alignement de son corps pour qu'il ne soit pas obligé de se tourner pour saisir le mamelon.

3. Tenez votre bébé à la hauteur du sein. Ceci vous évitera de vous pencher vers lui et il n'aura pas à s'étirer pour saisir votre mamelon. Ce sera plus facile si vous placez un oreiller sur vos genoux.

4. Présentez le sein au bébé. Votre pouce et votre index devraient former un « C » ou un « U ». Assurez-vous cependant de bien placer les doigts derrière l'aréole. Soutenez autant que possible le sein à sa hauteur naturelle au moment où le bébé le saisit et tout au long de la tétée. Pour ce faire, placez le pouce en ligne avec le nez du bébé et les quatre doigts de l'autre côté du sein. Assurez-vous de placer les doigts et le pouce loin du mamelon afin de ne pas gêner le bébé au moment où il le saisit.

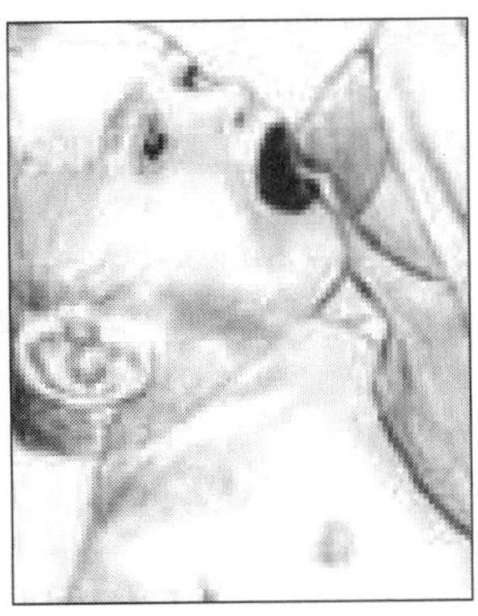

Le bébé doit ouvrir la bouche toute grande.

5. Encouragez le bébé à bien saisir le mamelon. Si votre bébé tourne la tête, caressez-lui doucement la joue qui vous fait face. Le réflexe des points cardinaux lui fera tourner la tête vers vous. Pour encourager votre bébé à ouvrir très grand la bouche, rapprochez-le et éloignez-le du sein en touchant doucement ses lèvres avec le sein. Répétez l'opération jusqu'à ce qu'il ouvre la bouche toute grande. Quand il prend le sein, la bouche du bébé devrait vraiment être grande ouverte, comme lorsqu'il bâille. Parlez-lui et encouragez-le à ouvrir la bouche. Au moment où il ouvre la bouche toute grande, rapprochez-le du sein, le menton en premier, pour que sa mâchoire inférieure (qui fait tout le travail pendant la tétée) s'avance le plus loin possible sur l'aréole.

Vous approchez le bébé du sein, le menton en premier.

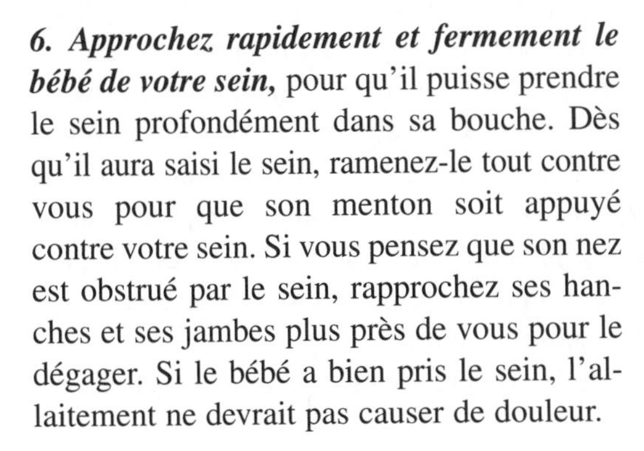

6. Approchez rapidement et fermement le bébé de votre sein, pour qu'il puisse prendre le sein profondément dans sa bouche. Dès qu'il aura saisi le sein, ramenez-le tout contre vous pour que son menton soit appuyé contre votre sein. Si vous pensez que son nez est obstrué par le sein, rapprochez ses hanches et ses jambes plus près de vous pour le dégager. Si le bébé a bien pris le sein, l'allaitement ne devrait pas causer de douleur.

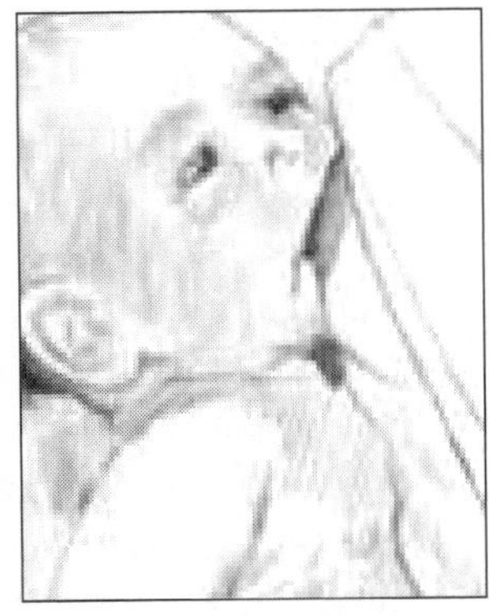

Le bébé a pris le sein correctement.

7. Une succion efficace. Pour téter efficacement, le bébé doit prendre dans sa bouche une bonne partie de l'aréole en plus du mamelon. Les sinus lactifères qui doivent être comprimés pour permettre au lait de s'écouler sont situés sous l'aréole. Les gencives du bébé doivent aller au-delà du mamelon et couvrir une bonne partie, sinon la totalité, de l'aréole. Assurez-vous que sa langue est bien placée sous le mamelon. Le bébé doit être tenu tout près de vous pour que son menton soit appuyé contre votre sein. Si votre sein semble lui obstruer le nez, plutôt que de presser sur le sein, essayez de le relever ou ramenez légèrement le corps de votre bébé vers vous.

8. Évitez les mamelons douloureux. Si le bébé saisit bien le mamelon et s'il tète convenablement, vous ne devriez sentir aucune douleur au mamelon. Par contre, si le bébé ne semble pas bien téter ou si vous ressentez de la douleur lorsqu'il tète, vous devrez retirer le bébé et recommencer. Pour briser la succion, introduisez un doigt au coin des lèvres du bébé tout en exerçant une pression sur votre sein ou en repoussant doucement la joue du bébé. Ne laissez pas votre bébé téter de façon incorrecte. Cela peut occasionner de la douleur aux mamelons, et plus le temps passe, plus il est difficile de corriger une mauvaise succion. Il se peut que votre bébé n'ouvre pas assez la bouche et vous devrez alors corriger sa position pour que sa mâchoire inférieure descende plus bas sur votre sein. Il se peut également qu'il ait besoin que vous le teniez plus près de vous.

Certains bébés apprennent vite, d'autres ont besoin de plus de temps. Pour quelques-uns, de nombreux essais sont nécessaires à chaque tétée avant de pouvoir allaiter confortablement. Pour que tout aille bien, il faut agir en tenant compte des réactions du bébé. Si le bébé semble contrarié, vous devrez peut-être arrêter, le temps de le consoler, avant d'essayer de nouveau. Au cours des premières semaines, ça vaut la peine de prendre le temps de bien placer le bébé au sein. Non seulement, éviterez vous d'avoir les mamelons douloureux, mais le bébé pourra également obtenir le plus de lait possible pour l'effort qu'il aura fourni, tout en stimulant une production de lait adéquate. Bientôt, vous allaiterez rapidement et machinalement et vous n'aurez plus besoin de suivre toutes ces étapes. D'ici là, prévoyez de consacrer un peu de temps à chaque tétée pour apprendre à votre bébé à bien prendre le sein.

Si vous ressentez encore de la douleur, vérifiez si une des situations suivantes n'en est pas la cause et suivez ces conseils :

- Ne laissez pas la bouche du bébé glisser sur le mamelon, arrêtez-le tout de suite avant qu'il ne tète de façon incorrecte. Assurez-vous qu'il ouvre très grand la bouche pour amener le mamelon au fond de sa bouche.
- Si le bébé persiste à serrer les mâchoires trop fortement quand il commence à téter, abaissez sa mâchoire inférieure en pressant sur son menton avec votre doigt et dites-lui « ouvre » d'une voix ferme et claire. Ouvrez la bouche toute grande, le bébé pourrait vous imiter.
- Si la douleur au mamelon persiste, demandez à quelqu'un d'abaisser doucement la lèvre inférieure de votre bébé pendant qu'il boit. Demandez-lui de vérifier si sa langue est visible entre sa lèvre inférieure et votre sein. S'il n'est pas possible d'apercevoir la langue du bébé, c'est peut-être parce qu'il la tète en même temps que le mamelon. Retirez le bébé du sein et replacez-le. Quand le bébé prend le sein, assurez-vous que sa bouche est grande ouverte, que sa langue se trouve sous le mamelon et que le mamelon est loin dans sa bouche.
- Si le menton du bébé ne touche pas le sein, c'est qu'il ne tète probablement pas correctement. Retirez le bébé du sein et recommencez. Assurez-vous que sa bouche est grande ouverte. Approchez-le du sein, le menton en premier.

9. Observez les signes d'une succion efficace. Bien des bébés savent exactement comment téter correctement dès leur naissance. Par contre, d'autres bébés ont besoin de quelques jours pour apprendre. Ils ont besoin d'une aide particulière, comme celle décrite plus haut, ainsi que beaucoup d'encouragement et de patience. Cependant, dès que votre bébé tétera adéquatement, vous prendrez plaisir à le regarder. Les muscles du visage d'un bébé qui tète vigoureusement travaillent si fort que même ses oreilles bougent. Vous pouvez observer l'action puissante des muscles de ses mâchoires et l'entendre avaler. Puis, lorsqu'il commence à apaiser sa faim initiale, le bébé se détend, tète moins vigoureusement, avale moins souvent, profitant de la proximité et du réconfort qu'il trouve au sein de sa mère.

10. Laissez le bébé finir de téter à un sein, puis offrez-lui l'autre. Dans les premiers jours de l'allaitement, il est préférable d'offrir les deux seins à votre bébé à chaque tétée. Si le bébé prend bien le sein, vous n'avez aucune raison de limiter la durée d'une tétée. Une fois que le bébé tète activement, laissez-le se nourrir à un sein jusqu'à ce qu'il le laisse de lui-même, soit en l'abandonnant soit en s'endormant. Offrez-lui alors l'autre sein. Il acceptera parfois de le prendre, d'autres fois non, et c'est très bien. Si un bébé s'endort ou cesse de téter activement après seulement quelques minutes, il devra être remis au sein et encouragé à continuer.

Soutenir le sein

Vous verrez parfois des photos de mères qui utilisent seulement deux doigts pour offrir le sein au bébé. À une certaine époque, cette technique était recommandée et certaines mères la trouvent efficace. Plus récemment toutefois, on a découvert que former un « C » ou un « U » avec le pouce et l'index permet à la mère de soutenir le sein et évite de presser sur l'aréole ou de l'écraser. On recommande de tenir le sein de façon à aligner l'ovale du sein sur la bouche du bébé. En d'autres termes, utilisez la position « C » quand votre bébé vous fait face et la position « U » quand le bébé vient vers le sein avec la tête de côté.

Autres positions d'allaitement

Il est bon d'allaiter dans différentes positions afin de découvrir celles que vous trouvez les plus confortables.

La position couchée

Apprendre à allaiter votre bébé confortablement en position couchée peut se révéler fort pratique.

Au cours des premières semaines, vous pourrez vous reposer davantage si vous allaitez votre bébé couchée sur le côté. Vous aurez alors besoin d'utiliser des oreillers pour vous soutenir, vous et le bébé. Au début, il vous faudra peut-être de l'aide pour placer le bébé afin qu'il puisse saisir le sein correctement. Étendez-vous sur le côté, la tête sur un oreiller. Placez le bébé sur le côté, face à vous, sa bouche vis-à-vis votre mamelon et ses genoux ramenés près de votre corps. Vous serez peut-être plus confortable si le bébé est étendu directement sur le lit ou encore vous préférerez glisser votre bras sous lui. Calez-vous dans les oreillers placés dans votre dos et offrez le sein au bébé. Soutenez votre sein en plaçant les doigts dessous et le pouce sur le dessus sans toucher l'aréole. Encouragez votre bébé à saisir le sein correctement, comme décrit plus haut. Attendez qu'il ouvre la bouche toute grande. Ensuite, rapprochez-le rapidement de vous pour qu'il puisse bien prendre le sein et téter efficacement.

Allaiter en position couchée.

Lorsque le bébé aura commencé à téter, vous pourrez mettre un oreiller ou une serviette roulée dans son dos pour le garder près de vous et placer votre bras sous votre tête, si vous êtes plus à l'aise ainsi. Certaines mères placent également un oreiller entre leurs genoux. Pour changer de côté, assoyez le bébé et tapotez-lui le dos pour voir s'il a besoin de faire un rot, puis couchez-le sur votre poitrine et roulez sur le dos. Étendez-vous de l'autre côté et mettez le bébé au sein. Cette position est particulièrement commode pour les mères ayant accouché par césarienne. Pendant le séjour à l'hôpital, vous pouvez vous servir des montants du lit pour vous aider à vous retourner.

La position « ballon de football »

La position « ballon de football[1] » est une autre position utile à connaître. Assoyez-vous confortablement dans un fauteuil ou sur un sofa. Placez le bébé à côté de vous, ses jambes sous votre bras et sa tête près de votre sein. Soutenez sa tête en plaçant vos doigts sous sa nuque et ses épaules. Utilisez des oreillers pour que votre bébé soit à la hauteur de votre sein. En approchant le bébé de vous pour qu'il puisse saisir le sein, assurez-vous qu'il ne pousse pas avec ses pieds sur le dossier du fauteuil ou du sofa. Si c'est le cas, relevez ses jambes derrière vous. Cette position peut être pratique avec un bébé qui a de la difficulté à prendre le sein. Elle

[1] On fait référence ici au football américain, où les joueurs tiennent le ballon sous le bras.

permet à la mère de bien voir ce qui se passe et de s'assurer que le bébé est bien placé lorsqu'il prend le sein.

La position « ballon de football ».

La position transversale, de la « madone inversée » ou de transition

Cette position est semblable à celle de la « madone » que nous avons décrite plus haut. Cette fois, par contre, vous devez tenir le bébé du bras opposé. Pour allaiter au sein gauche, soutenez le sein avec votre main gauche et tenez votre bébé au creux de votre bras droit. Cette position vous permet de bien observer le bébé lorsqu'il prend le sein. C'est un bon choix au début pour les bébés prématurés ou pour ceux qui ont de la difficulté à prendre le sein. Soutenez la tête du bébé en plaçant sa nuque dans la paume de votre main, votre pouce et vos doigts à la base de son cou. N'appuyez pas sur l'arrière de sa tête car ceci pourrait l'inciter à se détourner du sein. Certaines mères utilisent des oreillers sous le bébé pour le soutenir et le placer à la hauteur du sein. En utilisant la position en « U », votre coude restera collé sur vous. Soutenez votre sein avec la main qui est du même côté que le sein que vous offrez.

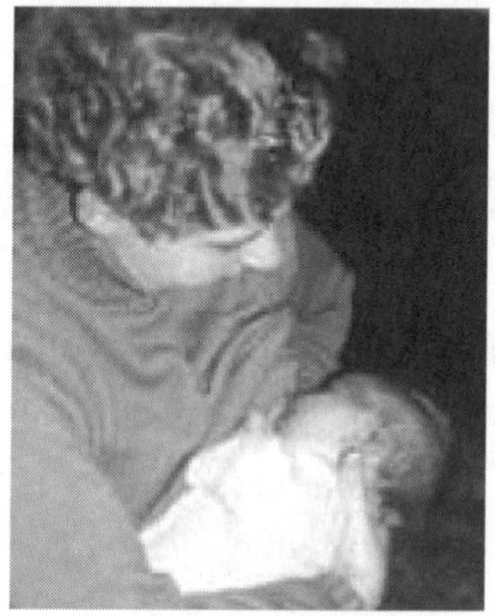

La position transversale, de la « madone inversée » ou de transition.

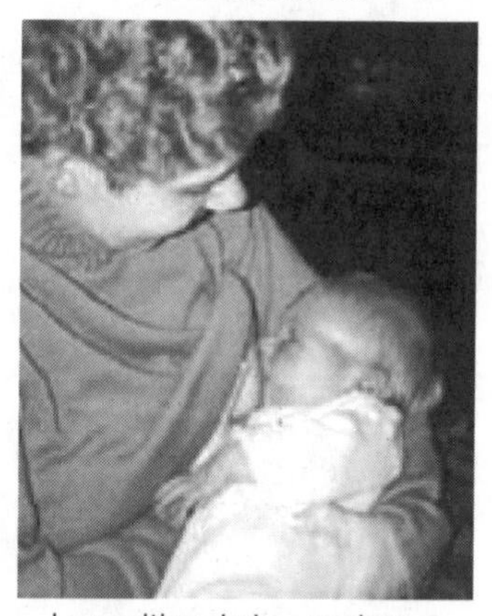

La position de la « madone ».

Au début, respectez ces étapes

Puisqu'il est important que le bébé apprenne à téter efficacement, nous vous recommandons, durant les premiers jours, d'appliquer cette technique étape par étape. Après un certain temps, lorsque vous serez devenus tous deux des experts, vous pourrez utiliser les positions et les façons de faire qui vous conviennent le mieux. Vous pourrez même vous retrouver à allaiter dans des positions différentes à chaque tétée, ce qui est très bien. L'heure de la tétée doit être un moment de détente agréable pour vous et votre bébé.

Le réflexe d'éjection du lait

Après que le bébé ait tété vigoureusement pendant plusieurs minutes, beaucoup de mères sentent un picotement dans les seins et remarquent que leur lait coule plus abondamment. C'est le réflexe d'éjection du lait. Il survient plusieurs fois pendant la tétée et, au même moment, les mères notent parfois que du lait s'écoule goutte à goutte de l'autre sein. Le bébé réagit habituellement à ce réflexe d'éjection en avalant plus souvent. De sorte que, même si vous ne sentez pas de picotement aux seins, vous saurez que le réflexe d'éjection du lait s'est produit en observant votre bébé. Il tétera plus vite et avalera plus souvent. Parfois, avant même que le bébé n'ait commencé à téter, le simple fait de l'entendre pleurer suffit à déclencher ce réflexe.

Il arrive à l'occasion qu'un bébé soit surpris par la puissance du réflexe d'éjection, qu'il s'étouffe et qu'il laisse couler un peu de lait de sa bouche. Il est bon d'avoir sous la main une serviette ou une couche propre pour éponger le lait alors que vous assoyez le bébé pour lui laisser reprendre son souffle.

Certaines mères ne sentent pas du tout le réflexe d'éjection du lait, bien que le phénomène se produise forcément si leur bébé tète bien. Chez d'autres mères, la sensation de picotement peut être très forte, surtout au cours des premières semaines.

Une mère, Marie-Ève Lepage, du Québec, partage son expérience à ce sujet :

> *À l'arrivée de notre deuxième enfant, l'allaitement se déroulait aussi bien que pour le premier.*
>
> *Notre bébé tétait vigoureusement, il éliminait adéquatement ses urines et ses selles, son tempérament était enjoué et il prenait du poids de manière très satisfaisante.*

Cependant, lorsque notre garçon a atteint l'âge de trois semaines, il a soudainement commencé à démontrer une certaine irritabilité au début de chaque tétée. De plus, j'avais l'impression qu'il s'étouffait avec mon lait. Il me semblait entendre littéralement tomber du lait au fond de son estomac, comme une pierre qu'on jette au fond d'un puits.

Grâce aux renseignements obtenus auprès de la Ligue La Leche, j'ai aussitôt augmenté la fréquence des tétées, allaitant mon bébé encore endormi en position « ballon de football » dans un fauteuil. J'offrais aussi régulièrement le même sein pour deux tétées consécutives.

Notre fils a immédiatement apprécié ces modifications à nos habitudes, car tout est rentré dans l'ordre. Quelques semaines plus tard, j'ai pu reprendre l'allaitement en position couchée... pour mon plus grand bonheur !

L'engorgement au moment de la « montée de lait »

L'arrivée du lait ou « montée de lait » survient généralement entre le deuxième et le sixième jour après la naissance. Avant cela, votre bébé recevra du colostrum qui lui fournira tous les éléments nutritifs dont il a besoin ainsi que des éléments importants qui le protégeront contre les infections. Il faut environ deux semaines pour que le colostrum se transforme graduellement en lait mature.

Le moment où se produit la montée de lait dépend de divers facteurs. Allaiter tôt et souvent après la naissance favorise la production de lait. Un accouchement sans médication et la présence du bébé près de vous font une énorme différence. Être relativement à l'aise a aussi son importance. Pour la plupart des mères, le fait de se retrouver à la maison, dans un environnement familier, où elles ont la liberté de prendre leur bébé et de l'allaiter fréquemment, représente bien souvent tout ce dont elles ont besoin pour que le lait « monte ».

Lorsque la production de lait devient plus abondante, vous pouvez avoir l'impression que vos seins sont sur le point d'éclater tellement ils sont gonflés. Vous sentez que vous pourriez nourrir des jumeaux ou des triplés ! Cette abondance est due à une quantité additionnelle de sang qui parvient aux seins afin de s'assurer que le nouveau-né aura assez de nourriture. Tel le rassemblement d'une grande armée, toutes les forces se mobilisent pour que tout marche comme sur des roulettes. C'est ce surplus de sang qui, combiné à un certain gonflement des tissus, occasionne l'engorgement. Certaines mères n'observent qu'un gonflement faible ou modéré de leurs seins tandis que d'autres ont les seins engorgés à chacun de leurs bébés.

Normalement, cette sensation de plénitude disparaît en l'espace de quelques jours. Il est particulièrement important de continuer d'allaiter le bébé fréquemment, au moins toutes les deux heures, car l'allaitement soulage la congestion. Une douche chaude suivie d'une tétée permet souvent de réduire l'inconfort. Chez certaines femmes, la sensation normale d'inconfort peut aller en s'intensifiant et mener à l'engorgement. Leurs seins deviennent alors durs et douloureux. Elles peuvent même faire un peu de fièvre. Pour certaines d'entre elles, le fait d'appliquer des compresses chaudes et d'exprimer un peu de lait avant les tétées soulage l'engorgement. Des sacs de glace peuvent également être utilisés entre les tétées pour réduire le gonflement.

Un léger massage peut aussi aider à diminuer l'engorgement. Il arrive parfois qu'une zone précise du sein soit engorgée, celle située sous l'aisselle, par exemple. Avec la paume de la main, exercez une légère pression en déplaçant la main vers le mamelon. Cette technique est plus efficace si vous la faites sous la douche ou penchée au-dessus d'un récipient d'eau tiède en aspergeant de l'eau sur vos seins.

Un remède maison efficace pour soulager l'engorgement est l'application de feuilles de chou. Elles peuvent être réfrigérées ou à température ambiante. Rincez les feuilles, enlevez la nervure et découpez un trou pour le mamelon. Appliquez directement sur les seins, à l'intérieur de votre soutien-gorge. Dans un intervalle de deux à quatre heures, les feuilles de chou se seront ramollies et flétries. Appliquez d'autres feuilles entre les tétées, pour une période allant jusqu'à huit heures ou jusqu'à ce que vous vous sentiez confortable. Les feuilles de chou ne devraient pas être utilisées plus longtemps, car elles peuvent affecter votre production de lait.

Isabelle Hadorn, de la Suisse romande, raconte comment la Ligue La Leche l'a aidée à régler son problème d'engorgement et à partir du bon pied pour allaiter sa fille :

Durant les quelques jours où je n'avais pas encore eu la montée de lait, j'ai donné le sein à plusieurs reprises, toutes les fois où il me semblait que le bébé en avait besoin. Au troisième jour, mon lait a commencé à monter et ma fille, de son côté, s'est trouvée en pleine jaunisse. Tout à coup, je me retrouvais avec des seins énormes, engorgés et un bébé tout à fait endormi. À un moment où, affamée, elle se réveillait, j'en profitais pour lui donner le sein, le plus plein bien sûr. Quel soulagement de voir cette enfant boire et de sentir mon sein qui se vidait. Je n'étais pas sans savoir qu'il vaut mieux donner les deux seins dans le cours d'une tétée. J'étais toute prête à lui donner l'autre sein, mais j'avais surestimé la faim de mon bébé et elle est retombée dans le sommeil, repue, me laissant avec un sein de volume normal et un sein vraiment énorme. J'ai appliqué des compresses, essayé d'exprimer du lait, appelé la sage-femme et tourné en rond dans la maison, en attendant le réveil de mon bébé.

Après deux jours, la jaunisse était beaucoup moins forte et nous avons enfin pu prendre un rythme pour les tétées. Quelques jours plus tard, je contactais l'animatrice de la Ligue La Leche, sur les conseils de ma sage-femme. Là, on m'a rendue attentive à la façon dont je tenais le bébé durant la tétée. Il fallait vraiment lui présenter le sein de face. J'ai, par la suite, continué à assister aux réunions de la Ligue La Leche. J'y ai trouvé un soutien et une philosophie qui correspondaient tout à fait à ma vision du maternage.

L'engorgement devient problématique lorsque les mamelons ne peuvent plus ressortir. Le bébé aura alors de la difficulté à les saisir convenablement. Pour réduire le gonflement, vous pouvez masser vos seins et exprimer un peu de lait manuellement ou à l'aide d'un tire-lait. Certaines mères craignent que le fait d'exprimer un peu de lait n'augmente leur production de lait et l'engorgement de leurs seins. Ce n'est pas le cas. Permettre au bébé de téter efficacement aidera à soulager la congestion des seins et résoudra finalement le problème. On peut parfois faire ressortir les mamelons en y appliquant brièvement des compresses d'eau froide ou de glace.

Le port, trente minutes avant les tétées, de boucliers ou de coquilles de plastique rigide aide parfois à faire ressortir les mamelons plats. Certains suggèrent d'utiliser le tire-lait pendant quelques minutes pour faire ressortir les mamelons plats et soulager l'engorgement.

La téterelle, faite de silicone, peut être portée pendant les tétées. Si l'engorgement empêche le bébé de saisir convenablement le mamelon, le port de la téterelle pendant quelques tétées peut être utile..

La durée de la tétée

À une certaine époque, on recommandait aux nouvelles mères de limiter, les premiers jours, la durée de la tétée à trois ou cinq minutes par sein. On espérait ainsi éviter les mamelons douloureux. Pourtant, allaiter fréquemment, toutes les deux heures ou à peu près – en calculant du début d'une tétée au début de la suivante –, est préférable pour les mamelons et stimule par la même occasion la production de lait. Des tétées fréquentes peuvent aider à prévenir des taux excessifs de jaunisse chez le nouveau-né.

On sait maintenant qu'une bonne position du bébé au sein et qu'une succion adéquate constituent la meilleure protection contre les mamelons douloureux. Il n'est donc pas nécessaire de limiter la durée de la tétée pour prévenir la douleur aux mamelons.

L'intérêt du bébé et ses réactions devraient déterminer la durée de la tétée. En général, il tètera avidement et avalera souvent pendant les dix à vingt premières minutes. Puis le débit du lait ralentit et le bébé commence à somnoler ou manifeste moins d'intérêt. C'est alors le temps de lui offrir l'autre sein. On peut profiter de ce moment pour lui faire faire un rot ou le changer de couche avant de le remettre au sein. À condition qu'il tète efficacement, vous pouvez ensuite le laisser boire au deuxième sein aussi longtemps qu'il le désire.

Comment enlever le bébé du sein

Si vous devez interrompre la tétée pendant que votre bébé tient fermement le mamelon, vous pouvez le faire sans douleur en exerçant une légère pression sur le sein près de ses lèvres. Vous pouvez aussi repousser sa joue, près de sa bouche. Enlever le bébé du sein, sans avoir pris la peine auparavant de briser la succion, peut se révéler douloureux et risque de blesser votre mamelon.

Un ou deux côtés ?

Au début, la plupart des mères préfèrent offrir les deux seins à chaque tétée. La succion du bébé stimule la production de lait et offrir les deux seins à chaque tétée prévient l'engorgement.

Commencez d'un côté différent à chaque tétée. Par exemple, si vous avez commencé par le sein droit et terminé par le sein gauche, inversez l'ordre à la tétée suivante. Vous offrirez en premier le sein avec lequel vous avez terminé la tétée précédente. Les mères ont trouvé plusieurs trucs pour se rappeler par quel sein commencer. Certaines utilisent une petite épingle de sûreté qu'elles fixent du côté du soutien-gorge où elles ont terminé et qu'elles changent de côté après chaque tétée. D'autres changent de main leur bague ou leur bracelet.

Si vous oubliez malgré tout, votre bébé et votre sein gonflé vous indiqueront probablement que vous avez offert le « mauvais » côté. Si cela vous arrive à l'occasion, il n'y a pas lieu de vous inquiéter.

Dois-je « vider » mes seins ?

Dans des situations normales, lorsqu'un bébé tète efficacement et fréquemment, une mère n'a pas à se préoccuper de « vider » ses seins. Si, toutefois, vous avez un bébé qui ne tète pas bien au début, il se peut que vous ayez à exprimer du lait après chaque tétée pour stimuler suffisamment vos seins, afin de maintenir votre production de lait et offrir votre lait à votre bébé.

De nouvelles recherches sur la production du lait maternel démontrent que le fait de vider les seins aide effectivement à stimuler la production de lait. En d'autres mots, s'il reste beaucoup de lait dans vos seins après une tétée, ceux-ci commenceront à en produire moins pour les tétées suivantes. Ceci permet au bébé qui tète efficacement d'ajuster la production de lait de sa mère à ses besoins. Une baisse de production de lait de la mère peut cependant se produire si le bébé s'endort toujours avant d'avoir bu assez de lait, s'il ne prend pas bien le sein ou encore si un bébé a subi un traumatisme ou une blessure à la naissance qui l'empêche de bien téter. Dans de telles circonstances, vous devriez communiquer avec quelqu'un qui sait ce qu'il faut faire dans des situations d'allaitement difficiles afin de maintenir votre production de lait et continuer d'offrir votre lait à votre bébé jusqu'à ce qu'il soit prêt à téter efficacement.

L'hygiène des mamelons

Il n'est pas nécessaire de nettoyer vos mamelons, que ce soit avant ou après la tétée. Les glandes de Montgomery qui entourent le mamelon sécrètent une substance lubrifiante qui détruit les bactéries. Lorsque vous prenez une douche ou un bain, utilisez seulement de l'eau claire sur les seins et les mamelons, car le savon peut dessécher la peau. Il est important de se laver les mains avant la tétée, surtout lorsque vous êtes à l'hôpital.

Les rots

Assoyez le bébé sur vos genoux et frottez-lui le dos pour qu'il fasse un rot.

Pendant la tétée, le bébé avale parfois de l'air qu'il est nécessaire de faire sortir pour assurer son bien-être. Votre connaissance de votre bébé sera votre meilleur guide pour savoir quand il a besoin de faire un rot. Certains bébés allaités semblent n'avoir jamais besoin d'en faire. D'autres avalent de l'air lorsque les seins de la mère sont gonflés et que le lait coule rapidement. Le bébé glouton de nature aura souvent tendance à faire des rots. Chaque fois que le bébé est agité, essayez de voir s'il n'a pas besoin de faire un rot.

Il existe diverses façons de faire faire un rot à un bébé. Vous pouvez essayer de placer votre bébé sur votre épaule et frotter doucement son dos. Une couche de tissu propre, une serviette ou une petite couverture jetée sur votre épaule absorbera le lait régurgité. Le simple fait de tenir votre bébé plus ou moins à la verticale fera facilement remonter la plupart des bulles d'air. Une autre méthode éprouvée consiste à asseoir le bébé sur vos genoux et à le pencher lentement vers l'avant, tout en tapotant ou en frottant son dos. Lorsqu'il est très petit, soutenez sa tête et son dos et ne le maintenez dans cette position que quelques secondes. Certaines mères couchent le bébé à plat ventre sur leurs genoux et lui frottent ou lui tapotent le dos. Essayez de faire faire un rot au bébé pendant la tétée, au moment de changer de sein, et une autre fois quand il a fini de téter. S'il n'en a pas fait après quelques instants, n'insistez pas, à moins bien sûr qu'il ne soit agité. Si c'est le cas, essayez de nouveau.

Chaque fois que votre bébé fait un rot particulièrement fort, vérifiez s'il veut encore un peu de lait. Cette grosse bulle d'air pouvait lui faire croire qu'il était rassasié, alors qu'il ne l'était pas vraiment. Par contre, si le bébé s'endort au sein, il n'est pas nécessaire de le réveiller pour lui faire faire un rot.

Le hoquet

Nous aimerions également dire un mot sur le hoquet. Les petits bébés semblent y être particulièrement sujets. Ils l'ont souvent après chaque tétée. Ne vous inquiétez pas, c'est tout à fait normal. Le hoquet dérange plus les parents que le bébé. Si vous le voulez, vous pouvez laisser téter le bébé quelques minutes de plus, ce qui fait parfois cesser le hoquet.

La routine hospitalière

Les hôpitaux souhaitent ce qu'il y a de mieux pour leurs patients, mais souvent leur taille et la bureaucratie s'interposent entre leurs bonnes intentions et le genre de soins que vous recherchez. Préparez-vous à défendre ce que vous voulez. Obtenir ce que l'on veut n'est souvent qu'une question de persévérance. Une mère affirmait que chaque fois que, suite à une demande, on lui répondait : « Désolé, nous ne pouvons faire cela », elle rétorquait qu'elle ne voulait surtout pas obliger quiconque à aller à l'encontre de la politique de l'hôpital et elle demandait plutôt à parler à quelqu'un qui avait le pouvoir de modifier la dite politique. En acheminant sa demande à un niveau plus élevé de la hiérarchie, elle réussissait parfois à obtenir une solution satisfaisante à son problème.

Vous aurez peut-être besoin d'aide

S'affirmer demande évidemment de l'énergie et vous ne serez peut-être pas en état de fournir un tel effort à ce moment-là. Votre conjoint peut vous épauler en vous aidant à contourner les pratiques qui minent vos efforts pour allaiter. Concentrez-vous sur les soins à donner à votre bébé et laissez votre conjoint prendre position face à la bureaucratie et aux règlements qui vous empêchent de faire ce que vous voulez. Après tout, il s'agit de votre bébé! Un fait qu'on a parfois tendance à oublier quand on évalue le poids de l'autorité institutionnelle par rapport à celle des parents.

Susan et Larry Kaseman, de la Virginie, racontent ce qu'ils ont vécu lors de la naissance de leur fils Peter :

> *Quand mon mari, Larry, et moi préparions la naissance de notre deuxième enfant, une de nos plus importantes préoccupations était que notre famille reste ensemble le plus possible.*

Lorsque la césarienne est devenue inévitable, nous avons rapidement changé nos plans mais pas nos priorités.

Se montrant à la fois diplomate mais déterminé, Larry a fait part de nos désirs et il a engagé le dialogue avec le personnel de l'hôpital. Quand ils invoquaient une politique de l'hôpital, nous leur proposions une autre solution qu'ils considéraient et, parfois, ils acceptaient de collaborer.

Tout au long de mon séjour à l'hôpital, ma rengaine a été : « Puis-je avoir mon bébé, s'il-vous-plaît ? » J'avais hésité à appeler notre premier enfant « mon bébé » de peur de passer pour une mère trop possessive. J'ai depuis jugé que c'était une façon efficace d'indiquer au personnel, et à moi-même, que j'en étais la première responsable.

À plusieurs reprises, j'ai découvert qu'on pouvait faire exception à bien des règles.

On nous a amené Peter dans la salle de réveil deux heures après sa naissance. Il était endormi mais prêt à téter et capable de le faire. Quelle aide formidable a été ce premier contact ! Quand l'infirmière m'a dit qu'un calmant me rendrait trop somnolente pour m'occuper de Peter, j'ai refusé l'injection. Elle a alors trouvé un autre médicament moins fort, que j'ai pris par la bouche et qui a été aussi efficace.

Durant tout mon séjour à l'hôpital, j'ai dû demander pour avoir Peter. Si quelqu'un refusait de me l'amener, je demandais à quelqu'un d'autre. En général, le personnel répondait à ma demande, mais on m'offrait rarement de me l'amener. Je me sentais marginale à cause de ma façon de penser « inhabituelle ». J'appréciais le soutien de ceux qui étaient d'accord avec moi.

Au début, j'avais voulu avoir Peter avec moi afin de pouvoir répondre à ses besoins. Mais j'ai été étonnée de voir à quel point j'avais, moi aussi, besoin de lui. Je me sentais tellement mieux, physiquement et moralement, quand il était dans mes bras.

J'avais beaucoup de difficulté à me détendre quand il était à la pouponnière.

Aucun supplément – tétées fréquentes

À l'hôpital, il est important que le personnel sache que vous ne voulez pas que votre bébé reçoive de biberons d'eau ou de préparation lactée lorsqu'il est à la pouponnière. Mentionnez que vous voulez l'allaiter souvent. C'est très important car les tétines et les suppléments de préparation lactée pour nourrissons sont au nombre des plus grands obstacles à l'établissement d'une bonne sécrétion lactée. Des tétées fréquentes aident à diminuer la jaunisse chez votre nouveau-né. Votre quantité de lait est déterminée par ce que le bébé boit, donc plus il boit, plus vos seins produiront de lait. Si votre bébé boit au biberon, il prendra moins de lait au sein. De plus, cela pourrait créer de la confusion chez votre bébé si on lui offre un biberon avant qu'il n'apprenne à téter correctement au sein. Quand il boit au biberon, un bébé n'utilise pas sa langue, ses mâchoires et sa bouche de la même manière. Si on lui offre des biberons ou autres tétines artificielles pendant cette période, il se peut que cela soit beaucoup plus long et difficile avant qu'il n'apprenne à téter efficacement.

Si la cohabitation est impossible, assurez-vous que tous savent que vous voulez qu'on vous amène votre bébé chaque fois qu'il veut boire. Ce qui signifie au moins toutes les deux heures pendant la journée et chaque fois qu'il se réveille la nuit. Les bébés ont aussi besoin de boire la nuit et, si on ne vous amène pas votre nouveau-né, c'est peut-être parce qu'on lui donne un biberon d'eau ou de préparation lactée à la pouponnière.

La cohabitation

Les problèmes causés par la routine hospitalière peuvent souvent être évités si vous avez la chance de cohabiter avec votre bébé. La cohabitation vous permet d'avoir votre bébé dans votre chambre continuellement ou la majeure partie de la journée. Vous prenez soin de votre bébé et les autres prennent soin de vous.

Guylaine Nadeau, du Québec, témoigne de ce qu'elle a vécue :

J'ai allaité Mathieu pour la première fois environ dix minutes après l'accouchement. J'ai tout de suite senti que ce serait bien différent puisque, dans ma tête et au fond de mon cœur, je voulais vivre un allaitement dans l'amour et dans la joie. J'ai donc pris les moyens pour y arriver.

J'ai avisé le personnel infirmier que je désirais cohabiter avec mon enfant et j'ai limité les appels téléphoniques aux parents, frères et sœurs. J'avais déjà prévenu mon entourage que je leur communiquerais l'événement dès mon retour à la maison. J'ai donc reçu très peu de visiteurs, ce qui m'a permis de me reposer et, surtout, d'apprivoiser l'allaitement dès les premiers jours. Chaque fois que j'offrais le sein à Mathieu, je corrigeais sa position, évitant ainsi de blesser mes mamelons.

Mon conjoint Pierre et Anne-Marie, notre aînée, ont été mes principaux alliés. Allaiter Mathieu sous des regards remplis d'amour est merveilleux. C'est là que je puise toute mon énergie.

Bébé dormeur ou pleureur ?

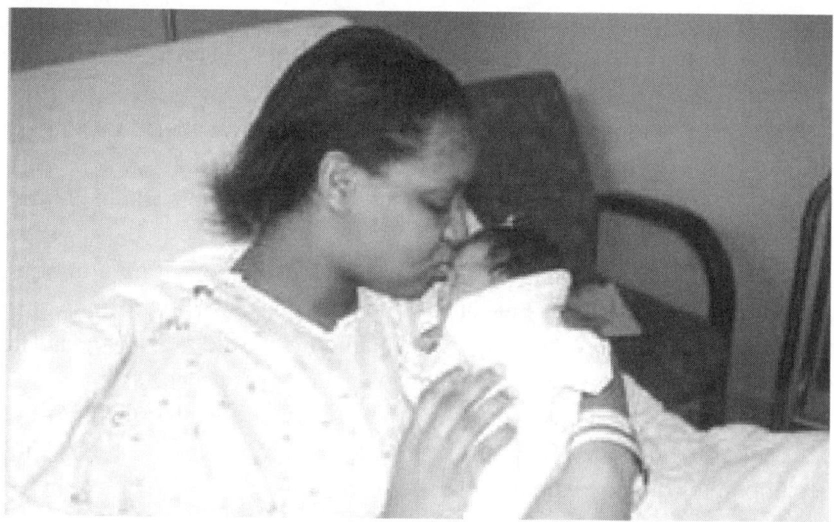

Il arrive que le bébé passe toute l'heure du « boire » à dormir.

S'il vous est possible de cohabiter ou, du moins, d'allaiter votre bébé à la demande, les inconvénients causés par les horaires d'allaitement de l'hôpital ne vous dérangeront pas. Toutefois, il peut arriver que le bébé ne se réveille pas pour boire aussi souvent qu'il le devrait. Un nouveau-né a besoin de boire au moins huit à douze fois par vingt-quatre heures.

Si votre bébé dort depuis plus de deux ou trois heures, essayez de le réveiller doucement. Une manipulation brusque perturbe le nouveau-né, mais vous pouvez le bouger légèrement, lui caresser la tête, lui parler ou passer votre mamelon sur sa joue. Essayez de lui frotter les pieds ou de souffler dessus.

On suggère aussi d'asseoir le bébé sur vos genoux et de le pencher doucement vers l'avant, en tenant son menton dans votre main. Ceci le réveille habituellement en quelques secondes. Sinon, faites marcher vos doigts le long de sa colonne vertébrale. Ou bien faites-le passer d'une position horizontale à une position verticale, en soutenant sa tête d'une main et ses fesses de l'autre.

Vous pouvez aussi le dévêtir ou le changer de couche. Si rien de cela ne réussit à le réveiller, attendez environ une demi-heure et essayez de nouveau. Si l'infirmière vient chercher le bébé pour le ramener à la pouponnière, informez-la qu'il ne s'est pas réveillé pour boire et que vous aimeriez qu'on vous le ramène pour sa tétée aussitôt qu'il se réveillera. Dites-lui bien que vous ne voulez pas qu'on donne de biberon à votre bébé à la pouponnière.

Si votre bébé pleure beaucoup avant même que vous ne puissiez le mettre au sein, il vous faudra un peu de patience pour parvenir à le calmer d'abord. Bercez-le ou placez-le sur votre épaule et frottez-lui le dos. Fredonnez une chanson douce, votre voix familière le calmera. Offrez-lui ensuite le sein pour voir s'il s'apaise et s'il commence à téter. S'il n'est pas encore prêt à téter, continuez quelques minutes à tenter de le calmer et à l'aider à se détendre.

Dans les deux cas, bébé dormeur ou bébé pleureur, faites tomber quelques gouttes de votre lait dans sa bouche pour lui donner un avant-goût de ce qui l'attend. Nous ne recommandons pas de mettre une autre substance, comme du miel, sur le mamelon pour inciter le bébé à le prendre. Toute autre substance que votre lait peut provoquer une réaction chez un bébé sujet aux allergies. De plus, certains de ces produits peuvent contenir des impuretés qui pourraient causer des problèmes au bébé. Par exemple, on trouve dans le miel un certain type de spores très dangereuses qui sont responsables du botulisme. On ne devrait pas donner de miel aux bébés avant l'âge d'un an.

Les aides techniques à l'allaitement

L'expérience nous a appris que l'allaitement se déroule facilement lorsqu'il est pratiqué aussi simplement et naturellement que possible. Toutefois, il arrive parfois que des circonstances particulières nécessitent le recours à des produits conçus pour aider l'allaitement. Des tire-lait et d'autres accessoires pour l'allaitement sont disponibles auprès des monitrices de la Ligue La Leche ou des consultantes en lactation. Quelques-uns sont également vendus dans le catalogue et sur le site Web de la LLLI www.lalecheleague.org (Pour les pays francophones, consultez la liste en appendice.)

Les tire-lait

Toutes les mères qui allaitent n'auront pas besoin d'un tire-lait. Si une mère doit exprimer son lait pour une courte période, elle peut généralement le faire en apprenant les techniques d'expression manuelle du lait décrites dans un autre chapitre et en appendice. Il y a cependant des situations où le tire-lait s'avère utile. Par exemple, lorsque la mère doit conserver son lait pour un bébé prématuré ou malade, lorsqu'elle prévoit de retourner travailler ou lorsqu'elle doit être séparée de son bébé pour d'autres raisons. Vous trouverez de plus amples informations sur les tire-lait au chapitre 7.

À l'hôpital, on peut vous conseiller d'utiliser le tire-lait pour soulager l'engorgement. Dans ce cas, exprimez seulement la quantité de lait qui permettra de réduire le gonflement des seins pour permettre au bébé de saisir le mamelon. Vous n'aurez probablement besoin de faire ceci que pour une ou deux tétées.

Les boucliers

Ces coquilles de plastique rigide en deux parties sont recommandées pendant la grossesse pour traiter les mamelons plats ou invaginés. On peut les utiliser pour des périodes d'environ trente minutes avant les tétées pour faire ressortir les mamelons plats ou invaginés. Il existe un modèle de boucliers qui est percé de larges trous pour permettre à l'air de circuler autour des mamelons. Il arrive souvent que du lait s'accumule dans ces boucliers. Il ne faut pas conserver ce lait ou l'offrir au bébé. Il faut le jeter.

La téterelle

Une téterelle est faite de silicone et se place sur le mamelon de la mère pendant la tétée. Elle est pratique pour apprendre aux bébés à téter convenablement. Quand son utilisation est conseillée par une personne bien informée de ce qu'il faut faire dans des situations d'allaitement difficiles, elle peut aider les mères et les bébés à établir une bonne relation d'allaitement.

On croyait auparavant que l'utilisation de la téterelle pouvait affecter la production de lait, mais cela ne semble plus être le cas avec les nouvelles téterelles. Quand un bébé a de la difficulté à téter, l'usage de la téterelle peut le garder au sein au lieu de l'obliger à s'adapter à d'autres

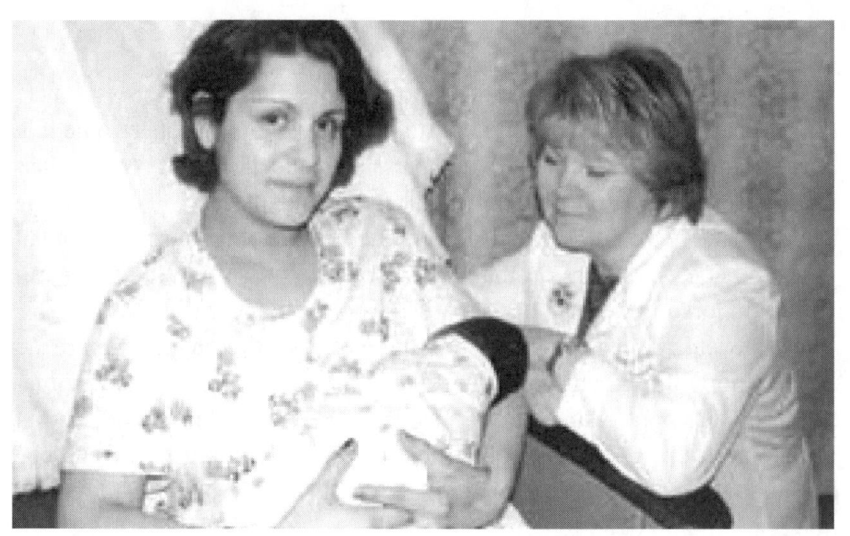

Pour venir en aide aux mères qui allaitent, certains hôpitaux offrent les services d'une consultante en lactation.

façons de se nourrir. Certains bébés n'ont besoin de la téterelle que pour quelques tétées, le temps qu'ils apprennent à téter plus efficacement. D'autres peuvent avoir besoin de la téterelle pendant des semaines ou des mois. Essayez de reconnaître les signes qui vous indiquent que le bébé n'a plus besoin de la téterelle. Les bébés acceptent habituellement de téter sans la téterelle dès que le problème, qui a initialement conduit à son usage, a été résolu.

Votre monitrice de la Ligue La Leche ou une consultante en lactation pourra répondre à toutes vos questions concernant l'usage de la téterelle ou vous faire des suggestions qui aideront votre bébé à téter efficacement sans avoir à utiliser la téterelle.

La sortie de l'hôpital

De nos jours, il y a une vive controverse quant à la durée du séjour à l'hôpital après un accouchement. Certaines mères ont dû quitter l'hôpital alors qu'elles ne se sentaient pas encore prêtes. Certains croient qu'une mère doit rester à l'hôpital deux ou trois jours, le temps que la relation d'allaitement soit bien établie. D'autres sont convaincus que, pour apprendre à connaître son bébé, rien ne peut remplacer l'atmosphère calme et détendue du domicile.

La mère qui quitte l'hôpital douze ou vingt-quatre heures après l'accouchement doit prendre conscience du fait qu'elle n'a pas encore complètement récupéré de l'accouchement. Elle aura besoin d'aide à la maison afin de pouvoir se reposer et allaiter son bébé. Elle devrait également communiquer avec une monitrice de la Ligue La Leche ou avec un autre spécialiste de l'allaitement, si elle a des questions ou éprouve des difficultés. On recommande de faire examiner le bébé par un professionnel de la santé dans les deux semaines qui suivent sa naissance pour s'assurer qu'il prend du poids et qu'il tète bien.

Sophie Lesiège, du Québec, est rentrée chez elle plus tôt que prévu après la naissance de sa fille. Elle explique comment s'est passé le retour à la maison :

Le 22 août, lorsque est née notre fille, Maxinne, l'unité des naissances de l'hôpital était bondée et il n'y avait presque plus de place pour accueillir les futures mamans.

Compte tenu de l'achalandage, nous avons eu la permission de quitter plus tôt que prévu, soit 30 heures après l'accouchement. Quelle chance!!!

Mon amoureux et moi avions tellement hâte de nous retrouver dans notre appartement afin de pouvoir enfin donner libre cours à nos élans de tendresse de nouveaux parents.

Peu de temps après notre retour à la maison, nous nous sommes rendus à l'évidence : notre chambre nous servirait de quartier général. Nous y avons déplacé les vêtements et les couches afin de faciliter leur accès. Nous avons également « troqué » le moïse pour le lit qui est devenu familial et que nous avons rempli d'amour soir après soir.

Il était primordial pour nous de nous retrouver rapidement ensemble, en famille. Nous avions besoin de mettre à profit les connaissances fraîchement acquises, d'apprendre à nous connaître davantage et d'apprivoiser nos nouveaux rôles.

Nous respirions le bonheur et nous avions confiance en notre couple, notre fille et notre magnifique famille toute neuve!

Vous vous rendrez service, à vous et à votre bébé, en ne rapportant pas de préparations lactées pour nourrissons à la maison. Vous n'en aurez pas besoin. De plus, s'il n'y en a pas à la maison, vous ne serez pas tentée d'en donner au bébé quand surviendra un de ces moments de doute que vivent toutes les mères. Les échantillons-cadeaux ne servent qu'à faire la promotion de l'alimentation artificielle pour les nouveau-nés. Des recherches ont démontré que ces échantillons gratuits minent la volonté de la mère à allaiter.

Ces dernières années, les hôpitaux ont pris de plus en plus conscience de l'importance de la satisfaction de la clientèle. Ils cherchent à savoir ce que les patients ont aimé ou n'ont pas aimé pendant leur séjour à l'hôpital. Prenez quelques minutes pour écrire une lettre personnelle ou pour répondre à un questionnaire en y indiquant vos préférences. Votre geste pourrait contribuer à maintenir les pratiques que vous jugez utiles et à mettre en évidence celles que vous aimeriez voir changer. Vos suggestions faciliteront peut-être les choses à la prochaine mère qui accouchera à cet hôpital et allaitera son bébé. Et, qui sait, vous y constaterez peut-être un agréable changement d'atmosphère à votre prochain séjour.

Si, pour une raison ou une autre, vous n'avez pas connu une bonne expérience d'allaitement à l'hôpital ou si vous n'avez pas réussi à vous détendre comme vous l'auriez voulu, ne vous en faites pas. Votre séjour à l'hôpital est chose du passé. Maintenant que vous êtes à la maison avec votre bébé, vous parviendrez à l'allaiter. Des milliers de mères ont réussi. Vous réussirez vous aussi.

Chapitre 5

Le retour à la maison

Tout le monde est heureux et comblé quand le nouveau-né arrive à la maison et qu'il devient enfin membre à part entière de la famille. Vous êtes tous réunis à nouveau et c'est bien ainsi. Cependant, ne soyez pas surprise si vous manquez d'assurance et si vous vous sentez un peu débordée à l'occasion. Vous devez prendre soin de ce petit bébé jour et nuit et cette responsabilité peut parfois vous paraître lourde à porter. Rassurez-vous. Vous vous sentirez de plus en plus à l'aise dans votre rôle de mère à mesure que vous apprendrez à mieux connaître votre bébé.

Nous avons toutes vécu la même chose, nous savons ce que c'est. Une des fondatrices de la Ligue La Leche évoque son propre manque d'expérience lorsqu'elle et son mari sont revenus à la maison avec leur premier bébé :

> *Je me rappelle très bien la scène. Elle était couchée dans son berceau joliment décoré d'un volant bordé de dentelle que j'avais confectionné avant sa naissance. Elle pleurait à fendre l'âme, indifférente à cette belle parure. Je l'avais nourrie et changée : elle aurait dû dormir. Puis, je me souviens avoir pensé : « Si seulement elle pouvait parler, elle pourrait me dire ce qui ne va pas. » Malheureusement, je ne connaissais pas encore le langage beaucoup plus simple*

qu'on peut utiliser avec un petit bébé : un contact physique affectueux. Combien plus efficace que la parole ! Il aurait été si simple de la prendre !

Au lieu de cela, je me sentais dépassée par les événements, déçue de moi et de mon bébé.

Considérez les quatre à six premières semaines de vie de votre bébé comme une période d'ajustement pour vous deux pendant laquelle vous apprendrez à mieux vous connaître. Votre bébé apprend à téter pour se procurer du lait alors que votre corps s'adapte pour en produire autant qu'il lui en faut. Il n'est pas rare que, certains jours, une nouvelle mère ait l'impression que ses seins sont sur le point d'« éclater » et que, le lendemain, elle soit dans tous ses états, convaincue qu'elle n'a plus une goutte de lait.

Le bébé boit-il assez ? Pourquoi pleure-t-il ? Nous nous sommes toutes posé ces questions et combien d'autres encore ! À un moment ou l'autre pendant ces premières semaines, plusieurs d'entre nous avons même déclaré avec certitude que l'allaitement était « impossible ». Mais, à la demande de notre conjoint ou avec l'aide d'une autre mère qui allaite, nous avons décidé de continuer encore quelques jours.

Lorsqu'elles ont des questions ou que des problèmes surgissent, les nouvelles mères ont la chance aujourd'hui de pouvoir téléphoner à une monitrice de la Ligue La Leche. Celle-ci peut les rassurer et leur offrir du soutien mère à mère. Pierrette Roy, du Québec, a apprécié son allaitement et elle se souvient de ses débuts :

Pierre-Olivier a maintenant dix mois. Que le temps passe vite ! C'était hier les premiers jours de mon expérience d'allaitement. J'avais affaire à un gros bonhomme insatiable de 4 kg. Il a passé les six premières semaines de sa vie dans mes bras. Il y a eu des moments où c'était difficile, surtout les tétées durant la nuit. Les jours ont passé, les semaines et bientôt les mois. L'allaitement allait de mieux en mieux. Après les six premières semaines, Pierre-Olivier s'est stabilisé et quand il a commencé à manger, à six mois, il a espacé ses tétées.

Au début de l'allaitement, la mère a l'impression de donner dans un sens unique. Le manque d'expérience, l'adaptation à une nouvelle vie, la fatigue font que le début est parfois ardu. Malheureusement, les mères arrêtent souvent leur allaitement pendant cette période. C'est dommage car, une fois passée la période d'investissement et d'adaptation réciproque, commencent les beaux jours avec notre bébé.

Les bébés sont faits pour être aimés

Les premières semaines sont une période d'apprentissage pour vous et votre bébé.

Dans les moments de doute et d'anxiété, rappelez-vous : les bébés sont faits pour être aimés. En gardant cette pensée à l'esprit, les soins requis par votre bébé vous sembleront un peu moins accaparants. « De tendres soins affectueux », voilà ce dont les bébés ont fondamentalement besoin, affirment les meilleurs experts. Observez votre propre bébé. Est-il plus heureux, blotti près de vous, à téter très souvent, peut-être même toutes les heures ? Ou aime-t-il mieux être déposé après avoir tété et se faire « tapoter » les fesses pour s'endormir ? Laissez-vous guider par le bien-être, le confort et la sécurité de votre bébé.

James Kenny, un psychologue clinicien qui a publié, en collaboration avec sa femme Mary, de nombreux livres et articles sur l'éducation des enfants, écrit au sujet des besoins du bébé :

> *Le nourrisson a des besoins urgents qui sont essentiels à sa survie. Si, jour après jour, semaine après semaine, les adultes répondent à ces besoins assez assidûment et promptement, un sentiment de confiance se développe peu à peu chez le nourrisson.*

Les soins que requiert un jeune bébé sont d'une simplicité remarquable, unique à cette étape de l'éducation d'un enfant. Nous pouvons vous affirmer avec certitude que, si un bébé réclame quelque chose, c'est parce qu'il en a besoin. Par contre, les demandes d'un enfant de deux ou trois ans ne correspondent pas toujours à ses besoins. Ses parents ne lui répondront pas moins affectueusement, mais ils prendront en considération l'univers changeant d'un enfant qui marche.

Mary Ann Cahill, une des fondatrices de la Ligue La Leche, parle des besoins du nouveau-né :

De la vie intra-utérine, où le cordon ombilical subvenait à tous ses besoins, il est passé à la vie extra-utérine, blotti contre sa mère. Il a besoin de la chaleur de ses seins et du son de sa voix. C'est ce que la nature a prévu pour faciliter au nouveau-né la transition de son ancien univers au nouveau. Il a ainsi la liberté nécessaire pour se développer, tout en étant assuré d'une attention affectueuse et continue. L'indispensable lien mère-enfant remplace le cordon ombilical.

N'ayez pas peur de « céder » à votre nouveau-né. Lui « céder », c'est agir en bon parent. Nourrissez-le quand il a faim, consolez-le quand il a de la peine. Une telle permissivité ne risque-t-elle pas de « gâter » le bébé ? C'est la question que se posent de nombreux parents attentifs et soucieux de faire ce qu'il y a de mieux pour leurs enfants. Marion Blackshear, mère, grand-mère et monitrice de la Ligue La Leche, leur répond ceci :

Lorsque vous pensez à un fruit gâté, vous imaginez qu'il est meurtri, qu'il a pourri sur la tablette, qu'on l'a manipulé sans précaution, qu'on l'a oublié.

Mais répondre aux besoins d'un enfant, s'en occuper affectueusement, le traiter avec égard, ce n'est pas le « gâter ». J'irais même plus loin en disant qu'un fruit est à son meilleur quand on le laisse mûrir sur l'arbre, sa source de nourriture, et qu'un bébé est heureux lorsqu'il est près de sa mère, sa source de nourriture physique et émotive.

D'autres sont du même avis. Le Dr William Sears, pédiatre et auteur de nombreux ouvrages sur les soins aux enfants, affirme : « Gâter est un mot qui devrait être à jamais banni des livres destinés aux parents [...] On ne peut gâter un bébé en le prenant dans nos bras. Il se "gâte" s'il n'est pas pris. »

Dans son livre *Comment vraiment aimer son enfant*, un classique du genre, le Dr Ross Campbell explique :

« Nous ne pouvons jamais commencer trop tôt à donner à un enfant une

On ne « gâte » pas un bébé en l'aimant trop.

affection soutenue. Il doit recevoir cet amour inconditionnel afin de bien faire face à notre monde actuel. »

À quelle fréquence dois-je nourrir mon bébé ?

Tout au long du présent ouvrage, nous faisons continuellement référence à des tétées toutes les « deux ou trois heures » puisque cela correspond à l'intervalle habituel chez la plupart des bébés. De plus, c'est un fait reconnu que, lorsque le bébé boit assez souvent et que les seins de la mère sont vidés assez régulièrement, la plupart des problèmes liés à l'allaitement sont évités. Cependant, aucun horaire ne peut vous indiquer à quelle fréquence allaiter votre bébé. À certains moments, des bébés tèteront plus fréquemment que toutes les deux heures. D'autres tèteront moins souvent ou espaceront peut-être les tétées durant la nuit ou tôt le matin.

Certaines personnes se sentent rassurées lorsqu'on leur explique qu'un nouveau-né boit habituellement entre huit et douze fois par période de vingt-quatre heures. La mère évite alors de toujours regarder l'heure pour voir si deux heures se sont écoulées depuis la dernière tétée.

Les mères qui vivent dans des sociétés moins industrialisées et « programmées » que la nôtre seraient consternées à l'idée de devoir calculer le nombre de fois que leur bébé vient chercher du réconfort au sein. Dans une étude effectuée auprès de tribus de la Nouvelle-Guinée, on a constaté que les nourrissons prenaient le sein à peu près toutes les vingt-quatre minutes. Les mères portaient continuellement leur bébé sur elles et la tétée moyenne durait environ trois minutes.

Babette Francis, collaboratrice au *Journal of Tropical Pediatrics and Environmental Child Health*, écrit :

> *Pour la femme, allaiter avec succès est une expression de sa féminité. Elle n'a pas à compter le nombre de fois qu'elle offre le sein plus qu'elle ne compte le nombre de fois qu'elle embrasse son bébé.*

Le bébé qui régurgite

Bien que la plupart des bébés régurgitent à l'occasion un peu de lait après une tétée, certains bébés régurgitent régulièrement après et entre les tétées.

Certains bébés régurgitent parce qu'ils reçoivent trop de lait trop vite. Si votre bébé semble avaler sans arrêt et chercher son souffle tout juste après que vous ayez eu votre réflexe d'éjection du lait, essayez de l'enlever du sein pendant quelques instants, le temps que le jet diminue. Gardez une serviette sous la main pour éponger le lait. Remettez le bébé au sein lorsque le débit du lait a diminué suffisamment pour qu'il puisse boire. Certains bébés peuvent même laisser couler le surplus de lait de leur bouche, ce qui est une bonne façon d'amenuiser le problème. Vous devrez manipuler le bébé tout doucement, sans mouvement brusque. Un rot trop violent peut faire remonter du lait qui, autrement, serait demeuré dans son estomac. Votre bébé gardera plus facilement son repas si, après la tétée, vous le manipulez avec douceur. Pour éviter, comme il arrive parfois, qu'en le couchant à plat le bébé ne régurgite, on peut relever, à la tête du lit, le matelas de deux à cinq centimètres.

Occasionnellement, un bébé peut finir de téter comme à l'habitude et régurgiter aussitôt ce qui semble être son repas au complet, peut-être même avec la puissance d'un jet. Si le bébé ne montre aucun signe de maladie, ni fièvre, ni pleurs inhabituels, il n'y a probablement pas lieu de s'inquiéter. Quand les choses se seront calmées un peu et que vous aurez nettoyé les dégâts, allaitez le bébé de nouveau. Il faudra, bien sûr, consulter votre médecin si cela se produit fréquemment. (Vous trouverez de plus amples informations sur la régurgitation ou les vomissements fréquents au chapitre 17.)

Une provision de petites serviettes ou de couches de tissu peut servir à protéger vos vêtements lorsque vous avez un bébé qui a tendance à régurgiter. Lorsque vous sortez, prévoyez également, en plus des couches, des vêtements de rechange pour votre bébé (et peut-être aussi pour vous-même !). Comme le faisait remarquer le regretté Dr Gregory White : « Chez un bébé en bonne santé, la régurgitation est un problème de lessive, non un problème médical. »

La croissance remédiera à ce problème. Même si c'est parfois ennuyeux d'avoir un bébé qui régurgite, l'odeur du lait maternel est moins forte et les taches sont moins tenaces que si le bébé était nourri artificiellement. Tout compte fait, qu'est-ce qu'un peu de lait entre une mère et son cher petit ?

À propos de la suce

Rappelez-vous que la suce[1] peut occasionner plus de problèmes qu'elle n'en règle et, ce, souvent parce qu'elle est trop efficace. Placez-la dans la

---

[1] Sucette ou tétine.

bouche d'un bébé en pleurs et tout de suite il se calme. N'est-ce pas pratique ? C'est justement là que réside le problème. La suce agit insidieusement parce qu'il est tellement plus simple de choisir la facilité. Bien que la suce puisse parfois se substituer au sein, elle ne remplace jamais la mère.

Néanmoins quand elle est utilisée judicieusement, pour une courte période et uniquement dans certaines situations, la suce peut aider une mère qui allaite. Sucer peut être très apaisant pour un bébé et une suce peut servir lorsque vous vous trouvez dans une situation où il vous est absolument impossible d'allaiter. La suce peut ainsi satisfaire votre bébé temporairement avant que vous ne puissiez le faire vous-même. Il arrive parfois qu'un bébé qui a des coliques trouve apaisant de sucer une suce entre les tétées. Si vous tenez à donner une suce à votre bébé, assurez-vous, avant de l'offrir, que le bébé tète efficacement et qu'il prend bien du poids.

La suce peut devenir un problème si vous l'utilisez par habitude, par exemple pour endormir le bébé. Normalement, si votre bébé aime s'endormir en tétant, qu'il le fasse plutôt au sein. Pour votre bébé, c'est vous qui avez la meilleure « suce » au monde. Et plus le bébé tète au sein, plus il aura de lait.

Si votre bébé prend une suce régulièrement tous les jours, cela risque d'affecter votre production de lait et il se pourrait que le bébé ne prenne pas suffisamment de poids. Une étude a démontré que les mères qui offraient la suce régulièrement à leur bébé avaient tendance à sevrer plus tôt que celles qui ne l'offraient pas.

Boit-il suffisamment ?

Comment savoir si votre bébé boit assez de lait ? Il est probable qu'il boit suffisamment s'il tète toutes les deux ou trois heures. Est-ce qu'il se développe et prend du poids ? Est-ce qu'il grandit ? Est-il actif et éveillé ? Si vous répondez oui à ces questions, c'est que votre bébé se développe bien.

Un moyen rapide, facile et rassurant de savoir si votre bébé boit en quantité suffisante consiste à calculer le nombre de couches mouillées. S'il mouille parfaitement bien six à huit couches par jour, il est certain qu'il boit amplement. Pour apprendre à reconnaître la texture d'une couche jetable parfaitement bien mouillée, versez deux à quatre cuillérées à soupe d'eau dans une couche jetable sèche. Des selles fréquentes sont aussi un signe que le bébé reçoit suffisamment de lait. Dans les six premières semaines environ, un bébé allaité fera d'habitude au moins trois selles par jour.

De temps en temps, votre médecin pèsera le bébé afin de mesurer son développement physique. Certains bébés ne perdent pas un gramme après leur naissance et prennent du poids avec la plus grande facilité. La plupart des bébés toutefois perdent un peu de poids pendant la première semaine mais retrouvent leur poids de naissance vers l'âge de deux semaines. Passé cette période, un gain de 680 g (1 lb1/2) par mois, ou 170 g (6 oz) par semaine, constitue une prise de poids moyenne, quoique certains bébés prennent parfois moins de poids pendant quelques semaines et que d'autres peuvent prendre jusqu'à 450 g (1 lb) par semaine au cours des premiers mois. Il faut aussi tenir compte de l'hérédité et du tempérament du bébé. Rappelez-vous qu'on retrouve des bébés heureux et en bonne santé de toutes les formes et de toutes les tailles. Il n'y a pas à s'inquiéter d'une prise de poids rapide pendant les premiers mois aussi longtemps que le bébé est nourri au lait maternel et qu'il tète selon ses besoins. Si le bébé prend moins que la moyenne de 170 g (6 oz) par semaine, il faudrait peut-être réévaluer ses habitudes pour s'assurer qu'il tète efficacement et fréquemment. On traite plus loin du gain de poids lent dans *Comment augmenter votre production de lait* au chapitre 7 et *Le gain de poids lent* au chapitre 17.

À propos de la taille et de l'appétit du bébé, Malinda Sawyer, du Missouri, fait remarquer : « Les mères qui donnent naissance à de gros bébés et celles qui accouchent de petits bébés ont ceci en commun : elles peuvent avoir confiance en leur capacité d'allaiter parfaitement le bébé en question. »

Marian Tompson, une des fondatrices de la Ligue La Leche, se souvient que deux de ses nièces avaient le même poids, soit 7,7 kg (17 lb), alors que l'une avait six mois et l'autre, dix-huit mois. Leur médecin respectif était pourtant satisfait, car chaque bébé était en bonne santé.

L'écoulement de lait

Il arrive souvent au moment d'allaiter que du lait s'écoule d'un sein quand le bébé commence à téter à l'autre sein. Si vos seins sont très gonflés ou engorgés, c'est une bonne raison pour laisser ce lait s'écouler plutôt que d'essayer de le retenir. C'est une excellente façon de vous soulager. Pour éponger ce surplus de lait et rester au sec, mettez une couche ou un tissu absorbant sous votre sein.

Un écoulement de lait se produit parfois à des moments inopportuns. Cela arrive surtout au cours des premières semaines d'allaitement. Tout à coup, vous vous apercevez avec stupéfaction que du lait coule de vos seins. C'est souvent le cas lorsque l'heure de la tétée approche : le fait de voir, d'entendre ou simplement de penser à votre bébé suffit à déclencher le réflexe d'éjection du lait.

Une pression exercée directement sur le mamelon empêche le lait de s'écouler. Si vous ressentez le picotement caractéristique du réflexe d'éjection du lait ou si vous sentez que le lait commence à couler, croisez les bras sur la poitrine et exercez une pression sur vos mamelons avec la paume des mains. Une autre façon discrète d'empêcher l'écoulement de lait consiste à placer le menton dans les mains et à exercer une pression sur les seins avec les avant-bras.

Des compresses ou coussinets d'allaitement, destinés à absorber le lait, sont disponibles dans les pharmacies, les magasins à grande surface et les boutiques de maternité. Vous pouvez également vous en procurer en consultant le catalogue ou en visitant le site Web de la LLLI au www.lalecheleague.org (Pour les pays francophones, consultez la liste en appendice.) Certaines compresses d'allaitement sont jetables alors que d'autres peuvent être lavées et réutilisées. Évitez cependant les modèles doublés de matière plastique qui empêchent la circulation d'air. Des mères confectionnent leurs propres compresses en assemblant des cercles découpés dans de vieilles couches ou autre tissu absorbant. Elles peuvent être lavées avec les vêtements du bébé et être ensuite réutilisées. Un mouchoir plié de coton ou de lin peut aussi être utilisé, mais évitez ceux ne nécessitant pas de repassage, car ils sont moins absorbants.

L'écoulement de lait au moment où l'on s'y attend le moins est parfois gênant. À ce sujet, Sue Ellen Jennings Austin, de la Californie, raconte :

> *Je me souviens d'une de mes premières sorties avec mon bébé allaité. Je l'avais planifiée entre deux tétées et je m'étais même munie d'un biberon d'eau au cas où mon bébé voudrait boire en public. Nous étions à l'épicerie quand une femme s'est approchée de moi et m'a murmuré : « Excusez-moi, Madame, votre lait coule. »*
>
> *En regardant le sol, je fus stupéfaite de voir une coulée de lait tout autour de moi et du chariot. Affolée, j'ai pressé les deux bras fermement contre ma poitrine. C'est alors que je me suis aperçue que le lait ne venait pas de moi, mais plutôt du carton de lait qui s'était renversé dans mon chariot.*

Est-ce que j'ai encore du lait ?

Au moment de la montée de lait et lorsque vos seins sont gonflés, vous êtes ravie et confiante que vous aurez du lait en abondance pour votre bébé. Puis, la sensation d'engorgement disparaît et vous craignez alors que le lait ne soit disparu lui aussi. À ce moment-là, il se peut que vous vous sentiez découragée. Vous commencez à vous demander : « Est-ce que j'ai encore du lait ? »

Vous en avez, soyez certaine. L'absence de gonflement et d'écoulement n'est pas une indication que votre production de lait a diminué. La fabrication du lait est un processus presque continu. Chaque fois que le bébé prend du lait, vous en fabriquez d'autre. Continuez d'allaiter et votre petit gourmand recevra du lait même si vous ne sentez pas d'engorgement.

Plus le bébé boit souvent, plus vous produisez de lait. Quand une mère a des jumeaux, ses seins sont doublement stimulés à produire du lait et elle produit assez de lait pour deux bébés. De même, lorsque votre bébé tète moins fréquemment ou moins vigoureusement, la quantité de lait que vous produisez diminue proportionnellement. Si votre production de lait ne satisfait plus ses besoins, votre bébé demandera à téter plus souvent. Si vous augmentez le nombre de tétées, vos seins réagiront en produisant davantage de lait.

Comme vous serez à même de le constater, l'allaitement est un excellent exemple de la loi de l'offre et de la demande. Les problèmes surgissent lorsqu'un horaire fixe, des biberons d'eau ou des suppléments entravent l'équilibre naturel. Il faut un certain temps pour établir un bon équilibre entre l'appétit du bébé et votre production de lait. Soyez patiente. Les six premières semaines sont souvent les plus exigeantes. Pendant cette période, essayez de rencontrer d'autres mères qui allaitent, surtout les mères de votre groupe de la Ligue La Leche.

À mesure que le temps passe, allaiter devient plus facile. Le plaisir augmente à mesure que la personnalité de votre bébé se révèle. Viennent d'abord les sourires, puis les caresses. Le temps passé avec votre bébé au sein vous aide à faire connaissance d'une façon toute particulière. Les inquiétudes des premières semaines feront bientôt place au bonheur des mois à venir.

Les selles du bébé

Dans les premiers jours qui suivent la naissance, les selles du bébé ont souvent une couleur très foncée – vert noirâtre – et elles sont collantes. Il peut être laborieux de laver ses petites fesses, mais c'est le signe que son système digestif fonctionne bien. On appelle « méconium » cette première selle du bébé. Si votre bébé est allaité tôt après la naissance et fréquemment pendant les premiers jours, il recevra le colostrum dont il a besoin pour éliminer le méconium.

Lorsque le méconium est évacué, les selles d'un bébé nourri exclusivement au lait maternel diffèrent beaucoup de celles d'un bébé nourri artificiellement. Les selles d'un bébé allaité sont habituellement molles, souvent de la consistance d'une soupe aux pois, et leur couleur varie du jaune à l'ocre en passant par le vert olive. Contrairement aux selles du bébé nourri artificiellement, les selles du bébé allaité ne dégagent pas d'odeur désagréable.

La fréquence des selles varie d'un bébé à l'autre et parfois même d'une semaine à l'autre chez un même bébé. Au cours des premières semaines, un bébé allaité devrait faire au moins trois selles par jour, chacune d'une quantité équivalente à la taille d'une pièce de monnaie de 2,5 cm (0,25 $). Certains feront des selles encore plus fréquentes qui souilleront à peine leurs couches. Au tout début, votre bébé pourra faire une selle à chaque tétée, mais il ne s'agit aucunement de diarrhée. Cela signifie tout simplement qu'il boit beaucoup de lait. En grandissant, après l'âge de six semaines environ, il pourra faire deux ou trois bonnes selles par semaine ou parfois seulement une seule. Il est même normal pour certains bébés d'en faire encore moins souvent que cela. À mesure que le nombre de selles diminue, leur volume augmente. Il peut y avoir de grandes variations chez des bébés allaités normalement constitués. Même, une selle liquide et verdâtre occasionnelle ne devrait pas causer d'inquiétude pour un bébé qui par ailleurs semble en bonne santé. La couleur des selles peut aussi changer lorsqu'elles sont exposées à l'air libre.

Fort heureusement, le bébé allaité ne souffre jamais de constipation, car le lait maternel contient suffisamment d'eau pour combler ses besoins. La constipation (des selles dures et sèches) n'a rien à voir avec l'intervalle qu'il y a entre les selles. Chez des bébés allaités qui sont plus âgés, il peut s'écouler de cinq à sept jours ou plus entre chaque selle. Celles-ci sont tout à fait normales, quoique souvent très abondantes.

Les bébés deviennent quelquefois agités au moment de faire leurs selles, ou peu de temps avant, et le fait de les changer de position peut les aider. Pour certains bébés, ce sera plus facile s'ils sont en position semi-assise, que ce soit sur vos genoux ou dans un siège pour bébé. D'autres préfèrent appuyer leurs pieds sur quelque chose. Si vous tenez le bébé contre votre épaule, placez une main sous ses pieds. Si votre bébé semble éprouver de la difficulté à faire une selle, vous pouvez l'aider en lui lavant doucement l'anus avec une éponge imbibée d'eau tiède. Si cela ne suffit pas, des médecins suggèrent d'insérer un petit suppositoire de glycérine. Cette mesure est rarement nécessaire et vous n'aurez pas à y recourir à moins que votre bébé n'éprouve de réelles difficultés et ne semble vraiment inconfortable. Rassurez-vous, en grandissant votre bébé viendra à bout de ce problème.

Prendre soin de votre bébé

Puisqu'il est un tout petit être, votre bébé requiert encore plusieurs des mêmes conditions qui ont favorisé sa croissance dans l'utérus. Il a besoin d'être près de vous la plupart du temps, qu'il soit éveillé ou endormi. Votre présence physique rassure énormément votre nouveau-né. Le rythme de votre respiration et les battements de votre cœur lui sont familiers. De plus, il s'est habitué au son de votre voix environ cinq mois avant sa naissance, alors si vous lui parlez d'un ton calme et affectueux, cela l'apaisera. Pour le moment, vous constituez son univers.

Il est plus facile d'allaiter à mesure que vous et votre bébé apprenez à mieux vous connaître.

Comme l'affirmait Herbert Ratner, médecin, philosophe, ami de longue date et conseiller de la Ligue La Leche, maintenant disparu : « La nature, sage et providentielle, offre à chaque nouveau-né un soigneur et un tuteur privé : une mère. »

Professeure de psychanalyse infantile à l'*University of Michigan Medical School* et auteure de nombreux livres et articles sur le développement de l'enfant, Selma Fraiberg parle ainsi des besoins du bébé :

La programmation biologique de la mère et du bébé comporte des garanties qui assurent la satisfaction des besoins du bébé et la formation de liens affectifs au cours des dix-huit premiers mois de vie. La mère constitue la principale « source de satisfaction des besoins du bébé », ce qui amènera le nourrisson à traverser une série d'étapes durant la première année, au cours de laquelle la mère sera l'objet de son amour plus que toute autre personne de son petit univers.

Viola Lennon, une des fondatrices de la Ligue La Leche, raconte l'histoire d'une jeune mère qui croyait avoir une foule de problèmes :

Je l'avais invitée à venir chez moi. Aussitôt qu'elle a été assise avec moi dans la salle de séjour, elle a commencé à me poser des questions. J'ai bien vite remarqué qu'elle n'écoutait pas mes réponses, mais qu'elle m'observait pendant que je m'occupais de mon bébé, Marty, qui était plutôt agité ce jour-là. Je l'ai allaité, promené, fait sautiller, bercé et amené avec moi à la cuisine le temps de préparer du thé. À la fin, elle m'a lancé : « Est-il souvent comme ça ? » Quand je lui ai répondu oui, elle a souri et a ajouté : « Je ne crois pas avoir de véritables problèmes. Je ne savais pas que les bébés avaient autant besoin d'attention. »

Gardez votre bébé près de vous

Quelles que soient vos activités quotidiennes, vous voudrez sûrement avoir votre bébé près de vous. Il n'est pas nécessaire de l'avoir continuellement dans les bras, mais vous le prendrez souvent, soit pour l'allaiter, soit entre les tétées, chaque fois qu'il en aura besoin. Vous voudrez simplement être là parce que votre bébé a besoin de votre présence plus que de toute autre chose au monde. Personne ne peut vous remplacer. Pour lui, rien ni personne ne peut égaler sa mère.

Dans de nombreuses cultures, la coutume veut que la mère ne soit presque jamais séparée de son bébé au cours des premières années. Le bébé est porté et « attaché » au corps de sa mère ou blotti contre elle pour dormir. Dans ces cultures, on entend rarement un bébé pleurer.

Il n'est donc pas surprenant qu'une étude récente ait indiqué que de nombreux contacts physiques rendent le bébé plus heureux. Les bébés qui passaient plus de temps dans les bras de leur mère ou dans un porte-bébé, même lorsqu'ils étaient rassasiés ou endormis, pleuraient moins. Plus le bébé était jeune, plus les résultats étaient probants. Chez un bébé de quatre semaines, les pleurs diminuaient de 45 % lorsqu'il était porté trois heures de plus chaque jour.

Ces découvertes confirment ce que nous savons d'instinct : de nombreux contacts affectueux ne « gâtent » pas un bébé et ne le rendent pas plus exigeant. Au contraire, cela l'aide à se sentir plus à l'aise et heureux dans son nouvel univers.

Pour de nombreuses mères, il est essentiel de posséder un modèle quelconque de porte-bébé. Sonia Potvin, du Québec, « fait l'éloge » du porte-bébé :

> *Mon premier enfant, Benoît-Ludovick, était un bébé aux besoins intenses. Le porte-bébé m'a permis de vaquer à mes occupations journalières : cuisiner, faire la vaisselle, la lessive, le ménage, la couture et travailler à l'ordinateur, tout en répondant aux besoins de Bébé. Ces occupations n'ont cessé de croître avec l'arrivée successive des trois autres enfants de la famille. J'ai pu aussi faire toutes les sorties que j'ai voulues, n'ayant qu'à apporter couches et porte-bébé. Nous sommes allés dans les centres commerciaux, les marchés aux puces, les parcs d'attractions, les expositions de toutes sortes… où il est parfois difficile de circuler avec une poussette. C'était et ça demeure la solution la plus facile : celle qui comble les besoins de Jordan, neuf mois.*

Lorsque vous vous interrogez sur ce qui vous sera nécessaire pour votre nouveau-né, n'oubliez pas d'inscrire un porte-bébé en haut de votre liste. Rappelez-vous que vous n'avez pas véritablement besoin de beaucoup d'articles spécialisés pour bébé. Pour votre petit, ce qui compte le plus, c'est la douceur du lait de sa mère et la chaleur de ses bras. Lee Stewart, du Missouri, résume assez bien le sujet :

> *Les enfants ont naturellement des valeurs très simples et humaines. Ils veulent être pris et aimés. Ils veulent être près de ceux qui les aiment. Ils veulent se sentir bien. Si on leur donne le choix entre des contacts humains chaleureux et des choses matérielles, les bébés choisiront presque toujours les contacts humains.*

Le porte-bébé permet à la mère de garder son bébé heureux et près d'elle.

Une mère de New York, Michele Acerra, a rendu hommage à la Ligue La Leche qui l'a aidée à comprendre les besoins de son bébé :

> *Je tiens à remercier la Ligue La Leche non seulement pour l'information sur l'allaitement mais aussi pour sa vision des bébés et du maternage. De nos jours, il y a tellement de « gadgets » et d'accessoires pour bébé qui tentent de remplacer la présence de la mère. Je crois que notre société n'accepte pas vraiment bien les bébés et leurs modestes besoins : la sécurité de la présence de leur mère et le meilleur aliment qui soit : le lait maternel.*

Prendre soin de vous

La nouvelle mère trouve parfois que le bébé demande tellement d'attention qu'elle en oublie de prendre soin d'elle. Il est donc indiqué de faire ici une brève révision des « soins de base » dont une mère a besoin. Votre bien-être est chose simple et facile. Ce n'est qu'une question de bon sens et c'est important pour toute nouvelle mère qu'elle allaite ou non.

Une saine alimentation, beaucoup de liquide et un repos suffisant sont les premières choses qui viennent à l'esprit. Il faut également ajouter à la liste un grand besoin d'échanges affectueux entre conjoints, parfois une simple étreinte ou une caresse de la main suffit. De tels moments de partage et d'intimité vous aideront à traverser cette période exigeante.

Choisissez vos collations avec soin. Une mère qui allaite a faim presque aussi souvent que son bébé et la tentation de grignoter une friandise est forte. Optez plutôt pour des collations nutritives comme des fruits frais, des légumes crus, des craquelins de blé entier ou du fromage. Assurez-vous de boire suffisamment en ayant toujours sous la main de l'eau ou des jus de fruits non sucrés.

Pour toute nouvelle mère, le repos vient en tête de liste des principales recommandations. Dans les jours qui suivent immédiatement la naissance de votre bébé, reposez-vous le plus possible. Vous pouvez vous lever et vous promener un peu pour faire de l'exercice, mais c'est avant tout le moment de vous laisser dorloter. Dans de nombreuses cultures, « materner la mère » fait partie intégrante des soins à la nouvelle mère et au bébé.

La règle d'or pour la nouvelle mère consiste à dormir, ou tout au moins à se reposer, chaque fois que le bébé sommeille. Même le bébé qui « ne dort jamais » sommeille plus souvent que ses parents ne le croient.

Il est vrai que le bébé ne dort probablement pas aux moments où vous aviez l'habitude de le faire. Par contre, avec un peu de discipline, vous parviendrez à laisser une activité passionnante, à fermer les yeux et à vous dire « je dors ». Si votre bébé s'endort au sein, élevez les jambes, appuyez la tête contre le dossier du fauteuil, en gardant votre petit dans vos bras, et essayez de dormir. Même si vous ne réussissez pas à dormir, le fait de fermer les yeux, d'oublier le travail à faire et de vous détendre vous permettra de vous reposer.

Quelquefois, des mères parviennent à se détendre en se couchant, en fermant les yeux et en écoutant de la musique douce durant une dizaine de minutes. Essayez ! Imaginez que votre tension s'en va comme l'eau s'écoule d'un lavabo. Ou encore, blottissez votre bébé contre vous et lisez. Il est important d'oublier toutes ces « choses à faire ». Rappelez-vous : « les personnes avant les choses » et vous aussi êtes une personne !

Chaque fois que c'est possible, prenez un moment pour trouver des façons de profiter au maximum de cette période de votre vie. Fiez-vous à votre bon sens pour distinguer l'essentiel du superflu. Votre bébé ainsi que les autres membres de la famille veulent et apprécient une mère détendue, bien dans sa peau.

Un coin pour allaiter

De nombreuses mères trouvent qu'il est pratique d'avoir un endroit confortable pour allaiter. Puisque vous y passerez beaucoup de temps au cours des premières semaines, vous serez contente d'avoir tout ce qu'il vous faut à portée de la main afin de vous épargner temps et effort.

Il vous faut d'abord un fauteuil confortable ou une chaise berçante. Nous irions même jusqu'à dire que la chaise berçante est un des articles essentiels dont vous aurez besoin pour votre nouveau bébé. Le tabouret est un autre article qui vous sera utile, car il permet de relever les genoux au moment où vous mettez le bébé au sein. Quoi de mieux que d'allonger les jambes pour se détendre !

Des coussins ou des oreillers seront également indispensables. Ils vous soutiendront convenablement, votre bébé et vous, et vous permettront d'allaiter à l'aise.

Un bonne lampe devrait aussi se trouver à proximité, car vous aurez parfois envie de lire un livre ou une revue durant la tétée. Certaines mères veulent également avoir le téléphone et la télécommande de la télévision à portée de la main. Vous trouverez utile d'avoir une petite table sur laquelle vous pourrez déposer un grand verre d'eau ou de jus, quelque chose que vous devriez toujours avoir avec vous lorsque vous vous assoyez pour allaiter.

Vous serez heureuse d'avoir sous la main quelques couches, une corbeille ou un seau à couches et d'autres objets pour le bébé (de petites serviettes, des camisoles ou brassières et quelques couvertures). En ayant ces articles essentiels toujours à proximité, vous pourrez allaiter et changer votre bébé avec un minimum d'efforts.

Les visiteurs

À l'arrivée de votre nouveau bébé, des amis ou des parents peuvent offrir de vous aider. Bien que de l'aide supplémentaire soit toujours appréciée, il peut arriver que des personnes bien intentionnées vous donnent des conseils et émettent des commentaires qui ne vous seront d'aucune utilité. Indiquez clairement ce qui vous ferait plaisir, un repas copieux ou un dessert nutritif peut-être. Ne soyez pas gênée de demander à votre mère ou à votre belle-mère de passer à l'épicerie, si vous avez besoin de quelque chose, ou de mettre une brassée de linge dans la machine à laver, lorsqu'elle vient voir le bébé.

Il peut vous sembler inhabituel de rester assise et de vous faire servir par vos invités, mais c'est exactement ce que doit faire une nouvelle mère. Si vous aimez fréquenter des amis, alors invitez-les, mais avertissez-les que vous ne pourrez pas tenir le rôle de la « parfaite hôtesse » durant quelques semaines. Une façon de bien faire comprendre le message consiste à jouer à ce qu'une mère appelle « le jeu du peignoir ». Enfilez votre peignoir quand les visiteurs frappent à votre porte, même si vous étiez déjà habillée. Nul besoin d'expliquer, ils comprendront que vous ne pouvez pas encore les recevoir comme vous le faisiez habituellement.

En règle générale, une nouvelle mère peut être aussi active qu'elle le désire à condition qu'elle arrête ce qu'elle fait dès qu'elle se sent fatiguée. Vous verrez que ce petit rappel vous évitera de faire des excès. En prenant soin de vous au cours des premières semaines, vous vous sentirez mieux durant les mois à venir.

Épuisée ?

Si votre bébé est un bébé actif, maussade, qui réclame sans cesse votre attention et adore le changement, il vous sera sans doute difficile de vous détendre comme nous vous le conseillons. Nous vous comprenons parfaitement, car nous avons connu ce genre de bébé nous aussi et nous savons combien cela peut être exigeant. Le bébé éveillé et très actif est souvent plus heureux quand il grandit et qu'il peut faire plus de choses par lui-même. Il a tellement hâte de conquérir le monde qu'il ne peut attendre !

Si vous n'avez jamais le temps de vous détendre, c'est peut-être parce que vous voulez en faire trop dans une même journée. Nous espérons que vous avez tenu compte du fait que le bébé est plus important que les travaux ménagers et les autres engagements. Si vous vous sentez tendue et nerveuse et que l'heure de la tétée approche, prenez une ou deux minutes de repos. Quelques exercices peuvent faire des merveilles. L'activité physique aidera à relâcher la tension musculaire et activera la circulation sanguine. Il y a des livres et des vidéocassettes qui décrivent des exercices que vous pouvez faire en compagnie de votre bébé.

Si la température le permet, allez faire chaque jour une promenade à l'extérieur. Amenez le bébé avec vous dans une poussette ou un porte-bébé. L'air frais, le soleil et le changement de décor vous feront le plus grand bien à tous les deux.

Si l'impatience se fait sentir, c'est peut-être parce que vous avez faim. Quand avez-vous pris votre dernier repas ? Pourquoi ne pas manger un fruit frais ou déguster un bon morceau de fromage ? Un œuf dur, conservé au réfrigérateur, constitue une bonne source d'énergie. Une tranche de pain de blé entier tartinée de beurre d'arachide se prépare rapidement et constitue une bonne collation. Ou encore, préparez-vous une boisson chaude que vous siroterez pendant que votre bébé tète.

La fin de la journée représente souvent une période plus difficile pour les mères et les bébés. Clare Vetter, du Kentucky, nous raconte une de ces soirées particulièrement pénibles qui s'est finalement bien terminée :

Après une journée bien remplie, mon fils, Isaac, était trop « survolté » pour téter. Évidemment, j'étais fatiguée moi aussi et j'avais peut-être un peu moins de lait. Chaque fois qu'Isaac commençait à téter, il s'arrêtait subitement, s'assoyait et protestait bruyamment.

Tom, mon mari, est entré dans la pièce et il a fait jouer de la belle musique reposante. Il semble que c'était justement ce qu'il nous fallait.

Je me suis levée avec Isaac dans les bras et, tous les trois, nous avons commencé à valser doucement avec plaisir. Notre danse était spontanée et improvisée. Nos muscles fatigués semblaient chercher à se détendre.

En regardant Tom dans les yeux, je me suis souvenue de notre première danse, il y a dix ans, à une fête au collège. Notre vie est tellement plus riche maintenant qu'à cette époque !

La musique s'est arrêtée trop tôt. Il était l'heure du bain, de l'histoire et du dodo. Puis on a éteint les lumières. Couchée pour allaiter Isaac, j'entendais encore la mélodie dans ma tête et je sentais le lait qui était revenu. Tout ce qu'il faut parfois, c'est un peu de romantisme.

Le « bébé-blues »

Après l'accouchement, la nouvelle mère peut parfois se sentir découragée ou déprimée sans aucune raison particulière. « J'étais là, ma magnifique petite fille dans les bras. Je savais que j'avais tout pour être heureuse, mais je pleurais à chaudes larmes. » se rappelle une mère. Une autre décrit cette sensation comme semblable au « repos du guerrier après l'accouchement ». Le Dr James Good, un médecin de famille avisé, signale qu'il existe des similitudes entre la dépression ressentie par une mère après l'accouchement et celle qui survient souvent au lendemain d'un événement spécial. La frénésie et les préparatifs des mois précédents sont terminés. Le point culminant a été atteint et suit une période d'ajustement.

Ces émotions en dents de scie peuvent aussi être le résultat du changement du taux d'hormones dans votre organisme suite à votre accouchement. Habituellement, cela ne dure pas très longtemps, mais si cet état persiste, n'hésitez pas à consulter votre médecin. L'allaitement et la présence de votre bébé près de vous pourront faciliter cette transition. En effet, le changement hormonal se fait plus graduellement lorsqu'on allaite. Les recommandations usuelles, une bonne alimentation et du repos, favoriseront votre bien-être physiologique et émotionnel. Une nouvelle maman a parfois simplement besoin de communiquer avec quelqu'un qui peut comprendre ce qu'elle ressent. Un appel à une monitrice de la Ligue La Leche peut alors aider.

Marlene Edelman, du New Jersey, souligne l'importance d'être en contact avec la Ligue La Leche :

Lors de notre dernière réunion de la Ligue La Leche, la monitrice a demandé à toutes les mères de dire ce qu'elles préféraient de l'allaitement. En entendant une mère affirmer qu'elle considérait les réunions de la Ligue La Leche comme un des avantages de l'allaitement, je me suis interrogée sur l'influence que la Ligue La Leche a eue dans ma vie.

J'ai assisté à ma première réunion de la Ligue La Leche trois mois après avoir commencé à allaiter. J'avais encore beaucoup de difficultés avec les mastites et les mamelons douloureux. Je voulais avoir de l'information et me faire rassurer que tout rentrerait dans l'ordre. Je suis revenue chez moi avec des renseignements utiles et je suis retournée aux trois autres réunions.

Je n'avais pas prévu d'aller à d'autres réunions après cette première série. La monitrice m'a téléphoné pour m'inviter, j'y suis donc allée. Seize mois plus tard, j'assiste toujours aux réunions de la Ligue La Leche. J'ai découvert que j'y avais appris des choses sur l'allaitement mais également sur les besoins nutritifs, émotifs et physiques du bébé qui grandit. J'ai aussi appris comment répondre de différentes façons à ceux qui me demandent : « Allaites-tu toujours ? » J'y ai rencontré des gens qui comprennent que ma carrière, c'est ma famille. J'y ai également trouvé des amies. Des amies qui se rencontrent aussi pour faire jouer leurs enfants ensemble. Des amies qui comprennent combien il est frustrant de devoir rester à la maison par une longue journée d'hiver.

La Ligue La Leche représente beaucoup pour moi. J'espère pouvoir un jour offrir à d'autres mères ce que j'ai connu à ces réunions : un accueil chaleureux où on m'a encouragée à aimer et à nourrir mon enfant de la façon qui est la meilleure selon moi, en commençant par l'allaitement.

Vous sortez ? Emmenez votre bébé

Vous n'avez pas besoin de vous enfermer à la maison simplement parce que vous allaitez votre bébé. Votre bébé peut très bien vous accompagner partout où vous allez. Au cours des premières semaines, il est cependant préférable d'y aller plus doucement. Un « petit saut » au centre commercial ou une visite aux heureux grands-parents constituerait un bon départ et vous permettrait de « vous changer les idées ». Vous n'avez qu'à prendre le bébé et un sac pour les couches et vous voilà prête à partir !

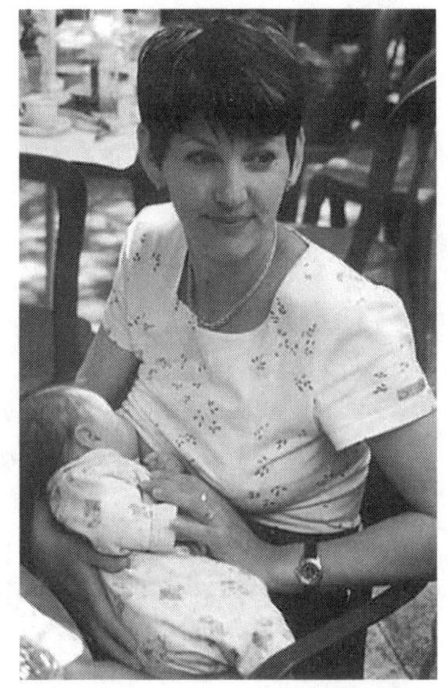

Les mères d'aujourd'hui peuvent trouver des vêtements conçus pour allaiter discrètement.

Nourrir et rassurer un bébé au sein est relativement facile puisqu'on peut allaiter discrètement à peu près n'importe où. Dans plusieurs régions du monde, personne ne prête attention à une mère qui allaite. Néanmoins si vous préférez allaiter votre bébé sans attirer l'attention, vous pouvez le faire facilement.

Les ensembles deux-pièces sont probablement les vêtements qui conviennent le mieux pour allaiter ailleurs que chez soi. En effet, un tricot ou un chemisier ample se relève facilement à partir de la taille. Vous n'avez pas à vous dévêtir davantage et vous pouvez vous couvrir d'une petite couverture si vous le désirez. Le châle demeure toujours à la mode et vous permet également d'allaiter discrètement. Les boutiques de vêtements de maternité et certains catalogues spécialisés offrent des vêtements munis d'ouvertures pour faciliter l'allaitement. Des compagnies qui se spécialisent dans la fabrication de vêtements à la mode conçus pour allaiter discrètement font paraître de la publicité dans plusieurs publications de la Ligue La Leche.

Il est facile d'allaiter discrètement. Il ne faut que quelques minutes d'intimité pour mettre le bébé au sein. Une fois qu'il a commencé à téter, tout le monde croit qu'il dort dans vos bras. De nombreux magasins à grande surface, aéroports, gares ferroviaires et centres commerciaux mettent des salles à la disposition des mères et des bébés. Lorsque vous êtes au centre commercial, une autre possibilité est le rayon des vêtements pour dames des grands magasins. S'il n'y a pas trop de clients, vous pouvez vous détendre en allaitant votre bébé dans une cabine d'essayage. Si vous faites de la couture ou si vous aimez regarder les revues de mode, vous pouvez allaiter au rayon des patrons et des tissus où des tabourets sont disponibles pour consulter les catalogues.

Vous trouverez rapidement une façon d'allaiter discrètement en toute occasion. À la plage, une longue serviette jetée négligemment sur vos épaules servira de pare-soleil à votre bébé pendant qu'il boit.

Comme nouvelle mère qui allaite, vous serez sans doute plus à l'aise pour le faire dans différentes situations si vous pratiquez d'abord chez vous devant votre conjoint ou une amie. Les mères affirment parvenir à maîtriser la technique assez rapidement. Une mère du Nevada, Charlene Brown, se souvient :

Après la naissance de notre fille, Dawn Michelle, mon mari et moi avons été invités à partager notre expérience avec d'autres parents lors d'un cours prénatal. Vers la fin du cours, Dawn a décidé qu'elle voulait téter. J'ai continué à répondre aux questions et j'ai placé une couverture sur sa tête et mon épaule pendant qu'elle prenait le sein.

Une des futures mamans m'a fait remarqué que j'avais une façon bien singulière de calmer mon bébé : en lui mettant une couverture sur la tête ! Je lui a expliqué que la petite était en train de téter. Mon mari m'a dit par la suite que j'étais devenue une telle « pro » que je n'avais même pas eu à arrêter de parler pour mettre le bébé au sein.

Un bébé allaité peut suivre partout

Un peu de planification ou d'imagination et le bébé et sa mère pourront demeurer ensemble en toute occasion. Mary White, une fondatrice de la Ligue La Leche, était dame d'honneur au mariage de sa sœur. Elle a amené une gardienne[2] avec elle uniquement pour qu'elle tienne son bébé de trois mois durant la cérémonie. Tout de suite après, Mary s'est absentée le temps d'allaiter son bébé et elle est arrivée à la réception juste à temps pour serrer la main à une centaine d'invités.

Les femmes du groupe de la Ligue La Leche de Hull, en Angleterre, ont dressé une liste des endroits où elles étaient allées avec leurs bébés allaités. Dans plusieurs de ces situations, il aurait été, selon elles, difficile de réconforter ou de nourrir un bébé au biberon. Lynne Emerson a fait le compte rendu suivant :

Bridget affirme avoir allaité au restaurant, chez le médecin, chez le dentiste et à l'église. Christina a apporté très peu de bagages lors d'un séjour sur une péniche comparativement à une mère qui faisait le même voyage avec son bébé au biberon. Elle a également

---

[2] Babysitter.

allaité Sarah dans le vestiaire d'un centre sportif. Lynne a allaité à une réception de mariage, en assistant à un match de football, à la plage et lors d'une tempête de neige alors qu'elle est restée coincée dans sa voiture, suite à un ennui mécanique qui a transformé un parcours de dix minutes en une excursion d'une journée.

J'ai allaité Lucy, alors âgée de trois mois, pendant une journée de formation en yoga. Le professeur était sceptique au début, mais je lui ai assuré que Lucy ne dérangerait pas la classe. Notre plus récente sortie (à un spectacle de pantomime) a été vraiment agréable. Toute la famille y est allée. Notre arrivée a bien suscité quelques regards étonnés mais, par la suite, les gens ont fait remarquer que le bébé avait été très sage. Nous espérons que tout ceci aidera à dissiper le mythe que l'allaitement nous confine à la maison.

Partir en voyage

Au cours de longs voyages, les bébés sont d'agréable compagnie si l'on a tenu compte de leurs besoins. Des bébés allaités ont accumulé un nombre impressionnant d'heures de vol. Judy Sanders, de Washington, a survolé la moitié de la terre pour se rendre en Nouvelle-Zélande avec sa fille, Maria. Judy raconte qu'il a été facile de voyager avec Maria parce qu'elle était allaitée. Vêtue d'une sorte de caftan muni de fermetures éclair bien dissimulées, elle a pu allaiter discrètement et à son aise.

Consultez votre transporteur aérien avant de planifier un voyage en avion. La compagnie fournit peut-être un siège de sécurité pour bébé ou vous suggérera d'apporter le vôtre. Essayez de réserver un siège dans la première rangée afin de disposer d'un peu plus d'espace. Mettez des couches, des jouets peu bruyants et des vêtements de rechange dans un fourre-tout, au cas où vos bagages n'arriveraient pas en même temps ou à la même place que vous. Allaitez votre bébé au décollage et à l'atterrissage afin de diminuer la pression dans ses oreilles. Si ce n'est pas possible parce qu'il est retenu dans un siège, voici une occasion où une suce pourrait se révéler utile.

Kay Mc Ferrin, du Texas, raconte ses vacances en famille :

L'été dernier nous avons été à Acapulco au Mexique avec notre fille, Monica. Grâce à l'allaitement, notre bébé a été une excellente compagne de voyage ! Monica avait 6 mois et elle n'était nourrie qu'au lait maternel. Tout ce dont elle avait de besoin pour voyager était sa maman, quelques couches et un maillot de bain. Nous avons vécu de si beaux moments. Je n'avais pas à m'inquiéter de savoir s'il y avait un réfrigérateur dans la chambre, si j'avais apporté assez de biberons et comment les réchauffer à l'extérieur de l'hôtel ou tout autre problème auquel est confrontée une mère qui donne le biberon. Quel que soit l'endroit où nous nous trouvions, à la plage, à la piscine,en excursion ou en avion, chaque fois qu'elle avait faim, Maria pouvait téter comme à l'habitude.

La nuit, nous n'avons jamais eu besoin d'un lit pour le bébé. Nous l'avons simplement couchée avec nous comme nous le faisons à la maison. Peu lui importait où nous étions, elle se sentait en sécurité. Elle était toute heureuse d'être avec son papa et sa maman. Il ne nous est jamais venu à l'idée de l'exclure de cette belle aventure !

Lisa Gehring et son mari, de l'Ohio, ont fait du vélo en tandem en compagnie de leur fille. Ils ont attaché le siège d'auto de leur bébé sur une remorque spécialement conçue et fixée à leur vélo. Elle écrit :

Mon mari et moi, grands amateurs de cyclisme, ne voulions pas laisser tomber notre activité préférée parce que nous avions un bébé...Nous avons décidé que nous l'emmènerions avec nous !

Puisque Heidi était nourrie exclusivement au lait maternel, il était très facile de l'emmener à bicyclette avec nous. On l'installait dans la remorque avec un sac de couches et on partait. C'était formidable de ne pas devoir apporter de biberons.

Quand Heidi avait quatre mois, nous avons pris part à une excursion de deux jours sur la rive sud du lac Érié. Chaque fois que Heidi avait faim, on s'arrêtait. Elle tétait dans un parc sur le bord du lac Érié. Nous attirions passablement l'attention et, dans les haltes, Rich répondait aux questions concernant notre tandem et sa remorque. Pendant ce temps, Heidi tétait discrètement, indifférente à la foule qui nous entourait.

Je crois qu'une famille heureuse est celle qui aime voyager et faire des choses ensemble. Emmener Heidi avec nous est tellement facile qu'on n'a jamais songé à la laisser à une gardienne. Cet hiver, nous prévoyons de faire du ski de randonnée pendant nos vacances. Devinez qui vient avec nous ?

Si vous devez laisser votre bébé

Si vous devez laisser votre nouveau-né pour une courte période – il est préférable qu'elle soit la plus courte possible – laissez-le à quelqu'un avec qui il est heureux quand vous êtes là. Assurez-vous de laisser votre bébé rassasié. Ne vous pressez pas. Les bébés peuvent sentir quand leur mère est pressée de partir. Attendez qu'il soit calme et de bonne humeur avant de partir. Au début, ne le laissez pas plus d'une heure ou deux et seulement à l'occasion. Pour éviter que votre bébé n'ait faim ou ne s'ennuie de vous, il est préférable de revenir assez vite.

Certaines mères se sentent plus rassurées lorsqu'elles laissent un biberon de lait maternel au congélateur, en cas de besoin. (Vous trouverez de plus amples informations sur la façon d'exprimer du lait et de le conserver au chapitre 7.)

Les mères se demandent souvent si elles peuvent laisser un biberon de préparation lactée pour nourrissons quand elles s'absentent. Nous ne pouvons vous recommander de le faire. Il est préférable de laisser du lait maternel, ce qui permet à votre bébé de continuer à recevoir son aliment préféré. Un seul biberon de préparation lactée pour nourrissons peut causer des problèmes à certains bébés sujets aux allergies. Des études effectuées sur des animaux ont démontré que l'introduction d'un lait artificiel peut modifier l'équilibre des enzymes et des éléments nutritifs présents dans le système digestif et, donc, réduire l'effet protecteur que procure votre lait.

Seul, synonyme d'abandonné

Vous ne voudrez pas laisser votre bébé plus longtemps qu'il ne le faut parce qu'un bébé a besoin de sa mère. Ce besoin est aussi intense et essentiel que son besoin de nourriture. « C'est très bien, penserez-vous, mais moi ? J'ai aussi des besoins. »

Bien entendu, une mère a des besoins et il arrive parfois que d'autres responsabilités ou devoirs l'obligent à être loin de son bébé plus souvent qu'elle ne le souhaite. Vous pourriez toutefois être surprise par la puissance du lien qui se crée entre vous et votre bébé. La mère constate souvent que, lorsqu'elle se décide enfin à laisser son bébé pour cette soirée tant attendue, elle s'inquiète tellement à son sujet qu'elle n'apprécie pas vraiment sa sortie !

Voici l'explication que donne à ce sujet le pédiatre et auteur, le Dr William Sears :

Lorsque la mère et le bébé sont séparés, tous deux sont privés des avantages d'un attachement continu mère-enfant. Lorsque la mère et le bébé sont ensemble la plupart du temps, répondant positivement aux signaux qu'ils s'envoient, ils sont alors en symbiose [...] non seulement la mère aide le bébé à se développer, mais le bébé participe également au développement de la mère.

Les mères apprennent de leurs enfants. Judy Kahrl, de l'Ohio, raconte comment elle a compris à quel point son bébé avait besoin d'elle :

Ce qui m'a aidée, quand je voulais laisser mon bébé, c'était de me rappeler qu'un bébé n'a pas la notion du temps. Quand on le laisse, il pense que c'est pour toujours. Il ne peut pas comprendre que sa mère sera de retour plus tard dans la soirée ou à un autre moment. De même, ce qui semble court pour les parents, une fin de semaine par exemple, est proportionnellement une très longue période dans la vie d'un bébé.

J'essaie toujours de voir cela du point de vue du bébé, de sa notion du temps, de sa compréhension du monde et cela m'aide. Nous, les mères, avons certes des besoins nous aussi, mais, en tant qu'adultes, nous sommes mieux outillées et nous pouvons attendre un peu. Le bébé, lui, ne peut pas attendre.

Chapitre 6

Une période d'apprentissage

Les premières semaines de vie de votre nouveau-né représentent une période d'ajustement pour vous deux. Prendre soin d'un bébé s'apprend et votre bébé est le meilleur professeur qui soit. Alors que vous apprenez à répondre aux besoins de votre bébé, votre bébé apprend à vous faire confiance pour combler ses besoins.

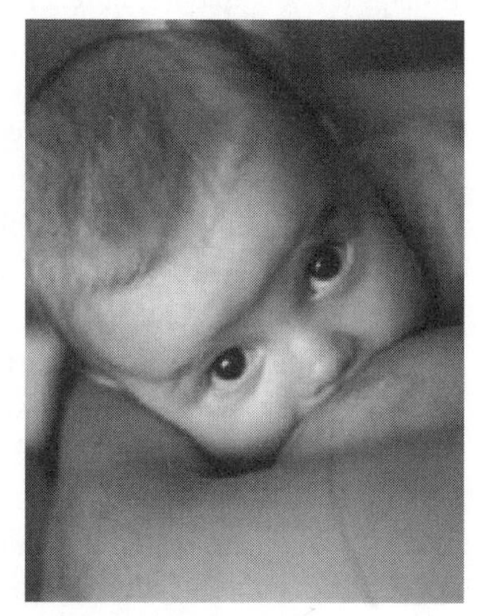

Pourquoi pleure-t-il ?

Personne ne peut rester indifférent aux pleurs d'un bébé et c'est voulu ainsi. Les pleurs de votre bébé sont destinés à vous déranger puisqu'ils constituent son principal moyen de communication. C'est par ses pleurs qu'il vous fera savoir qu'il a besoin d'aide et qu'il vous appellera à son secours. Il se peut que ce soit parce que quelque chose le dérange ou lui fait peur, parce qu'il a faim ou qu'il s'ennuie. Votre bébé ne reconnaît la sécurité de votre présence que si son corps est près du vôtre, sinon, en ce qui le concerne, c'est comme si vous étiez à l'autre bout de la maison ou sur la planète Mars. Viola Lennon, une des fondatrices de la Ligue La Leche, se souvient avoir déjà demandé à un de ses enfants plus âgés de prendre le bébé qui pleurait pendant qu'elle finissait de faire frire le poulet. Sa fille lui a répondu : « J'ai déjà essayé, mais ça ne sert à rien. C'est toi qu'il veut. »

Dans son livre *Que faire quand bébé pleure ?*, le Dr William Sears explique :

> *On laisse croire aux parents que s'ils prennent leur bébé chaque fois qu'il pleure, il n'apprendra pas à se calmer par ses propres moyens et deviendra plus exigeant à la longue. C'est faux. Le bébé qui, dès le début obtient une réponse rapide à ses pleurs apprend à faire confiance aux autres et à s'attendre à une réponse.*

Que faire ?

Lorsqu'un bébé pleure, la réaction instinctive et immédiate de la mère qui allaite est d'offrir le sein. Qu'il se soit écoulé dix minutes ou deux heures depuis la dernière tétée, quelques minutes de plus au sein suffisent souvent à calmer le bébé. Un nouveau-né a besoin d'être allaité souvent et son appétit peut varier d'un jour à l'autre, il est donc possible qu'il pleure parce qu'il a faim ou parce qu'il a simplement besoin de votre présence réconfortante. Quelle que soit la raison, une tétée est souvent la meilleure solution.

Mais que faire s'il ne veut pas prendre le sein ? Il faut alors vérifier s'il n'y a pas d'autres causes possibles. Il a peut-être trop chaud ou trop froid. Il se peut qu'un de ses vêtements le gêne. Déshabillez-le. Vérifiez si le malaise n'est pas causé par une épingle, une étiquette trop rigide ou quelque chose qui se serait enroulé autour de son bras ou de sa jambe. Il arrive parfois qu'un cheveu de la mère s'enroule autour d'un orteil du bébé et l'incommode. Examinez-le soigneusement de la tête aux pieds, simplement pour être certaine que rien ne le blesse ou n'irrite sa peau fragile.

S'il semble avoir chaud, laissez-le en camisole et en couche. Si la pièce est fraîche, emmitouflez-le dans une couverture douce. Certains bébés se sentent plus en sécurité s'ils sont confortablement emmitouflés ou emmaillotés. Pour emmailloter un bébé, placez-le au centre d'une couverture légère ou d'une serviette carrée, les bras le long du corps, la tête et les pieds pointant vers les angles. Repliez ensuite le coin du bas sur ses jambes et les deux coins des côtés vers le centre, de façon à l'envelopper confortablement. Soulevez le bébé en repliant légèrement le coin du haut sur sa tête. Se faire bercer dans un tel petit cocon peut l'aider à se sentir plus en sécurité et, souvent, il arrêtera de pleurer.

Lorsqu'il se sera calmé, offrez-lui le sein de nouveau. Cette fois-ci, il s'endormira peut-être. Le bébé refuse parfois de téter ou régurgite sans cesse parce qu'il a avalé beaucoup de lait et il continue à pleurer. Que faire alors ? Essayez de le tenir contre votre épaule et, en écoutant une musique douce ou en chantant vous-même, déplacez-vous doucement dans la maison en exécutant la « valse du bébé ». Certaines mères placent le bébé dans un porte-bébé et passent l'aspirateur. Le ronronnement de l'aspirateur et les mouvements du corps de la mère endorment souvent le bébé. Et pourquoi pas une balade en voiture ? Ou une promenade à l'extérieur ? Un bain chaud peut vous calmer et vous détendre tous les deux ; essayez de prendre le bébé avec vous dans la baignoire.

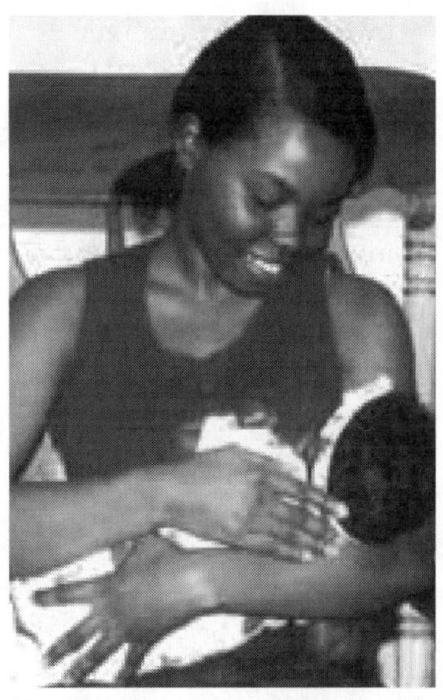

Une chaise berçante confortable aide à calmer un bébé agité.

Une méthode éprouvée pour calmer un bébé en pleurs consiste à le bercer dans une bonne vieille chaise berçante. Un rythme régulier, de petits tapotements dans le dos et une chanson douce peuvent avoir un effet magique sur le plus agité des bébés. Becky Conley, de l'Illinois, ne jure que par sa « chaise berçante magique » :

> *Peu importe à quel point la journée a pu être mouvementée ou à quel point le monde nous semble agité, nous pouvons toujours nous réfugier dans notre chaise berçante pour oublier tout ça. Un sentiment de paix nous envahit, la tension s'envole et nous voilà enveloppés d'un nuage d'amour. On peut aller où on veut dans notre chaise berçante. Au cours des années qui ont suivi la naissance d'Eli, nous sommes allés sur des îles désertes, au sommet des montagnes, sur des plages à perte de vue et, en quelques occasions très spéciales, nous nous sommes même retrouvés au paradis.*

Certains bébés pleurent parce qu'ils sont exténués, mais ils ne veulent pas être dans vos bras au moment de s'endormir. Essayez de coucher votre bébé dans son lit ou sur une couverture posée sur le sol. Parlez-lui doucement ou fredonnez-lui une chanson en lui frottant légèrement le dos. Il s'agitera probablement encore quelques minutes, puis il fermera les yeux et s'endormira. Vous saurez vite reconnaître le moment où votre bébé est vraiment fatigué et s'il est prêt à dormir ou non. S'il devient de plus en plus impatient (même cinq minutes, c'est long pour un bébé qui pleure), reprenez-le dans vos bras.

Les bébés sont parfois grognons pour des raisons que personne, pas même leur mère, ne peut comprendre. Si vous ne parvenez pas à calmer votre bébé immédiatement, ne vous en faites pas. « Ne considérez pas cela comme un rejet », recommande une mère ayant déjà vécu cette expérience. Il est toujours préférable pour votre bébé d'avoir une mère calme et aimante. Lorsque vous prenez un tout petit bébé, faites-le lentement et doucement. Des mouvements brusques, saccadés et des bruits forts peuvent le faire sursauter. S'il est déjà contrarié pour une raison quelconque, acceptez ce fait et, à partir de là, travaillez lentement et calmement.

Doit-on le laisser pleurer ?

Le fait de prendre et de promener votre bébé le réconfortera sans doute, mais suscitera également des commentaires de la part de vos parents et amis. En effet, bien des gens sont d'avis que, dans ce cas, il faut plutôt déposer le bébé doucement mais fermement et le laisser pleurer jusqu'à ce qu'il s'endorme.

Qu'il pleure dans mes bras ou dans son lit, quelle différence cela fait-il ? se demandent parfois les mères. Cela fait une très grande différence. Jan Wojcik, de la Floride, nous présente la situation sous un autre angle et nous demande comment nous nous sentirions, si c'était nous qui étions contrariées :

> *Si vous étiez en train de pleurer, ne vous sentiriez-vous pas mieux si quelqu'un vous rassurait ? Si quelqu'un s'inquiétait de vous voir aussi bouleversée ? Ne vous sentiriez-vous pas rejetée si votre conjoint vous disait : « Va dans ta chambre. Je ne veux pas être près de toi tant que tu n'auras pas repris le contrôle de tes émotions. » Ne désirons-nous pas être aimées dans la peine comme dans la joie ?*

Voici ce que nous suggérons aux mères d'un bébé maussade : ne laissez pas votre bébé pleurer seul. Le réconfort et la sécurité qu'il trouve dans vos bras affectueux ne sont jamais perdus. L'amour engendre l'amour. De plus, votre prochaine tentative réussira peut-être à apaiser votre bébé et à ramener la paix et le calme dans votre maison.

Dorloter le bébé

Vous ne pouvez pas gâter un bébé : ses besoins et ses désirs sont une seule et même chose. Son besoin d'être pris affectueusement, lorsqu'il est contrarié, est aussi pressant et essentiel que son besoin de manger, d'être au chaud et au sec. Donc, si votre bébé cesse de pleurer lorsque vous le prenez, continuez à le tenir dans vos bras et soyez heureuse d'être là pour combler cet important besoin émotif. N'hésitez pas à dorloter votre bébé.

Le regretté Dr Lee Salk, psychologue pour enfants, a écrit ce qui suit :

> *Le bébé qui reçoit une réponse immédiate à ses pleurs deviendra un enfant suffisamment confiant pour faire preuve d'indépendance et de curiosité. Par contre, le bébé qu'on laisse pleurer pourra développer un sentiment de solitude et de méfiance. Il pourra se replier sur lui-même et se fermer au monde qui ne répond pas à ses pleurs. Plus tard, cet enfant risque de continuer à faire face au stress en tentant d'ignorer la réalité.*

À ceux qui disent que pleurer constitue un bon exercice pour les poumons du bébé, le Dr Salk rétorque : « Si pleurer est bon pour les poumons, saigner est bon pour les veines ! »

Une heure de pointe

Consoler un bébé agité peut être épuisant pour la mère.

Certains bébés connaissent régulièrement, souvent en fin d'après-midi, une période difficile qui revient invariablement jour après jour. Le reste du temps, le bébé est facile à vivre. Il ne semble pas y avoir de causes particulières à ces périodes d'agitation. Le bébé n'est pas incommodé par des coliques, par exemple, mais il n'est pas bien non plus. On appelle communément ce moment de la journée « l'heure des grand-mamans », ce qui signifie qu'on a besoin d'une grand-mère aimante qui n'a rien d'autre à faire que de bercer et de cajoler le bébé.

Vous ne pourrez peut-être pas toujours compter sur quelqu'un d'autre à ce moment précis, mais vous vous sentirez soulagée si le père ou un autre membre de la famille accepte de prendre la relève à l'occasion. Une autre paire de bras affectueux et une nouvelle voix réussissent souvent à calmer un bébé contrarié. Pendant que papa et bébé contemplent les poissons dans l'aquarium ou regardent passer les automobiles, profitez-en pour prendre une douche ce qui pourra vous aider à vous détendre.

Les coliques

Quand un petit bébé pleure très fort durant de longues périodes et qu'il semble être incommodé physiquement sans que vous ou votre médecin ne puissiez en découvrir la cause, on dit alors qu'il souffre de coliques.

« Colique » est un mot passe-partout qui signifie essentiellement « des cris stridents et persistants pour des raisons indéterminées ». Il y a autant de causes aux coliques que de médecins qui ont étudié le sujet. Au début du siècle, un document traitant de pédiatrie et très largement utilisé définissait ainsi les coliques : « terme scientifiquement imprécis et peu approprié qui se révèle extrêmement utile dans la pratique médicale et qui englobe si bien une multitude de douleurs abdominales qu'on le trouve encore dans nos livres de médecine ». La même définition vague pourrait s'appliquer de nos jours. En effet, les médecins semblent encore connaître très peu de choses sur les véritables causes de ces pleurs.

Dans son livre *Que faire quand bébé pleure ?*, le Dr William Sears écrit au sujet des coliques :

> *Je crois soupçonner que les coliques ont plusieurs causes – qu'elles soient physiologiques, environnementales ou liées au tempérament – qui dépassent les capacités immatures du bébé de les surmonter [...] À la lumière des connaissances actuelles sur les coliques, le meilleur remède est le réconfort et la réduction au minimum des facteurs susceptibles de contribuer au tempérament maussade du bébé.*

Que peut donc faire la mère pour soulager les coliques ? Il est essentiel de prendre le bébé doucement et calmement. De nombreux médecins croient que des tétées plus fréquentes et plus courtes sont préférables. Or, c'est souvent en tétant beaucoup et en se faisant cajoler davantage au moment de la tétée qu'un bébé qui a des coliques parvient à se calmer. Que faire alors ? Allaitez-le à un seul sein durant une période de deux à trois heures. Il est possible qu'il veuille téter plusieurs fois pendant cette période, continuez tout simplement à offrir le sein « vide ». Après deux heures environ, offrez l'autre sein et, une fois encore, limitez les tétées à un seul sein.

Si votre bébé montre des signes de coliques, assurez-vous qu'il ne reçoit rien d'autre que votre lait. Évitez les biberons de préparation lactée pour nourrissons, de jus et d'eau. Les vitamines, particulièrement celles qui contiennent du fluor, peuvent provoquer une réaction chez certains bébés.

Il peut arriver à l'occasion qu'un aliment consommé par la mère cause des coliques au bébé. Parmi ces aliments, on trouve certaines vitamines, des suppléments alimentaires comme la levure de bière, et la forte consommation de caféine, de mets ou de boissons contenants des édulcorants artificiels. Dans certains cas, le lait (ou les aliments qui en contiennent) dans le régime alimentaire de la mère peut être source de malaises chez le bébé. (Cela risque de se produire plus particulièrement dans les familles où on souffre d'allergies. Vous trouverez des explications à ce sujet plus loin au chapitre 18.) Les bébés de mères qui fument semblent avoir davantage de coliques.

Les mères de bébés souffrant de coliques ont découvert une multitude de façons de rassurer leurs bébés et de les calmer. Marcelle Ferland, du Québec, parle d'une position « anti-colique » qui soulageait sa fille :

Après un troisième accouchement court mais intense, j'avais enfin le bonheur de prendre Maude dans mes bras. Elle a tété avidement, sachant déjà comment faire. Les tétées étaient longues, la première a duré 50 minutes et elle en redemandait. Quand le lait est apparu, 24 heures après la naissance, mon petit bébé a commencé à pleurer pendant la tétée. Pourtant, elle tétait bien les premières minutes, mais, dès qu'il y avait du lait, elle cessait de téter et se mettait à pleurer.

Puis, au cours des jours qui ont suivi, Maude, s'est mise à refuser systématiquement un sein pendant deux ou trois jours, puis l'autre pendant à peu près la même période. Elle aimait un sein quand il ne produisait que peu de lait. Elle tétait souvent, toutes les heures et demi environ, jour et nuit, et un rien la dérangeait. Il ne fallait pas que Myriam et Jocelyn fassent du bruit quand je l'allaitais.

Lorsque Maude a eu dix jours, j'ai commencé à la coucher par terre, sur une couverture durant la soirée. Comme par miracle, elle cessait de pleurer. Les tétées de jour étaient assez exigeantes, mais les nuits étaient terribles. Maude faisait des crises (des coliques ? ? ?)

vers trois heures du matin et ça durait environ deux heures. J'avais beau l'allaiter, la bercer, la promener, rien n'y faisait! C'est alors que j'ai découvert les vertus du porte-bébé. Il n'y avait que cela pour la calmer. Je l'installais bien serrée, en position fœtale, puis je me promenais en chantant et en lui tapotant les fesses. Elle finissait par se rendormir. Si je la déposais dans son lit ou encore, si je la couchais avec moi en la retirant du porte-bébé, elle se remettait à pleurer, inconsolable. Alors, dès qu'elle était endormie, je me couchais avec elle en la laissant sur moi dans le porte-bébé. Je ne faisais que la faire pivoter pour qu'elle soit devant moi au lieu d'être sur le côté, et ainsi elle ne se réveillait pas. Au début, ses crises nocturnes se produisaient toutes les nuits, puis finalement elles se sont espacés. Elles ont cessé quand Maude a eu à peu près quinze mois.

Judy Wesockes, de la Floride, a découvert qu'un bain pouvait aider à soulager les coliques de sa fille :

Quand Amy avait des coliques, habituellement entre 20 et 22h, on prenait ensemble un bon bain chaud et on y restait le temps que duraient les coliques. La chaleur humide, le fait d'être dans mes bras et la détente, tout cela aidait. Elle était soulagée presque tout de suite. Si on sortait de la baignoire, les coliques revenaient. Alors, on restait là et je faisais couler un peu d'eau chaude au besoin.

Le lait maternel est le meilleur aliment possible pour votre bébé. Cette certitude vous aidera à demeurer calme et détendue. Vous serez moins inquiète et vous éviterez à votre bébé les risques qu'entraînent les changements de lait. La proximité et la chaleur de la relation d'allaitement, combinées à vos soins bienveillants et affectueux, aideront à calmer votre bébé au cours de cette période éprouvante.

Le père peut aider à soulager un bébé qui souffre de coliques en le tenant dans la position « anti-colique ».

Les bébés qui sont extrêmement agités ou qui semblent avoir des coliques peuvent souffrir de traumatismes survenus à la naissance ou d'un autre inconfort physique. Assurez-vous que votre médecin examine avec soin votre bébé afin d'éliminer toute cause physique pouvant être à l'origine de cette agitation. Certains bébés agités réagissent bien aux ajustements chiropratiques, aux massages ou autres traitements non intrusifs administrés par des praticiens habitués à soigner des nouveau-nés.

Le bébé aux besoins intenses

En lisant la section précédente vous avez peut-être pensé : « J'ai essayé tout cela, mais mon bébé est toujours aussi maussade. » C'est que vous avez peut-être le type de bébé que décrit le Dr William Sears dans son livre *Que faire quand bébé pleure ?* Voici ce qu'il en dit :

> *Dès les premiers jours ou les premières semaines après la naissance, les parents commencent à rassembler des indices sur le tempérament de leur bébé. Certains parents ont le bonheur d'avoir un bébé qu'on appelle « facile ». D'autres ont la chance d'avoir un bébé qui n'est pas si facile [...] le terme « bébé maussade » est quelque peu injuste [...] je préfère l'appeler le « bébé aux besoins intenses ». Non seulement cette expression marque-t-elle davantage de considération, mais elle décrit également avec plus de précision les raisons pour lesquelles ces bébés agissent de la façon dont ils le font ainsi que la forme de soins parentaux dont ils ont besoin.*

Le Dr Sears soutient qu'avoir un bébé aux besoins intenses est parfois un cadeau du ciel. Il affirme que ce bébé oblige ses parents à donner le meilleur d'eux-mêmes. Il ajoute : « Ces mêmes qualités, qui au départ semblaient une responsabilité tellement exténuante, ont de bonnes chances de devenir un atout pour l'enfant et la famille. »

Si vous voulez en savoir davantage, vous pouvez vous procurer un exemplaire du livre *Que faire quand bébé pleure ?* auprès de votre groupe de la Ligue La Leche ou sur notre site Web www.allaitement.ca. Pour plus de détails, consultez l'appendice.

Les poussées de croissance

Une semaine ou deux après sa naissance, le bébé qui avait l'habitude de boire paisiblement toutes les trois heures peut soudainement augmenter considérablement le nombre de tétées par jour. Il vient à peine de s'endormir qu'il s'éveille à nouveau, suçant son poing ou sa couverture, à la recherche de quelque chose à manger. Vous entendrez peut-être alors des commentaires sur votre production de lait et certains laisseront entendre que l'allaitement ne semble pas fonctionner.

Ignorez ces remarques. Il est normal que le nombre de tétées augmente de la sorte. Des tétées plus fréquentes font augmenter la production de lait pour satisfaire les besoins croissants du bébé. Installez-vous donc avec votre bébé pour quelques jours d'allaitement « continu ».

Vingt minutes de succion assez vigoureuse, toutes les heures environ, sont plus efficaces pour faire augmenter votre sécrétion lactée que des tétées moins fréquentes et plus longues. D'autre part, les tétées ne devraient pas être écourtées. La plupart des bébés finissent par établir un horaire d'allaitement relativement stable, celui qui convient à leurs besoins particuliers. Cette augmentation de fréquence coïncide généralement avec une poussée de croissance. Tout comme nous, les bébés ont plus faim à certaines périodes qu'à d'autres. Ne pouvant ouvrir la porte du réfrigérateur, le bébé se tourne vers sa mère. L'appétit du bébé sera temporairement plus important que la production de lait de sa mère.

Les mères remarquent souvent qu'une période plus difficile coïncide avec une poussée de croissance vers la deuxième semaine et à nouveau vers la sixième semaine. Si cela se produit, mettez le bébé au sein aussi souvent qu'il le demande. Avec ces tétées supplémentaires, votre sécrétion lactée augmentera rapidement pour combler ses besoins. L'intervalle entre les tétées s'allongera bientôt et tout rentrera dans l'ordre. Le repos supplémentaire qu'entraîne un allaitement plus fréquent est probablement exactement ce que le médecin vous prescrirait. En effet, le rythme de toutes vos activités s'est peut-être accéléré un peu trop vite pour la nouvelle mère que vous êtes. La nature et le bébé conjuguent leurs efforts pour vous aider à prendre tout le repos nécessaire.

Vers l'âge de trois mois environ, votre bébé traversera peut-être une autre période difficile. Cela est probablement dû, en partie du moins, à l'appétit grandissant du bébé, et, une fois encore, des tétées plus fréquentes viendront à bout de la situation. Si le bébé est en bonne santé et qu'il prend du poids, vous n'avez aucune raison d'introduire d'autres aliments.

Pendant ce nouvel épisode difficile que vous ne connaîtrez pas nécessairement avec votre bébé, il faut également tenir compte d'un autre facteur. En effet, un bébé de cet âge demeure éveillé plus longtemps et manifeste un vif intérêt pour le monde qui l'entoure. Son agitation peut aussi indiquer qu'il a besoin de compagnie et d'activités. Gardez-le là où il y a de l'action. Installez-le près de vous sur une couverture posée sur le sol, dans un endroit sûr, où il pourra vraiment bouger à son aise. Il appréciera la musique, le mouvement et les gens qui se déplacent autour de lui. En grandissant, il s'épanouira grâce au changement et à la variété. À mesure qu'il prend conscience du monde qui l'entoure, la vue et les bruits de la vie familiale constituent d'excellentes sources de stimulation pour ses sens. Les gens soulignent souvent la vivacité et les réactions précoces du bébé qu'on a intégré à la vie familiale, à qui l'on parle, à qui l'on chante et à qui l'on sourit souvent.

Les nuits

Les premiers mois, il est important et souhaitable que le bébé tète pendant la nuit. Votre jeune bébé grandit à un rythme effarant et il a besoin physiquement d'être nourri pendant la nuit. De plus, vos seins peuvent devenir engorgés et sensibles, s'il y a un intervalle de six heures ou plus entre deux tétées. Sans compter qu'au matin le bébé pourrait avoir de la difficulté à saisir le mamelon à cause de l'engorgement des seins.

Selon une étude menée par Derrick et Patrice Jelliffe auprès de mères de l'ouest du Nigéria, le lait maternel pris pendant la nuit représentait au moins 25 % de la consommation des bébés âgés de dix mois. Il n'est donc pas étonnant que votre bébé demande à téter la nuit.

Dans son livre *Être parents le jour... et la nuit aussi*, le Dr William Sears fait remarquer que le sommeil des bébés diffère de celui des adultes. Il affirme que les bébés ne sont pas « programmés » pour dormir toute la nuit sans interruption. Il ajoute : « Les problèmes de sommeil surgissent lorsque les périodes de réveil de votre enfant pendant la nuit dépassent votre capacité d'ajustement. »

Pour mieux répondre aux besoins de votre bébé la nuit, apprenez à allaiter en position couchée. Si vous vous sentez maladroite la première fois, persévérez en variant la position et en utilisant plusieurs oreillers. Quand vous pourrez allaiter en étant confortablement allongée, vous aurez éliminé une bonne partie du travail qu'exige le maternage pendant huit

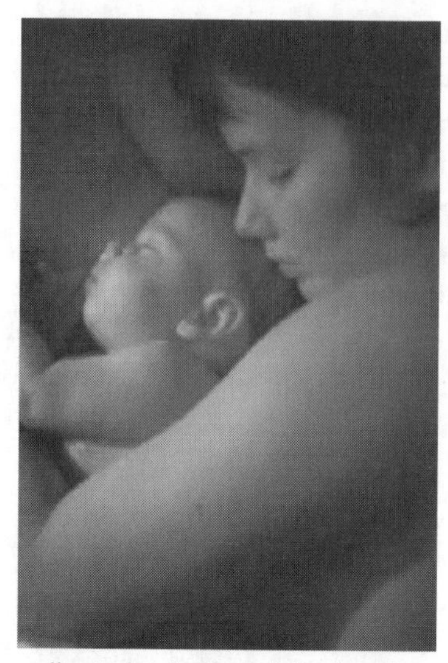

Il est plus facile d'allaiter la nuit quand le bébé dort près de sa mère.

des vingt-quatre heures d'une journée. Les premières semaines, pour voir ce que vous faites sans avoir à allumer une lampe, gardez une petite lampe de poche sur la table de chevet ou sous votre oreiller. Vous pouvez aussi laisser la lumière du garde-robe allumée et la porte entrouverte. Pour vous tourner sans trop d'efforts lorsque vous allaitez couchée, tenez simplement le bébé contre vous, de vos deux bras, et roulez sur l'autre côté.

Lorsque votre bébé s'éveille la nuit, couchez-le avec vous dans votre lit et allaitez-le. Vous pourrez ainsi vous rendormir tous les deux. Il n'y a aucun danger, nous avons toutes dormi avec nos bébés comme le font les mères du monde entier depuis des siècles. Les bébés adorent la chaleur et la proximité et les mères affirment qu'elles développent rapidement un sixième sens pour laisser de l'espace au bébé.

Vous avez peut-être entendu des récits de parent qui « roule » sur le bébé en dormant. Ne vous inquiétez pas, un bébé normal et en bonne santé, même s'il est très petit, peut bouger la tête et vous faire savoir d'une quelconque façon qu'il a une couverture dans le visage ou qu'il se sent coincé. Le bébé devrait dormir sur le dos ou sur le côté pour éviter de se retrouver le nez dans les draps. Si les parents dorment dans un lit d'eau, il faut que celui-ci soit bien rempli pour rester ferme. Il faut également s'assurer qu'il n'y a pas d'espace entre le sommier et le matelas. Un lit d'eau « pleine vague », sans déflecteurs internes, n'est pas sécuritaire pour un bébé.

Des études ont démontré que le risque de syndrome de mort subite du nourrisson (SMSN) est diminué lorsque les bébés dorment sur le dos ou sur le côté. Bien entendu, les parents ne devraient pas dormir avec leur bébé s'ils sont sous l'influence de la drogue, de l'alcool, de tranquillisants ou de médicaments contre la grippe qui peuvent affecter leur conscience de la présence du bébé.

Une récente étude démontre que le fait de dormir avec son bébé et de l'allaiter, diminuait vraiment le risque de syndrome de mort subite du nourrisson.

Dans son livre, *SIDS : A Parent's Guide to Understanding and Preventing Sudden Infant Death Syndrome*, le Dr William Sears conclut :

Je crois que, dans la plupart des cas de syndrome de mort subite du nourrisson, il y a essentiellement un trouble de l'éveil et du contrôle de la respiration pendant le sommeil. Tous les éléments du maternage naturel, particulièrement l'allaitement et le sommeil partagé, favorisent le contrôle de la respiration du nouveau-né et accroissent la conscience mutuelle de la mère et de son bébé, ce qui accentue leur capacité d'éveil et diminue le risque de SMSN.

Il existe de nombreuses façons d'éviter que le bébé ne tombe en bas du lit. Placez son lit près du vôtre, abaissez le côté du lit et ajustez la hauteur de son matelas au vôtre. Ainsi à proximité, il est facile de le prendre avec vous lorsqu'il pleure. Vous pouvez également acheter un lit de bébé qui se fixe au côté de votre lit ou une barrière de sécurité pour le lit afin d'éviter les chutes.

Une mère ingénieuse, Pat Muschamp, de la Pennsylvanie, utilise une couverture pour garder son bébé près d'elle quand elle dort. Pour ce faire, placez sur le lit une couverture de bébé en diagonale, comme un cerf-volant. Couchez-vous sur le coin intérieur et placez le bébé près de vous sur la couverture. Tirez le coin opposé de la couverture par-dessus le corps du bébé et glissez-le sous votre corps. Votre bébé est alors enveloppé confortablement près de vous et il ne risque pas de tomber.

Certaines mères portent un soutien-gorge pendant la nuit. Ce n'est pas nécessaire, mais si vous vous sentez plus confortable avec un tel soutien,

Une barrière de sécurité fixée au côté du lit peut empêcher le bébé de tomber.

choisissez un soutien-gorge assez grand ou extensible pour qu'il puisse prendre de l'expansion si vos seins gonflent au cours de la nuit.

Quand fera-t-il ses nuits ?

Si cette question a pris une telle importance, c'est probablement à cause des inconvénients liés au fait de donner des biberons la nuit : se lever avec le bébé alors qu'il fait frais dans la maison, faire chauffer le biberon, combattre le sommeil avec la crainte de laisser tomber le bébé ou le biberon. La mère qui allaite n'a pas à subir ces inconvénients. Si vous entendez dire que le bébé de la voisine « fait ses nuits » alors que ce n'est pas le cas pour le vôtre, demandez-vous : « Est-ce vraiment si important ? » Ce qui importe, n'est-ce pas plutôt que vous puissiez combler aussi facilement les besoins de votre bébé la nuit comme le jour ? Que le soleil brille ou que le monde soit plongé dans l'obscurité, le bébé ne fait aucune différence. Il a le même besoin d'être materné et ce besoin n'est pas moins important la nuit que le jour.

Il est impossible de prédire quand votre bébé commencera à dormir toute la nuit sans interruption. Les bébés sont des êtres humains et chaque être humain est unique. Certains « feront leurs nuits » très tôt et d'autres non. Il n'est pas rare non plus qu'un petit « fasse ses nuits » une semaine et se réveille la semaine suivante.

Aucun parent n'aime se lever au milieu de la nuit. Cependant, il existe des moyens de s'en sortir et de faire face à la situation. Votre façon de réagir peut faire toute la différence. Nous savons ce dont nous parlons, car plusieurs d'entre nous sont allées à la dure école. Aline Gagnon, du Québec, a accepté peu à peu de changer l'aménagement de sa chambre à coucher. Elle raconte :

> *Aux personnes qui semblaient surprises par l'aménagement de notre chambre à coucher, je répondais qu'il en était ainsi pour me permettre de mieux me reposer. Il m'a fallu six longs mois avant d'accepter l'idée du sommeil partagé. Antoine dormait dans son petit lit dans notre chambre. Je faisais la navette entre mon lit et le sien pour l'allaiter, la plupart du temps aux deux heures, même la nuit. Un matin, j'ai fait part à mon mari de la décision que j'avais prise en allaitant la nuit précédente : j'étais prête à faire certains ajustements. Il m'a appuyée inconditionnellement dans cette démarche.*

Ce jour-là, nous avons abaissé le côté du lit du bébé et nous l'avons placé près du nôtre, à la même hauteur. Je n'avais plus qu'à étendre le bras pour prendre mon précieux trésor et le satisfaire de mon lait et de ma chaleur. Mes nuits sont alors devenues plus réparatrices. Je n'avais plus à courir le marathon pour calmer mon petit, même s'il avait tendance à se réveiller aussi souvent.

Avec le temps j'ai appris à dormir en allaitant et cela en toute sécurité pour chacun !

Le Dr Gregory White, un médecin de famille expérimenté maintenant décédé, a déjà abordé ainsi la question du sommeil à l'occasion d'une conférence qu'il donnait devant des parents :

Beaucoup de gens croient qu'ils ont droit à une nuit de sommeil. Personne n'a droit à une nuit complète de sommeil et très peu de mères peuvent profiter d'une seule nuit de sommeil sans interruption. Beaucoup de gens le font à un moment ou à un autre au cours de leur vie et je suis tout à fait d'accord. Mais il n'y a aucune personne, nouvelle mère ou non, qui peut y avoir droit quand on a besoin d'elle. Si un vieil homme paresseux et douillet comme moi peut se lever au milieu de la nuit pour aider une personne qu'il connaît à peine, une mère peut certainement le faire pour son propre enfant.

Le sommeil partagé

Plutôt que d'essayer de modifier les besoins nocturnes de leurs enfants, de nombreuses familles ont décidé de changer leurs habitudes de sommeil. Après tout, ce dont les bébés et les enfants ont besoin n'est pas si compliqué, ils veulent simplement être près de ceux qui les aiment.

Le Dr William Sears utilise le terme « sommeil partagé » parce qu'il met en évidence le fait que le contact physique amène la mère et son bébé à partager les mêmes cycles de sommeil. Il n'oublie pas les pères non plus et signale que certains lui ont affirmé se sentir plus près de leurs bébés quand ils dorment ensemble.

La beauté de dormir en famille vient du fait qu'il est possible de l'adapter pour satisfaire les besoins propres à chaque famille. Certaines mères préfèrent remettre le bébé endormi dans son lit après la tétée. Chez d'autres, le lit et la chambre du bébé ne servent plus et on partage un lit familial. Il existe autant d'arrangements possibles que de familles.

Andrée Chartrand, du Québec, nous fait part de son expérience :

Lorsque j'étais enceinte de mon deuxième enfant, j'ai connu aux réunions de la Ligue La Leche des mères qui dormaient avec leur petit. Elles avaient l'air de trouver cela naturel. Moi, je trouvais ça pas mal farfelu. Puis, je me suis dit, qu'au fond, ce serait bien plus simple d'avoir le bébé près de moi la nuit. Et puis, en y réfléchissant bien, il n'y a que l'être humain qui s'éloigne de son bébé pour dormir. Les autres bébés du règne animal paraissent si bien, blottis contre leur mère pour dormir !

Lorsque ma petite fille est née, mon conjoint et moi avions décidé d'installer le parc pour enfant près de notre lit. Vous pouvez imaginer la suite. Lorsque Marilou s'éveillait et demandait le sein, je la couchais près de moi pour l'allaiter et nous nous endormions toutes « collées » et heureuses. Quand mon conjoint arrivait de travailler (il travaille le soir) et nous voyait ainsi, il n'avait pas le courage de recoucher le bébé dans son parc.

Vers l'âge d'environ deux ans, beaucoup d'enfants seront fiers de dormir dans un lit conventionnel bien à eux. Avec leurs petites jambes, il leur sera par contre plus facile de l'atteindre si le sommier et le matelas sont posés à même le sol. Si c'est un matelas pour adultes, vous pourrez vous coucher à côté de votre tout-petit s'il se réveille. Il vous sera alors plus facile de retourner dans votre lit que si vous deviez le déplacer. Pour l'enfant qui est prêt à avoir son propre lit, mais qui désire encore à l'occasion dormir près de vous, vous pouvez ranger sous votre lit un sac de couchage ou un matelas pneumatique et une couverture que vous sortirez pour lui aménager un coin confortable.

Organisation pratique

Lorsque votre très grand lit semble trop petit (même s'il occupe presque toute votre chambre) parce que tout le monde se blottit à la même place (la vôtre), vous vous demandez sans doute si cette intimité permanente va se terminer un jour. La réponse est oui et lorsque cela arrivera, votre réaction ne sera peut-être pas celle que vous pensiez. Ann Baskhurst, du Michigan, témoigne :

Amy, quatre ans, dort volontiers seule toute la nuit. À dix-huit mois environ, Emily a manifesté le désir de dormir dans le lit de bébé. Elle y dort maintenant toutes les nuits. Ken et moi avons à nouveau notre très grand lit à nous seuls. À ma grande surprise, ça me manque de ne plus dormir avec mes petites filles. Durant la période difficile où nous devions nous organiser pour dormir avec elles, je pensais que je ne verrais jamais la fin de ce « lit familial » et j'étais impatiente. Maintenant que c'est fini, nous gardons de merveilleux souvenirs d'un petit bout de chou qui se serre contre nous par une froide nuit d'hiver ou qui nous entoure de ses bras, sachant qu'il est en sécurité.

Les parents trouveront de nombreux conseils pratiques pour satisfaire les besoins nocturnes de leurs enfants dans le livre du Dr William Sears *Être parents le jour... et la nuit aussi.* Vous pouvez vous le procurer auprès d'un groupe de la Ligue La Leche ou sur notre site Web www.allaitement.ca. Pour plus de détails, consultez l'appendice.

Et notre vie sexuelle ?

Vous vous demandez probablement ce qu'il adviendra de votre vie de couple si le bébé dort dans votre lit. Existe-t-il un plan de survie pour les nouveaux parents ?

Nous pouvons faire quelques suggestions, mais, en fin de compte, c'est à votre conjoint et à vous de déterminer quel genre de relation amoureuse et sexuelle est la plus satisfaisante pour vous deux. Comme l'allaitement, la sexualité est à 90 % une question d'attitude mentale et à 10 % une question de technique. La sexualité et l'allaitement s'épanouissent grâce à la puissance de la pensée positive. Les inquiétudes inutiles peuvent être contre-productives. La joie que vous ressentez à l'arrivée de votre bébé « déteindra » sur les autres aspects de votre vie.

Mythes et questions fréquentes

Avec un bébé qui tète souvent et qui dormira probablement dans notre lit, trouverons-nous du temps pour être seuls tous les deux ? Absolument. Nous avons toutes trouvé des occasions. Vous devrez tromper la vigilance du bébé, mais vous êtes deux pour le faire. Avez-vous pensé à changer de place et d'heure ? Quand on veut, on peut.

Des conjoints qui s'aiment font tout pour se plaire.

Les bébés ont habituellement une période assez longue de sommeil profond. Tirez profit de ce moment. Si votre bébé s'éveille au moindre bruit, quittez le lit avec précaution pour aller dans la chambre d'amis ou dans le salon.

Si votre bébé est éveillé, vous pouvez essayer d'allier romantisme et distraction en alignant une série de bougies allumées dans la pièce. Les petits bébés sont fascinés par les lumières vacillantes. Un peu de musique douce est une autre possibilité.

Peu de couples mariés peuvent jouir d'une liberté totale pour faire l'amour en tout temps et sans interruption. Il y a les exigences quotidiennes du travail et les autres enfants qui ont des besoins. Les restrictions ne disparaissent pas lorsque les enfants grandissent et quittent le lit des parents. Demandez à n'importe quel couple qui a des adolescents. Vous avez une vie entière ensemble pour partager votre amour. Demain sera encore meilleur qu'aujourd'hui.

Mes seins sont sensibles et j'éprouve une sensation désagréable lorsque mon conjoint les touche. De plus, je suis inquiète. Est-ce que les jeux sexuels peuvent altérer mon lait ? Non. Cela ne changera rien à votre lait. Il ne faut pas non plus vous inquiéter de transmettre les microbes de votre conjoint à votre bébé par vos mamelons. Votre bébé est déjà exposé aux microbes de la famille et les mamelons sont pourvus de glandes spéciales qui les gardent exempts de germes lorsque le bébé tète. Quand vous allaitez, vos seins ne sont pas interdits à votre conjoint. La sensation d'engorgement et de sensibilité survient principalement pendant les premiers jours d'allaitement et elle est temporaire. Cette sensation diminuera si vous allaitez votre bébé juste avant de faire l'amour. Vos seins seront alors moins congestionnés et le bébé sera plus enclin à dormir. Et, comme s'est déjà exclamé un mari : « L'engorgement, c'est génial ! »

Au moment de l'orgasme, certaines femmes ont parfois un réflexe d'éjection du lait. La première fois que cela se produit, le conjoint est tout aussi surpris que sa femme, car le lait peut littéralement jaillir. Les hormones responsables du réflexe d'éjection du lait sont aussi présentes au moment de l'orgasme. Toutes les femmes ne vivent pas cette situation et elle est moins fréquente lorsque le réflexe de sécrétion du lait est mieux établi. Gardez une serviette à proximité pour vous éponger au cas où cela se produirait.

Lorsqu'elle allaite, la femme manifeste un plus grand intérêt pour les relations sexuelles OU, lorsqu'elle allaite, la femme manifeste moins d'intérêt pour les relations sexuelles. La réponse à ces deux affirmations est « oui » dans certains cas et « non » dans d'autres. Il n'y a pas de réponse « toute faite ».

Après avoir donné naissance, la femme peut être très réceptive et affectueuse. Allaiter et faire l'amour sont des fonctions très naturelles et excitantes de sa vie de femme. Une autre femme éprouvera la sensation contraire. Son désir de relations sexuelles pourrait être réduit au minimum, même si elle aime toujours autant son conjoint et désire être près de lui. En fait, elle recherche la sécurité de son affection. Des réactions aussi différentes ne sont pas inhabituelles ni anormales. À différents moments au cours de leur existence, tous les hommes et les femmes connaissent des hauts et des bas dans leurs désirs sexuels.

En tant que mère qui allaite, on peut probablement supposer que vous êtes heureuse d'être une femme et que vous vous sentez à l'aise avec la façon dont fonctionne votre corps. L'allaitement fait partie intégrante du cycle sexuel de la femme. Il existe des similitudes manifestes dans la façon dont le corps de la femme réagit pendant l'allaitement et les rapports sexuels. C'est un moment de plénitude dans la vie d'une femme.

C'est probablement la fatigue qui a le plus grand effet dissuasif pour toute nouvelle mère. Faites une sieste en après-midi, si vous le pouvez. Parfois, même si vous vous sentez plus fatiguée qu'attirante, un effort de tendresse de votre part au bon moment peut vous apporter un grand bonheur à tous deux, votre conjoint et vous.

Que faire si je ne peux plus supporter d'être touchée ? Une mère nous a déjà écrit :

> *Après avoir passé la plus grande partie de la journée avec mon bébé ou mon bambin dans les bras, je sens que je ne pourrais pas supporter qu'une autre personne me touche. Ça me dérange quand mon mari s'approche de moi. Est-ce anormal ? Pouvez-vous m'aider ?*

Nous avons répondu à cette mère qu'elle n'était pas la seule à se sentir ainsi. Après avoir passé une partie de la journée à tenir un bébé dont les petites mains s'accrochent à elle et la caressent, bien des mères se mettent à penser que la dernière chose dont elles ont besoin, c'est d'un autre contact physique. Elles ne supportent plus d'être touchées.

Notre héritage culturel est sans doute responsable de cette réaction, du moins jusqu'à un certain point. Une personne qui grandit dans une société où les gens gardent une certaine distance entre eux et où les membres d'une même famille s'étreignent rarement peut trouver que le contact presque permanent avec un bébé est une toute nouvelle expérience, une de celles à laquelle il faut un certain temps pour s'habituer. Ajoutons à cela la fatigue qui se manifeste en fin de journée chez la majorité des mères et des jeunes enfants et il reste peu d'énergie ou de désir pour le romantisme.

Le faible taux d'oestrogènes durant la lactation est souvent la cause de la sécheresse vaginale. La solution à ce problème est relativement simple : un peu plus de préliminaires amoureux accompagnés, si nécessaire, de gelée lubrifiante comme la gelée KY. Une épisiotomie peut également causer de la douleur au moment des rapports sexuels et, ce, pendant parfois plusieurs mois.

Vous étiez femme avant d'être mère, votre conjoint devrait donc passer avant vos enfants. Cela est trompeur. Votre conjoint et vos enfants ne devraient pas avoir à se disputer votre temps ou votre affection. Celui qui, à ce moment-là, a le plus besoin d'amour et d'attention doit le recevoir. À l'âge adulte, on peut attendre un peu pour satisfaire ses besoins. Les adultes qui ont faim peuvent patienter ou trouver eux-mêmes quelque chose à manger. Les bébés en sont incapables. Avec un peu de compréhension, il n'y aura pas de conflit. Il y a suffisamment d'amour pour tous.

Le Dr William Sears, pédiatre et auteur, rappelle aux parents l'importance du soutien mutuel :

> *Pour que le lien mère-enfant puisse se développer comme il se doit, il doit être vécu dans le cadre d'une union stable et satisfaisante [...] toute la famille travaille main dans la main : mère-bébé, père-bébé, homme et femme [...] Vous ne pouvez choisir parmi ces relations. Vous devez travailler à chacune d'elles car elles sont complémentaires.*

Cela nous ramène à la relation initiale. Des conjoints qui s'aiment font tout pour se plaire. Chacun essaie de répondre aux désirs de l'autre. Parfois, c'est la femme qui fait un effort de plus pour réagir à l'étreinte de son conjoint et parfois, c'est l'homme qui fait passer les sentiments et les besoins de sa conjointe avant les siens.

Il y a un temps pour donner et un temps pour recevoir. Tout est possible avec de la bonne volonté et de la bonne humeur de part et d'autre. Mais attention : ne comptez pas les tours. Dès que vous le ferez, vous perdrez à coup sûr.

Chapitre 7

Difficultés courantes

Les premières semaines d'allaitement constituent une période d'apprentissage pour votre bébé et vous. La plupart du temps tout se passe bien, mais parfois certaines difficultés peuvent menacer l'allaitement. Le présent chapitre traite de ces difficultés et vous explique comment les surmonter pour que votre allaitement soit des plus agréables.

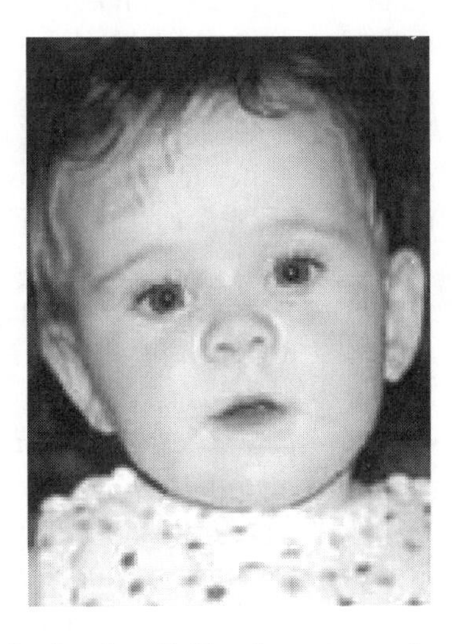

Les derniers chapitres de ce livre vous renseigneront davantage sur certaines circonstances particulières entourant l'allaitement. Si vous n'y trouvez pas réponse à vos questions, nous vous invitons à communiquer avec votre monitrice de la Ligue La Leche. Celle-ci pourra vraisemblablement vous encourager et vous prodiguer des conseils sur votre situation particulière qui vous permettront de trouver une solution à votre problème. Votre bébé et vous pourrez continuer à profiter des avantages de l'allaitement. Nous pouvons vous assurer qu'il est rarement nécessaire de sevrer un bébé à cause d'un problème d'allaitement.

Les mamelons douloureux

Bien que la douleur aux mamelons puisse être désagréable, elle ne constitue pas une raison pour vous priver tous deux des avantages et des joies de l'allaitement. Pendant les trois à cinq premiers jours suivant la naissance, il est normal d'avoir les mamelons plus sensibles quand le bébé prend le sein. Par la suite, si vous utilisez les bonnes techniques pour offrir le sein, vous ne devriez plus ressentir de douleur ou très peu. Si vos mamelons sont irrités ou crevassés, relisez les chapitres précédents qui expliquent en détail la façon de placer le bébé pour lui faire prendre le sein.

De nombreuses mères ressentent un soulagement immédiat lorsqu'elles commencent à bien placer le bébé au sein. Ça vaut la peine de prendre le temps de retirer le bébé du sein et de le replacer correctement.

La façon dont votre bébé saisit et lâche le mamelon est très importante pour éviter les mamelons douloureux. Le bébé ne doit pas aspirer le mamelon, il doit le prendre le plus profondément possible dans sa bouche quand celle-ci est grande ouverte. Pour le retirer du sein, n'oubliez pas de toujours briser d'abord la succion en appuyant sur votre sein avec un doigt ou en repoussant la joue du bébé près de sa bouche.

Une mère, qui a compris l'importance de bien placer son bébé au sein pour éviter les mamelons douloureux, nous fait part de son expérience. Karen Price, de la Colombie-Britannique, écrit :

> *Ma fille Katie tète parfaitement bien aujourd'hui. Nous vivons maintenant un allaitement heureux. Au cours des quatre premiers mois toutefois, j'ai souffert terriblement de mamelons douloureux et crevassés. J'espère que mon témoignage encouragera d'autres femmes qui vivent une situation semblable.*
>
> *Tout d'abord, je dois dire que mes mamelons sont invaginés. Avant la naissance du bébé, je ne savais même pas que ce n'était pas « normal ». Je croyais qu'après l'accouchement, ils sortiraient d'eux-mêmes, comme par magie. Ma seconde erreur a été de ne pas assister pendant ma grossesse aux réunions de La Ligue La Leche pour voir d'autres mères s'occuper de leur bébé.*
>
> *Nous avons connu plusieurs problèmes suite à la naissance de Katie. Elle avait beaucoup de difficulté à saisir le mamelon ce qui, combiné à un réflexe de succion faible, nous a causé à toutes deux beaucoup de frustration. Après une semaine, ce sont mes mamelons extrêmement douloureux qui constituaient notre plus grand problème. Je sais maintenant que je ne plaçais pas mon bébé au sein correctement. Parce que je ne la tenais pas de la bonne façon, elle étirait l'aréole située autour du mamelon, ce qui me causait beaucoup de douleur et réduisait la quantité de lait qu'elle obtenait. J'appréhendais l'heure des tétées et je pleurais de douleur pendant presque toute leur durée.*

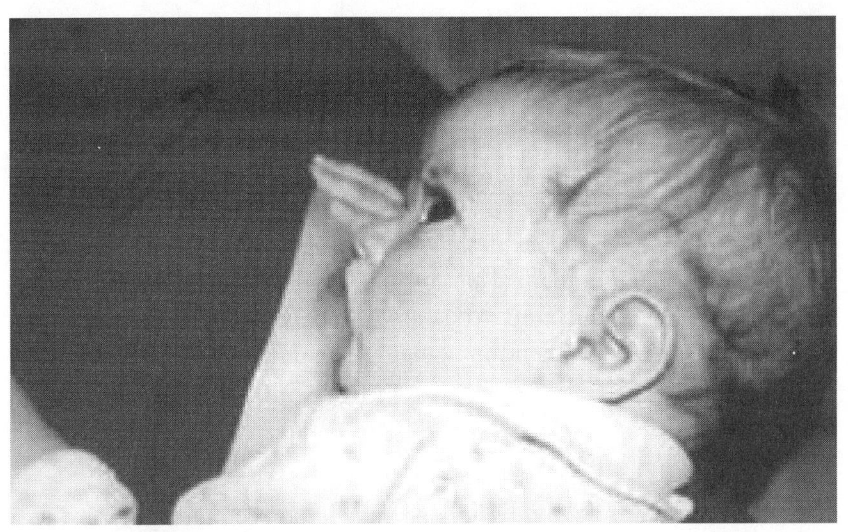

La mère n'aura pas les mamelons douloureux si le bébé prend le sein correctement.

Pendant ces moments difficiles, je contemplais dans mes bras ce petit être sans défense, que j'avais tellement désiré, et je réussissais à trouver l'énergie pour continuer. Ça été l'un des plus grands sacrifices que j'ai jamais eu à faire, mais les bienfaits valent amplement chaque moment de douleur que j'ai vécu.

Après avoir appris, au cours d'une réunion de la Ligue La Leche, comment placer correctement mon bébé au sein, la douleur est complètement disparue. Maintenant, j'ai hâte de donner la tétée. L'amour vient à bout de tout, mais la bonne information est aussi parfois nécessaire.

La durée des tétées

Si votre bébé prend correctement le sein, il n'est pas nécessaire de limiter la durée des tétées. Il faut parfois plusieurs minutes avant que le réflexe d'éjection ne se produise et que le lait ne se mette à couler. Par conséquent, si vous enlevez votre bébé du sein après trois ou cinq minutes, comme certains le recommandent, la tétée pourrait se terminer avant même qu'elle ne commence. Si la douleur persiste tout au long de la tétée, c'est que votre bébé ne tète pas correctement. Vous aurez alors besoin de l'aide d'une personne qui s'y connaît en allaitement. Assurez-vous que votre bébé ouvre la bouche toute grande, qu'il prend une large partie du sein dans sa bouche et qu'il n'a pas seulement le bout de votre mamelon entre ses gencives. Si le bébé n'a pas bien pris le sein, retirez-le en utilisant votre doigt pour briser la succion et recommencez.

En permettant à votre bébé de téter fréquemment, aussi souvent qu'il semble avoir faim, vous réduirez sensiblement la douleur. En effet, il tétera moins vigoureusement que s'il est affamé. Au cours des premiers mois, durant la journée, les bébés devraient boire au moins toutes les deux à trois heures. L'allaitement est un art qui s'apprend et ça ne devrait pas être douloureux. Aussitôt que vous et votre bébé trouverez votre propre façon d'allaiter efficacement, la douleur disparaîtra.

Les mamelons plats

Il est très important de mettre le bébé au sein correctement si vous avez des mamelons plats et que le bébé a de la difficulté à les saisir. Si c'est dû à l'engorgement, ce gonflement des seins qui peut se produire au moment de la « montée de lait », exprimez un peu de lait manuellement juste avant la tétée pour permettre au mamelon de ressortir. (Voyez les autres façons de traiter l'engorgement au chapitre 4). Assurez-vous que le bébé ouvre la bouche toute grande avant de prendre le sein.

Plusieurs experts sont d'avis qu'un bébé qui saisit bien le sein peut téter efficacement et faire ressortir un mamelon plat ou invaginé.

Les onguents

La plupart des onguents vendus pour traiter les mamelons douloureux ne sont pas utiles et certains peuvent même être nocifs. Évitez tout produit qui doit être enlevé avant que le bébé ne tète. Les onguents renfermant des substances stéroïdiennes, astringentes ou anesthésiques NE SONT PAS recommandés parce qu'ils peuvent être nocifs à la fois pour la mère et le bébé. De plus, engourdir les mamelons avec de la glace risque d'inhiber le réflexe d'éjection du lait. Il faut également éviter les vaporisateurs antiseptiques pour les mamelons. L'onguent peut augmenter la douleur s'il empêche le bébé de saisir correctement le mamelon et l'aréole.

Exprimez quelques gouttes de votre lait quand votre bébé a fini de téter et faites pénétrer en frottant doucement vos mamelons afin de profiter de l'action cicatrisante du lait maternel.

La cicatrisation en milieu humide

On ne recommande plus de sécher les mamelons douloureux avec un séchoir à cheveux ou en utilisant une lampe solaire. Il a été démontré qu'il est plus efficace de traiter les mamelons douloureux en milieu humide puisque cela permet la cicatrisation sans formation de croûtes. La cicatrisation en milieu humide exige que l'humidité interne de la peau soit maintenue. Il ne faut pas confondre avec l'humidité à la surface de la peau qui peut occasionner des gerçures et irriter encore davantage la peau.

On peut maintenir l'humidité interne de la peau et favoriser la guérison des mamelons douloureux en appliquant un type de lanoline spécialement formulée à cet effet : la lanoline purifiée.

La Leche League International recommande d'utiliser la lanoline de marque Lansinoh pour les mères qui allaitent pour traiter les mamelons douloureux. Il s'agit de la marque de lanoline purifiée la plus pure et la plus sécuritaire. D'autres marques de lanoline purifiée peuvent contenir de hauts taux de pesticides ainsi que des alcools et des résidus de détergents qui ont été identifiés comme étant la cause des allergies à la lanoline.

La lanoline de marque Lansinoh pour les mères qui allaitent n'a pas besoin d'être enlevée avant d'allaiter le bébé. Vous devez être informée que des produits similaires sont disponibles, mais ils ne sont pas fabriqués selon les mêmes standards de pureté et peuvent ne pas être aussi sécuritaires pour votre bébé.

Pour soigner des mamelons douloureux ou crevassés, essuyez doucement vos mamelons après la tétée. Assouplissez une petite quantité de lanoline Lansinoh sur le bout de vos doigts propres et appliquez-la sur chaque mamelon. Utilisez suffisamment de lanoline pour créer un film protecteur et appliquez-en après chaque tétée. Étalez-la doucement, ne frottez pas pour la faire pénétrer.

L'utilisation de la lanoline Lansinoh peut également soulager la douleur parce qu'elle protège les terminaisons nerveuses qui signalent la douleur. Si vous êtes incommodée par le frottement de vos vêtements, vous pouvez en appliquer et, pour éviter que vos vêtements ne touchent à vos mamelons douloureux, vous pouvez porter ensuite des boucliers percés de larges trous d'aération ou encore des passoires pour le thé dont les poignées auront été enlevées.

La lanoline de marque Lansinoh pour les mères qui allaitent est vendue dans les pharmacies. Elle est également disponible dans le catalogue et sur le site Web de la LLLI au www.lalecheleague.org ainsi que dans des groupes de la Ligue La Leche.

Les soins aux mamelons

De l'eau claire, voilà tout ce qu'il faut pour laver vos mamelons. Évitez d'utiliser du savon sur les mamelons, car il enlève les huiles naturelles et protectrices de la peau et prédispose aux crevasses. (On peut toutefois suggérer d'utiliser du savon sur les mamelons dans le cas d'une infection bactérienne.) Évitez également d'appliquer de l'eau de toilette, du désodorisant, du fixatif ou de la poudre près des mamelons afin de ne pas irriter cette peau fragile.

Évitez toute doublure de plastique dans votre soutien-gorge ou vos compresses d'allaitement. Une doublure de plastique peut garder les mamelons humides et causer des crevasses. Le port d'un soutien-gorge trop ajusté peut aussi exercer une pression sur vos mamelons et être source de douleur.

Les mamelons douloureux guérissent

Gardez votre bébé près de vous et allaitez-le fréquemment. Ceci vous aidera à faire face à la situation jusqu'à ce que vos mamelons guérissent. Essayez de faire une sieste pendant la journée, de manger des aliments nutritifs et de boire beaucoup de liquide. Limitez le nombre de visiteurs, particulièrement les personnes qui risquent de vous décourager ou de vous troubler. Acceptez de l'aide pour les tâches ménagères pendant que vous et votre bébé vous reposez. Heureusement, la douleur aux mamelons dure rarement plus de quelques jours, surtout si vous suivez toutes ces recommandations.

Si la douleur persiste, vous pouvez consulter une personne compétente pour voir si le bébé est bien placé et s'il prend le sein correctement. Une monitrice de la Ligue La Leche ou une consultante en lactation devra peut-être observer votre bébé pendant qu'il tète. Si votre bébé ne saisit pas correctement le mamelon dans sa bouche, il existe des techniques pour l'aider à apprendre à téter plus efficacement.

Dans certains cas, les mamelons douloureux de la mère sont le résultat de l'incapacité du bébé à téter correctement suite à une blessure survenue à la naissance ou parce qu'il a le frein de la langue trop court. Couper le frein de la langue d'un bébé est une chirurgie mineure qui peut être pratiquée dans le cabinet du médecin ou du dentiste et qui ne requiert pas de points de suture ni d'anesthésie. Les bébés ayant subi une blessure à la naissance, due peut-être à l'utilisation de forceps ou de ventouse, peuvent bien réagir à des ajustements chiropratiques, à la massothérapie ou à d'autres traitements non intrusifs pratiqués par un professionnel habitué à traiter des bébés.

Il peut exister un lien entre les appréhensions de la mère et les mamelons douloureux. La sensibilité des mamelons peut provoquer suffisamment de tension pour retarder le réflexe d'éjection du lait. Ce délai peut causer de la frustration chez le bébé et vous inquiéter davantage. Que faire alors ? Vous pouvez exprimer un peu de lait manuellement pour stimuler le réflexe et faire un effort particulier pour vous détendre avant d'allaiter. Vous pourriez également demander à votre médecin de vous prescrire un analgésique pour soulager la douleur lorsque vos mamelons sont très douloureux.

Des mères renoncent à l'allaitement à cause de mamelons douloureux. C'est dommage, car ce n'est pas nécessaire. Dans de très rares cas, où les mamelons sont extrêmement douloureux, ce qui peut se produire si le bébé ne tète pas correctement pendant un certain temps, il peut s'avérer nécessaire de cesser temporairement l'allaitement, le temps que les mamelons guérissent. Durant cette période, la mère pourra exprimer son lait, manuellement ou à l'aide d'un tire-lait, et le donner à son bébé au compte-gouttes ou à la cuillère. Dès que les mamelons auront réagi au traitement, le bébé pourra être remis au sein, en prenant soin de le placer correctement pour qu'il saisisse bien le mamelon.

Le muguet

Si vous allaitez déjà depuis plusieurs semaines ou plusieurs mois et que vos mamelons deviennent soudainement douloureux, il est possible que vous ou votre bébé ayez contracté le muguet. (Le muguet peut aussi apparaître pendant les semaines qui suivent l'accouchement.) Si vous ressentez des démangeaisons et que vos mamelons sont très sensibles ou si votre peau devient rose et se desquame, vous avez probablement du muguet. Il s'agit d'une infection à champignons qui prolifère dans le lait. Elle peut prendre la forme de points blancs qui apparaissent à l'intérieur de la bouche ou sur les gencives du bébé. Votre bébé peut également souffrir d'un érythème fessier persistant dû au muguet et il est possible que vous fassiez une vaginite. Le muguet peut être associé à la prise de contraceptifs oraux ou d'antibiotiques. Les mères diabétiques sont plus sujettes au muguet. Cette infection est plus fréquente dans les climats chauds et humides. Vos mamelons peuvent être affectés même s'il n'y a aucun signe de muguet dans la bouche de votre bébé.

Il faut parfois plusieurs semaines pour guérir le muguet. Votre médecin prescrira peut-être des médicaments ou d'autres formes de traitement. Assurez-vous alors de traiter à la fois la bouche du bébé et vos mamelons. Les autres membres de la famille pourraient aussi avoir besoin d'être traités.

Lavez-vous soigneusement les mains après être allée aux toilettes afin d'éviter de propager le muguet. Vous devez être persévérante pour traiter le muguet, mais il n'y a pas lieu de cesser l'allaitement.

Quand le bébé est plus âgé

Lorsque le bébé est plus âgé, la poussée des dents peut être une autre cause possible de douleur aux mamelons. Certains bébés ne tètent plus de la même façon lorsqu'ils ont mal aux gencives, ce qui peut causer temporairement de la douleur aux mamelons. Essayez donc d'être plus attentive à la position du bébé au sein et à la façon dont il saisit le mamelon. Il peut être utile de changer de position pour allaiter. L'application de la lanoline de marque Lansinoh pour les mères qui allaitent peut également aider.

Il arrive à l'occasion qu'une mère note la présence d'une petite ampoule douloureuse au bout du mamelon. C'est ce qu'on appelle une « ampoule de lait ». Celle-ci peut être causée par un canal lactifère obstrué. Faites tremper le mamelon dans l'eau chaude plusieurs fois par jour et gardez cette région très propre. Essayez de varier les positions pour allaiter afin que la bouche du bébé exerce le moins de pression possible sur l'ampoule. La guérison complète peut prendre quelques jours. Pour éviter les risques d'infection, résistez à la tentation de percer l'ampoule.

Si vous allaitez un bébé plus âgé ou un bambin et que vos mamelons deviennent subitement douloureux, mais qu'aucune des situations mentionnées précédemment ne semble être en cause, il faut alors vous questionner. Votre petit a-t-il essayé de nouvelles positions d'allaitement qui auraient pu causer une tension inhabituelle ou un frottement du mamelon ? Lorsqu'il prend ou lâche le sein, a-t-il tendance à aspirer le mamelon ou à se retirer sans briser d'abord la succion ? Est-il possible que vous soyez enceinte ? L'une ou l'autre de ces situations pourrait causer de la douleur aux mamelons, même chez une mère très expérimentée.

Lorsque vos mamelons sont douloureux ou que vous vivez un problème, quel qu'il soit, il est bon d'en parler avec une autre mère qui allaite et plus spécialement avec une monitrice de la Ligue La Leche. Celle-ci pourra voir la situation sous un autre angle. Parfois, tout ce dont vous avez besoin c'est de soutien et d'encouragement pour vous aider à venir à bout de cette difficulté et à voir les aspects positifs de l'allaitement.

Si votre enfant essaie de mordre

Lorsque les petits commencent à avoir des dents, ils essaient parfois de mordre le sein de leur mère. C'est souvent une indication que le bébé a fini de téter et qu'il veut s'amuser. Quand cela se produit, les mères réagissent parfois trop vivement et leur réaction de surprise effraie un bébé sensible. À d'autres moments, le bébé ne semble pas comprendre qu'il ne doit pas se servir de ses dents sur les seins de sa mère, à moins que celle-ci ne se montre très ferme.

Normalement, lors de la tétée, les dents du bébé ne viennent pas en contact avec le mamelon. Lorsqu'un bébé tète activement, le mamelon se trouve au fond de sa bouche, pas près de ses dents. Si le bébé a tendance à mordre à la fin de la tétée, sa mère doit demeurer alerte pour détecter les signes qui indiquent qu'il a fini de téter. Elle peut garder un doigt près de sa joue, prête à le mettre dans la bouche du bébé dès qu'il se prépare à mordre. Elle doit alors le retirer du sein immédiatement en lui disant sur un ton ferme : « On ne mord pas ! » Ceci suffit habituellement à faire comprendre au bébé que son comportement n'est pas acceptable. Ayez à portée de la main un autre objet à lui offrir, qui soit plus approprié pour la dentition, ce qui aidera à renforcer le message.

S'il ne comprend pas et qu'il continue d'essayer de mordre, certaines mères déposent le bébé par terre en lui répétant de nouveau : « On ne mord pas ! » Habituellement, le bébé est très contrarié par cette interruption soudaine d'un moment privilégié avec sa mère. Il a alors besoin d'être repris et consolé très rapidement. Vous désirez simplement lui faire comprendre qu'il est inacceptable de mordre le sein.

Expression et conservation du lait maternel

Quand certaines situations ou circonstances obligent une mère à être séparée de son bébé allaité, elle a besoin de savoir comment exprimer son lait manuellement ou à l'aide d'un tire-lait. Elle a aussi besoin d'informations

Apprendre à exprimer du lait manuellement peut se révéler utile en diverses circonstances.

pour savoir comment conserver adéquatement son lait afin qu'il puisse ensuite être offert à son bébé.

Il peut être nécessaire d'exprimer du lait dans certaines situations, par exemple, quand un bébé prématuré ou malade est incapable de téter, si la mère prévoit retourner travailler ou étudier, pour soulager des seins trop pleins ou engorgés ou encore pour stimuler davantage les seins afin d'augmenter la production de lait de la mère.

L'expression manuelle

Une des meilleures techniques à apprendre est l'expression manuelle. C'est la méthode la moins coûteuse et la plus pratique que vous puissiez utiliser. Elle demande un peu d'entraînement afin de bien la maîtriser. Dans certains cas, la meilleure façon d'apprendre, c'est d'observer une autre mère exprimer son lait.

La pratique aidant, de nombreuses mères parviennent à exprimer plusieurs dizaines de millilitres de lait très rapidement. Lavez-vous les mains avant de commencer. La technique est simple : placez les doigts sous le sein et le pouce sur le dessus afin qu'ils forment un « C ». Appuyez la main contre la cage thoracique et pressez ensemble le pouce et les doigts en cadence juste derrière l'aréole (la partie foncée entourant le mamelon). Si votre aréole est très grande, vos doigts devraient être à environ 2,5 à 4 cm (1 à 11/2 po) du mamelon.

Évitez de faire glisser vos doigts sur la peau. Déplacez votre main pour faire le tour du sein de manière à atteindre tous les canaux lactifères. Faites ceci de trois à cinq minutes d'un côté, puis changez de sein. Alterner ainsi de sein aide à augmenter le débit du lait. Utilisez les deux mains sur chaque sein de manière à atteindre un plus grand nombre de canaux lactifères. Ayez à votre portée un contenant propre pour recueillir le lait.

La technique Marmet d'expression manuelle du lait

Une autre technique d'expression manuelle a été mise au point par Chele Marmet, une monitrice de la Ligue La Leche, consultante en lactation et directrice du *Lactation Institute* situé à Encino, en Californie. De nombreuses mères qui n'avaient pas réussi auparavant à exprimer manuellement du lait ont trouvé cette méthode efficace.

La clé du succès de cette technique réside dans le fait qu'elle combine la méthode d'expression manuelle et l'utilisation du massage pour stimuler le réflexe d'éjection du lait. Comme pour toute autre chose, il est important de pratiquer. Vous trouverez une description détaillée de cette technique en appendice.

Les tire-lait

Bien des mères n'auront jamais à se procurer ni même à utiliser un tire-lait. Quand, dès la naissance, la mère et son bébé sont ensemble la plupart du temps et que le bébé peut téter fréquemment, il n'y a pas de raison pour que la mère exprime son lait. Si vous apprenez la technique d'expression manuelle, vous pourrez l'utiliser pour les quelques occasions où vous devrez conserver du lait ou vider vos seins. Avant d'investir dans un tire-lait, assurez-vous que vous en aurez vraiment besoin.

Il y a plusieurs circonstances où une mère voudra utiliser un tire-lait. Les mères qui prévoient retourner sur le marché du travail alors que leur bébé est encore très jeune peuvent poursuivre l'allaitement et exprimer du lait quand elles sont au travail, à l'heure du midi ou à l'heure de la pause du matin et de l'après-midi. Elles peuvent conserver leur lait pour le donner à leur bébé plus tard.

La mère qui travaille recherche un tire-lait qui soit à la fois facile et pratique à utiliser. Elle devra le transporter régulièrement de son domicile à son lieu de travail. Elle a besoin d'un appareil efficace dont elle peut se servir rapidement. Le tire-lait doit également être facile à laver, de préférence au lave-vaisselle, afin de gagner du temps.

La mère qui exprime du lait pour son bébé prématuré doit stimuler sa sécrétion lactée pour l'avenir et fournir une certaine quantité de millilitres de lait maternel chaque jour pour satisfaire les besoins actuels de son bébé. Cependant, elle n'aura peut-être pas la possibilité de nourrir son bébé au sein avant plusieurs semaines. Elle a donc besoin d'un tire-lait qui imite le plus possible la succion du bébé, de manière à stimuler un bon réflexe d'éjection du lait et établir sa production de lait. Dans ce cas-ci, un tire-lait électrique à gros moteur conviendrait mieux.

Certaines mères désirent avoir un tire-lait sous la main en cas d'urgence ou pour toute autre situation où elles risquent d'être séparées de leur bébé temporairement. Ces mères veulent se procurer un tire-lait peu coûteux afin de se sentir rassurées, sachant qu'il sera disponible en cas de besoin, même s'il ne doit jamais servir. Des tire-lait et d'autres articles pour l'allaitement sont disponibles à la Ligue La Leche. Pour plus de détails, consultez l'appendice.

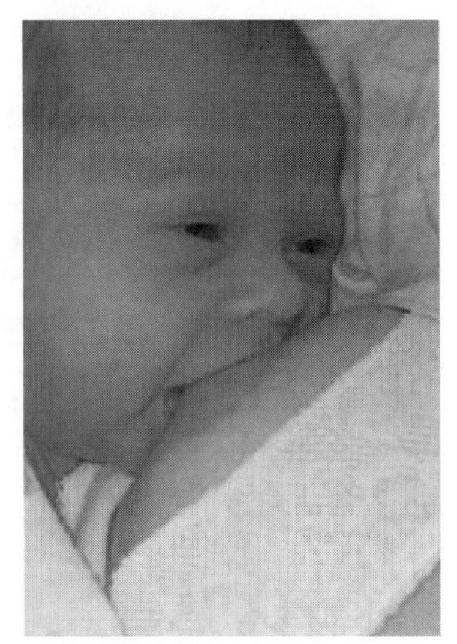

Un tire-lait ne peut jamais être aussi efficace qu'un bébé qui tète bien.

Le choix d'un tire-lait

Les tire-lait « de type klaxon de bicyclette ». À une certaine époque, c'était le seul type de tire-lait disponible et il est encore le moins dispendieux. On crée la succion en pressant une poire de caoutchouc. Les tissus sensibles du sein risquent toutefois d'être endommagés, car il est impossible de contrôler le degré de succion. De plus, ces tire-lait ne peuvent être stérilisés adéquatement. Ils ne sont pas recommandés.

Les tire-lait à cylindre. Plusieurs fabricants offrent divers modèles de tire-lait à cylindre. Ils sont tous composés de deux cylindres de verre ou de plastique. Le cylindre externe sert à la fois de contenant collecteur et de biberon. Dans ce type de tire-lait, la succion est créée en tirant sur le cylindre externe. Plusieurs mères trouvent que ce tire-lait est efficace et agréable à utiliser. La majorité de ces tire-lait sont petits et légers. Vous pouvez les apporter partout avec vous, ils sont donc très pratiques. La plupart vont également au lave-vaisselle.

Le tire-lait manuel à une main. Un tire-lait à pression conçu pour être utilisé d'une seule main. Il convient à la mère qui désire exprimer du lait d'un sein pendant que le bébé tète à l'autre. Ces tire-lait sont légers, portatifs et assez peu dispendieux. La plupart des femmes les trouvent confortables et efficaces.

Les tire-lait à petit moteur. Les tire-lait à petit moteur conjuguent commodité et facilité de transport. Ils sont petits, légers et assez peu dispendieux. La succion est créée par un petit moteur qui fonctionne à l'électricité ou avec des piles. La mère n'a donc pas à fournir d'efforts comme avec un tire-lait manuel. Si le tire-lait est utilisé régulièrement, les piles doivent souvent être remplacées. Un tire-lait à petit moteur peut être actionné d'une seule main, ce qui est important dans certains cas.

Les tire-lait électriques semi-automatiques. Ces petits tire-lait électriques requièrent que la mère contrôle la succion et le déclenchement, mais ils ont l'avantage d'être munis d'un moteur électrique qui fournit l'énergie. Certains modèles sont suffisamment petits pour être portatifs et leur prix est raisonnable. Une mère qui prévoit travailler à temps partiel et qui devra exprimer son lait plusieurs fois par semaine appréciera probablement ce type de tire-lait.

Les tire-lait automatiques pour usage personnel. Ces tire-lait sont conçus pour être pratiques et efficaces quand la mère est séparée régulièrement de son bébé et qu'elle a besoin de tirer son lait plusieurs fois par jour. Ils fonctionnent automatiquement et simulent très bien la succion du bébé. La plupart permettent à la mère d'exprimer du lait des deux seins en même temps. Ces tire-lait coûtent habituellement entre 100 $US et 300 $US. La mère qui travaille et qui veut donner son lait à son bébé trouvera probablement que l'investissement en vaut la peine.

Le tire-lait portable. Un nouveau modèle de tire-lait « mains libres » est maintenant disponible. Ce tire-lait est entièrement automatisé et fonctionne avec des piles, permettant ainsi à l'utilisatrice de circuler et de vaquer à ses occupations pendant qu'elle exprime du lait. Ce tire-lait est suffisamment petit pour être inséré dans le soutien-gorge et les sacs pour recueillir le lait se fixent discrètement sous les vêtements.

Les tire-lait électriques automatiques à gros moteur. Un tire-lait électrique automatique à piston produit la succion la plus efficace. Il simule automatiquement la succion du bébé. La plupart de ces tire-lait peuvent être utilisés pour exprimer du lait des deux seins en même temps. Ce type de tire-lait constitue le premier choix pour la mère qui exprime du lait pour un bébé prématuré ou malade qui ne peut téter au sein. Parce qu'ils sont la façon la plus rapide et la plus facile d'exprimer du lait, ces tire-lait procurent la meilleure stimulation pour établir et maintenir une bonne production de lait. Ceci peut être particulièrement important dans une situation stressante.

Les tire-lait électriques automatiques à gros moteur sont dispendieux, mais il est facile de les louer. Dans le cas d'un bébé (ou d'une mère) malade ou hospitalisé, certains régimes d'assurances remboursent souvent les frais de location si le médecin prescrit l'utilisation d'un tire-lait[1]. Une mère qui travaille trouvera que le coût de la location mensuelle du tire-lait est moindre que celui de l'achat de préparations lactées pour son bébé.

Un bébé, c'est mieux

Aucun tire-lait ne peut égaler l'efficacité de la succion du bébé quand il s'agit de stimuler la sécrétion lactée et d'exprimer du lait. Ceci est dû en partie au fait que la succion mécanique ne peut reproduire le synchronisme des mouvements de la langue, des mâchoires et du palais du bébé, mais c'est surtout parce que la réponse émotive de la mère à la stimulation du bébé représente un facteur déterminant.

Comment utiliser le tire-lait

Apprendre à utiliser efficacement un tire-lait exige de la patience et de la pratique. Vos efforts seront toutefois récompensés si vous vous trouvez dans une situation où vous devez être séparée de votre bébé. Si vous devez exprimer du lait, voici quelques trucs qui vous aideront.

1. Suivez les instructions du fabricant qui accompagnent le tire-lait.
2. Quel que soit le type de tire-lait, humectez votre sein avant d'appliquer le bouclier. Ceci améliore la succion.
3. Allez-y doucement au début et réglez la succion au plus bas niveau. Les tissus du sein pouvant s'abîmer, soyez attentive aux premiers signes d'inconfort. Exprimer du lait ne doit pas causer d'inconfort et ne doit jamais être douloureux. Diminuez le degré de succion ou la durée d'utilisation. Si vous ressentez de l'inconfort, assurez-vous que vous utilisez le tire-lait correctement. Si nécessaire, utilisez une autre marque ou un autre type de tire-lait.

---

[1] En France, la sécurité sociale rembourse le prix de la location si la mère a une ordonnance médicale.

4. Installez-vous dans un endroit calme et paisible, ce qui favorise habituellement l'écoulement du lait. Bien que ce ne soit pas toujours facile à faire au bureau ou à la pouponnière de l'hôpital, essayez de trouver un endroit isolé où vous pourrez exprimer du lait sans être dérangée. Pensez à votre bébé, regardez une de ses photos ou sentez un vêtement qu'il a porté. Ceci peut faire des merveilles et favoriser l'écoulement du lait.
5. Assurez-vous que vos mains et le contenant servant à recueillir le lait sont propres. Suivez les directives du fabricant pour nettoyer le tire-lait. Les bactéries peuvent se multiplier s'il reste des particules de lait séché dans le bouclier, les tubes ou le contenant collecteur. Si vous exprimez du lait pour un bébé hospitalisé, vous devrez peut-être prendre des précautions supplémentaires. Informez-vous auprès des infirmières qui s'occupent du bébé.
6. Des recherches ont démontré que le lait maternel peut être conservé sans danger jusqu'à vingt-quatre heures s'il est gardé à une température de 15 °C (60 °F), soit légèrement sous la température de la pièce. Une glacière isolée contenant de la glace conservera le lait à cette température. Le lait maternel peut être conservé à une température de 19 à 22 °C (66 à 72 °F) pendant dix heures. À 25 °C (79 °F), il est exempt de bactéries nocives de quatre à six heures. Le lait maternel a la propriété remarquable de retarder la croissance des bactéries. Vous devrez cependant être plus prudente si vous exprimez du lait pour un bébé hospitalisé.
7. Le lait peut être conservé au réfrigérateur à 0 à 4 °C (32 à 39 °F) jusqu'à huit jours sans qu'il n'y ait multiplication de bactéries nuisibles.
8. Pour le conserver plus longtemps, le lait doit être congelé. Dans un congélateur situé à l'intérieur du réfrigérateur, il pourra se conserver jusqu'à deux semaines. Dans un congélateur à part, le lait se conservera de trois à quatre mois et dans un congélateur horizontal dont la température se maintient à –19 °C (0 °F), il pourra être conservé pendant six mois ou plus. Assurez-vous d'étiqueter et d'inscrire la date de congélation sur chacun des contenants. Utilisez les plus anciens en premier.
9. C'est une bonne idée de congeler votre lait en petites quantités, variant de 60 à 120 ml (2 à 4 oz). Il est toujours possible de décongeler d'autre lait si votre bébé en a besoin. Lorsqu'il est décongelé, le lait maternel peut être gardé au réfrigérateur jusqu'à vingt-quatre heures,

mais il ne doit jamais être congelé de nouveau. Ne laissez pas le lait à la température ambiante pour le faire décongeler. Décongelez-le rapidement en plaçant le contenant sous le robinet. Commencez par faire couler de l'eau froide et augmentez graduellement la chaleur jusqu'à ce que le lait soit tiède. Ne réchauffez pas le lait sur la cuisinière ni au four micro-ondes. Vous trouverez plus d'informations sur la conservation du lait et la façon de l'offrir au bébé au chapitre 8.

Exprimer du lait pour une banque de lait

Parce que le lait maternel est si important pour les bébés malades ou prématurés, on demande parfois à des mères qui allaitent de donner du lait pour ces bébés. Dans plusieurs hôpitaux, des lactariums ou banques de lait ont été créés à cet effet. Si on vous demande de donner du lait, vous devrez d'abord prendre en considération les besoins de votre propre bébé. C'est probablement seulement après les tétées que vous exprimerez, manuellement ou à l'aide d'un tire-lait, le lait que vous donnerez. Si votre bébé est un peu plus âgé, vous devriez pouvoir exprimer du lait d'un sein pendant qu'il tète à l'autre, ce qui prend beaucoup moins de temps. Vous pouvez habituellement le faire si vous vous servez d'un tire-lait que vous pouvez utiliser d'une seule main.

Le lactarium aura probablement ses propres directives et on peut même parfois vous fournir un tire-lait électrique. Quand vous donnez du lait pour un bébé malade ou prématuré, vous devez être scrupuleusement propre dans la façon d'exprimer et de conserver le lait. Si vous, votre bébé ou un membre de votre famille est malade, vous ne devriez pas donner de lait avant que tous soient rétablis depuis vingt-quatre heures.

Quand vous n'avez plus à donner de lait, cessez graduellement d'en exprimer. Si vous produisez beaucoup plus de lait qu'il n'en faut à votre bébé, une baisse soudaine de la demande peut causer un engorgement, tout comme un sevrage brusque le ferait. Diminuez graduellement en exprimant un peu de lait lorsque vous ressentez de l'inconfort et que vos seins sont congestionnés. Ou encore, essayez de voir si votre bébé accepterait de prendre une tétée supplémentaire quand vous vous sentez engorgée. Il en sera probablement ravi.

Les seins douloureux

La mère sent parfois une zone très sensible ou une masse douloureuse dans son sein. Il peut s'agir d'un canal obstrué ou d'une infection du sein (mastite[2]). Les choses se régleront rapidement et vous éviterez d'éventuelles difficultés si vous savez comment vous y prendre.

Quelle que soit la cause de la douleur, le traitement comporte trois étapes :

Appliquez de la chaleur, **prenez beaucoup de repos** et, pour garder le sein aussi vide que possible, **allaitez souvent**. Ce traitement peut sembler étonnamment simple, mais l'appliquer immédiatement fera toute la différence entre quelques heures d'inconfort et plusieurs jours au lit.

Une mère qui a un canal obstrué ou une mastite a besoin de beaucoup de repos.

Le canal obstrué

Si vous remarquez une zone très sensible, une rougeur ou une masse douloureuse dans un sein, il s'agit vraisemblablement d'un canal obstrué, ce qui signifie qu'il y a inflammation d'un canal lactifère due au fait que le lait ne peut y couler librement.

Un canal peut être obstrué pour l'une ou l'autre des raisons suivantes : une mauvaise position du bébé au sein, des intervalles prolongés entre les tétées, des suppléments au bébé ou un usage excessif de la suce, un soutien-gorge trop serré ou le port de tout autre vêtement qui comprime les seins. De même, si un bébé plus âgé se met soudainement à dormir toute la nuit sans interruption ou s'il tète très souvent pendant une journée et presque pas le lendemain, il peut en résulter un canal obstrué. Il arrive à l'occasion que le problème soit causé par du lait séché qui couvre un des orifices du mamelon.

Il est essentiel de prendre du repos dès les premiers symptômes. Si possible, restez au lit avec votre bébé à vos côtés pour le reste de la journée.

---

[2] En France, on emploie souvent le terme « lymphangite » pour désigner la mastite.

À tout le moins, vous devriez éviter toute activité supplémentaire et prendre une heure ou deux pour vous détendre en mettant votre bébé au sein et en vous allongeant les jambes. Un canal obstrué ou une zone douloureuse dans un sein sont les premiers signes qui vous indiquent que vous essayez d'en faire trop. Vous feriez bien de tenir compte de cet avertissement et de prendre beaucoup de repos pendant quelques jours si vous avez déjà eu ce genre de problème.

En plus de vous reposer, voici ce que vous pouvez faire pour traiter un canal obstrué :

- Appliquez de la chaleur, humide ou sèche, sur la zone affectée et enlevez toute trace de lait séché sur le mamelon en le trempant dans l'eau chaude. Penchez-vous au-dessus d'un grand bol d'eau chaude et faites tremper vos seins dix minutes environ, trois fois par jour ; prenez des douches chaudes ; appliquez des compresses humides et chaudes, un coussin chauffant ou une bouillotte. Massez doucement la zone affectée pendant qu'elle est chaude. Allaitez votre bébé ou exprimez manuellement un peu de lait immédiatement après le traitement à la chaleur. Si vous parvenez à faire couler du lait quand le sein est chaud, vous contribuerez à dégager le canal obstrué.
- Allaitez fréquemment du côté affecté. Allaitez au moins toutes les deux heures, même la nuit, aussi longtemps que le sein est sensible ou chaud au toucher. Commencez chaque tétée par le sein affecté. Des tétées fréquentes garderont le sein relativement vide, ce qui favorisera l'écoulement du lait. Essayez de placer le bébé de manière à ce que son menton pointe en direction du canal obstrué.
- Desserrez vos vêtements, particulièrement votre soutien-gorge. Si possible, ne le portez pas durant quelques jours. Si vous vous sentez plus à l'aise avec un soutien-gorge, essayez d'en porter un d'une taille plus grande ou tout au moins changez de coupe ou de style. Cela devrait soulager la pression que votre soutien-gorge habituel exerçait sur les canaux lactifères. Certaines mères essaient d'éviter le soutien-gorge d'allaitement et portent plutôt un soutien-gorge extensible dont elles relèvent ou abaissent le bonnet pour allaiter. Ceci peut exercer une pression sur les canaux lactifères qui, par conséquent, ne seront pas vidés correctement. Certains soutiens-gorge d'allaitement, qui possèdent des bonnets extensibles qu'on replie vers le bas ou sur le côté, peuvent produire le même effet et exercer trop de pression sur certains canaux lactifères.

- Vérifiez si d'autres vêtements ou accessoires, comme un sac à bandoulière trop lourd ou un porte-bébé, n'exercent pas de pression sur vos seins. La localisation du canal obstrué peut vous donner un indice de sa source.
- Vérifiez la position du bébé au sein. Il devrait être sur le côté, tout son corps tourné vers vous, et être capable de prendre le mamelon sans tourner la tête. Il devrait avoir une bonne partie de l'aréole dans sa bouche. C'est important que le bébé soit bien placé pour qu'il puisse vider tous les canaux lactifères à chaque tétée.
- Essayez de changer de temps en temps de position pour allaiter. Allaitez couchée, assise, passez de la chaise berçante au divan, puis au fauteuil. Essayez la position « ballon de football ». En allaitant dans diverses positions, vous donnerez au bébé de meilleures chances d'atteindre tous les canaux lactifères et de les vider. Vous trouverez au chapitre 4 une description plus détaillée des différentes positions pour allaiter. Une position particulièrement efficace pour débloquer un canal obstrué consiste à placer le bébé au centre du lit ou sur une couverture sur le sol. Assoyez-vous en tailleur, en position de yoga (ou prenez appui sur vos mains et vos genoux) et penchez-vous au-dessus de votre bébé pour l'allaiter, les seins pendants. Vous ne serez peut-être pas très à l'aise dans cette position, mais elle permettra de débloquer plus facilement un canal obstrué.

La mastite ou infection du sein

Le traitement rapide et adéquat d'un canal obstrué évitera habituellement que celui-ci ne dégénère en mastite. Cependant, si vous avez mal, que vous sentez une bosse, comme dans le cas d'un canal obstrué, et que vous faites de la fièvre ou avez les symptômes de la grippe (fatigue, douleurs ou courbatures), vous avez probablement une mastite. La mère qui allaite sera plus sujette aux mastites lorsque des membres de sa famille ont le rhume ou la grippe.

Il est important de traiter la mastite immédiatement. Le traitement est le même que pour un canal obstrué : **appliquez de la chaleur, prenez beaucoup de repos et allaitez souvent.** Si vous suivez ces conseils dès le début, vous n'aurez sans doute pas besoin d'un autre traitement. Par contre, si, après 24 heures, vous êtes toujours fiévreuse, que les autres symptômes persistent, ou que vous avez une fièvre de plus de 38,5 °C

(101,5 °F), consultez votre médecin. Dans ce cas, il vous prescrira des médicaments. Continuez à vous reposer et allaitez souvent pendant la période où vous prenez les médicaments.

Il n'y a aucun danger pour le bébé à poursuivre l'allaitement lorsque vous souffrez d'une mastite. À une certaine époque, on recommandait systématiquement de sevrer le bébé si la mère souffrait d'une mastite. Des études ont cependant démontré que l'infection disparaît plus rapidement quand le sein est vidé souvent. De plus, la mère se sent beaucoup mieux qu'après un sevrage brusque. Les anticorps présents dans le lait maternel protègent le bébé contre les bactéries qui peuvent causer l'infection. Un sevrage, même temporaire, est une épreuve inutile dont vous n'avez pas besoin à un moment où vous ne vous sentez déjà pas très bien.

Si votre médecin vous prescrit un antibiotique, prenez-le au complet. Des gens cessent parfois de prendre un médicament dès qu'ils se sentent mieux, risquant ainsi que l'infection ne réapparaisse quelques jours plus tard. Dans le cas d'une mastite, ce serait pénible pour vous et votre bébé, il est donc important de prendre le médicament pour toute la durée où il vous a été prescrit. Une mère qui allaite peut prendre la plupart des antibiotiques sans danger. Si le médecin se montre réticent face à un antibiotique en particulier, demandez-lui d'en prescrire un qui est reconnu sans danger pour une mère qui allaite. Dites-lui à quel point il est important pour votre bébé de continuer à être allaité.

Si vous avez une seconde mastite quelques jours ou quelques semaines après la première, il est fort probable que ce soit parce que l'infection initiale n'était pas complètement disparue. Des mastites à répétition se produisent parfois, mais il s'agit presque toujours d'une infection récurrente plutôt que d'une nouvelle infection à chaque fois.

Si vous êtes sujette aux mastites ou aux canaux obstrués, vérifiez votre état de santé générale. Assurez-vous d'avoir un régime alimentaire équilibré et limitez vos activités afin de pouvoir vous détendre et profiter pleinement de l'allaitement.

Géraldine Vaudroz, de la Suisse romande, explique comment éviter une mastite :

> *J'ai quatre enfants que j'ai tous allaités. J'ai eu plusieurs engorgements du sein que j'ai résolus sans conséquences désagréables. Chaque fois que j'ai remarqué un point rouge et douloureux sur un sein, je l'ai douché avec de l'eau chaude et, surtout, j'ai mis le bébé plus souvent du côté de l'engorgement et je l'ai encouragé à*

téter plus. À une occasion, je crois avoir eu un début de mastite. Les symptômes étaient : fatigue, fièvre, mal aux muscles comme une grippe, douleurs au sein. Je suis alors restée couchée un jour et j'ai encouragé mon enfant à téter souvent du côté atteint. Je me suis rapidement sentie mieux.

L'abcès du sein

Dans des cas très rares, une infection du sein peut conduire à un abcès. Habituellement, cela ne se produit pas si on la traite rapidement, dès l'apparition des premiers symptômes. Un abcès est une infection localisée qui peut nécessiter une petite intervention chirurgicale et un drainage. Le médecin peut généralement la pratiquer à son cabinet ou encore à l'hôpital, en consultation externe. Dans le cas où l'intervention s'avère nécessaire, vous pouvez continuer d'allaiter sans problème du côté qui n'est pas atteint, mais vous devrez, pendant un jour ou deux, exprimer du lait du sein affecté soit manuellement, soit à l'aide d'un tire-lait. Garder ce sein vide favorisera la guérison. Si l'incision se trouve très près de l'aréole, il sera par contre difficile pour le bébé de téter sans vous causer d'inconfort.

Rappelez-vous que tout problème de ce type est peut-être un signe qu'il est temps d'évaluer attentivement les autres aspects de votre vie. Chez la mère qui allaite, ces symptômes sont souvent un premier indice qu'elle doit prendre davantage soin d'elle. Ménagez vos forces en limitant vos activités au minimum. Passez le plus de temps possible à vous détendre et à profiter de la présence de votre bébé, sans vous préoccuper des horaires et des échéanciers.

Les masses dans le sein et les chirurgies du sein

Chez la mère qui allaite, la plupart des masses dans le sein sont d'origine inflammatoire, causées par un canal obstrué ou une mastite. Certaines sont dues à des tumeurs bénignes (fibromes), à un kyste résultant d'une rétention de lait (galactocèle) et, dans de très rares exceptions, à un cancer.

Si vous avez une masse qui ne disparaît pas après une semaine d'un traitement attentif pour un canal obstrué, nous vous suggérons de consulter un médecin. Il n'est pas nécessaire de sevrer votre bébé pour diagnostiquer ou traiter une masse dans le sein. Les mammographies, les rayons X et les échographies n'affecteront pas l'allaitement. Des mères ont subi l'ablation de kystes, des biopsies et des ponctions sans avoir eu à sevrer. Si votre médecin n'a pas l'habitude de traiter un sein en lactation, il vous faudra sans doute l'informer à ce sujet. De plus, il serait préférable de vider le sein en allaitant votre bébé immédiatement avant un examen ou tout autre test auquel le médecin voudrait procéder. Vous pourrez reprendre l'allaitement immédiatement après la plupart des tests diagnostiques sauf si vous avez eu une scintigraphie du sein au gallium.

Si la chirurgie s'avère nécessaire, il faudra essayer d'endommager le moins possible les canaux lactifères ou les principaux nerfs. Barbara Ann Paster, une mère du New Hampshire, a travaillé de concert avec son chirurgien pour être certaine de pouvoir continuer à allaiter après une intervention chirurgicale :

Peu après la naissance de Sara, notre deuxième enfant, j'ai remarqué une masse dans mon sein, juste à gauche du mamelon. J'ai alors pris des dispositions pour la faire enlever. Avant la date prévue pour l'opération, j'ai rencontré le chirurgien pour discuter de mon cas et de la façon dont il pourrait m'aider afin de faciliter le retour à l'allaitement le plus tôt possible après l'opération. Même s'il savait que j'allaitais, il n'avait jamais pensé au problème que posait l'opération d'un sein en lactation. Après notre discussion, il a accepté de faire particulièrement attention et de sectionner le moins de canaux lactifères possible.

Parce que la masse était profondément enfouie dans le sein, le chirurgien a jugé qu'une anesthésie générale était nécessaire, car cette région est trop sensible pour procéder autrement. Pour réduire l'engorgement au minimum, nous nous sommes entendus pour que je puisse allaiter Sara juste avant l'intervention. Nous avons également opté pour des points de suture qui se résorbent tout seuls.

Dès que j'ai repris conscience, Sara a été mise au sein du côté qui n'était pas affecté. La plaie était recouverte du plus petit pansement possible pour ne pas l'effrayer. J'ai pu allaiter du côté affecté moins de douze heures après l'intervention chirurgicale.

Je ne dirai pas que c'était agréable. En appuyant légèrement sur le pansement, je réussissais à atténuer la sensation qu'elle allait faire ouvrir la plaie ou le sein. Après deux ou trois jours, c'était tout à fait tolérable. Il était plus agréable de mettre mon bébé au sein que d'essayer d'exprimer du lait manuellement ou à l'aide d'un tire-lait. Le chirurgien a été étonné de voir comme mon sein a bien guéri.

L'incision suit la courbe extérieure de l'aréole. C'est par cette ouverture que le chirurgien est parvenu à exciser la masse qui était située presque directement sous le mamelon. Heureusement, ce n'était qu'un fibrome, ce qui signifie que ma vie n'était pas en danger.

Une autre mère, Beverly Scott, de Washington, a découvert qu'une intervention chirurgicale n'était pas nécessaire pour enlever la masse de son sein. Elle a appris que la masse qui s'était formée alors que son fils avait dix jours était un galactocèle, un kyste résultant de la rétention de lait. Heureusement, son médecin était au courant de ce phénomène rare et il lui a conseillé de continuer d'allaiter et d'ignorer cette masse. Quand son fils a atteint l'âge de vingt-et-un mois, la masse avait doublé de volume. Son médecin s'en est alors inquiété et il lui a suggéré de sevrer. Beverly raconte ce qui s'est passé par la suite :

J'étais déterminée à laisser mon bébé se sevrer de lui-même. J'ai donc décidé d'apprendre tout ce que je pouvais sur les choix qui s'offraient à moi. J'ai ensuite demandé à mon médecin de commencer le traitement sans attendre que Jesse soit sevré.

J'ai consulté ma monitrice de la Ligue La Leche et j'ai obtenu des informations utiles sur les interventions chirurgicales pendant l'allaitement. J'ai fait parvenir une lettre à mon obstétricien pour lui faire un compte-rendu de mes conclusions et je lui ai ensuite téléphoné. Nous avons convenu qu'il procéderait immédiatement à une ponction du liquide contenu dans le kyste pour établir un diagnostic. S'il devenait nécessaire d'enlever le kyste, je trouverais un chirurgien qui accepterait de m'opérer en clinique externe, sous anesthésie locale, afin d'interrompre l'allaitement le moins longtemps possible. Cela n'a toutefois pas été nécessaire puisque l'analyse du liquide a confirmé le diagnostic initial : le kyste ne contenait que du lait.

Une femme qui, peu après l'accouchement, découvre soudain une grosse masse dans son sein devrait d'abord s'informer à son médecin, s'il est possible que ce soit un galactocèle, avant d'accepter de se soumettre à une chirurgie. S'il y a une incertitude, une échographie ou une ponction peuvent confirmer le diagnostic.

Il a été démontré que l'allaitement réduit les risques de cancer du sein. Néanmoins, il arrive en de très rares occasions qu'une mère développe un cancer du sein pendant qu'elle allaite. C'est une bonne idée d'apprendre comment faire chaque mois un auto-examen des seins et de le faire régulièrement. Si une mère découvre dans son sein une masse qui ne se résorbe pas, elle devrait consulter son médecin à ce sujet.

Les chirurgies antérieures du sein

En règle générale, une chirurgie antérieure du sein ne devrait pas empêcher une mère d'allaiter son bébé, même si elle a subi l'ablation d'un sein suite à un cancer. L'allaitement n'exposera pas la mère à un plus grand risque de malignité et ne causera pas de tort au bébé. De plus, comme l'allaitement répond à la loi de l'offre et de la demande, un seul sein peut produire suffisamment de lait pour satisfaire les besoins du bébé.

Quand une biopsie a été pratiquée ou qu'une masse ou un kyste a été excisé, la mère peut ne pas être au courant si des canaux lactifères ou les principaux nerfs ont été ou non endommagés. Elle devra surveiller les couches mouillées et souillées par son bébé ainsi que son gain de poids pour s'assurer qu'il prend suffisamment de lait.

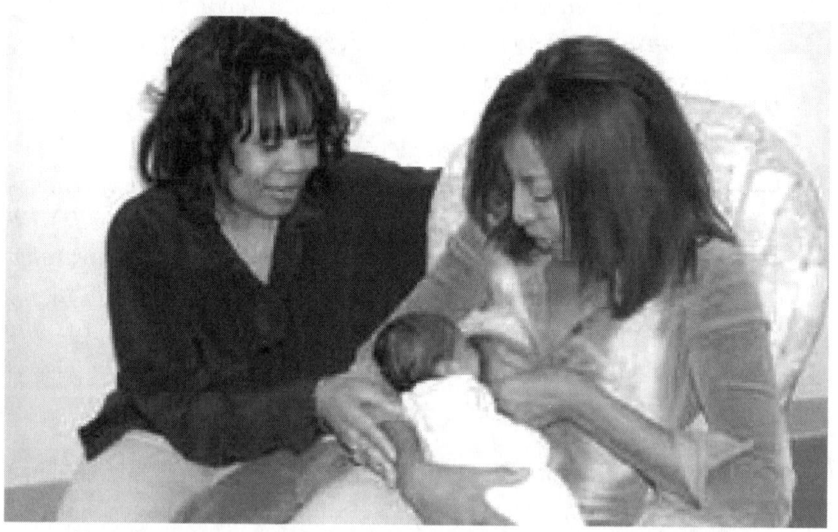

Une mère qui a des doutes sur sa production de lait peut obtenir de l'aide d'une monitrice de la Ligue La Leche.

Les implants mammaires

Une mère qui a des implants mammaires se demande parfois quelles conséquences la chirurgie aura sur ses projets d'allaiter. Si la plupart des canaux lactifères et des principaux nerfs n'ont pas été sectionnés, l'allaitement devrait bien se dérouler. Dans certains cas, des canaux lactifères qui avaient été sectionnés se sont même « reconnectés » ou ont repoussé.

Il n'est pas toujours possible de savoir à l'avance si une mère qui a subi une intervention chirurgicale pour augmenter le volume de ses seins pourra allaiter son bébé exclusivement. Nous vous recommandons d'essayer d'allaiter et de surveiller attentivement les signes qui indiquent que le bébé reçoit suffisamment de lait. S'il y a un problème et que le bébé ne prend pas assez de poids, la mère peut poursuivre l'allaitement et offrir des suppléments à la tasse, à la cuillère, au biberon ou à l'aide d'un dispositif d'aide à l'allaitement.

Des craintes ont été exprimées sur les risques de fuite de silicone quand la mère allaite avec des implants en silicone. Il n'y a aucune preuve que le silicone utilisé dans les implants mammaires peut se répandre dans le lait de la mère ou affecter le bébé.

La réduction mammaire

Il fut un temps où l'on croyait que les mères qui avaient subi une réduction mammaire étaient incapables d'allaiter parce que les principaux nerfs et les canaux lactifères avaient sans doute été endommagés lorsque d'importantes quantités de tissu avaient été retirées du sein. La Leche League International a publié récemment un ouvrage intitulé *Defining your own success : Breastfeeding After Breast Reduction Surgery* qui soutient le contraire. L'auteur, Diana West, s'appuie sur des recherches et l'expérience personnelle de centaines de mères pour démontrer qu'il est non seulement possible d'allaiter après une réduction mammaire, mais que c'est de plus en plus courant.

Jennifer, une mère qui est citée dans le livre, écrit :

> *L'allaitement représente tellement pour moi. C'est un aspect de mon maternage que je n'échangerais pour rien au monde. Quand je suis devenue enceinte la première fois, mes chances d'allaiter avec succès étaient bien en deçà des 50 %. Je considère donc que nous sommes extrêmement privilégiés, mes enfants et moi. Allaiter*

mes enfants est pour moi un cadeau du ciel que je peux à mon tour partager avec eux. Je crois avoir réussi parce que j'étais déterminée à ne pas lâcher et que j'ai toujours essayé de résoudre les difficultés qui se présentaient au lieu de les voir comme des obstacles.

Dans certains cas, une mère qui a subi une réduction mammaire, ne pourra pas produire suffisamment de lait pour allaiter son bébé exclusivement. Les bienfaits du lait maternel valent amplement la peine qu'elle se donne, même si elle ne produit que de petites quantités de lait. Les avantages de nourrir votre bébé au sein vont bien au-delà du seul lait. Carol, une autre mère citée dans l'ouvrage de Diana West, dit :

Grâce aux galactogènes (herbes ou médicaments sur ordonnance utilisés pour augmenter la production lactée), et en offrant le sein aussi souvent que toutes les heures, j'ai pu augmenter ma production pour combler plus de 60 % des besoins nutritionnels de Kira, lorsqu'elle avait trois ou quatre mois. La bonne nouvelle, c'est que l'allaitement comblait 100 % de ses besoins non nutritionnels. Nous étions très proches l'une de l'autre.

Je n'ai peut-être pas allaité mes bébés exclusivement au lait maternel, mais en réfléchissant sur ce qu'allaiter signifie, offrir uniquement son lait ou établir une relation bénéfique pour nous tous, je réalise que j'ai allaité avec succès. L'allaitement est beaucoup plus qu'une simple question de nutrition.

Pour en savoir davantage, nous vous invitons à commander un exemplaire de *Defining your own success* dans le catalogue de la LLLI ou à consulter le site Web de BFAR au www.bfar.org

Boit-il assez de lait ?

Rien n'égale la satisfaction de voir votre bébé grandir et se développer grâce à votre lait. À mesure que ses bras et ses jambes allongent et que ses joues roses s'arrondissent, vous ne pouvez que vous sentir fière... et émerveillée que votre corps continue à subvenir aussi parfaitement à tous les besoins nutritionnels de votre enfant.

La nature nous donne un exemple parfait de la loi de l'offre et de la demande : la mère produit exactement la quantité de lait dont son bébé a besoin. Avant l'avènement de l'industrie des préparations lactées pour nourrissons, la survie même de la race humaine dépendait en grande partie de la capacité de la mère à produire assez de lait pour nourrir adéquatement son bébé.

Il n'y a rien de mystérieux ni de magique dans le fait de produire assez de lait pour satisfaire les besoins de votre bébé. Établir et maintenir une production de lait suffisante est facile. Il suffit de comprendre comment s'ajuste la production de lait et savoir ce qui risque de perturber l'équilibre entre la quantité de lait dont le bébé a besoin et celle qui est produite par la mère.

Plus le bébé tète efficacement, plus vous aurez de lait. Cette règle d'or de l'allaitement est la clé d'une production de lait abondante et d'un bébé satisfait. Il y a quelques années, on disait souvent aux mères d'attendre quatre heures entre chaque tétée pour permettre aux seins de « se remplir ». Bien des mères et des bébés ont connu un allaitement de courte durée en suivant ce conseil « bien intentionné » mais erroné.

On sait maintenant que le lait est produit presque continuellement et que plus le bébé tète souvent, plus il y aura de lait. C'est pourquoi, la mère d'un bébé qui tète toutes les deux heures aura habituellement du lait en abondance. Alors que celle qui essaie de « faire patienter » son bébé et qui allaite seulement toutes les quatre heures en aura beaucoup moins. Des tétées fréquentes et efficaces envoient au corps de la mère le signal de produire une quantité de lait plus importante. D'autre part, laisser les seins accumuler du lait pendant une longue période est interprété comme un signal de produire moins de lait.

Au cours des deux premiers jours suivant la naissance, votre bébé ne mouillera qu'une ou deux couches par jour. Après cela, vous saurez que votre bébé boit assez quand :

- Il mouille plus de cinq ou six couches et il fait plus de trois selles par jour en ne recevant que du lait maternel, aucun biberon d'eau ni de préparation lactée pour nourrissons. (Un bébé de six semaines ou plus peut avoir des selles moins fréquentes et boire quand même assez de lait.)
- Il prend du poids, soit en moyenne 170 g (6 oz) par semaine ou environ 453 à 906 g (11/2 à 2 lb) par mois pendant les trois premiers mois. De quatre à six mois, le gain de poids moyen d'un bébé exclusivement allaité est de 113 à 142 g (4 à 5 oz) par semaine ; de six à douze mois, le gain de poids moyen est de 57 à 113 g (2 à 4 oz) par semaine.

Lors du premier examen du bébé, le gain de poids devrait être calculé à partir du poids le plus bas qu'il a atteint, plutôt qu'à partir de son poids à la naissance. La plupart des bébés perdent du poids (de 5 à 7 %)

après la naissance et certains peuvent prendre jusqu'à deux semaines pour retrouver leur poids de naissance.

- Au cours des six premiers mois, il grandit d'environ 2,5 cm (1 po) par mois et son tour de tête augmente de 1,25 cm (1/2 po) par mois.
- Il tète souvent et il semble rassasié après chaque tétée. La plupart des nouveau-nés tète toutes les deux à trois heures ou huit à douze fois par vingt-quatre heures. Il s'agit là d'une moyenne. Certains bébés peuvent téter moins souvent et prendre du poids alors que d'autres tètent plus souvent.
- Il semble en bonne santé. Son teint est bon et sa peau est souple. Il prend du poids et il grandit. Il est éveillé, actif et il a un bon tonus musculaire.

Les fausses alertes

Certaines mères croient qu'elles n'ont pas assez de lait quand, en réalité, il n'y a aucun problème. Elles s'inquiètent de symptômes ayant d'autres causes que l'allaitement ou elles ne sont pas au courant des divers comportements qui sont normaux chez les bébés allaités. Votre bébé prend du poids, il mouille et souille de nombreuses couches, il n'y a alors aucune raison de s'inquiéter si :

- Votre bébé tète très souvent. Vouloir téter souvent ne signifie pas nécessairement que votre bébé a faim. De nombreux bébés ont un intense besoin de succion ou de contact physique continu avec leur mère. Des tétées fréquentes vous assure que votre bébé boit assez de lait. Le lait maternel se digère plus rapidement que les préparations lactées pour nourrissons et exige moins d'effort du système digestif encore immature du bébé. Par conséquent, le bébé a besoin de téter plus souvent.
- Les habitudes de votre bébé, son gain de poids ou son sommeil ne ressemblent pas à ceux des autres bébés que vous connaissez. Chaque bébé a sa personnalité propre et, dans l'échelle de la normalité, les écarts sont grands.
- Votre bébé augmente tout à coup la fréquence ou la durée des tétées. Il est fréquent que des bébés qui dorment beaucoup, alors qu'ils sont nouveau-nés, deviennent soudain plus « éveillés » et commencent à téter plus souvent. Les bébés ont également des poussées de croissance, en général vers l'âge de deux semaines, six semaines et trois

mois. Pendant ces périodes, ils tètent plus fréquemment qu'à l'habitude afin de faire augmenter la production de lait pour combler leurs besoins grandissants.

- Votre bébé réduit soudainement la durée des tétées, ne tétant que cinq ou dix minutes à chaque sein. C'est sans doute parce qu'il parvient à exprimer le lait plus rapidement maintenant qu'il est plus habile à téter.
- Votre bébé est agité. Beaucoup de bébés ont une période de la journée où ils sont plus agités, souvent à la même heure. Certains bébés sont agités la plupart du temps. Ceci peut être causé par bien d'autres choses que la faim et, souvent, il n'y a pas de raison apparente.
- Vos seins coulent peu ou pas du tout. L'écoulement de lait n'a aucun lien avec la quantité de lait que vous produisez. Cela cesse souvent lorsque votre production est bien établie et qu'elle correspond aux besoins de votre bébé.
- Vos seins semblent soudain plus mous ou plus petits. C'est ce qui arrive quand votre production de lait s'ajuste à la demande de votre bébé et que l'engorgement du début disparaît.
- Vous ne sentez jamais de réflexe d'éjection du lait ou il ne semble plus aussi fort qu'avant. Cela peut arriver à mesure que le temps passe. (Certaines mères ne le sentent pas du tout, ce qui ne veut pas dire qu'elles n'en ont pas.)

Si votre production de lait est insuffisante

Si votre production de lait ne semble pas satisfaire les besoins de votre bébé, alors il est important de trouver ce qui nuit à celle-ci. Les facteurs suivants peuvent causer la diminution de la sécrétion lactée ou y contribuer :

Les suppléments. Offrir un biberon occasionnel de préparation lactée pour nourrissons, de jus ou d'eau peut affecter la production de lait maternel. Les suppléments rassasient le bébé, ce qui le porte à attendre plus longtemps avant la prochaine tétée et, par conséquent, diminue le temps de succion au sein. Plus le bébé reçoit de préparation lactée dans une journée, moins sa mère produira de lait le lendemain. À cause des suppléments, les seins produiront moins de lait, pas plus.

Prise de sein incorrecte. Parce qu'elles requièrent une succion différente, l'usage de tétines artificielles peut également causer de la confusion chez le bébé. Or, si votre bébé ne tète pas correctement au sein, il ne pourra stimuler vos seins pour qu'ils produisent assez de lait.

La suce. Certains bébés acceptent de prendre la suce pour satisfaire leur besoin de succion, ce qui peut diminuer considérablement le temps qu'ils passent à téter au sein.

Les tétées à heure fixe. Observer l'horloge et retarder la tétée du bébé parce que « ça ne fait pas encore assez longtemps » peut nuire au système de l'offre et de la demande qui garantit une production de lait suffisante. Observer le bébé et lui offrir le sein quand il semble avoir faim est habituellement la meilleure façon d'assurer une production de lait adéquate.

Le bébé dormeur, placide. Certains bébés dorment presque tout le temps et tètent peu et seulement pendant de courtes périodes. Si cette description convient à votre bébé, s'il mouille ou souille peu de couches et ne prend pas de poids, il est important de le réveiller régulièrement, de le stimuler en le manipulant avec douceur et de l'encourager à téter au moins toutes les deux heures. Vous devrez décider combien de fois il doit téter jusqu'à ce qu'il apprenne à s'alimenter suffisamment de lui-même.

Réduire la durée des tétées. Permettre au bébé de laisser le sein de lui-même quand il est rassasié aide à assurer une production de lait adéquate. Réduire la durée des tétées peut empêcher votre production de lait de s'accroître pour s'adapter aux besoins grandissants de votre bébé. De plus, le lait contient plus de matières grasses en fin de tétée. D'un autre côté, un bébé qui tète presque continuellement et ne semble jamais satisfait peut téter de façon incorrecte. Un bébé satisfait laissera le sein de lui-même quand il sera rassasié.

Offrir un seul sein à chaque tétée. Lorsque la lactation est bien établie et que le bébé prend du poids régulièrement, certaines mères préfèrent allaiter d'un seul sein à chaque tétée. Si vous désirez augmenter votre production de lait, allaitez des deux seins en laissant toutefois le bébé téter aussi longtemps qu'il le désire au premier sein.

Prenez soin de vous

Une mère qui allaite doit prendre soin d'elle afin de produire du lait en quantité suffisante pour son bébé. La fatigue et la nervosité peuvent ralentir votre réflexe d'éjection du lait et mener à une production de lait

Une mère qui allaite doit prendre soin d'elle en ayant une bonne alimentation.

insuffisante. À quelques occasions au cours de la journée, prenez le temps de vous détendre vraiment.

Une mauvaise alimentation peut contribuer à causer de la nervosité et de la fatigue et affecter votre bien-être général. Beaucoup de mères se sentent mieux si elles mangent cinq ou six repas légers par jour plutôt que trois repas copieux. Un bon apport alimentaire et des repas plus fréquents peuvent être la solution pour vous. Mangez des fruits frais et des salades, du pain et des craquelins de grains entiers, de la viande, du fromage, des noix et du poisson. Évitez les aliments peu nutritifs comme les biscuits, les pâtisseries, les bonbons, les fritures, etc.

Puisque que vous allaitez, vos besoins en liquide augmentent, car votre corps en nécessite davantage pour produire du lait. Prenez un verre d'eau ou de jus chaque fois que vous vous assoyez pour allaiter votre bébé. Si vos urines sont jaune foncé et peu abondantes, c'est que vous ne buvez pas assez. Ce que vous buvez a aussi son importance. L'eau et les jus de fruits non sucrés constituent les meilleurs choix. Évitez les quantités excessives de caféine dans le café, le thé ou les colas.

Il arrive parfois que des problèmes de santé chez la mère affectent sa production de lait et le gain de poids de son bébé. Si vous avez un problème de santé, consultez votre médecin à ce sujet. La plupart des médicaments sont sans danger pour la mère qui allaite, mais certains peuvent nuire à votre production de lait. Si un médecin vous prescrit un médicament, n'oubliez pas de lui mentionner que vous allaitez.

Des contraceptifs hormonaux utilisés trop tôt au cours de la lactation peuvent réduire la sécrétion lactée et affecter le gain de poids du bébé. Il n'y a pas d'études concluantes sur les effets potentiels à long terme des hormones transmises au bébé par le lait maternel. Des moyens de contraception non hormonaux n'ont aucun effet potentiel sur le bébé ou sur votre production de lait. Rappelez-vous que l'allaitement retarde, chez la plupart des mères, le retour de la fécondité pendant plusieurs mois. (Voir le chapitre 19.)

Le tabagisme peut avoir un effet nocif sur votre production de lait et sur la santé de votre bébé. Les mères qui fument vont remarquer que leur bébé prend davantage de poids, est en meilleure santé et semble moins agité si elles diminuent ou cessent de fumer.

Comment augmenter votre production de lait

Si vous croyez que certains ou plusieurs des facteurs mentionnés précédemment sont la cause de la baisse de votre production de lait, vous pouvez prendre des moyens pour augmenter celle-ci. Si vous êtes inquiète, vous trouverez très utile de communiquer avec une monitrice de la Ligue La Leche. Alors que nous donnons ici des informations générales, elle pourra avoir un aperçu plus exact de votre situation particulière.

Un bébé qui ne prend pas de poids peut avoir de la difficulté à téter correctement suite à une blessure subie à la naissance ou à cause d'un autre inconfort physique. C'est quelque chose qui doit être vérifié par votre médecin. Certains bébés qui ne tètent pas efficacement réagissent bien à des ajustements chiropratiques, à la massothérapie ou à d'autres traitements non intrusifs pratiqués par des professionnels habitués à traiter des bébés.

Si votre bébé ne prend pas de poids normalement ou s'il en perd, consultez votre médecin régulièrement. Il est toujours possible qu'un problème de santé en soit la cause. Un bébé qui perd du poids aura besoin d'être suivi par le médecin. Vous devrez probablement lui donner des suppléments jusqu'à ce que votre production de lait augmente. En plus de suivre les conseils suivants pour augmenter votre sécrétion lactée, vous devriez aller consulter au chapitre 17 la section intitulée *Le gain de poids lent.*

Allaitez souvent et aussi longtemps que votre bébé tétera. Prévoyez une période de vingt-quatre à quarante-huit heures (ou davantage si votre production de lait est faible) où vous ne ferez à peu près rien, sauf allaiter et vous reposer. Un bébé dormeur devra être réveillé et encouragé à téter plus souvent.

Offrez les deux seins à chaque tétée. Vous vous assurez ainsi que votre bébé reçoit tout le lait disponible et que vos deux seins sont stimulés fréquemment.

Essayez la technique de compression du sein. Une fois que votre bébé a bien pris le sein, la technique de compression du sein l'aidera à téter activement pendant plus longtemps. Pour ce faire, tenez votre sein d'une main, le pouce d'un côté et les quatre doigts de l'autre, et observez votre bébé. Ne faites rien si votre bébé tète de façon active (c'est-à-dire si la mâchoire du bébé bouge jusqu'au niveau de ses oreilles). Lorsque le bébé ne tète plus activement, pressez le sein fermement et maintenez la pression. Le flot de lait plus rapide devrait amener le bébé à recommencer à téter activement. Ne relâchez pas la pression. Continuez à presser sur le sein jusqu'à ce le bébé cesse de téter activement, relâchez ensuite. Votre bébé se remettra peut-être encore à téter activement à ce moment-là. Si c'est le cas, attendez qu'il ait fini avant de comprimer le sein de nouveau. Sinon, déplacez doucement vos doigts autour du sein et pressez de nouveau. Répétez l'opération sur les différentes parties de votre sein jusqu'à ce que cela ne suffise plus à garder le bébé actif, puis mettez le bébé à l'autre sein.

Votre bébé devrait satisfaire entièrement son besoin de succion au sein. Évitez les biberons et les suces. La succion du bébé n'est pas la même quand il boit d'une tétine artificielle, il ne tète pas de la même façon qu'au sein. Si vous devez offrir temporairement un supplément, vous pouvez le faire à l'aide d'un dispositif d'aide à l'allaitement pendant que le bébé tète ou vous pouvez utiliser une cuillère, une tasse ou un compte-goutte. (Vous trouverez en appendice des informations sur le dispositif d'aide à l'allaitement.) La suce peut empêcher le bébé de téter davantage au sein alors que vous en avez besoin pour augmenter votre production de lait.

Si possible, ne donnez que du lait maternel à votre bébé. Évitez les aliments solides, l'eau ou les jus. Si votre bébé prend déjà des suppléments de préparation lactée pour nourrissons, il ne faut pas arrêter brusquement de lui en donner. Vous pouvez diminuer graduellement la quantité de suppléments à mesure que votre production de lait augmente. Vous devrez vérifier le nombre de couches mouillées et souillées afin de vous assurer qu'il boit suffisamment. Consultez votre médecin pour qu'il surveille le gain de poids de votre bébé lorsque vous réduisez les suppléments de préparation lactée pour nourrissons.

Buvez beaucoup de liquide et ayez un régime alimentaire équilibré. Mangez une grande variété d'aliments qui auront subi le moins de transformations possibles. Pensez à prendre un verre d'eau ou de jus chaque fois que vous allaitez. La plupart des mères qui allaitent gardent toujours une bouteille d'eau à portée de la main.

Prenez beaucoup de repos et détendez-vous. Votre production de lait augmentera plus rapidement si vous êtes détendue et reposée. Pendant un certain temps, ne faites que le strict nécessaire. Laissez de côté toutes les tâches qui ne sont pas essentielles et obtenez de l'aide pour celles qui doivent être faites. Faites une sieste avec votre bébé aussi souvent que possible. Pour vous détendre, prenez un bain chaud, écoutez de la musique douce, faites de l'exercice, allez marcher à l'extérieur ou faites ce qui fonctionne le mieux pour vous. Essayez de vous réserver au moins quelques minutes chaque jour pour faire quelque chose qui vous fait plaisir.

Si, après avoir lu cette section, vous avez d'autres questions ou inquiétudes, communiquez avec une monitrice de la Ligue La Leche. Le fait de rencontrer d'autres mères qui allaitent aux réunions de la Ligue La Leche vous apportera le soutien et l'encouragement dont vous avez besoin. Votre bébé allaité, heureux et en bonne santé, vous récompensera bientôt de vos efforts.

Le bébé agréablement potelé

Si votre bébé est plutôt grassouillet, certains vous diront peut-être qu'il prend trop de poids. Bien qu'il puisse peser plus que la moyenne indiquée sur les graphiques du médecin, le bébé qui ne boit que du lait maternel ne fera pas d'embonpoint. Un bébé exclusivement allaité dont le poids est au-dessus de la moyenne n'est pas nécessairement gras ou obèse. Dans un monde obsédé par le poids, même la graisse de bébé est suspecte, et la mère d'un bébé potelé, exclusivement allaité, peut se faire dire qu'elle devrait mettre son bébé à la diète.

L'hérédité joue définitivement un rôle dans la courbe de croissance d'un bébé, comme l'a constaté la famille Nixon, de la Floride. Leur bébé Alena pesait un peu plus de 8 kg (près de 18 lb) à trois mois et demi. Sa mère, Janice, s'est fait dire que la prolifération de cellules adipeuses durant l'enfance occasionnerait des problèmes à sa fille plus tard. C'était le premier bébé de Janice et on comprend que cela l'ait inquiétée. *« Mais je me suis souvenue de tout ce que j'avais lu ou entendu aux réunions de la Ligue La Leche auxquelles j'avais assisté depuis mon huitième mois de grossesse »*, raconte Janice. *« Alena était-elle heureuse et alerte la plupart du temps ? Oui. Est-ce que d'autre part elle se développait bien ? Oui. »*

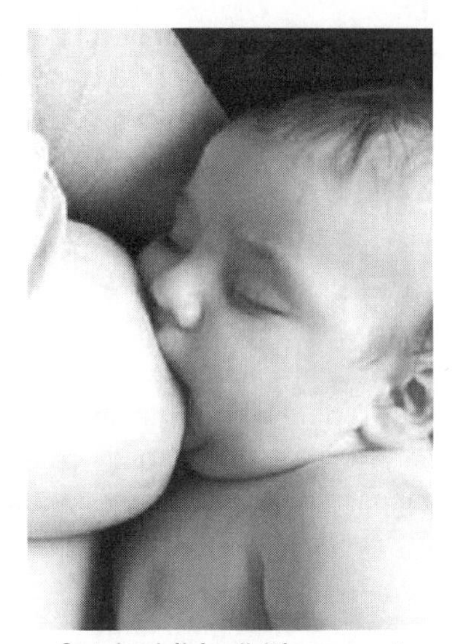

Certains bébés allaités prennent du poids rapidement, mais ceci ne signifie pas qu'ils auront des problèmes de poids plus tard.

Janice s'est également rappelée que sa mère lui avait dit qu'elle avait elle-même été un très gros bébé. Elles sont donc aller chercher l'album de famille pour y trouver des photos de bébés. *« Il y avait une photo de ma mère, quand elle était bébé, qui montrait qu'elle était extrêmement joufflue, alors qu'elle était exclusivement allaitée. »* Leur découverte était significative puisque aucune n'a eu de problème de poids à l'âge adulte.

Lors de son examen à quatre mois, Alena pesait presque 8,6 kg (19 lb) et mesurait 62,5 cm (25 po), ce qui est bien au-dessus de la normale. Janice a montré les photos de famille à son médecin.

Quand le médecin a vu les photos, il a été tellement impressionné qu'il a appelé un confrère pour les lui montrer. Ils ont parlé de lacunes dans la théorie des « cellules adipeuses » et du fait évident que les gros bébés ne deviennent pas toujours des adultes obèses. Tous les deux étaient d'accord qu'il n'y avait pas de raison de changer quoi que ce soit aux soins que je donnais à Alena. Elle n'avait absolument pas besoin de diète !

En faisant suivre une diète à un bébé, on risque de limiter sa croissance. Le jeune enfant se développe rapidement et toutes les cellules de son organisme se multiplient, autant celles qui constituent le cerveau et le système nerveux que les cellules adipeuses. Des chercheurs ont observé que la chair des bébés allaités était plus ferme que celle de bébés qui n'étaient pas allaités. Le lait maternel ne contient aucune calorie « vide », comme c'est le cas des aliments qui sont très raffinés.

Il faut se rappeler que les graisses accumulées dans la phase relativement inactive qui précède la marche seront utilisées lorsque le jeune bambin sera si actif et préoccupé qu'il en oubliera de manger. C'est un peu comme le surplus de poids que la femme prend au cours de la grossesse en prévision des exigences de la maternité. Nous avons constaté qu'en général, vers l'âge de deux ou trois ans, les bébés grassouillets mincissent tout naturellement.

Certains bébés qui sont tout petits à la naissance peuvent également surprendre tout le monde par une prise de poids rapide. Ann Tutor, du Japon, dit qu'elle réagissait aux critiques en répondant « Ils poussent bien chez nous ! ». Elle écrit :

Même si Mélanie pesait 3 kg à la naissance, elle ne pesait plus que 2,7 kg à notre sortie de l'hôpital. C'était la plus petite et plus mignonne fillette que j'ai jamais vue.

Nous avons assisté à notre première réunion de la Ligue La Leche quand Mélanie a eu un mois. À deux mois, lors de son examen médical, elle pesait 4 kg . À notre deuxième réunion de la Ligue La Leche, j'ai remarqué que même si, au début, elle était plus petite que certains autres bébés, Mélanie les avait rattrapés et qu'elle dépassait même quelques-uns d'entre eux. Quand elle a eu environ trois mois, les gens ont commencé à mentionner que ma petite fille « si délicate » était de plus en plus ronde. Lors de son examen médical à quatre mois, j'ai été étonnée de voir qu'elle pesait 8,2 kg .

Atteignant presque 11 kg à six mois, Mélanie est devenu un véritable sujet de conversation. Même si j'étais fière d'avoir un bébé heureux et en bonne santé, certains commentaires sur le poids de mon bébé ont commencé à m'inquiéter et même à me déranger.

Dieu merci ! Mes amies de la Ligue La Leche et mon merveilleux médecin ont continué à m'assurer que, aussi longtemps que Mélanie était exclusivement allaitée, tout était parfait ! Lors d'une visite, mon médecin est même allé « parader » avec Mélanie devant ses collègues, pour leur montrer ce bébé si agréablement potelé, exclusivement allaité.

Mélanie a maintenant dix-sept mois et elle pèse 14 kg. Bien qu'elle ait minci considérablement, elle ne risque pas d'être traitée de « maigrichonne ». On entend encore à l'occasion des commentaires sur son poids, dont certains m'agacent parfois, mais je ne m'inquiète plus du tout. Nous ne sommes pas pressées de mettre fin à l'allaitement. Bien que j'espère que Mélanie ne gardera pas son petit « bedon » rond et ses cuisses dodues toute sa vie, je sais qu'elle a bénéficié d'un merveilleux début en étant allaitée.

Des problèmes de poids plus tard

Bien que certains s'inquiètent du fait qu'une trop importante prise de poids dans l'enfance mènera à l'obésité plus tard, la vérité c'est que plusieurs facteurs contribuent aux problèmes de poids chez les adultes. Certains aspects qui dépendent des habitudes alimentaires pendant l'enfance sont systématiquement évités lorsque vous allaitez votre bébé et que vous suivez les conseils contenus dans ce livre.

En tant que mère qui allaite, vous ne serez pas anxieuse au point de calculer le nombre de millilitres de lait que boit votre bébé. Vous ne le forcerez pas, non plus, à boire ce qui reste au fond du biberon. De plus, lorsque vous introduirez les aliments solides, votre bébé aura environ six mois. Vous aurez évité la situation peu naturelle qui survient quand des solides sont offerts à un jeune enfant qui repousse automatiquement tout ce qui est introduit à l'aide d'une cuillère dans sa bouche, la mère ayant alors de la difficulté à savoir si son bébé a faim ou non.

L'allaitement constitue la première mesure préventive dans la lutte contre l'obésité à l'âge adulte. En fait, une étude récente a démontré que l'allaitement prévient l'obésité potentielle. On a découvert que les enfants allaités étaient moins sujets à un surplus de poids à l'adolescence.

Les bonnes habitudes alimentaires se prennent tôt et vous pouvez être certaine que votre bébé reçoit la meilleure alimentation possible s'il est allaité.

La grève de la tétée, vous connaissez ?

Il arrive à l'occasion qu'un jeune bébé refuse soudain de téter sans raison apparente. Cela peut se révéler un véritable casse-tête, surtout s'il a moins d'un an et qu'il n'est sans doute pas prêt à être sevré.

C'est ce qu'on appelle la « grève de la tétée ». C'est une façon pour le bébé de faire savoir que quelque chose ne va pas. Cela dure habituellement de deux à quatre jours et la mère doit faire preuve d'ingéniosité pour découvrir exactement quel est le problème.

Comment savoir si votre bébé fait la grève de la tétée ou s'il a tout simplement décidé de se sevrer ? Un bébé qui est vraiment prêt à se sevrer est habituellement âgé de plus d'un an, il mange beaucoup d'aliments solides, il boit à la tasse et il se désintéresse graduellement d'une tétée à la fois. Un bébé qui fait la grève de la tétée ne mange que très peu ou ne boit pas du tout à la tasse. Il boit bien au sein puis, du jour au lendemain, il refuse de téter. Il démontre également des signes évidents de mécontentement face à cette situation. Il veut que vous découvriez ce qui ne va pas et que vous régliez le problème à sa place.

Posez-vous les questions suivantes. Votre bébé perce-t-il des dents ? A-t-il un rhume, a-t-il mal à la gorge ou est-il congestionné, ce qui l'empêche de téter facilement ? A-t-il une otite, ce qui lui cause de la douleur lorsqu'il tète ? Êtes-vous anxieuse ou préoccupée par quelque chose ? Les bébés ressentent les émotions de leur mère.

L'allaitement est-il devenu un moment stressant comportant de trop nombreuses interruptions ou distractions extérieures ? Êtes-vous celle qui décide quand le bébé devrait téter et quand il a assez bu, au lieu de le laisser vous guider ? Votre bébé est-il devenu dépendant d'une suce ou de son pouce qu'il suce sans cesse ?

Avez-vous récemment changé quelque chose dans votre façon d'allaiter qui risque de perturber votre bébé ? A-t-il eu trop de biberons ? L'avez-vous fait garder ? Tardez-vous sans cesse à lui répondre quand il pleure pour téter ? Êtes-vous retournée au travail ou vous inquiétez-vous de ce qui arriverait si vous deviez laisser votre bébé ?

Un bébé fait parfois la grève de la tétée après avoir mordu le sein une ou deux fois et avoir été effrayé par votre réaction. Il vous mord, vous sursautez ou vous criez de douleur. Le bébé est effrayé, il pleure et refuse de reprendre le sein de peur de provoquer à nouveau un geste brusque ou un cri.

Des causes imprévues portent parfois le bébé à refuser de téter. Mary Shumeyko, du New Jersey, raconte :

> *L'autre jour, Jonathan notre bambin de vingt mois s'est cogné le menton. Il semblait saigner un peu de la bouche, nous l'avons donc essuyé, je l'ai allaité et il a continué à jouer. Je suis retournée à mes occupations. Plusieurs heures plus tard, après avoir tété avec plaisir pour s'endormir, Jonathan s'est éveillé en pleurant de douleur. Je lui ai offert le sein. Il a essayé de téter, puis s'est retiré, pleurant de plus belle. Cela a duré toute la nuit. Jonathan se réveillait*

toutes les demi-heures environ et, parce qu'il refusait de téter, mon mari et moi le promenions dans nos bras.

Le lendemain matin, il semblait aller mieux et, en hésitant, il a demandé téter. C'est quand il a ouvert la bouche que j'ai compris ce qui n'allait pas : en se frappant sur le menton, il s'était coupé la langue et, le premier choc passé, téter devenait assez douloureux. Pauvre petit ! Non seulement s'était-il blessé, mais son habituel remède qui « guérit tous les bobos » lui causait encore plus de douleur. Heureusement, sa bouche a guéri rapidement et il a recommencé à téter normalement. Cette mésaventure a toutefois renforcé mes convictions. Après avoir passé une nuit à ne pouvoir allaiter, je réalise plus que jamais à quel point cette merveilleuse relation est précieuse.

Même si vous ne savez pas exactement pourquoi votre bébé fait la grève, vous voudrez l'aider à reprendre l'allaitement de façon régulière le plus tôt et le plus facilement possible. Essayez de l'allaiter lorsqu'il est très somnolent ou qu'il dort déjà. Beaucoup de bébés qui refusent le sein lorsqu'ils sont éveillés téteront lorsqu'ils sont somnolents ou endormis. Certains accepteront de téter si leur mère se promène plutôt que si elle reste assise. De toute façon, attendez-vous à vous consacrer presque entièrement au bébé pendant quelques jours. Beaucoup de caresses et de contact peau à peau peuvent aider. Prendre un bain chaud avec le bébé ou encore passer un peu de temps seule avec lui, loin du brouhaha du reste de la famille, calmera le bébé et l'encouragera à recommencer à téter. Réévaluez vos priorités. Vous vous sentirez tous les deux beaucoup mieux et vous serez plus heureux lorsque tout sera rentré dans l'ordre.

Une mère de Guam, Becki Hallowell, a trouvé qu'un appel à sa monitrice de la Ligue La Leche l'a aidée à trouver la source de son problème :

Il y avait déjà trois jours que Todd, âgé de six mois, refusait de téter quand j'ai décidé que ça ne pouvait plus durer. Nous étions à bout et mes seins étaient douloureusement engorgés. Mon mari m'avait beaucoup soutenue, mais il trouvait la situation de plus en plus difficile parce que j'étais de plus en plus inquiète. Il m'a suppliée d'appeler Linda, notre monitrice de la Ligue La Leche. « Elle pourra t'aider », m'a-t-il dit.

Linda et moi avons discuté et elle a évoqué la possibilité que ce soit une grève de la tétée. J'étais trop près de la situation pour reconnaître le problème, mais je me suis vite aperçue que toutes les causes habituelles étaient réunies.

1. Nous avions tous un mauvais rhume.

2. J'avais essayé d'introduire les solides, ce qui avait semblé le perturber.

3. Nous étions tous très fatigués et une situation nouvelle engendrait beaucoup de stress. Les grands-parents de Todd, que nous n'avions pas vus depuis un an, étaient à la maison pour un mois. Pendant leur séjour, Grand-papa avait dû être hospitalisé. Il y avait aussi eu deux décès récents dans notre famille.

4. Todd m'avait mordue parce qu'il perçait des dents et j'avais réagi violemment.

La solution consistait à se détendre et à essayer de l'allaiter aussi souvent que possible, surtout quand il était endormi. Nous avons aussi augmenté le contact physique, je le tenais dans mes bras en position d'allaitement et je l'emmenais partout dans la maison avec moi.

À partir du moment où j'ai essayé tout cela, la grève s'est poursuivie une journée de plus, soit quatre au total, et ça a été ensuite plus facile d'allaiter. Toutefois, il a fallu du temps avant que la situation ne revienne à la normale. Pendant cette période de transition, nous avons découvert que la piscine était l'endroit parfait pour allaiter calmement. Todd aime nager et il adore l'eau. Cela a pris une semaine de plus mais, grâce à la Ligue La Leche et à Linda, nous sommes à nouveau une famille heureuse et comblée par l'allaitement.

Carol Strait, une mère de l'Iowa, met en lumière une autre raison pour laquelle certains bébés refusent de téter.

Quand ma fille de deux mois et demi a commencé à refuser le sein, j'ai pensé à une foule de choses : je ne dois pas manger les bons aliments, elle perce peut-être des dents, je suis sûrement trop nerveuse (quelle mère ne serait pas nerveuse quand son nouveau bébé refuse tout à coup de téter ?), elle est peut-être en train de se sevrer. J'ai même été jusqu'à penser qu'elle ne m'aimait peut-être pas ! C'est presque par hasard que j'ai trouvé la solution à notre problème. J'ai d'abord remarqué que Christie semblait toujours plus irritable et refusait de téter quand je venais de prendre une douche et que j'avais appliqué du déodorant en aérosol. Je ne sais pas quels ingrédients de l'aérosol étaient en cause, mais j'ai facilement résolu le problème en utilisant à la place un déodorant en bâton.

Le sevrage du temps des Fêtes

Une autre interruption dans le cours normal de l'allaitement qui prend parfois les mères par surprise est le « syndrome du sevrage du temps des Fêtes ». Cela se produit pendant la période de Noël ou toute autre période particulièrement trépidante, comme un déménagement, où l'on est tellement occupé qu'on en arrive à négliger les besoins de notre bébé. Il est facile de remettre à plus tard le paisible moment de la tétée quand il y a tant d'autres choses à faire. Dans le tourbillon des repas, des réceptions, des courses, la douce intimité de la relation d'allaitement est perdue de façon temporaire ou même permanente. Les aliments solides ou les biberons peuvent être offerts pour faire patienter le bébé ou, si c'est un « bon » bébé, il consentira à attendre, encore et encore, jusqu'à ce que l'heure de la tétée arrive. Puis, tout à coup, sans que personne ne sache vraiment comment, le bébé est sevré. Toni Pepe, du Connecticut, décrit ainsi le sevrage du temps des Fêtes :

> *On a coupé court à une saison unique de la vie du bébé et, plus tard, pendant les grandes journées passées à la maison, les regrets ressurgissent. Méfiez-vous du sevrage du temps des Fêtes. Dans les saisons de la vie, ces festivités reviennent toujours, mais l'extraordinaire saison de l'allaitement n'arrive qu'une fois dans la vie d'un enfant.*

TROISIÈME PARTIE

LE RETOUR AU TRAVAIL

Chapitre 8

Travail et allaitement

Si vous avez l'intention de reprendre le travail tôt après la naissance de votre bébé, vous vous demandez peut-être si ça vaut la peine de penser allaiter votre bébé ? Bien sûr que oui. L'allaitement demeure le meilleur choix pour vous et votre bébé. Donner la tétée est habituellement la dernière chose que fait la mère avant de quitter pour son travail et la première à son retour à la maison

Si vous êtes informée des bienfaits du lait maternel, vous voudrez sans doute fournir à votre bébé tout le lait dont il a besoin quand vous n'êtes pas là. Vous pensez sûrement : « D'accord, mais n'est-il pas difficile d'allaiter quand la mère doit s'absenter ? » C'est vrai, cela demande un peu plus d'efforts et de planification, mais n'en est-il pas ainsi dans la vie pour la plupart des choses qui ont de la valeur ?

Les avantages d'allaiter

L'allaitement simplifie la vie avec un bébé de bien des façons. Lorsque vous êtes à la maison, il n'y a pas de biberons à préparer, votre sommeil n'est interrompu que pendant de courtes périodes et l'attention particulière dont chaque bébé a besoin est presque assurée malgré les autres exigences de la maisonnée. De plus, la protection contre les maladies que procure le lait maternel est un avantage particulièrement important pour la mère qui travaille.

La relation d'allaitement peut s'avérer très précieuse pour la mère qui est séparée régulièrement de son bébé. Ce contact intime peut contribuer à créer un lien d'attachement unique entre la mère et son bébé, qui aide à compenser pour le temps où ils ne sont pas ensemble. Comme le disait une mère : « J'aime pouvoir faire la transition entre mon milieu de travail et ma famille en allaitant. » Une autre mère ajoutait :

J'aimerais pouvoir dire à toutes les mères qui travaillent combien l'allaitement est plus facile, spécial et agréable. Je suis surprise de voir que des gens semblent me plaindre et que d'autres me croient courageuse de faire une chose qui est pourtant parfaitement naturelle.

Charlotte Lee Carrihill, de New-York, travaille à temps plein comme courtier en valeurs mobilières et elle a allaité son fils Colin. Elle allaite maintenant sa fille Laura. Elle écrit :

Le lien que nous avons tissé durant l'allaitement sera toujours présent. Grâce à l'allaitement, j'en ai appris plus à propos du maternage. J'ai appris à faire passer « les personnes avant les choses ». L'allaitement n'est pas seulement un mode d'alimentation du bébé, c'est aussi une façon de le rassurer et de l'aimer.

Gale Pryor, co-auteure du populaire *Nursing Your Baby* et auteure de *Nursing Mother, Working Mother*, écrit :

En regardant en arrière, je réalise que le fait de continuer d'allaiter en travaillant a lié ensemble les deux moitiés de ma vie et m'a aidée à me sentir mère.

Résultats d'un sondage

Pour avoir des données plus précises sur les conséquences du travail sur l'allaitement, Kathleen Auerbach, Ph. D., consultante en lactation, monitrice de la Ligue La Leche et ancienne rédactrice du *Journal of Human Lactation*, a interrogé 567 mères mariées et célibataires qui allaitaient en travaillant.

Lors de la compilation des réponses, certaines constantes sont apparues. Parmi les facteurs analysés, le moment du retour au travail après la naissance du bébé semblait déterminant sur la durée de l'allaitement. Ceci affectait bien plus l'allaitement que le nombre d'heures travaillées par semaine. Les mères qui retournaient sur le marché du travail quand leur bébé était âgé d'au moins seize semaines allaitaient beaucoup plus longtemps que celles qui retournaient plus tôt. Cela peut être dû au fait que leur production de lait était bien établie et qu'elles avaient acquis plus d'expérience en allaitement.

Le fait que la mère travaille à temps plein ou à temps partiel affectait également la durée de l'allaitement. Un pourcentage plus élevé de mères travaillant à temps partiel avait allaité leur bébé au moins un an. Plus la mère retarde son retour au travail et moins elle travaille d'heures par jour, plus elle a des chances d'allaiter longtemps.

Une autre variante qui influence la durée de l'allaitement est la décision de la mère d'exprimer ou non son lait lorsqu'elle est absente. Des mères participant à l'étude, 86 % exprimaient leur lait manuellement ou à l'aide d'un tire-lait lorsqu'elles étaient séparées de leur bébé et 49 % avaient nourri leur bébé exclusivement au lait maternel jusqu'à ce qu'il soit prêt à prendre des solides, soit environ jusqu'à l'âge de six mois. Les mères qui avaient choisi d'exprimer leur lait avaient tendance à allaiter plus longtemps que celles qui ne l'avaient pas fait.

Exprimer du lait comportait cinq principaux avantages :

1. maintenir la production de lait de la mère;
2. fournir du lait maternel au bébé, réduisant ainsi le risque de le sensibiliser aux allergies avec des préparations lactées pour nourrissons;
3. prévenir ou soulager l'inconfort causé par l'engorgement;
4. réduire les écoulements de lait;
5. prévenir l'obstruction d'un canal lactifère ou une mastite, qui peut se développer si les seins demeurent trop pleins.

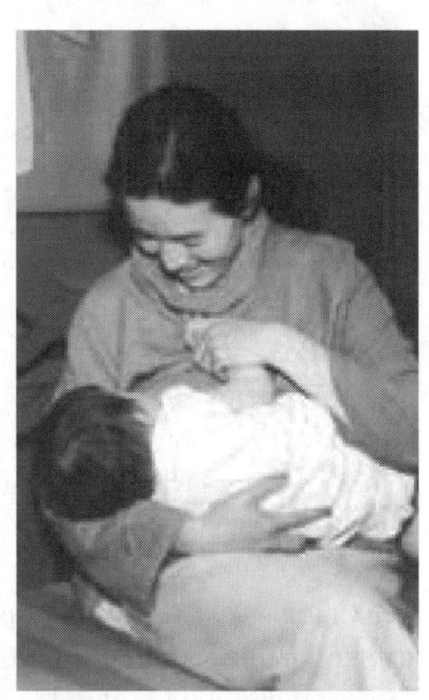

La relation d'allaitement peut être particulièrement importante aux yeux de la mère qui travaille.

L'expression du lait semblait plus efficace si elle était faite toutes les trois heures environ. Ainsi, la mère qui était absente pendant six heures exprimait habituellement son lait deux fois. Si la mère et le bébé étaient séparés pour une période de huit à dix heures, la mère exprimait du lait à trois reprises.

Les problèmes d'allaitement, comme les fuites de lait, l'engorgement et la mastite, étaient souvent résolus lorsque les mères commençaient à exprimer leur lait au travail, si elles ne le faisaient pas déjà, ou qu'elles en exprimaient plus fréquemment. Certaines mères ont réglé leurs problèmes en revoyant leurs priorités, en passant plus de temps avec leur famille et en apprenant à laisser le travail au bureau.

Lorsqu'on leur a demandé si elles allaiteraient d'autres bébés en travaillant, elles ont répondu en très grande majorité en faveur de l'allaitement. En effet, 82 % des mères ont affirmé qu'elles choisiraient à nouveau de concilier travail et allaitement; 18 % ont dit qu'elles allaiteraient sans aucun doute leurs futurs bébés, mais qu'elles feraient d'autres choix en ce qui concerne le travail, comme quitter définitivement leur emploi, retarder le retour au travail jusqu'à ce que leur enfant soit plus âgé ou réduire les heures de travail.

Prenez votre temps

Le temps dont dispose la mère pour demeurer à la maison avec son bébé avant de retourner au travail constitue un facteur important pour réussir son allaitement. La mère et le bébé éprouvent un véritable besoin d'être ensemble au cours des premiers mois. Lorsque vous tiendrez votre bébé dans vos bras, vous aurez probablement envie de retarder le plus possible la date de votre retour au travail, afin de profiter tous les deux de ces précieux moments ensemble.

Essayez d'obtenir le plus long congé de maternité possible. Si vous le pouvez, organisez-vous pour être à la maison au moins six à huit semaines après la naissance de votre bébé. Une étude a démontré que les mères qui retournent travailler avant que leur bébé n'ait atteint l'âge de deux mois avaient plus de problèmes d'allaitement et sevraient leur bébé plus tôt que les mères qui retournent travailler plus tard. Un congé de trois mois serait encore préférable. Si vous pouvez allonger cette période jusqu'à six mois, vous serez probablement restée avec votre bébé jusqu'à ce qu'il commence à consommer d'autres aliments. Plus vous restez longtemps auprès de votre bébé, plus vous profiterez, tous les deux, des avantages d'être ensemble.

Il est important de développer des liens avec votre bébé au cours des premières semaines.

Allonger votre congé de maternité peut signifier utiliser votre période de vacances, vos journées de maladie ou un congé sabbatique. Parfois ce congé est payé, d'autres fois il s'agit d'un congé sans solde, avec l'entente que votre poste sera conservé pendant un certain nombre de semaines ou de mois. Certaines entreprises acceptent d'ajouter un congé sans solde de plus ou moins six mois au congé de maternité habituel. Les politiques changent puisque de plus en plus de gens, hommes et femmes, demandent des congés prolongés et ce, pour une multitude de raisons différentes. Ça vaut la peine de vérifier ce que votre compagnie a déjà offert à des employés qui ont obtenu des congés pour diverses raisons.

La mère et son bébé ont besoin d'être ensemble durant les premiers jours et les premières semaines. C'est un moment particulier dans la vie d'un enfant, une période pendant laquelle la mère et le bébé établissent une relation qui durera toute la vie. Quels que soient vos plans pour les mois à venir, prenez le temps, maintenant, d'alimenter cette vie nouvelle.

Dans son livre *The Baby Book*, le Dr William Sears parle de l'importance de profiter le plus possible de votre congé de maternité :

> *Évitez de penser à votre retour au travail. Ne laissez pas cette préoccupation vous voler ces précieuses semaines où vous apprenez à connaître votre bébé. Pendant les semaines ou les mois que vous passerez à la maison, laissez votre bébé vous aider à développer vos aptitudes à vous occuper de lui. Profitez du temps passé avec votre bébé et de votre générosité mutuelle pour mettre en valeur ce qu'il y a de meilleur en chacun de vous.*

Retardez l'introduction du biberon

De nombreuses mères qui prévoient retourner travailler peuvent être tentées de commencer à se servir tôt de biberons pour « habituer le bébé ». Cela peut rapidement mettre un terme à l'allaitement pour plusieurs raisons. Si le biberon contient une préparation lactée pour nourrissons, cela peut nuire à la production de lait d'une nouvelle mère. La quantité de lait qu'une mère produit dépend de la fréquence à laquelle son bébé tète ainsi que de la quantité de lait qu'il boit au sein. En lui offrant des préparations lactées pour nourrissons pendant cette période d'ajustement, on court-circuite parfois le système de l'offre et de la demande, réduisant ainsi la quantité de lait produite.

Même si la mère exprime son lait à l'aide d'un tire-lait, donner des biberons trop tôt peut provoquer de la confusion entre la tétine et le mamelon. En effet, téter le sein implique une participation plus active de la part du bébé que de boire au biberon. Si le sein et le biberon sont offerts pendant les premières semaines, le bébé peut essayer de téter au sein de la même façon qu'il tète une tétine artificielle. Le bébé peut apprendre à téter moins efficacement au sein et, par conséquent, ne pas prendre suffisamment de poids. Il se peut même qu'il refuse le sein. La suce a souvent le même effet. Quand le bébé atteint l'âge de trois à quatre semaines et qu'il est plus habitué à téter, il est plus probable qu'il soit capable de passer d'un mode de nutrition à l'autre.

Rappelez-vous également que si le bébé refuse de prendre le biberon en votre absence, il peut être nourri à la cuillère ou à la tasse, jusqu'à ce qu'il s'habitue au changement.

Ajustez votre travail à votre rôle de mère

Quand arrive le moment où vous devez prendre la décision de retourner au travail, essayez de commencer d'abord à temps partiel. Il sera plus facile pour vous et pour votre bébé de retourner travailler trois jours par semaine plutôt que cinq. Une séparation de six heures par jour, plutôt que huit ou neuf, facilitera la poursuite de l'allaitement. Montrez-vous ouverte à de telles possibilités. Si vous avez des compétences particulières ou de nombreuses années d'expérience, votre employeur consentira peut-être à faire certains ajustements, plutôt que de vous perdre définitivement.

Quelques trucs utiles

Si vous prévoyez concilier travail et allaitement, vous voudrez savoir comment exprimer votre lait manuellement ou à l'aide d'un tire-lait. Le lait que vous recueillez lorsque vous êtes séparée de votre bébé pourra lui être donné le lendemain. En exprimant votre lait, vous continuerez à stimuler votre sécrétion lactée et vous éviterez d'avoir les seins engorgés. Certaines mères hésitent à demander du temps à leur employeur pour exprimer leur lait pendant les heures de travail. Des études ont démontré que l'allaitement peut être avantageux pour les employeurs également, car les mères qui travaillent et qui allaitent ont des bébés en meilleure santé et prennent moins de congés. C'est pourquoi de plus en plus de grandes corporations américaines offrent à leurs employées des programmes d'allaitement dans l'entreprise. Au Minnesota, une loi qui protège le droit de la mère d'exprimer son lait sur son lieu de travail a été adoptée en 1998.

La conservation du lait

Aucun autre lait n'est aussi bon pour votre bébé que le vôtre. Bien des mères sont capables de fournir suffisamment de lait pour combler les besoins de leur bébé en leur absence. Il s'agit de savoir comment exprimer adéquatement du lait et le conserver. Assurez-vous que la personne qui gardera votre bébé sait comment utiliser le lait que vous lui laisserez.

Des recherches récentes ont démontré que le lait maternel peut être gardé sans danger à la température de la pièce (19 à 22 °C ou 66 à 72 °F) jusqu'à dix heures, car il a la propriété remarquable de retarder la croissance des bactéries. On peut le garder au réfrigérateur pendant huit jours. Pour le conserver plus longtemps, il faut le congeler. Le lait congelé se conserve jusqu'à deux semaines dans le compartiment de congélation du réfrigérateur et de trois à quatre mois dans un congélateur qui a une porte distincte et que vous ouvrez souvent. Il peut être conservé six mois ou plus dans un congélateur qui demeure à une température constante de –19 °C (0 °F) . Lorsque le lait est décongelé, il ne doit pas être recongelé. Si pour une quelconque raison, votre congélateur cesse de fonctionner, il faut utiliser le lait, sinon il doit être jeté.

Après avoir exprimé votre lait manuellement ou à l'aide d'un tire-lait et l'avoir recueilli dans un contenant propre, versez-le dans un contenant de verre ou de plastique, un biberon ou un sac de congélation pour le lait maternel. Chaque fois que vous exprimez du lait, utilisez un contenant différent pour le réfrigérer. Les quantités ainsi refroidies pourront être mélangées par la suite pour être offertes à boire ou pour être congelées. Vous pouvez ajouter du lait refroidi à du lait déjà congelé. Vous devez simplement vous assurer que la quantité que vous ajoutez est plus petite que celle qui est déjà congelée, afin d'éviter que le lait ne dégèle. Laissez de l'espace pour l'expansion lorsque vous remplissez vos contenants pour la congélation. Ne vissez pas les couvercles avant que le lait ne soit complètement congelé.

Congelez le lait en petites quantités de 60 à 120 ml (2 à 4 oz). Cela évite le gaspillage et la gardienne peut choisir la quantité nécessaire selon l'appétit ou les habitudes de votre bébé. Étiquetez toujours le contenant en inscrivant le jour, le mois et l'année. Si votre lait doit être utilisé dans un contexte où plus d'un bébé est nourri, il faudra ajouter le nom du bébé sur chaque contenant.

Vous pouvez congeler votre lait dans des contenants de verre ou de plastique. Certaines mères conservent leur lait dans des sacs de plastique pour biberons conçus pour nourrir les bébés. Congeler du lait dans ces sacs moins résistants est risqué, car les joints peuvent céder au moment de la congélation. Si vous les utilisez, ce serait une bonne idée de les doubler. Pressez le sac pour faire sortir l'air par l'ouverture, pliez-le jusqu'à 2,5 cm (1 po) au-dessus du lait, attachez-le et placez-le dans un contenant qui le gardera à la verticale jusqu'à ce qu'il soit parfaitement congelé. Les sacs pour biberons ne sont pas recommandés pour la congélation à long terme.

L'expression du lait

De nos jours, il existe un grand nombre de tire-lait à prix abordable, mais bien des mères considèrent qu'il est pratique et facile d'exprimer leur lait manuellement. (Vous pouvez consulter le chapitre 7 pour de plus amples informations sur l'expression manuelle ou à l'aide d'un tire-lait.)

Ne vous découragez pas si vous n'obtenez qu'une petite quantité de lait au début. En pratiquant, bien des mères parviennent à exprimer de 90 à 120 ml (3 ou 4 oz) en quinze ou vingt minutes. La plupart des tire-lait vous permettent d'exprimer du lait des deux seins en même temps, ce qui vous fait gagner du temps. Il est normal que la quantité obtenue varie d'une fois à l'autre.

Suivez les directives du fabricant concernant l'entretien du tire-lait. Il faut généralement nettoyer soigneusement toutes les pièces après chaque usage et stériliser le tire-lait à l'occasion. Demandez à d'autres mères quels types de tire-lait elles jugent efficaces. Le tire-lait qui fonctionne en pressant une poire de caoutchouc pour exprimer le lait n'est pas recommandé, parce que la mère ne peut pas contrôler le degré de succion. Habituellement, ce type de tire-lait n'est pas très efficace.

Quand et où exprimer du lait

Certaines mères commencent à exprimer et à conserver leur lait bien avant leur retour au travail afin de se faire des provisions. D'autres expriment du lait seulement lorsqu'elles s'absentent et elles en recueillent assez pour nourrir leur bébé le lendemain. D'autres encore expriment du lait le matin ou le soir pour s'assurer que leur bébé en aura assez pendant leur absence. Pour certaines mères, il est facile d'exprimer de 30 à 60 ml (1 ou 2 oz) après que le bébé ait tété le soir ou tôt le matin.

Le nombre de fois où vous devrez exprimer votre lait lorsque vous n'êtes pas à la maison dépend de la durée totale de votre absence aussi bien que de l'âge de votre bébé. Il est habituellement préférable de ne pas dépasser plus de trois à quatre heures sans exprimer votre lait. Si vous laissez un très jeune bébé qui avait l'habitude de téter fréquemment, vous devrez exprimer votre lait plus souvent au début, afin d'éviter que vos seins ne soient engorgés ou qu'ils ne commencent à couler.

Si vos seins se mettent à couler à un moment inopportun, exercez une pression ferme et directe sur le mamelon durant une ou deux minutes. Vous pouvez le faire discrètement en croisant vos bras sur votre poitrine. Évitez par contre de le faire trop souvent. Il est préférable de soulager cet engorgement en exprimant un peu de lait. Vous pouvez acheter des compresses ou coussinets d'allaitement qui se glissent à l'intérieur du soutien-gorge et qui absorbent le lait qui s'écoule. Certaines mères qui travaillent gardent souvent un chemisier, un chandail ou une veste de rechange au travail, au cas où leur lait s'écoulerait. Après un certain temps, vos seins s'ajusteront à votre nouvel horaire et vous aurez moins de problèmes avec les fuites.

Trouver un endroit approprié pour exprimer du lait dépend de la situation de chacune. Si votre compagnie n'a pas de pièce que les mères peuvent utiliser pour exprimer leur lait, vous pouvez utiliser un bureau privé, une pièce isolée réservée à l'entreposage ou les toilettes des dames. Si vous utilisez un tire-lait électrique, vous devrez avoir accès à une prise de courant. Recherchez un endroit où vous pourrez vous détendre et avoir un peu d'intimité. Certaines mères se penchent au-dessus d'un lavabo pour éviter que du lait ne mouille leurs vêtements et pour se

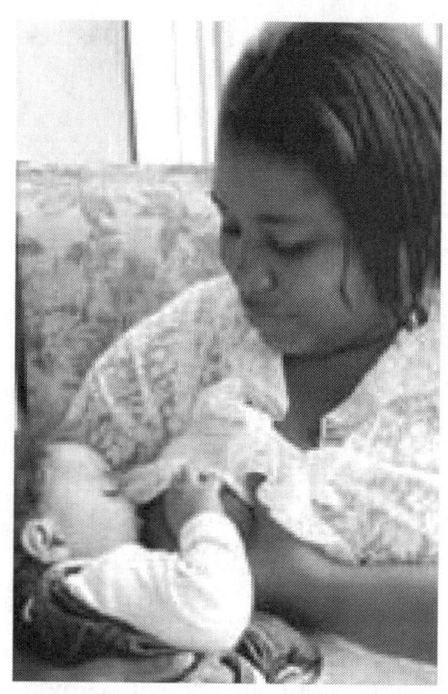

Le bébé sera impatient de téter dès que sa mère reviendra du travail.

servir de la gravité pour exprimer leur lait. Portez des ensembles deux-pièces, cela vous facilitera la tâche.

Au moment de vous préparer à exprimer du lait, pensez à votre bébé et visualisez le lait qui jaillit. C'est un cadeau que vous seule pouvez offrir à votre bébé.

Si vous préférez garder votre lait au frais et qu'il n'y a pas de réfrigérateur à votre travail, vous pouvez utiliser un thermos ou une petite glacière. Le matin, mettez de la glace dans le thermos puis, au moment d'exprimer votre lait, videz-le et mettez-y votre lait. Vous pouvez garder des contenants réfrigérants dans la glacière et ajouter les contenants de lait au cours de la journée. Vous pouvez également utiliser une de ces méthodes pour garder votre lait au frais lors de votre retour à la maison.

Comment donner votre lait au bébé

Votre bébé pourra boire votre lait au biberon, à la cuillère, à la tasse ou encore au compte-gouttes. Il n'est pas nécessaire d'introduire le biberon pendant les premières semaines de vie de votre bébé simplement parce que vous devez retourner au travail plus tard. En effet, certains bébés refusent de prendre le biberon offert par leur mère, car ils savent que le sein est à proximité, mais ils s'habituent rapidement à prendre le biberon lorsqu'il est offert par la gardienne. Expliquez à la gardienne qu'il faudra peut-être user d'un peu de persuasion pour que votre bébé accepte le biberon. Puisque votre bébé et sa gardienne auront certainement l'occasion de faire connaissance avant que vous ne retourniez travailler, ces visites seraient un bon moment pour que la gardienne habitue le bébé à prendre le biberon.

La gardienne doit savoir que vous avez l'intention de laisser votre propre lait au bébé et elle doit savoir comment l'utiliser. Insistez sur le fait que vous ne voulez pas qu'elle donne de préparation lactée ni d'autres aliments à votre bébé sans votre consentement et qu'elle devra prendre votre bébé pour le faire boire. Précisez que vous ne voulez pas qu'elle laisse le bébé pleurer.

Les mères se demandent souvent combien de lait elles doivent exprimer pour chaque tétée qu'elles manquent. Les bébés allaités prennent habituellement entre 60 et 120 ml (2 à 4 oz) de lait, huit à douze fois par jour. Personne ne peut prédire à l'avance la quantité de lait qu'un bébé en particulier va boire, mais il est improbable qu'un bébé allaité prenne un biberon de 240 ml (8 oz) de lait maternel en une seule tétée. Conservez votre lait en quantités de 60 à 120 ml (2 à 4 oz), ce qui permettra à la gardienne d'en préparer juste assez pour satisfaire le bébé sans gaspiller de lait.

Autres suppléments

Les mères demandent habituellement à la gardienne de ne donner que du lait maternel quand il est disponible. Tout autre supplément doit être prescrit, si nécessaire, par le médecin du bébé. Si votre bébé a plus de trois ou quatre mois et qu'il semble avoir besoin de plus de lait que vous ne pouvez en exprimer, demandez à votre médecin si vous pouvez commencer à lui offrir en supplément un peu de banane écrasée au lieu de préparation lactée pour nourrissons.

Conseils à la gardienne

Vous devriez partager les informations suivantes avec la personne qui va s'occuper de votre bébé :

- Puisqu'il n'est pas homogénéisé, le lait maternel réfrigéré se séparera. Une personne mal informée peut penser que le lait a tourné ou suri. Agitez-le doucement afin que les particules de gras se mêlent à la partie aqueuse. Si le lait a été réfrigéré en plusieurs petites quantités, vous pouvez les mélanger pour obtenir la quantité nécessaire pour le repas du bébé. Pour réchauffer le lait froid, tenez-le sous l'eau tiède du robinet durant plusieurs minutes jusqu'à ce qu'il atteigne la température de la pièce. Vous pouvez aussi placer le contenant de lait dans une casserole d'eau qui aura été chauffée sur la cuisinière. Ne réchauffez pas le lait directement sur la cuisinière ni au four à micro-ondes, car des éléments essentiels du lait peuvent être détruits s'il est trop chauffé.

- Pour décongeler le lait sous le robinet, tenez le contenant sous l'eau froide et augmentez graduellement la température de l'eau jusqu'à ce que le lait soit décongelé et qu'il atteigne la température de la pièce. Si, pour une raison ou une autre, vous n'avez pas d'eau chaude courante, faites chauffer de l'eau sur la cuisinière et placez le contenant de lait congelé dans l'eau tiède. Si vous décongelez plus d'un contenant de lait, vous pouvez les mélanger pour le repas du bébé.
- Vous pouvez également laisser décongeler le lait dans le réfrigérateur pendant la nuit. Un contenant de lait maternel qui n'a pas été ouvert, qui a été congelé et décongelé peut être conservé sans danger au réfrigérateur jusqu'à vingt-quatre heures.
- Nul ne sait si le lait que laisse le bébé dans le biberon devrait être jeté ou non. Des études récentes ont démontré que le lait maternel retarde effectivement la prolifération des bactéries. Il n'y aurait donc pas de danger à réfrigérer le lait non utilisé pour un usage ultérieur. Le lait décongelé ne devrait pas être recongelé.
- Si le bébé semble avoir faim juste avant le retour de sa mère, essayez de le satisfaire en lui offrant seulement une petite quantité de lait. Sa mère voudra certainement l'allaiter dès son retour.
- Assurez-vous que les biberons, les tétines, les tasses ou les cuillères utilisés pour nourrir le bébé sont propres. Il est important de vous laver les mains avant de nourrir le bébé et après avoir changé sa couche.

Encourager le bébé à boire au biberon

La plupart des bébés prennent le biberon facilement quel que soit le moment où il est introduit. D'autres prennent plus de temps à s'habituer à un nouveau mode d'alimentation. Voici quelques suggestions pour encourager un bébé à prendre le biberon :

- Essayez de faire couler de l'eau chaude du robinet sur la tétine du biberon pour qu'elle soit à la température de la pièce.
- Au lieu de pousser la tétine du biberon dans la bouche du bébé, essayez de lui chatouiller les lèvres avec et laissez-le prendre la tétine dans sa bouche lui-même.
- Essayez différents types de tétines avec des trous de différentes tailles.
- Essayez de donner le biberon dans différentes positions, par exemple, avec le bébé assis sur vos genoux et qui regarde vers l'avant, ou

essayez de nourrir le bébé en marchant ou en vous balançant de gauche à droite.

- Souvenez-vous également qu'il y a d'autres façons de nourrir le bébé. Si le bébé refuse le biberon, essayez d'utiliser une tasse, une cuillère ou un compte-gouttes.

Établissez un horaire

Le temps sera une denrée rare dans votre vie. Quand une femme concilie famille et travail, elle doit se montrer économe de son temps. N'hésitez pas à utiliser le fidèle porte-bébé pour vous permettre d'accomplir les tâches domestiques tout en ayant votre bébé près de vous. Ça a été une bénédiction pour plusieurs d'entre nous. Et ne soyez pas surprise si votre bébé devient une espèce d'« oiseau de nuit », bien éveillé, les yeux brillants et qu'il s'active au milieu du va-et-vient familial pendant la soirée. Certaines mères qui travaillent nous ont dit qu'elles encourageaient délibérément leur bébé à dormir le jour pour qu'il soit éveillé le soir. Si le bébé dort plus longtemps quand sa mère est absente, il prend moins de biberons le jour et il est plus impatient de téter en soirée.

Essayez de régler votre réveil vingt minutes plus tôt que l'heure où vous devez vous lever. Allaitez votre bébé durant ce temps (même s'il est à moitié endormi), il sera ainsi de meilleure humeur pendant que vous vous habillerez et que vous vous préparerez pour la journée. Puis, allaitez-le de nouveau avant votre départ, ce qui vous calmera tous les deux et facilitera la séparation.

Si vous être séparée de votre bébé pour une assez longue période, portez une attention particulière à votre retour à la maison. Au cours des trente premières minutes suivant votre arrivée, prévoyez de vous asseoir (ou vous allonger) et d'allaiter ou de jouer avec votre bébé. Tout le monde sera plus détendu et la préparation du repas sera moins chaotique. Pensez-y à l'avance et ayez sous la main des collations nutritives pour vous et les autres membres de la famille.

Buvez beaucoup de liquide et mangez des aliments sains et nutritifs. Buvez surtout de l'eau ou des jus. Le plus gros problème que rencontrent les mères est la fatigue. Ceci est particulièrement vrai pour celles qui travaillent. Reposez-vous suffisamment, ceci vous facilitera la vie et atténuera plusieurs problèmes.

Commencer un nouvel emploi, ou même reprendre l'emploi qu'elle occupait avant, est très fatigant pour une nouvelle mère. Nous vous suggérons de reprendre le travail un jeudi plutôt qu'un lundi. Vous aurez ainsi une fin de semaine pour récupérer avant d'entreprendre une semaine complète de travail.

Plusieurs mères qui allaitent en travaillant parviennent à allaiter leur bébé à plein temps lorsqu'elles sont en congé ou pendant les fins de semaine sans avoir de problèmes à s'adapter. Si vous avez exprimé votre lait régulièrement au travail, votre production sera à peu près la même. (Vous pouvez réfrigérer ou congeler le lait que vous exprimez le vendredi pour que la gardienne le donne au bébé le lundi.) Même si votre bébé a besoin d'un supplément en votre absence, un allaitement fréquent pendant la fin de semaine lui fournira tout le lait dont il a besoin et probablement beaucoup plus que ce que vous pourriez exprimer. Dans ce cas, il se peut que vos seins soient un peu plus engorgés le lundi parce qu'ils auront été davantage stimulés au cours de la fin de semaine. Il vous sera alors plus facile d'exprimer votre lait.

Geneviève Lavoie, une mère du Québec, raconte ceci au sujet de son expérience d'allaitement au moment de son retour sur le marché du travail :

Lors de la naissance de mon premier enfant, j'ai eu l'impression que le temps s'était soudainement arrêté. Puis les heures, les semaines et les mois se sont succédés à une vitesse phénoménale, jusqu'au jour où une lettre de mon employeur me confirmait une date de retour au travail. C'est alors que j'ai réalisé que mon bébé était encore bien petit du haut de ses six mois et qu'il était très loin du degré d'autonomie que j'avais anticipé pour son âge.

J'avais lu que certaines mères avaient réussi à concilier le travail et l'allaitement avec succès. J'ai donc cherché des renseignements additionnels et c'est à la Ligue La Leche que j'ai trouvé l'information et le soutien nécessaire.

Quelques semaines avant mon retour au travail, j'ai commencé à exprimer et à congeler de petites quantités de lait en prévision des premiers jours de travail. Félix avait sept mois et demi lors de ma première journée au boulot. Il était toujours allaité et mangeait des aliments solides. En mon absence, il consommait une plus grande quantité d'aliments solides et avait tendance à m'attendre pour les douces retrouvailles d'allaitement à la maison.

Au travail, afin d'éviter l'engorgement, j'exprimais mon lait pendant la pause et au dîner dans un endroit à l'écart. Au début, je conservais le lait pour l'offrir à Félix le lendemain, mais le congélateur s'est rapidement rempli d'une quantité industrielle de ce précieux liquide que, finalement, il ne prenait pas en mon absence.

Ma sécrétion lactée s'est adaptée en quelques semaines à mon nouvel horaire de travail et d'allaitement. À la maison, j'allaitais selon les besoins de mon bébé de la même façon que je l'avais fait pendant les mois précédents mon retour au travail.

Au départ, mes plus grandes craintes étaient que Félix refuse de boire en mon absence, mais aussi qu'il s'adapte mal à la séparation. Finalement, Félix a refusé de boire en mon absence, mais il a compensé par les aliments solides le jour et il a continué à boire à sa fréquence habituelle lorsque j'étais à la maison.

Je crois que le fait d'avoir choisi de poursuivre l'allaitement lors de mon retour au travail nous a permis, à moi et à mon fils, de vivre cette séparation quotidienne de façon plus harmonieuse, puisque nous n'avons pas eu à faire le deuil de la relation d'allaitement.

L'allaitement de nuit

Préparez-vous à allaiter plus souvent le soir, la nuit et tôt le matin. Prendre le bébé au lit avec vous facilitera certainement les choses.

Lori Brewster, du Michigan, mère de deux enfants, a trouvé que l'allaitement de nuit était très particulier. Son conjoint et elle travaillaient tous les deux dans l'industrie automobile, ce qui fait que l'un d'eux était à la maison pendant que l'autre était au travail :

La première fois que je suis devenue enceinte, j'étais certaine que je voulais allaiter. J'ai allaité Matthew pendant huit semaines, mais je l'ai sevré quand j'ai dû retourner travailler. J'ai appris plus tard que je n'étais pas obligée de le sevrer.

Lors de ma seconde grossesse, je savais que je voulais allaiter encore une fois. Cette fois, au lieu de me fier seulement aux livres, j'ai communiqué avec une monitrice de la Ligue La Leche. Ce fut l'appel téléphonique le plus rentable pour ma vie de famille.

Depuis la naissance de Amy Rose, il y a cinq mois, je l'allaite avec plaisir. Je suis retournée au travail après huit courtes semaines de congé de maternité, mais j'ai apporté mon tire-lait et ma glacière avec moi. Au travail, j'exprime mon lait trois fois par jour. Le vendredi je congèle des biberons pour le lundi. À la maison, j'allaite à la demande et j'adore ça.

Les nuits sont vraiment spéciales pour Amy et moi. Les gens pensent que je suis folle quand je leur dis qu'elle boit quatre ou cinq fois par nuit. Ils se demandent comment je fais pour survivre. Ils ne comprennent pas qu'elle dort à côté de moi. La nuit est le moment de la journée que je préfère.

Après avoir allaité Matt et l'avoir ensuite nourri au biberon, je savais que je ne voulais pas refaire la même chose. Quel tracas les biberons ! Maintenant, quand je reviens à la maison, je n'ai qu'à nettoyer mon tire-lait et laver quelques biberons et j'ai le reste de la soirée libre pour m'occuper de ma famille et de moi. Si vous n'avez jamais allaité, vous ne pouvez pas savoir comme c'est pratique. Croyez-en quelqu'un qui a connu les deux : « Le sein, c'est ce qu'il y a de mieux. »

J'encourage toutes les mères à lire tout ce qu'elles peuvent sur l'allaitement, mais je les invite aussi à contacter la Ligue La Leche pour obtenir le soutien nécessaire. Même si vous travaillez à temps plein, ne laissez pas cela vous empêcher d'allaiter votre bébé.

Qui s'occupera de bébé ?

La tâche la plus importante que vous devrez assumer avant de retourner au travail est de trouver la meilleure personne qui soit pour prendre soin de votre bébé en votre absence. Un membre de votre famille accepterait-il cette responsabilité ? S'il est disponible, le père du bébé demeure évidemment le premier choix. Le changement sera moins important pour le bébé. Une grand-mère aimante ou une tante qui connaît déjà bien le bébé viennent également en tête de liste. Une voisine se montrera peut-être intéressée à prendre soin de votre bébé durant le jour.

Cependant, la plupart des gens n'ont pas la chance d'avoir un membre de leur famille ou une voisine disponible pour garder et ils doivent chercher ailleurs. Ils doivent alors demander des références et faire des entrevues. Si la gardienne est étrangère au bébé, invitez-la chez vous ou rendez-lui visite à quelques reprises avec le bébé pour que tous deux puissent faire connaissance avant que vous ne retourniez travailler. Dites-lui que vous allaitez. Expliquez-lui en détail comment vous voulez que le bébé soit nourri, ce qu'il aime ou déteste, quelles sont ses heures de sommeil et, le plus important, que vous ne voulez pas qu'elle le laisse pleurer. Laissez-la vous observer quand vous prenez soin de votre bébé, elle pourra ainsi voir la façon dont le bébé a l'habitude qu'on s'occupe de lui. De même, vous pourrez voir comment la gardienne et votre bébé s'entendent ensemble, ce qui vous permettra de savoir si elle est la bonne personne pour prendre soin de votre bébé.

Essayez de trouver une gardienne qui habite près de votre lieu de travail plutôt que près de votre domicile. Ceci vous permettra de rendre visite à votre bébé à l'heure du midi, à moins que la gardienne ne puisse vous l'amener.

Lorsque vous choisissez une gardienne, cherchez quelqu'un qui, autant que possible, se dévouera entièrement à donner à votre bébé les mêmes soins que vous, quelqu'un qui connaît les bébés et qui comprend leurs besoins. Va-t-elle chanter pour lui ? Lui parler ? Le bercer pour l'endormir ? Le garder au sec et confortable et toujours près d'elle ?

C'est dans la constance des soins qu'une personne lui porte qu'un enfant apprend à faire confiance aux autres. Un bébé a besoin qu'une personne affectueuse s'occupe de lui et ce devrait toujours être la même personne et non une suite de nouveaux visages et de nouvelles personnalités. Bien qu'il soit naturel pour une mère qui travaille d'espérer trouver une personne aimante et fiable, elle doit aussi être consciente qu'avec le temps son bébé apprendra inévitablement à aimer cette « autre mère ».

Il est également possible que la gardienne patiente et attentionnée que vous aviez ce matin vous annonce en fin de journée qu'elle déménage ou qu'elle a trouvé un autre emploi. Une telle perturbation peut constituer une grave perte pour un jeune enfant.

Puisqu'elles ne peuvent savoir si elles trouveront une gardienne à domicile et combien de temps elle sera disponible, les mères qui travaillent peuvent envisager de mettre leur enfant à la garderie[1]. Bien que la garderie ait un caractère plus permanent, il peut y avoir là également des changements au niveau du personnel. De plus, même si le décor est charmant, les enfants de moins de trois ans ne s'adaptent pas toujours facilement à une situation de groupe. Un jeune enfant ne devrait pas être en compétition avec plusieurs enfants du même âge pour obtenir de l'attention. L'enfant appréciera souvent de courtes périodes de jeu à la pré-maternelle, mais une journée entière à la garderie peut sembler une situation plus menaçante. À la garderie, les soins offerts à un groupe d'enfants ne peuvent satisfaire le besoin du bébé ou du bambin d'entrer en relation avec une seule personne, de pouvoir compter sur une seule personne pour obtenir une attention affectueuse en tout temps. Les risques de contracter

[1] Équivalent de la crèche en France

des maladies et des infections sont également passablement plus grands lorsque les enfants vivent en groupe. Si votre enfant va à la garderie, l'allaitement le protègera contre de telles maladies.

Dans le *New York Times Magazine*, la D[re] Sally E. Shaywitz écrit ceci au sujet des substituts maternels :

Il est souvent difficile pour la mère qui travaille d'être séparée de son bébé.

> *Nous n'en connaissons pas assez en matière d'éducation pour pouvoir dire aux mères que, si elles trouvent une personne ou un établissement qui répond à telle ou telle norme, ce sera un bon substitut. Nous pouvons dresser une liste des références d'une personne, définir les normes d'une garderie, mais tout comme rien ne peut reproduire parfaitement le lait maternel, on ne peut trouver de véritable substitut à la mère. Le maternage ne peut être mis en bouteille et personne ne peut éprouver le sentiment particulier que vous avez envers votre bébé [...] Tout comme personne ne peut allaiter un bébé à part sa mère, personne d'autre qu'elle ne peut éprouver ce profond sentiment de bien-être et de symbiose avec l'enfant.*

Vivre la séparation

Pour nombre de mères, être séparées de leur bébé est l'élément le plus éprouvant de leur retour au travail. Lisa Bicknell Casey, de l'Oklahoma, témoigne :

> *Après la naissance de Jason, je n'ai eu droit qu'à un court congé de maternité de deux mois. J'ai passé tout ce temps, ou presque, à me remettre de mon accouchement par césarienne. Il me semble que, dès que j'ai été assez bien pour être la mère que je voulais être, il était déjà temps de retourner travailler.*
>
> *Après avoir parlé à une monitrice de la Ligue La Leche, j'ai acheté un tire-lait et, une semaine avant mon retour au travail, j'ai*

commencé à exprimer du lait consciencieusement. Ça semblait si long et difficile. Je pensais ne pas pouvoir exprimer assez de lait pour nourrir mon beau petit garçon. Dieu merci, c'est devenu plus facile.

La première semaine de travail, j'ai pleuré tous les jours après avoir laissé Jason à sa gardienne, mais j'avais la chance d'avoir une excellente gardienne que Jason a aimé tout de suite. Cela me troublait encore plus. En fin de compte, tous les jours, j'étais remplacé par une gardienne et un biberon. Mon bébé aurait-il encore besoin de moi ?

Les choses se passaient bien en dépit de mes craintes. Puis, un jour, la gardienne a dû donner plus de 500 ml de lait maternel à Jason. J'étais prête à abandonner. Comment pourrais-je produire assez de lait pour le satisfaire ? Heureusement, ça n'est arrivé qu'une fois. Jason s'est vite adapté. Il buvait 200 ml à 300 ml au biberon le jour et tétait fréquemment la nuit. Je n'ai pas hésité à coucher Jason avec nous dès le début. Je dormais souvent pendant qu'il tétait et je n'étais jamais vraiment certaine du nombre de tétées qu'il avait prises durant la nuit.

Jason refuse le biberon s'il sait que je suis là, et cela me donne vraiment confiance en moi et en mes capacités de mère. Je sais maintenant que mon bébé a véritablement besoin de moi. Jason et moi parvenons à partager ce type de proximité physique que le travail nous a refusée. Pour une mère qui est retournée au travail à contrecoeur, l'allaitement a été un cadeau du ciel.

La mère qui prévoit d'allaiter tout en travaillant devrait essayer de trouver un peu de temps pour assister aux réunions de la Ligue La Leche. En effet, les mères qui sont séparées régulièrement de leur bébé ont besoin du soutien essentiel que leur apporte le contact avec d'autres mères qui allaitent. Et, vous pouvez amener votre bébé avec vous aux réunions de la Ligue La Leche.

Cela en vaut-il la peine ? Serait-il préférable de sevrer si vous prévoyez retourner travailler ? Une mère qui travaille, qui a nourri son premier bébé au biberon et qui allaite maintenant, nous dit ce qu'elle en pense : « L'allaitement me simplifie beaucoup les choses, de plus cela me permet de passer du temps avec mes enfants quand je suis à la maison. » Une autre mère affirme : « Mon enfant profite à la fois physiquement et émotionnellement du temps que nous passons ensemble quand je l'allaite ! » Et bien d'autres ajoutent : « Je ne voulais pas que mon bébé ne puisse plus profiter des avantages de l'allaitement simplement parce que je retournais travailler ».

Chapitre 9

Faire un choix

Choisir de travailler ou non à l'extérieur de la maison, après la naissance de votre bébé, est une décision difficile. Prenez votre temps et évaluez toutes les possibilités avant d'arrêter votre choix. Dans son livre *Of Cradles and Careers*, Kaye Lowman parle de ce choix :

> *De nos jours, une femme peut choisir le célibat ou le mariage, faire carrière ou demeurer à la maison, avoir des enfants ou ne pas en avoir, être mère et poursuivre une carrière ou s'engager à plein temps dans l'éducation de ses enfants. Mais ne vous méprenez pas : un tel éventail de possibilités a aussi son mauvais côté [...] La liberté de choix implique l'obligation de choisir judicieusement.*

La relation mère-enfant

Il faut tenir compte de nombreux facteurs importants lorsque vous choisissez de retourner travailler après la naissance de votre bébé. Considérons d'abord la relation mère-enfant. Ce sujet fascine la communauté scientifique depuis de nombreuses années. Les premières années d'un enfant sont la clé de son futur comportement d'adulte. La société risque de gagner ou de perdre, selon la solidité du lien mère-enfant.

Nous, à la Ligue La Leche, croyons fermement que le bébé et sa mère ont besoin d'être ensemble durant les premières années. Nous sommes convaincues que le bébé a autant besoin de la présence aimante de sa mère que de nourriture. Mary Ann Cahill, une des fondatrices de la Ligue La Leche, écrit :

> *Personne ne peut vous remplacer comme mère. De toute évidence, en se basant sur tout ce qu'on sait de la façon dont les enfants grandissent, apprennent à vivre et à devenir des adultes responsables, on peut dire que la mère est la personne toute désignée pour s'occuper de l'enfant durant les premières années.*

Les chercheurs affirment que la relation initiale seul à seul entre l'enfant et sa mère constitue la base de son développement émotif. À partir du lien rassurant avec sa mère, le bébé apprend à entrer en relation avec les autres. Selon le Dr W. Winnicott, un pédiatre britannique, « la seule véritable assise de la relation qu'un enfant a avec sa mère et son père, avec les autres enfants et finalement avec la société, c'est la réussite de la première relation entre la mère et le bébé ».

La séparation, source d'anxiété

Dans son livre *Symbiose et séparation,* Louise Kaplan, psychologue et directrice du *Mother-Infant Research Nursery of New York University*, explique qu'un nouveau-né n'a pas d'identité propre à sa naissance. En se basant sur ses travaux de recherche portant sur le lien mère-enfant, elle affirme que :

> *Selon le point de vue du bébé, il n'y a aucune distinction entre lui et sa mère. Ils ne font qu'un. L'enfant doit passer de l'unité avec sa mère à la séparation et à l'individualité. Il s'agit d'une seconde naissance qui se déroule graduellement dans les trois premières années de vie. Il est très important de maintenir la première relation mère-enfant pour que cette étape se déroule avec succès.*

Selma Fraiberg, professeure de psychanalyse infantile et auteure de *Every Child's Birthright : In Defense of Mothering,* expose très clairement sa vision des choses :

La maternité représente une étape particulière dans la vie d'une femme.

Il a été établi que les enfants, qui n'ont pu profiter d'un contact privilégié et prolongé avec une mère aimante ou une figure maternelle pendant au moins les trois premières années de leur vie, manifesteront, selon le degré de privation, une capacité moindre à aimer les autres, une diminution de leurs capacités intellectuelles et une incapacité à maîtriser leurs impulsions, particulièrement en ce qui concerne l'agressivité.

Une Canadienne, Donna K. Kontos, Ph.D., consultante en psychologie, fait observer :

On ne connaît actuellement aucun substitut au milieu familial pour l'éducation des enfants [...] De longues séparations de la mère cause de la détresse chez l'enfant. Toutes les recherches et toute la documentation nous confirment que ce qu'il y a de mieux pour un bébé, c'est d'avoir la plupart du temps et de façon constante une mère dévouée près de lui.

Une autre psychologue, la Dre Joyce Brothers, reconnaît qu'on exerce des pressions sur les jeunes mères pour qu'elles retournent au travail. Elle fait cependant remarquer :

Je suis consciente que la réalité économique nous force souvent à agir à l'encontre de nos désirs. Mais lorsqu'il s'agit d'éducation des enfants, je suis convaincue qu'une femme devrait faire tous les efforts possibles pour rester avec son enfant durant les trois premières années. Cela fait vraiment une énorme différence.

Dans leur ouvrage : *The Irreductible Needs of Children : What every Child Must Have to Grow, Learn and Flourish*, les Drs T. Berry Brazelton et Stanley I. Greenspan sont catégoriques :

Dans les trois premières années de sa vie, chaque enfant a besoin d'une ou deux figures parentales qui restent en constante intimité avec lui [...] Le bébé a besoin de passer la majeure partie de son temps avec des personnes qui feront partie intégrante de sa vie et à qui il fera confiance. La profondeur de l'intimité et des sentiments que l'on éprouve pour les autres dépend en partie de la profondeur des sentiments que l'on ressent au cours de relations suivies. [...] Devenir dépendant de figures parentales qui disparaissent n'inculque pas au bébé un sentiment intime de sécurité et de constance.

Le jeune enfant qui est séparé de sa mère développe tous les symptômes classiques de la tristesse. Il peut pleurer désespérément ou se replier sur lui-même dans un silence inhabituel. À propos de cette anxiété de la séparation, Humberto Nagera, professeur de psychiatrie à l'Université du Montana, souligne que :

Lorsqu'un enfant est confronté à l'absence de sa mère, il réagit automatiquement par un état d'anxiété qui, très souvent, atteint des proportions alarmantes. La répétition de traumatismes de ce genre chez des enfants particulièrement sensibles aura inévitablement de graves conséquences sur leur développement ultérieur [...] Aucune autre espèce animale, sauf l'être humain, ne fera vivre à ses petits des expériences qu'ils ne sont pas prêts à affronter.

Demeurer à la maison, pour l'instant

Comment une mère parvient-elle à concilier ses propres besoins d'estime de soi, d'accomplissement, de confiance en elle et les besoins de son bébé ? De nos jours, de nombreuses jeunes femmes choisissent de mettre leur carrière « de côté » à la naissance de leur bébé. Elles considèrent la maternité comme une étape particulière dans leur vie, une étape qu'elles tiennent à vivre. Le monde du travail sera toujours là dans deux, trois, cinq ou dix ans. Les mères qui demeurent à la maison avec leurs jeunes enfants prévoient souvent de reprendre leur carrière lorsque leurs enfants seront plus âgés. Elles considèrent le temps passé à la maison comme un court laps de temps, « un intermède », lorsqu'elles le comparent aux nombreuses années où elles pourront travailler à l'extérieur de la maison et où elles le feront probablement.

Mary Ann Kerwin, une des fondatrices de la Ligue La Leche, en est un bon exemple. Après avoir passé plus de vingt ans à la maison, à se consacrer à sa nombreuse famille, elle a découvert qu'il lui restait encore « beaucoup de temps pour une autre carrière ». Mary Ann a commencé à suivre des cours de droit lorsque son dernier enfant a fait son entrée à l'école secondaire. Elle ajoute :

> *Nos enfants nous apprennent plus de choses qu'on ne le croit. En tant que mère, j'ai appris la patience, la persévérance, l'autodiscipline et le travail exigeant. Après avoir passé vingt-quatre heures par jour avec des enfants, aucun travail ne semble trop difficile.*

Judy Kahrl, de l'Ohio, admet qu'il faut du courage à une femme pour résister à la pression de la société et dire : « À ce moment de ma vie et à cause de ma responsabilité envers cette nouvelle personne, je vais consacrer mon temps, mon énergie et toutes mes ressources physiques et affectives à m'occuper de mon mieux de cette nouvelle vie. »

Est-ce payant de travailler ?

Peut-être avez-vous envie de rester à la maison avec votre bébé, mais vous n'arrivez pas à voir comment votre famille va se débrouiller sans votre salaire. Votre cœur est à la maison, mais l'argent est au travail. Est-ce vraiment le cas ?

Beaucoup de femmes découvrent qu'il n'est pas réaliste de considérer le salaire de quelqu'un comme un « pur profit ». On oublie trop souvent les coûts liés au travail. Un rapide calcul des revenus et des dépenses donne des résultats étonnants. Calculez le coût des vêtements et du transport pour aller et revenir du travail. Lorsque vous travaillez toute la journée, vous préparez sans doute davantage de mets déjà cuisinés ou vous mangez plus souvent à l'extérieur. Il y a aussi le coût des frais de garde pour un enfant. Assoyez-vous et faites le total approximatif de tous ces coûts. Soustrayez ensuite ce montant de votre salaire. Vous constaterez peut-être que le gain net sera minime si vous continuez à travailler après la naissance de votre bébé.

Lorsque vous calculez le montant d'argent qui sera disponible si vous restez à la maison, n'oubliez pas que votre taux d'imposition baissera probablement quand vous ne travaillerez plus. La somme des impôts que vous économiserez peut être considérable. Bien des mères jugent qu'il n'est pas « payant » pour elles de travailler à l'extérieur.

Jonathan Pound, de *Financial Planning Information Inc.*, de Boston, écrit :

> *Il n'est pas toujours payant que les deux parents travaillent [...] Tout d'abord, aux États-Unis, le gouvernement prélève à peu près 40 % du second revenu dès le départ. Par exemple, si vous gagnez 25 000 $, 10 000 $ partent en impôts. Les frais de garde, à 150 $ par semaine (une estimation qui est faible) vous coûtent 7 500 $. Le transport, les vêtements, les repas, etc. vous coûtent un autre 2 500 $. Par conséquent, 20 000 $ de votre salaire brut s'est envolé avant même que le deuxième salaire ne rentre. Il ne vous reste que 5 000 $ à dépenser, soit 20 % du salaire brut. Si plus de femmes savaient cela, je parie qu'elles y penseraient à deux fois avant de retourner travailler.*

Gagner un peu d'argent

Que faire si votre situation financière est telle que vous sentez qu'il faut absolument que vous apportiez un revenu supplémentaire ? Heureusement, de plus en plus de femmes réussissent à travailler tout en gardant leur bébé près d'elles.

Dans divers types d'emplois, bien du travail peut être effectué à la maison. Vous pourriez donc vendre l'idée à votre employeur de faire du travail à temps partiel à la maison. Vous n'auriez alors à vous déplacer au bureau que pour la planification et les réunions. Grâce aux ordinateurs, aux modems, aux télécopieurs et aux courriers électroniques, cette souplesse dans le travail est de plus en plus accessibles aux familles.

Si vous possédez un ordinateur, communiquez avec plusieurs compagnies ou services de placement ou faites passer une annonce dans le journal et offrez de travailler comme pigiste à la maison. Si vous êtes spécialisée dans un domaine comme les arts, les lettres, la photographie ou les relations publiques, vous pouvez accepter des contrats et travailler à partir de chez vous. Vous pouvez également donner des leçons de musique. Si vous êtes enseignante, communiquez avec les écoles de votre quartier et offrez de donner des cours particuliers chez vous. Garder des enfants est aussi une autre façon de faire de l'argent.

Vous pouvez également envisager la possibilité d'emmener votre bébé avec vous à votre travail. Dans des conditions favorables, un nombre croissant de femmes considèrent qu'elles peuvent materner leur bébé en travaillant. Il se peut qu'elles ne passent pas autant de temps au bureau que si elles avaient laissé le bébé derrière et que leur salaire soit ajusté en conséquence, mais, en fin de compte, elles n'y perdent pas plus que si elles travaillaient à temps plein et devaient payer des frais de garde.

Anne Simon, de France, nous dit comment elle a pu reprendre son travail tout en gardant sa fille auprès d'elle :

Je vis seule avec Marie, ma petite fille. Pas d'autres ressources financières pour moi : il faut reprendre très vite le travail. Je suis médecin et je viens d'ouvrir un cabinet. On me décourage de toutes parts : « Tu vas couler ta clientèle… On ne travaille pas avec un bébé à côté de soi… Tu ne tiendras pas le coup… De toute façon, dès que tu retravailleras, tu n'auras plus de lait ! »

Marie a juste deux mois lorsque je reprends mon travail. Les premiers jours, je reconnais que c'était un peu la panique et j'ai bien failli me décourager. Le stress de mon travail, le retard accumulé dans les rendez-vous, le bébé qui pleure et le téléphone qui sonne ! Puis les choses se sont bien rodées. Je ménage des zones « tampons » entre mes rendez-vous pour lui donner le sein. Mes malades sont en général très compréhensifs. Au début, j'essayais de ne pas la garder dans mon bureau pour ne pas perturber mes consultations, mais ils me demandaient de ses nouvelles, dès leur arrivée, et m'affirmaient, souvent, ne pas être gênés par sa présence, au contraire. Il faut avouer que Marie est devenue très sociable et généreuse en sourires !

Aujourd'hui, elle a six mois. Je l'allaite encore complètement et nous nous préparons tranquillement à l'introduction des solides. Depuis une semaine, je la mets à la garderie, de temps en temps, et je vais la chercher pour la tétée de midi.

Pour reprendre le travail et poursuivre l'allaitement, il suffit souvent d'un peu d'audace, de confiance et d'organisation… et on s'étonne de trouver les choses beaucoup plus faciles et possibles qu'on ne le croyait !

Debi Drecksler, de Floride, ajoute :

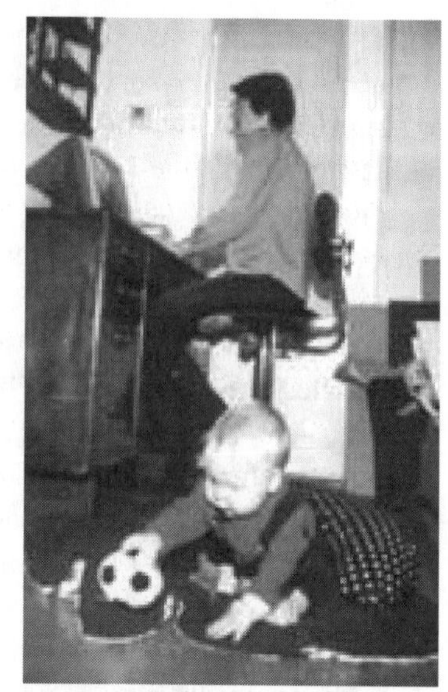

Certains emplois permettent à la mère de travailler à la maison et de rester près de son bébé.

J'ai pu emmener mes enfants avec moi chaque fois que je devais travailler à l'extérieur de la maison. À mon dernier emploi, en tant que directrice de la jeunesse, je dirigeais un camp de jour et, pendant l'année scolaire, un programme d'enrichissement après les heures de classe.

Marie-Eve Lepage, du Québec, explique de quelle façon elle est parvenue à demeurer à la maison après la naissance de son bébé :

Enceinte de mon premier enfant alors que j'étais étudiante en maîtrise, j'ai fait plusieurs appels téléphoniques afin de dénicher une garderie à proximité de l'université. Il me paraissait évident que mon bébé irait à la garderie trois ou quatre mois après l'accouchement. J'étais une femme de carrière et un enfant n'allait certes pas contrecarrer mes projets. Question allaitement, je comptais exprimer mon lait régulièrement, il n'allait donc manquer de rien ! C'était bien mal connaître la réalité d'un bébé…

Plus les mois passaient, plus il m'était difficile de me résoudre à l'idée de le confier à une autre personne. Bien sûr, mon fils avait besoin de mon lait, mais ma présence lui était aussi vitale… détail dont j'ignorais complètement l'importance ! J'étais déchirée : comment allais-je concilier ses besoins et mon désir de terminer mes études ?

Avec la complicité de mon mari, nous avons élaboré diverses stratégies afin que je termine mes études sans avoir recours à une garderie. Le réaménagement du salon a permis l'installation de l'ordinateur et du bureau afin que je puisse, le jour, y travailler tout en maternant. Aussi, pour récupérer du sommeil, je faisais la sieste l'après-midi en même temps que notre bébé, puisque j'étudiais chez moi surtout le soir et la nuit. Par ailleurs, je consultais mes co-directeurs de thèse accompagnée de mon bébé et j'effectuais mes recherches à l'université en soirée pendant que mon mari se promenait dans le couloir avec notre enfant dans la poussette.

Une fois mon diplôme en poche, j'ai constaté que les besoins de mon enfant étaient toujours présents. Il me restait à cheminer afin de modifier ma perception des mères à la maison, que j'imaginais éteintes intellectuellement. Heureusement, la Ligue La Leche m'a permis de rencontrer des femmes qui m'ont offert des modèles modernes de mères à la maison épanouies, instruites, impliquées dans leur milieu et des plus actives sur le plan social.

Aujourd'hui, je suis enceinte de mon quatrième enfant et je suis le témoin privilégié de l'évolution d'êtres humains élevés dans la confiance qui rejaillit sur leur estime de soi et le développement de leur caractère. Tout cela, doublé d'un sentiment d'émancipation qu'aucune carrière n'aurait su m'apporter.

Nous avons interrogé des mères au sujet du maternage quotidien d'un jeune enfant, c'est-à-dire le changer et le nourrir, lui sourire, applaudir à ses efforts pour atteindre un jouet, le distraire à l'occasion ou le consoler lorsqu'il pleure. Toutes les mères ont dit ne faire aucune distinction entre la quantité et la qualité du temps passé avec leur bébé. Mary Ann Kerwin, une des fondatrices de la Ligue La Leche, fait remarquer que « les bébés ont besoin de temps de qualité en grande quantité. »

Une étape à la fois

Si vous êtes enceinte, vous vous demandez sans doute ce que vous devriez dire à votre employeur concernant vos projets. Fortes de leur expérience, beaucoup de mères déclarent : « Ne promettez rien avant la naissance de votre bébé. » Si possible, ne vous engagez pas.

Vous ne désirez pas avoir une épée de Damoclès au-dessus de la tête qui vous oblige à retourner au travail à une date précise parce que vous l'aviez promis lorsque vous étiez enceinte. La plupart des entreprises offrent des congés de maternité et vous permettent de conserver votre poste pendant un certain temps après la naissance du bébé. Profitez de votre congé de maternité et prenez le temps d'évaluer si vous avez envie de laisser votre bébé. Vous demander de prendre une décision avant même que vous ayez fait connaissance avec votre bébé équivaut à vous demander de signer un chèque en blanc. Non, c'est pire encore.

Shirley Callanan, une mère de l'Utah, prévoyait de retourner travailler à temps partiel, mais, après la naissance de son bébé, elle écrit :

Je ne savais pas vraiment à quoi m'attendre en tant que mère, ni ce que je ressentirais, et il est difficile de décrire le flot de sentiments qui m'ont envahie pendant ces tous premiers jours de la vie de ma fille, ces premières semaines et ces premiers mois. Ce petit être avait besoin de moi ; je savais que je ne pourrais la confier à quelqu'un d'autre, aussi aimante que soit cette personne.

Tour d'horizon

Dans son livre *Of Cradles and Careers*, Kaye Lowman fait un tour d'horizon des nombreuses possibilités qui s'offrent aux femmes qui refusent de faire le choix du « tout ou rien » entre leur carrière et leur famille. Son livre relate des récits de femmes qui ont « réorganisé leur milieu de travail pour qu'il réponde à leur besoin de travailler et à leur désir d'avoir une famille ». Elle explique :

Que le besoin de travailler de la femme soit d'ordre financier, social ou émotif, le désir d'être parent peut être aussi fort [...] Aujourd'hui, la femme de carrière comprend que son bébé a besoin de sa présence et elle sait à quel point il est important qu'elle fasse partie intégrante de sa vie. De plus, elle est consciente qu'elle y perdra beaucoup elle-même si elle laisse filer l'occasion de materner ses propres enfants [...] La carrière peut être mise de côté ; les bébés, eux, grandissent et s'en vont. C'est une Mère Nature sage et avisée qui fait que les bébés viennent au monde pour être allaités et soignés, nous rappelant que la mère et le bébé ne font qu'un durant plusieurs mois après la naissance

Certaines mères réussissent à adapter leurs heures de travail pour être davantage à la maison.

et qu'ils ont besoin d'être ensemble. Essayer d'oublier ou de contourner ce besoin physique et psychologique équivaut à renier un des éléments de base les plus fondamentaux de la nature humaine.

Certaines femmes prennent une décision avant la naissance de lèur bébé et changent d'idée une fois devenues mères. Catherine Raza, du Québec, est l'une de ces mères :

Je suis programmeur-analyste de profession, j'ai donc étudié longtemps pour faire un travail que j'adore. J'ai obtenu mon baccalauréat dans ce domaine et c'est après avoir travaillé quelques années que j'ai rencontré mon mari.

Je suis une femme ambitieuse, qui adore relever des défis. Je ne comprenais pas toujours non plus à cette époque pourquoi certaines femmes décidaient de rester à la maison. Je croyais que c'était par paresse, par manque de motivation à travailler. Je me considérais sur un pied d'égalité avec les hommes, alors je voulais travailler comme « tout le monde ». Dans notre société, où la norme est d'envoyer nos enfants à la garderie, je n'envisageais certainement pas de rester à la maison avec eux.

C'est quand j'ai eu Alissa que j'ai compris que je donnerais ma vie pour elle. Je l'ai bercée, cajolée, promenée, réconfortée et, surtout, allaitée. Pendant de longs mois, nous ne faisions qu'un. Pendant les premières semaines de mon congé de maternité, je ne songeais pas au retour au travail, tellement j'étais absorbée par mon nouveau rôle de maman. Mais, le jour où j'ai réalisé que je devrais me séparer d'elle pour retourner travailler, je fus horrifiée. Ma fille n'acceptait que sa maman. Elle ne voulait personne d'autre ! Comment pourrais-je la laisser à des mains étrangères ? Et comment pourrais-je m'en séparer ? J'étais complètement déchirée juste à y penser. La vraie question était pourtant : « Pourquoi devrais-je la laisser à des mains étrangères ? »

Je ne sais plus exactement à quel moment je me suis posé toutes ces questions, mais ce devait être quand ma fille avait environ trois mois. Tous mes principes faiblissaient et ont fini par « tomber à l'eau » pour être remplacés par une nouvelle façon de penser. J'ai compris pourquoi des mères faisaient le choix de rester à la maison. Que ce n'était pas par paresse, mais par amour.

Avais-je vraiment besoin de l'argent que je gagnerais en travaillant ? Que représentait cet argent en comparaison de ma présence aux côtés de ma fille ? Rien du tout. Je voulais voir grandir ma fille, la voir faire ses premiers pas, l'entendre dire ses premiers mots, la consoler et, par-dessus tout, être là pour elle, car je savais qu'elle avait tellement besoin de moi, et moi d'elle. Lorsque j'ai parlé à mon mari de la possibilité que je reste à la maison, j'ai été un peu étonnée, car il a tout de suite été d'accord.

Nous pouvons prendre le temps de vivre, contrairement à plusieurs couples qui travaillent tous les deux et qui courent tout le temps. Quel bonheur !

Je n'ai jamais regretté d'avoir choisi de rester à la maison et je compte y rester pour un certain temps, le temps que ma fille (et les enfants à venir) grandissent et aillent tous à l'école. Ensuite, je verrai. Pour l'instant, je profite pleinement de la joie d'être maman.

Pour certaines mères, même le travail à temps partiel les empêche de materner leur enfant. C'est le cas d'Elizabeth Golestaani, d'Iran :

Jusqu'à tout récemment, j'avais toujours pensé que travailler à temps partiel – disons deux heures, trois fois par semaine – était idéal pour la mère d'un jeune enfant. Ajoutez à cela que j'étais très sollicitée pour enseigner l'anglais ici, en Iran, et que j'avais beaucoup de pression pour retourner travailler. C'est ce que j'ai fait. Quelle erreur ! Il m'a falllu beaucoup de temps pour accepter le fait que je ne suis pas une « superwoman » et que, dans mon cas, même travailler à temps partiel, c'est trop. Je continuais de croire que je serais bientôt mieux organisée ou que mon bambin Sa'id aurait moins besoin de moi et que tout irait bien.

L'idée d'abandonner ma carrière m'effrayait tellement ! Je continuais à me débattre avec mes pensées et mes émotions. Puis, j'ai reçu un numéro du périodique de la Ligue La Leche. J'y ai lu un article écrit par une mère qui avait vécu exactement la même situation. Elle écrivait combien il était important d'avouer ses sentiments et de se faire confiance. Cela m'a beaucoup aidée.

J'étais enfin capable de faire ce que je croyais être le mieux pour moi, c'est-à-dire cesser d'enseigner alors que j'avais un jeune enfant. Il me fallait terminer le semestre à l'université, mais le simple fait d'avoir pris une décision avait complètement changé mon attitude.

Après seulement deux jours, j'ai noté que mes sentiments et mon comportement à l'égard de Sa'id avaient changé. J'étais moins irritable, plus aimante et les colères et les réprimandes avaient fait place à des câlins, de l'écoute et des contacts visuels. La vie semblait belle à nouveau.

Je ne m'étais pas rendue compte que l'enseignement avait un effet si néfaste sur mon maternage jusqu'à ce que je décide d'arrêter. Il m'a été difficile de dire aux autres « non merci », mais je me suis répétée intérieurement « Sa'id d'abord ». Pour moi, rester à la maison me permet d'être le genre de mère que je désire être.

Choisir de demeurer à la maison

« Devenir mère est une expérience unique et il est impossible, pour une femme, de prévoir à quel point cette expérience l'affectera. Tant que votre bébé n'est pas né, qu'il n'est pas dans vos bras, tétant à votre sein, vous ne pouvez pas savoir ce que c'est que d'avoir un enfant et de devoir le laisser. » Ces mots reflètent la pensée et les émotions des mères qui ont décidé de demeurer à la maison à temps plein tant que leurs enfants sont petits.

Pat Smith, une mère de la Pennsylvanie, a dû faire un choix difficile pendant sa grossesse :

Évidemment que je retournerai au travail après la naissance de notre bébé ! C'était prévu ainsi depuis les nombreuses années où mon mari Skip et moi essayions d'avoir un enfant. Nous avions rarement, sinon jamais, envisagé les choses autrement parce que j'avais d'excellentes raisons de continuer à travailler : notre situation financière, notre style de vie, nos carrières.

À bien des points de vue, nous avions le même style de vie que les jeunes couples qui travaillent et habitent la banlieue. En tant que consommateurs, nous n'étions pas prêts à renoncer à un certain bien-être matériel. Aucun de nos collègues ne remettait en question le droit de la mère de travailler après la naissance de son bébé.

Puis, il y avait la question de la carrière. J'avais un avenir prometteur au sein d'une excellente société, détenue par les principaux marchés financiers. En fait, je m'attendais à être promue à un poste de cadre intermédiaire et à déménager à New York aux frais de la compagnie.

À cinq mois de grossesse, on m'a offert cette promotion à New York et c'est ce qui a provoqué finalement la perte de mes revenus, de ma carrière et de mon style de vie. Cette offre a mis en évidence l'engagement que ce nouvel emploi exigeait. Même si les avantages étaient tentants, j'ai vite compris que, si je devais poursuivre dans cette voie, je n'aurais du temps ou de l'énergie que pour un maternage à temps partiel.

Est-ce que je voulais être une future vice-présidente de cette société ou une mère à plein temps ? Je devais répondre à cette question après avoir accepté le fait que je ne pouvais pas être les deux. Comme je réfléchissais à la question, des images du bébé ont commencé à envahir mes pensées. Au début, ces images étaient imprécises, morcelées, mais quand elles ont formé le scénario suivant, je me suis figée : je me voyais en train d'envelopper le bébé de couvertures, de l'amener chez la gardienne, de le tenir dans mes bras, puis de le laisser à quelqu'un d'autre pour la journée. J'ai su à ce moment-là que je ne retournerais pas travailler après sa naissance.

Pour moi, c'était une façon irrationnelle de prendre une décision. J'avais une liste de toutes les raisons rationnelles de travailler et une simple pensée – être séparée de mon bébé – m'a fait jeter cette liste par-dessus bord. J'ai pris la résolution de faire tout ce qui serait nécessaire pour rester à la maison avec le bébé.

Colin est né il y a trois ans et nous sommes presque inséparables depuis ce temps. Quand j'y repense, mes soucis d'alors me semblent sans importance maintenant. Après tout, nous avons une maison dans une ville accueillante, centrée sur la famille, une voiture et tout le confort dont nous avons vraiment besoin. Quand j'y repense maintenant, ce qui m'aurait vraiment causé du souci, c'est de savoir comment j'aurais pu faire ma journée de travail loin de mon bébé.

Il y a un an environ, mon ancien patron m'a téléphoné pour m'offrir mon ancien emploi. J'étais heureuse de décliner son offre. Je lui ai dit que je ne prendrais même pas le temps de la considérer.

Le sens des valeurs

Personne ne nie l'importance d'être un bon parent, mais on oublie trop souvent d'en faire l'éloge. Sur le marché du travail, les emplois ont un système de cotation très évident : en règle générale, plus le salaire est élevé, plus le prestige est grand. La mère qui reste à la maison n'a qu'un seul titre et aucune augmentation ne vient confirmer régulièrement qu'elle fait du bon travail. Les récompenses sont là, dans la famille, bien qu'elles soient assez subtiles.

Parlez avec d'autres mères des choix qu'elles ont faits.

Une mère de la Californie, Emily Holt, a découvert des joies inattendues dans son rôle de mère. Elle a réfléchi aux changements qui sont survenus dans sa vie avec la naissance de son bébé.

> *J'étais assise avec ma fille de cinq mois qui tétait si bien à mon sein. Et je voyais le visage de mon mari s'illuminer de joie quand elle agrippait sa barbe et riait aux éclats. Oh ! Oui, mon travail était merveilleux, comme tout travail, mais pendant ces cinq courts mois, j'ai grandi de diverses façons, recherchant ce qu'il y avait de meilleur en moi pour accueillir cette vie nouvelle. En partageant chaque délicieux moment avec Sarah qui découvrait le monde, j'ai compris que j'étais heureuse d'être mère.*

Carolyn Keiler Paul, de New York, ne croit pas qu'elle perd son temps en restant à la maison avec ses enfants. Elle dit :

> *Je pense qu'il est temps qu'on arrête de s'excuser d'être « seulement une mère ». L'éducation des enfants n'est pas un travail de moindre importance. Il fait appel à tous nos talents et à toutes nos ressources. Les études que j'ai faites au collège ne sont pas perdues, car elles m'ont tellement enrichie que je peux à mon tour enrichir la vie de mes enfants.*

Un investissement important

Les témoignages des autres mères peuvent être utiles et inspirants, mais personne ne peut vous dire ce qui vous convient le mieux à vous et à votre famille. Nous pouvons vous parler des besoins du bébé, vous indiquer ce qui fonctionne le mieux pour réussir votre allaitement et vous dire comment des mères sont parvenues à concilier travail et allaitement. Nous pouvons également vous confirmer que des mères, qui ne l'avaient pas prévu au départ, ont découvert qu'elles avaient grandi personnellement et éprouvé beaucoup de satisfaction à demeurer à la maison. Par contre, vous seule pouvez prendre la décision qui correspond le mieux aux besoins de votre famille.

Nous vous encourageons à vous informer le plus possible, à considérer tous les choix qui s'offrent à vous et à en discuter avec d'autres personnes qui ont eu à prendre des décisions semblables.

Les réunions de la Ligue La Leche peuvent être une source précieuse d'information et d'encouragement. Le fait de parler à d'autres mères qui vivent une situation semblable à la vôtre renforcera les choix que vous ferez. Que vous soyez une mère au travail ou à la maison, la Ligue La Leche peut vous soutenir dans l'allaitement de votre bébé. Nous n'hésiterons pas à répondre à vos questions, nous nous réjouirons de vos progrès et nous vous soutiendrons dans votre décision d'allaiter que vous retourniez travailler ou non.

Lorsque vous prendrez votre décision, soyez aussi prudente que vous le seriez si vous faisiez un investissement important. L'investissement se situe ici à une période critique de votre vie et de celle de votre bébé. Les premiers mois et les premières années définissent le cours de la vie future de votre enfant et on ne peut jamais revenir en arrière. Comme nous le rappelle la psychiatre Marilyn Bonham, auteure de *The Laughter and Tears of Children*: «Les débordements d'amour et d'affection (d'une mère) pour le très jeune enfant, c'est de l'or en banque.»

QUATRIÈME PARTIE

LA VIE EN FAMILLE

Chapitre 10

Devenir père

La relation unique entre un père et son bébé est un élément important du développement de l'enfant, dès son plus jeune âge. D'expérience, nous savons pertinemment que l'appui affectueux, l'aide et la présence du père du bébé favorisent et encouragent l'allaitement.

De nos jours, le cliché du père arpentant la salle d'attente de l'hôpital pendant que sa femme accouche entourée d'étrangers ne correspond plus à la réalité. La plupart du temps, le père d'aujourd'hui est près de sa conjointe lorsqu'elle accouche afin de l'encourager et de partager avec elle ces moments inoubliables. Dès la naissance, le père et le bébé font connaissance. Plus un homme participe à la naissance de son enfant, plus le lien sera profond et signifiant. Parlez-en à un nouveau père qui a assisté à la naissance de son enfant et préparez-vous à l'écouter un bon bout de temps !

Un homme ne devient pas père en une nuit. En fait, il porte le titre de « père » beaucoup plus rapidement qu'il n'en saisit le sens. Le père ne peut pas compter comme la mère sur les hormones pour l'aider. On dit que la mère naît en même temps que son bébé alors que le père émerge plus graduellement, comme le fait remarquer le pédiatre et auteur, le Dr William Sears :

Les pères ont leur propre façon d'entrer en communication avec leurs bébés.

Bien que les mères profitent, grâce aux hormones, d'une réelle avance sur le plan du développement de leur intuition, je crois que les pères ont aussi des talents naturels pour s'occuper des bébés et, si on leur donne l'occasion de renforcer ces talents, ils peuvent effectivement participer à donner des soins et à réconforter leurs bébés.

Thomas Beauchamp, du Québec, nous raconte comment il a pu développer une relation particulière avec sa fille :

Pour ma conjointe, Sophie, et moi, l'allaitement fut un choix naturel. Renseignés sur les bienfaits pour l'enfant à tous les niveaux, il n'y avait aucun doute qu'une période d'essai s'imposait ! Et voilà bientôt trois ans que Maxinne, notre fille, bénéficie du lait maternel.

J'ai tout d'abord eu peur d'être exclu de ce rapport unique, mais je me suis bien vite aperçu que je pouvais accomplir des « tonnes » de tâches et de services. Sinon, il y avait ces moments de repos où je me collais contre mes deux chéries, plongé dans le regard de ma fille ! À ce moment-là, un lien familial très fort s'est établi et mes craintes se sont bien vite évanouies. Chacun des parents crée un lien unique avec l'enfant et je profite aujourd'hui d'une relation très riche avec Maxinne !

Ce n'est pas toujours facile de partager notre intimité avec nos enfants, mais nous y avons gagné un bel esprit de famille et, aujourd'hui, Maxinne nous aide dans une foule de tâches et participe activement à notre vie sociale et familiale.

Les pères s'impliquent

De plus en plus d'hommes reconnaissent que l'allaitement est la façon idéale et naturelle de nourrir un bébé, mais certains d'entre eux, qui sont pères pour la première fois, ne réalisent pas à quel point ils peuvent s'impliquer au moment de l'allaitement.

La relation intime entre la mère et le bébé se poursuit après la naissance. Ils continuent à ne faire qu'un et, pendant quelque temps, la mère sera la seule source de nourriture pour son bébé. De façon irréfutable, la biologie indique clairement que la relation mère-enfant est fondamentale et qu'elle ne devrait pas être mise de côté. Cette relation est unique et elle représente le « prototype » de toutes les autres relations que l'enfant établira au cours de sa vie. La contribution du père est tout aussi importante, quoique différente. Les bébés ont besoin des deux pour grandir.

Gilles Labelle, du Québec, explique comment un père peut contribuer à sa façon :

> *Je suis le père de quatre enfants qui ont tous été allaités par Céline, ma conjointe. Je dois tout d'abord avouer que je suis un inconditionnel de l'allaitement maternel. Pour moi, c'est la nourriture naturelle et idéale pour le jeune poupon au cours des premiers mois de vie.*
>
> *Souvent, on me demande quelle peut être la contribution du père pendant la période d'allaitement. Lorsqu'on pose cette question, les gens pensent tout de suite à changer la couche, bercer l'enfant, jouer avec lui, participer aux tâches ménagères et à la préparation des repas, etc.*
>
> *Cependant, suite à mon expérience de presque huit ans de père d'enfants allaités, j'ai découvert que la contribution la plus importante du père est beaucoup plus subtile et déterminante. En effet, au delà de toutes les considérations d'ordre matériel et physique, une attitude positive par rapport à l'allaitement et un soutien moral continu pour ma conjointe constituent, à mon avis, MA contribution principale dans ce contexte.*

Dans son livre *Becoming a Father*, écrit expressément pour les pères, le Dr Sears encourage ceux-ci à s'impliquer auprès de leurs enfants :

> *Je vais vous faire une confidence de père à père : les bébés sont amusants, les enfants sont une source de joie et la paternité est la seule profession où vous êtes assuré que plus vous y mettrez d'efforts, plus vous y trouverez du plaisir.*

Certains pères ont besoin d'un peu de temps pour développer une relation de complicité avec leur bébé. Sally Thomas, du Wisconsin, raconte ce qui s'est passé quand son mari a commencé à s'intéresser à leur fils :

Pendant ma grossesse, j'ai été étonnée de l'attention que mon mari Eric portait à mon régime alimentaire, à mes exercices et à notre futur bébé. Il m'encourageait beaucoup et semblait intéressé à faire de l'accouchement le genre d'expérience que nous souhaitions.

Par contre, après notre retour à la maison, Eric ne semblait plus aussi impliqué. Il ne prenait Joseph qu'à ma demande et seulement pour une courte période. Il répétait toujours : « Il ne fait rien. »

Quand Joseph a eu quelques semaines, j'ai parlé de mes soucis à une amie. Elle m'a dit que son mari avait aussi eu de la difficulté à entrer en relation avec un petit bébé. Elle m'a suggéré de laisser Eric s'épanouir, comme père, en le laissant faire les choses comme il l'entendait.

Au fil des mois, Joseph est devenu plus alerte et Eric a commencé à s'intéresser de plus en plus à son fils. Quand Joseph s'est mis à marcher et qu'il a commencé à aimer se « tirailler », il n'y avait plus moyen de retenir Eric. Bientôt Joseph a semblé préférer son papa et son visage s'illuminait dès qu'il le voyait.

Je me réjouis tous les jours d'avoir ce magnifique bambin, maintenant âgé de quatorze mois et son formidable papa qui m'apporte tellement de soutien. J'adore regarder mes deux hommes s'amuser ensemble, surtout quand Eric – le dur – se penche et murmure à l'oreille de Joseph : « Je t'aime tellement. Qu'est-ce qu'on ferait sans toi ? »

Les pères et l'allaitement

De tous les encouragements qu'une femme peut recevoir lorsqu'elle allaite, ceux du père sont les plus importants à ses yeux. Toutefois, pour certaines femmes, le soutien du père n'est pas facile à obtenir. Il arrive que la mère soit monoparentale et qu'elle vive seule avec son bébé. Elle cherchera alors du soutien auprès de ses amis ou de sa famille. Ou la femme peut avoir un conjoint qui est gêné à l'idée qu'elle allaite. La mère qui est dans une de ces situations peut malgré tout connaître un allaitement satisfaisant. Une mère qui se sent seule trouve très avantageux de rester régulièrement en contact avec d'autres femmes dans un groupe de soutien comme la Ligue La Leche.

Il arrive parfois qu'un père, qui avait des réticences avant la naissance du bébé, finisse par accepter l'allaitement en voyant son bébé s'épanouir grâce au lait maternel. L'enthousiasme de la mère pour l'allaitement suscite

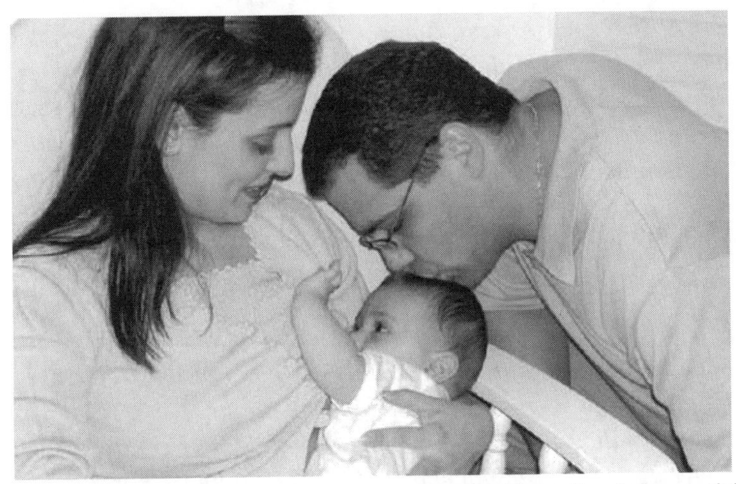

Les mères qui allaitent apprécient les encouragements et le soutien de leur conjoint.

souvent l'intérêt du père. S'il est indécis, il devra d'abord comprendre l'importance que vous accordez à l'allaitement avant de pouvoir vous donner son appui.

Le Dr Sears encourage les pères à soutenir leurs femmes dans leur décision d'allaiter. Il écrit :

> *Je suis tout à fait convaincu de la supériorité du lait maternel pour les bébés. Du fond du cœur, je dis aux nouveaux pères : Faites tout ce qui est en votre pouvoir pour favoriser et encourager cette saine relation d'allaitement qui existe entre votre femme et votre bébé. L'allaitement est plus qu'un simple mode d'alimentation, c'est une façon de vivre. Être compréhensif et encourager l'allaitement est l'un des investissements les plus rentables que vous pussiez faire pour le bien-être et la santé future de votre famille.*

Les hommes sont parfois surpris de l'intensité de leur réaction à la vue de leur femme qui allaite leur bébé. Archie Smith, un père du Texas, se souvient de sa première impression :

> *Avant de devenir un futur père, je n'avais jamais vraiment pensé à l'allaitement. Quand ma femme, Sheri, m'a demandé ce que j'en pensais, j'ai répondu sans hésitation que c'était une bonne idée. Cela semblait naturel. Nous en avons parlé un peu plus et Sheri était impatiente d'essayer l'allaitement.*

Après la naissance d'Angie, l'infirmière l'a donnée à Sheri et elle a commencé à téter. Je me tenais debout un peu plus loin et je pouvais sentir les émotions qui passaient de l'une à l'autre. Puis, en voyant le sourire de satisfaction de ma femme, j'ai su que nous formions une famille. C'est un moment dont je vais me souvenir longtemps.

Un autre père, Dean Cook, du Texas également, ajoute ceci :

Avant la naissance de notre bébé, ma femme, Kathy, et moi avions discuté de l'allaitement. Nous étions d'accord pour que notre bébé soit allaité durant au moins six mois et de préférence aussi longtemps qu'il en aurait besoin. J'ai toujours pensé qu'il n'y avait pas de meilleure façon de nourrir un enfant. Par contre, j'ai vite découvert, en lisant la documentation que Kathy rapportait de ses réunions de la Ligue La Leche, que je ne connaissais que quelques-uns des avantages de l'allaitement. Après avoir pris une certaine expérience en tant que père d'un bébé allaité, j'ai été étonné de l'intensité de mes propres sentiments face à l'allaitement.

Que peuvent faire les pères ?

Bien que la mère soit la seule à pouvoir allaiter le bébé, il y a une foule de choses que personne ne peut faire aussi bien qu'un père affectueux. Avez-vous déjà vu une mère essayer de calmer un bébé maussade en l'allaitant, en le berçant, en lui tapotant les fesses, bref, en essayant tout ce qui lui vient à l'esprit ? Puis, arrive le père qui lui enlève le bébé des bras, le place contre son épaule et l'endort comme par magie ! C'est un secret que seuls les pères connaissent. On ne sait pas si ce sont leurs larges épaules, leurs grandes mains puissantes ou leur profonde voix de baryton qui produit cet effet. Mais, peu importe, ça fonctionne et les mères avisées sont les premières à savoir en profiter.

À la fin de la journée, les bébés sont souvent maussades. La mère qui a pris soin du bébé toute la journée est fatiguée et il y a parfois également les enfants affamés qui attendent le repas. Lorsque le père revient à la maison, quels que soient les tracas qu'il a eus au travail, ils sont maintenant derrière lui et il arrive dans un environnement complètement différent. Il est donc capable, à ce moment-là, d'approcher le bébé d'une façon plus détendue que la mère. Plusieurs pères en profitent pour établir ainsi une relation personnelle avec leur bébé.

Dans son livre *Becoming a Father*, le Dr Sears décrit une façon particulière d'apaiser les bébés qui ne fonctionne qu'avec les pères. Il l'appelle le «*Neck Nestle*», ce qui se traduit littéralement par «se blottir dans le cou». Le père place le bébé dans un porte-bébé sur sa poitrine et le lève légèrement pour que la tête du bébé vienne se nicher sous le menton de son père. Le Dr Sears explique :

> *Dans cette position, le père a un léger avantage sur la mère. En effet, les bébés n'entendent pas seulement avec leurs oreilles mais aussi grâce aux vibrations des os de leur crâne. En plaçant la tête du bébé contre votre gorge et en fredonnant ou en chantant pour votre bébé, les vibrations graves de votre voix, plus lentes et plus faciles à sentir, endormiront souvent votre bébé. Cette position offre un autre avantage, le bébé sent la chaleur de votre respiration sur sa tête. Les mères expérimentées savent depuis longtemps qu'on parvient parfois à calmer un bébé en soufflant simplement dans son visage ou sur sa tête. C'est ce qu'elles appellent le « souffle magique ». Mes enfants ont apprécié la position du « neck nestle » plus que toute autre.*

Qu'est-ce que les pères préfèrent faire avec leur bébé ? Il y a probablement autant de réponses que de pères, mais avec le temps nous nous sommes aperçues que les pères semblent particulièrement aimer s'amuser avec leur bébé, même lorsque celui-ci est très jeune. Alors que la mère se préoccupe surtout de le cajoler et de le nourrir, le père, lui, aime chatouiller le bébé sous le menton, le soulever dans les airs ou le faire sauter sur ses genoux. Il faut éviter de secouer un bébé, car ceci pourrait être dangereux, mais le mouvement et l'exercice constituent une partie importante du développement global d'un bébé. Les bébés se développent bien lorsqu'ils reçoivent à la fois des soins attentifs et des activités stimulantes. Comme l'explique Louise Kaplan, Ph. D., dans son livre *Symbiose et séparation :* «Les pères sont particulièrement excités par leurs bébés, et ceux-ci en

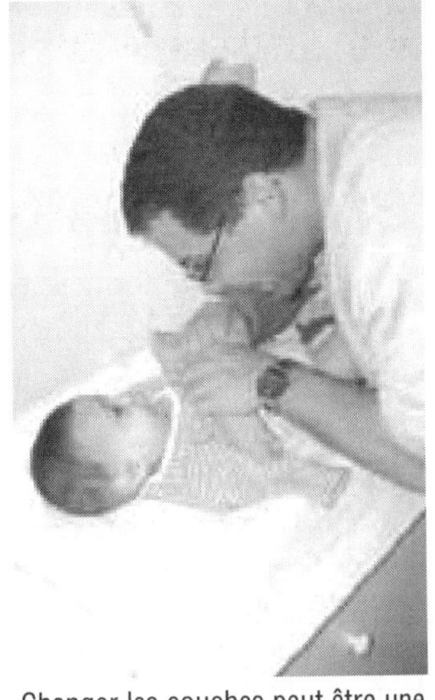

Changer les couches peut être une occasion de s'amuser avec bébé

sont intrigués […] Les pères incarnent un délicieux mélange de familiarité et de nouveauté. »

Les pères ont besoin de passer du temps avec leur bébé pour apprendre à mieux le connaître et pour « être à l'écoute » de ses besoins. Il faut observer chez votre bébé les signes qui indiquent qu'il est prêt à entrer en relation avec son père. Un bébé affamé n'est pas du tout intéressé à jouer, mais lorsqu'il a tété à satiété, son père peut alors s'occuper de lui faire faire un rot, changer sa couche, chanter, le bercer et le cajoler. Certains pères aiment donner le bain au bébé ou se prélasser avec lui dans un bain chaud. Un léger massage est une autre façon pour le père d'entrer en relation avec son bébé. N'oubliez pas le porte-bébé. Il ne sert pas seulement aux mères.

Connaître les principaux stades du développement du bébé pendant la première année peut aider le père à apprécier davantage son enfant. Il est important qu'il sache à quel moment son fils, ou sa fille, est prêt à faire coucou, à quel moment il peut atteindre et saisir un objet et quand l'encourager à ramper et à grimper. Le père peut jouer un rôle important à ces divers stades de développement et il peut contempler avec fierté les progrès de son enfant. Un autre livre du Dr William Sears, *Growing Together : A Parent's Guide To Baby's First Year,* explique les stades du développement et de la croissance du bébé. Pour plus de détails, consultez l'appendice.

Père et mère : une équipe

Le père et la mère forment une équipe, chacun apportant une contribution unique et importante au développement de l'enfant. Ils doivent se faire confiance, respecter le rôle unique de chacun et s'aider l'un l'autre dans les moments de stress. La chose la plus importante que vous et votre conjoint puissiez faire pour votre bébé est de vous aimer.

La vérité c'est que les bébés ouvrent à la fois de nouveaux horizons et jouent les trouble-fête. Votre vie de couple ne sera plus jamais la même. Vous ne vous ennuierez pas et il se peut que vous deveniez encore plus amoureux. Vos futures noces d'argent et d'or n'attendent que d'être fêtées. Une condition pour atteindre ce trésor toutefois, c'est de vous y mettre à deux maintenant pour planifier votre parcours.

Il est nécessaire d'exprimer ses sentiments lorsqu'on arrive à toute étape importante de sa vie. Nous avons parlé des émotions que ressent souvent la nouvelle mère. Il est tout aussi raisonnable de supposer que le

La communication est importante lorsque le père et la mère s'adaptent à leur nouveau rôle.

père réagira avec émotion à ses nouvelles responsabilités. Jerald Davitz, un père et pédiatre, de Californie, dit aux pères :

> *Un sentiment pénible qu'éprouvent la plupart des pères peu après l'arrivée du bébé à la maison est cette inquiétude : « Suis-je certain que c'est vraiment ce que je voulais ? » ou « C'était mieux avant. » Sachez que vous avez des raisons d'être jaloux et de vous sentir menacé au début, mais ces sentiments disparaîtront rapidement.*

Exprimez vos sentiments

En discutant avec d'autres jeunes mères, Martha Hartzell, de la Géorgie, a découvert que la discussion entre conjoints au sujet des priorités de chacun peut beaucoup contribuer à améliorer leur relation.

Les mères sont souvent complètement absorbées par l'allaitement et les soins que requiert leur nouveau-né. Pour décrire les sentiments qu'elles éprouvent, certaines diront que c'est comme « retomber en amour ». Comme se rappelle l'une d'elle :

> *Tout ce qui le concernait me fascinait et me passionnait. Je ne pouvais penser à rien d'autre. L'intensité de mes sentiments était telle que, durant plusieurs semaines, il semblait y avoir peu de place pour autre chose dans ma vie.*

La puissance de ce nouveau sentiment peut facilement perturber l'équilibre d'une vie de couple. L'homme peut se sentir comme un amoureux délaissé et, comble de malheur, sa femme est trop occupée avec le bébé pour s'en apercevoir !

Essayez de vous rappeler que cette profonde dévotion d'aujourd'hui mènera demain à une relation heureuse et facile. Un bébé a besoin d'amour et de soins pour survivre et l'intensité de cette première relation entre la mère et l'enfant a pour but de s'assurer que ses besoins seront comblés. Avec le temps et en continuant à communiquer leurs besoins et leurs sentiments, la mère, le père et le bébé parviendront éventuellement à établir une nouvelle relation agréable et satisfaisante pour tous.

Les parents d'un premier bébé sont souvent préoccupés par leurs nouvelles responsabilités. L'homme et la femme font des efforts considérables. Ils doivent toutefois faire attention de ne pas laisser leurs nouvelles responsabilités les séparer l'un de l'autre.

Lucy Waletzky, psychiatre à l'Université de Georgetown à Washington, D.C., a découvert que les pères sont souvent jaloux de l'intimité qui existe entre la mère qui allaite et son bébé. Elle suggère : « On doit encourager une bonne communication entre les conjoints avant, pendant et après l'accouchement. » La maternité et la paternité sont des nouveaux rôles dont il faut parler et qui s'apprennent à deux. Le temps passé ensemble pendant les premières semaines après la naissance peut ajouter une nouvelle dimension à l'amour réciproque des conjoints.

De merveilleuses récompenses

Il n'est pas facile d'être parent mais cela comporte de merveilleuses récompenses. Le Dr David Stewart, un père de cinq enfants, du Missouri, écrit :

> *Éduquer un enfant n'est pas un travail facile. Cela peut être parfois frustrant. Mais cette frustration peut être utile puisqu'elle est un signe de croissance et d'évolution Je me dis parfois que la nature nous donne des enfants pour nous forcer à grandir [...]*
>
> *Éduquer un enfant est la plus belle occasion qui nous est offerte de faire du bien dans ce monde. Votre travail est peut-être important. Vos activités bénévoles sont peut-être importantes. Toutefois, bien peu d'entre nous peuvent se vanter de faire des choses tellement importantes qu'elles aient encore un impact dans une centaine d'années*

pour notre société. Or, la façon dont vous traitez vos enfants maintenant aura des répercussions dans une centaine d'années. Ce que vous transmettez à vos enfants sera transmis à vos petits-enfants qui eux le transmettront à leurs enfants [...]

Le travail de parent agit dans deux sens. Une bonne éducation rend les enfants heureux, mais elle rend également les parents heureux et comblés. Il est impossible de donner du bonheur sans en recevoir un peu à son tour.

Les hommes ont rarement l'occasion de se réunir pour échanger sur la paternité. Pourtant, c'est tout aussi important pour eux que pour les mères. Les groupes de la Ligue La Leche ne sont pas uniquement réservés aux mères. On y organise souvent des activités auxquelles les pères peuvent prendre part et discuter de leur rôle. Par exemple, les congrès annuels leur offrent cette occasion. De plus, dans certains endroits, les pères qui le désirent peuvent assister aux réunions mensuelles et parfois à d'autres activités organisées par le groupe. Informez-vous auprès de votre groupe de la Ligue La Leche.

Chapitre 11

Répondre aux besoins de sa famille

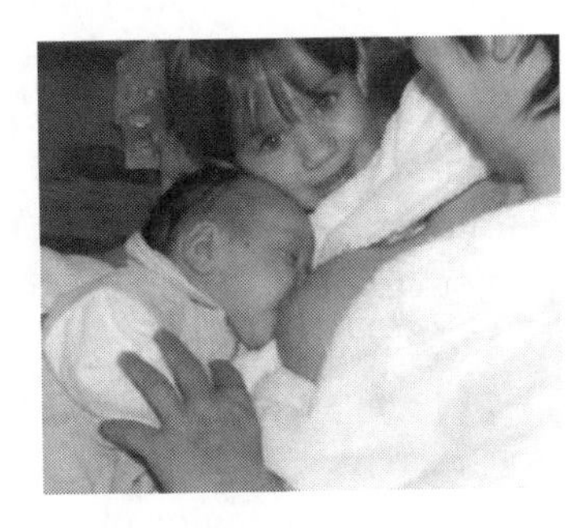

Tout au long du présent ouvrage nous encourageons la mère à répondre aux besoins de son bébé comme s'ils étaient seuls sur une île déserte. En réalité, la famille compte probablement d'autres membres qui ont eux aussi des besoins à combler. Et que dire des tâches ménagères à accomplir ! Face à ces responsabilités, vous vous demandez peut-être comment réussir à tout concilier en allaitant et en prenant soin d'un nouveau-né.

Avec les années, les mères de la Ligue La Leche ont mis au point des techniques et découvert des trucs qui pourraient vous aider. Une première recommandation : faites passer les personnes avant les choses. Répondre aux besoins de sa famille devrait passer avant le ménage ou l'entretien des biens matériels. De plus, souvenez-vous que les priorités de votre famille ne sont pas nécessairement les mêmes que celles de votre voisine ou de votre cousine (qui n'a pas d'enfant). Les exigences et les valeurs des autres ne sont peut-être pas celles qui vous conviennent le mieux, ni à vous, ni à votre famille. Les bébés ne restent pas petits longtemps. Ce serait dommage de perdre ces précieux mois à essayer de plaire aux autres plutôt que de jouir de la présence de votre bébé et de répondre à ses besoins.

Tenir une maison avec un nouveau bébé

Il est aussi difficile d'associer maison impeccable et nouveau-né que de mélanger de l'eau et de l'huile. Puisqu'il faut répondre aux besoins du bébé à tout moment, il devient presque impossible de s'en tenir à un horaire fixe pour l'entretien ménager. Ce qui ne signifie pas qu'une vie très organisée devient automatiquement chaotique dès la naissance du bébé, mais vous aurez sans doute besoin de repenser votre planification des travaux ménagers.

Simplifier, voilà le secret pour survivre. Prenez un après-midi pour faire le tour de votre maison et examiner soigneusement chaque pièce. Quels objets devraient être enlevés, déplacés ou rangés ? Détestez-vous voir les bibelots se couvrir de poussière sur les tablettes ? Alors rangez-les et remplacez-les par une nouvelle plante qui égayera la pièce et réjouira l'œil. Et ce placard plein à craquer où tout s'entasse, de l'équipement de ski aux abat-jour abîmés ? Si vous prenez le temps de le nettoyer pendant que vous êtes enceinte, ce placard ne vous tapera pas sur les nerfs plus tard. Jetez les choses qui sont irréparables ou dont vous ne vous servez plus. Ne vous contentez pas de les ranger ailleurs, elles finiront par vous gêner tôt ou tard. Mettez dans des boîtes de carton les objets que vous voulez garder et rangez-les au grenier ou au sous-sol.

Quelle que soit la saison, faites votre « grand ménage du printemps » avant la naissance du bébé. Les travaux ménagers légers constituent un bon exercice et vous vous féliciterez de les avoir faits avant d'avoir à consacrer votre temps et votre énergie à votre bébé. Ce zèle soudain à faire du ménage et à nettoyer, que les mères ressentent souvent en fin de grossesse, est généralement appelé l'« instinct de nidification ».

Pensez à ranger vos produits de nettoyage dans un endroit facilement accessible mais hors de portée des enfants. En ayant ces produits sous la main, vous pourrez nettoyer rapidement le miroir de la salle de bain ou récurer l'évier, si vous disposez de quelques minutes avant de prendre votre douche ou en jetant un coup d'œil sur votre petit de trois ans dans la baignoire. Après le bain, votre salle de bain sera propre en quelques minutes, si vous essuyez rapidement le miroir déjà embué, le lavabo et le comptoir et que vous épongez le sol avec une grande serviette sortie du panier à linge sale.

Dans les maisons où vit un bébé, le ménage se fait presque toujours en plusieurs étapes, dans une série de sprints de nettoyage rapide. Consacrez cinq à dix minutes à un nettoyage en vitesse de la cuisine. Nettoyez ce qui vous dérange le plus : la vaisselle du déjeuner qui est encore sur la table ou le plancher collant devant l'évier ou le réfrigérateur. Ceci rehaussera l'apparence de la maison et vous donnera le sentiment du devoir accompli. Ramasser le fouillis dans l'entrée ou autour du fauteuil préféré de votre mari peut être une priorité. Au cours de la journée, concentrez-vous

En allaitant assise par terre, la mère peut ainsi donner de l'attention à son bambin.

sur ce que vous avez fait, en commençant par la tâche la plus importante, soit celle de vous occuper de votre bébé, plutôt que sur ce qui reste à faire.

Vous pouvez faire ou non votre lit, comme il vous plaira. Vous pouvez simplement secouer les oreillers et les couvertures pour les aérer. Si vous ne mettez pas de couvre-lit, vous vous étendrez probablement plus souvent pour allaiter pendant la journée. Si votre bébé ne vous laisse pas le temps de laver la vaisselle après le repas, remplissez l'évier d'eau chaude savonneuse et laissez-la tremper jusqu'à ce que vous puissiez vous en occuper plus tard dans la journée ou le lendemain matin. Si vous avez un lave-vaisselle, remplissez-le pendant que le bébé est éveillé et qu'il a envie d'être dans vos bras ou blotti dans le porte-bébé. En règle générale, les bébés adorent les mouvements de haut en bas et de gauche à droite que vous faites lorsque vous remplissez ou videz le lave-vaisselle. Faites-le lentement. Certains bébés s'endorment au son de l'eau qui coule. De même, plus d'un bébé maussade s'endort dans le porte-bébé pendant que sa mère passe l'aspirateur.

Les bébés et le désordre semblent aller de pair. Le désordre peut cependant disparaître rapidement si vous disposez d'un « range-tout », une boîte en carton ou tout autre contenant semblable qui vous suivra dans chaque pièce et où vous déposerez toutes les petites choses qui traînent. De cette façon, vous pouvez ranger toute la maison en plus ou moins quinze minutes. Le contenu de la boîte pourra être trié plus tard quand vous aurez du temps, mais pour l'instant votre maison semble en ordre et un visiteur pourra entrer sans craindre de glisser sur un camion oublié. Pensez à ranger tout de suite les objets particulièrement importants, comme les clés de la voiture. Cette précaution vous évitera de vous mettre dans tous vos états s'ils ne sont pas à leur place. Par exemple, prenez la bonne habitude de toujours mettre vos clés sur un crochet derrière la porte. Pour ranger les autres petits articles de valeur que vous ramasserez dans la maison pendant la journée, des poches à vos pantalons ou un tablier sont indispensables.

Tôt le matin, alors que vous vous détendez peut-être en allaitant votre bébé après le petit déjeuner, dressez une liste des choses qui doivent être faites dans la journée. Par la suite, choisissez parmi celles-ci une ou deux choses plus importantes. Entourez ces deux priorités et prévoyez d'accomplir ces tâches à la première occasion avant d'être prise par autre chose ou par les tâches quotidiennes. S'il s'agit de quelque chose que vous ne pouvez faire que plus tard dans la journée, réglez votre réveille-matin ou la sonnerie du four à l'heure désirée. En rayant ne serait-ce qu'une « tâche prioritaire » chaque jour sur votre liste, vous aurez l'impression d'avoir atteint un objectif, quel que soit le nombre de choses qui restent à faire. Évitez de vous dépêcher à faire la cuisine, la lessive ou le ménage chaque fois que le bébé dort. Consacrez un peu de ce temps libre aux autres enfants, faites une sieste vous-même ou détendez-vous en faisant quelque chose qui vous plaît.

La planification des repas

Quand il y a un nouveau bébé dans votre vie, maîtriser l'art de préparer des repas à l'avance est aussi vital que d'apprendre à se détendre dans une chaise berçante. Au cours des dernières semaines de leur grossesse, beaucoup de femmes font en double leurs recettes de ragoûts, de mets en cocotte, de sauce à spaghetti, de chili, etc. et congèlent l'excédent. Nous avons entendu parler d'amies attentionnées qui organisent pour la future maman des soirées de plats cuisinés où les invitées offrent des plats qu'elles ont préparés et congelés dans des contenants jetables et qui sont accompagnés des instructions pour les faire cuire ou les réchauffer. De plus, la bonne habitude d'apporter un plat à la famille d'un nouveau-né est toujours bienvenue.

Après la naissance du bébé, le mot d'ordre de la planification des repas, c'est la simplicité. Dressez une liste de vos plats préférés qui se préparent en un rien de temps et assurez-vous d'avoir tous les ingrédients sous la main. Une collation ou un dessert de fruits frais se prépare toujours rapidement en plus d'être nutritif. Faites cuire plusieurs œufs durs le matin, vous pourrez en manger à l'heure du midi ou au moment d'une collation.

Si vous ne possédez pas de marmite à cuisson lente, mettez cet article en tête de liste des cadeaux que vous aimeriez recevoir. Cette merveilleuse marmite permet de mettre à cuire la viande, les pommes de terre et les légumes au moment qui vous convient au cours de la journée. Le souper est prêt à temps sans que vous ayez à vous en inquiéter à un moment où vous êtes fatiguée et où votre bébé risque de réclamer toute votre attention. Si vous avez un four à micro-ondes, les aliments peuvent être préparés rapidement ou cuits à l'avance et être réchauffés lorsque tout le monde est prêt à manger. La mère qui est souvent dérangée pendant qu'elle cuisine tire profit d'un autre article utile et peu coûteux : une plaque de métal, qui se place entre le feu et la casserole pour empêcher les aliments de brûler.

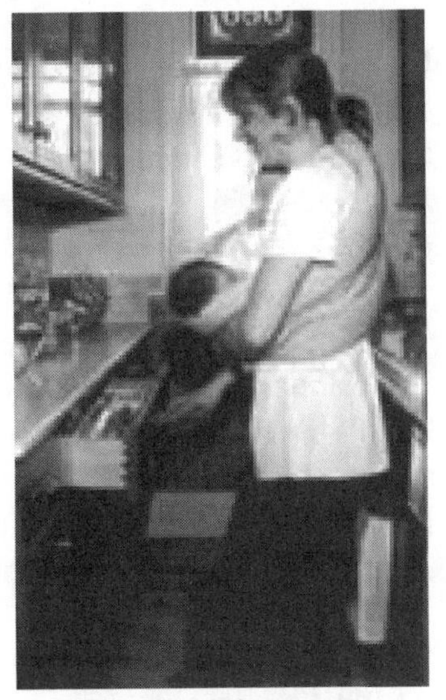

Le porte-bébé permettra de garder le bébé heureux pendant que vous êtes occupée aux tâches ménagères

Vous trouverez plusieurs idées qui vous aideront à planifier vos repas dans *MiLLLe et une recettes santé* et *Whole Foods from the Whole World,* deux livres publiés par la Ligue La Leche. Ils contiennent une compilation de recettes que des mères ont essayées et mettent l'accent sur une alimentation saine et une préparation simple. Pour plus de détails, consultez l'appendice.

Les collations nutritives

Les mères qui allaitent doivent manger à des heures régulières. Les enfants actifs ont, eux aussi, besoin de manger souvent. Afin de garder la bonne humeur et les petits ventres rassasiés jusqu'au prochain repas, essayez d'offrir des salades en collation. Il suffit d'assortir des fruits frais et des légumes crus. (Évitez cependant de donner des carottes crues et des noix aux jeunes enfants parce qu'ils pourraient aspirer les petits morceaux au lieu de les avaler.) Les enfants d'âge préscolaire sont heureux de laver et de couper la verdure, d'enlever les fils du céleri, de détacher les fleurs du brocoli ou du chou-fleur, de frotter les pommes et de disposer le tout sur un plateau. Préparez-les dans la matinée et gardez le plateau au réfrigérateur jusqu'à ce que vous soyez prêts à le déguster. Du fromage, des tranches d'œufs durs ou de viandes froides ajoutent des protéines et redonnent de l'énergie.

Une façon agréable de distraire de jeunes enfants fatigués, affamés et peut-être irritables consiste à les faire asseoir quelques minutes pour la collation. Un peu de musique égaye l'ambiance. Ils peuvent écouter leur disque préféré ou, mieux encore, chanter avec maman. Les enfants adorent entendre les chansons de votre enfance et celles-ci peuvent devenir une part de leur héritage. Les enfants aiment particulièrement entendre leur nom dans les chansons que vous chantez.

La lessive

Nous sommes toujours étonnées par la quantité de lessive qu'un nouveau bébé occasionne, de même que la vitesse à laquelle le linge sale s'empile dès qu'un bébé se joint à la famille. Avant la naissance du bébé, assurez-vous que chacun a autant de vêtements de rechange que votre budget vous le permet, plus particulièrement des sous-vêtements et des chaussettes, afin d'éviter d'avoir à faire la lessive tous les jours ou tous les deux jours. Les mères aiment aussi avoir en réserve une douzaine ou plus de débarbouillettes[1] bon marché qu'on achète en lot. Elles sont pratiques pour tout genre de nettoyage. Comme elles sont plus minces que les débarbouillettes ordinaires, elles sont utiles pour laver derrière les petites oreilles délicates et dans les plis des jambes et des bras potelés.

Il faut certes la faire cette lessive et votre façon de procéder dépend nécessairement des appareils dont vous disposez. Que ce soit à la buanderie du coin[2] ou chez vous, demandez l'aide de votre conjoint. S'il ne connaît pas les subtilités des machines à laver et à sécher, c'est le moment idéal pour apprendre ! Quand vous faites la lessive, vous pouvez utiliser le porte-bébé. Que ce soit pour vous rendre à la buanderie ou pour faire la lessive à la maison, votre bébé sera près de vous et rassuré et vous aurez des vêtements propres !

---

[1] Petites serviettes de toilette carrée, en tissu-éponge.

[2] Laverie automatique.

Songez à la possibilité d'utiliser deux ou trois seaux en plastique bon marché pour faire tremper les vêtements qui pourraient rester tachés. Vous n'aurez plus qu'à les mettre dans la machine à laver au moment qui vous conviendra. Un système de « pré-triage » est également très utile. À mesure qu'un contenant se remplit, vous pouvez savoir en un clin d'œil si vous avez une brassée de blanc ou de couleur et mettre ces vêtements dans la machine à laver quand vous en avez le temps.

Il faut donner beaucoup d'attention aux tout-petits si l'on veut éviter qu'ils ne fassent des bêtises.

Votre bambin adorera transférer le linge de la sécheuse au panier pour aider à le trier ensuite. Il y a longtemps que plusieurs d'entre nous ont décidé qu'une bonne partie des vêtements peuvent être tout aussi fonctionnels s'ils ne sont pas pliés. C'est le cas des sous-vêtements qui peuvent être triés et rangés dans un tiroir, un casier de plastique ou sur une tablette. Les chaussettes propres peuvent être placées dans deux paniers, un pour les blanches et un pour celles de couleur, et les membres de la famille plus âgés peuvent eux-mêmes assortir leurs paires.

Si vous avez l'habitude de repasser certains vêtements, il est temps de reconsidérer cette pratique. À la fin du cycle, sortez les chemises et les blouses immédiatement de la sécheuse pour les mettre sur des cintres. Elles auront ainsi moins de plis. Faites le test suivant. Portez un vêtement repassé durant dix minutes et voyez comme il a l'air froissé en peu de temps. Le même vêtement, qui n'a pas été repassé, aura probablement exactement la même apparence après avoir été porté dix minutes ! Vous vous demanderez alors si cela vaut la peine de consacrer du temps et de l'énergie à repasser des vêtements.

Si vous cherchez comment venir à bout de la lessive, trouvez des moyens pour la réduire. Ainsi les grandes serviettes de bain qui servent à s'essuyer en sortant de la baignoire peuvent être réutilisées si vous les étendez pour les faire sécher au lieu de les enrouler sur un petit porte-serviette. Il est possible d'attacher une serviette au porte-serviette à l'aide d'une grosse épingle de sûreté ou d'un bouton-pression. Les enfants peuvent ainsi l'utiliser sans qu'elle ne se retrouve sur le sol et, inévitablement, dans le panier de linge sale.

Les autres enfants

Vous découvrirez que beaucoup d'amour et de réconfort aideront l'enfant plus âgé, « l'ex-bébé », à accepter le fait que le nouveau bébé prend beaucoup de votre temps. Lorsque votre bébé est maussade vous pouvez lui rappeler : « Marie, quand tu étais petite et que tu avais faim, je demandais toujours à Élisabeth d'être patiente et d'attendre parce que tu avais besoin d'être nourrie (bercée, prise, etc.). » Les enfants aiment penser qu'ils ont déjà été la « vedette » et un câlin vient toujours confirmer cette idée. L'allaitement nous laisse toujours une main libre pour une caresse rapide ou toute autre tâche importante.

Vous aurez l'esprit plus tranquille si, au lieu de le laisser s'occuper seul, vous gardez l'enfant plus âgé près de vous lorsque vous allaitez le bébé. On suggère souvent d'aménager un coin pour allaiter pouvant accueillir au moins trois personnes, c'est-à-dire la mère, le bébé et le grand frère ou la grande sœur. Placez une chaise ou un tabouret près de votre chaise berçante et gardez quelques jouets intéressants tout près. Changez ces jouets régulièrement ; les surprises font toujours plaisir. Une mère ingénieuse, Marge Bazemore, de Géorgie, a ajouté une petite table de travail pour que Russ, son fils, et elle puissent faire différentes activités pendant la tétée du bébé. Marge dresse une liste de ce qu'ils préfèrent :

- *Une enregistreuse. C'est facile à utiliser et Russ adore entendre sa voix ainsi que les gazouillements de Phil.*
- *Des casse-tête faciles.*
- *De la pâte à modeler. Je garde aussi un emporte-pièce à biscuits à portée de la main.*
- *Des marionnettes à doigts.*
- *Des crayons, du papier et un livre à colorier.*
- *Un plateau de jeu perforé. J'en ai fait un avec un panneau pour le plafond et nous utilisons des tees de golf comme chevilles.*
- *Une visionneuse et des diapositives.*
- *Des livres et des albums de photos de famille.*
- *Une ficelle et des bobines à enfiler.*

De temps en temps, assoyez-vous sur le sol pour allaiter. Vous serez à la même hauteur que votre bambin et tout le plancher deviendra une aire de jeu. C'est parfait pour les jeux de construction ou pour faire rouler un ballon. Ceci est particulièrement utile lorsque votre « ex-bébé » réclame plus d'attention. La jalousie à l'égard du nouveau bébé apparaît souvent quand celui-ci atteint l'âge de trois ou six mois, si ce n'est plus tôt.

La mère enceinte d'un deuxième enfant éprouve parfois de la difficulté à s'imaginer qu'elle aimera autant le prochain bébé que celui qu'elle a déjà dans les bras. Est-il possible d'éprouver un amour aussi fort une seconde fois ? Le miracle de l'amour maternel, c'est qu'il grandit à chaque nouvelle naissance. Il n'a pas de limites et ne se divise pas. Il ne s'agit pas d'une tarte que l'on doit diviser en parts plus petites parce qu'il y a plus d'invités à table. Avec l'arrivée du nouveau bébé, il y a plus d'amour pour tous les membres de la famille.

Les petits assistants

Les bambins adorent se rendre utiles et les mères ingénieuses trouvent une foule de choses que leurs tout-petits peuvent accomplir pour les aider. Si vous utilisez de la vaisselle incassable, votre petit se fera une joie de mettre la table en transportant une assiette à la fois. Les tout-petits ne se lassent jamais d'aller et venir, surtout si un sourire et un « merci » accompagnent chaque assiette placée sur la table. Essuyer le carreau au bas d'une fenêtre qui aura été vaporisée d'un produit nettoyant (ou d'eau claire) constitue un autre passe-temps agréable pour un petit qui désire aider.

De nombreux bambins semblent fascinés par un porte-poussière[3] et un petit balai, alors mettez les vôtres à l'œuvre sous la table ou ailleurs. De vieilles mitaines[4] ou de vieilles chaussettes font d'excellents gants d'époussetage pour les petites mains. Avec l'aide de maman, même les enfants qui marchent à peine apprendront à ranger les jouets dans le coffre à jouets quand vient le temps de nettoyer.

Les enfants d'âge préscolaire ont besoin d'une multitude d'activités d'apprentissage stimulantes pour les tenir occupés et éviter qu'ils ne fassent des bêtises. Publié par La Leche League International, *Playful Learning*, de Anne Engelhardt et Cheryl Sullivan, est un merveilleux livre de référence. Écrit pour les parents qui veulent organiser une pré-maternelle à la maison pour leurs tout-petits, il peut aussi être utilisé pour un seul enfant. Vous y trouverez des idées de bricolage, des recettes faciles, des activités musicales et mathématiques, des contes et des activités d'initiation

---

[3] Pelle à poussière.

[4] Moufles.

à la lecture. Les explications concernant le développement de l'enfant d'âge préscolaire pourront vous aider à comprendre les besoins de votre enfant. Pour plus de détails, consultez l'appendice.

L'aide du père

Un conjoint compréhensif constitue l'un des meilleurs atouts de la mère qui allaite. Quand il est à la maison, il peut prendre la relève pour vous permettre d'avoir un peu de répit. Vos enfants plus âgés profiteront de cette attention supplémentaire.

Les pères peuvent animer les histoires en y ajoutant beaucoup d'effets sonores.

Les pères sont souvent passés maîtres dans l'art d'occuper les mains et l'esprit des bambins quand la mère a besoin d'un peu de temps seule avec son bébé ou lorsqu'elle décide de profiter de la sieste du bébé pour se détendre dans la baignoire ou dormir un peu. Le père et son bambin aiment « se tirailler » et qui mieux que papa peut animer les histoires en y ajoutant tous ces bruits et grognements sourds ?

Le père et son tout-petit développent souvent une nouvelle relation bien spéciale quand un nouveau bébé se joint à la famille. Faites savoir à votre conjoint combien il est nécessaire et apprécié. Encouragez-le à passer plus de temps en compagnie de votre bambin et attendez-vous à les voir devenir les deux meilleurs amis au monde.

Les enfants plus âgés

Si vous avez des enfant plus âgés, vous vous demandez probablement : « Où vais-je trouver le temps de m'occuper d'eux après la naissance du bébé ? » Vous vous demandez s'il n'y aura pas des moments où un enfant plus âgé réclamera votre attention en même temps que le bébé. Sans doute que cela se produira et c'est dans ces moments-là, et ainsi, qu'on encourage l'amour mutuel et la compréhension qui sont à la base des bonnes relations humaines. Apprendre à faire passer les besoins d'un être plus vulnérable avant les siens est une très bonne leçon pour les enfants plus âgés. C'est certainement quelque chose que vous essayerez de leur faire comprendre de votre mieux.

Lorsque vous discutez de la venue d'un nouveau membre dans la famille, demandez à vos enfants plus âgés de penser à des façons de s'entendre et de s'entraider. Rappelez-leur que le nouveau bébé sera le seul membre de la famille entièrement dépendant de vous, tout comme eux l'étaient à cet âge. Si on le lui présente de cette façon, un jeune enfant reconnaît plus facilement (même s'il ne l'accepte pas toujours) que les besoins du bébé doivent passer en premier.

La période précédant la naissance est un excellent moment pour enseigner aux enfants plus âgés quelques nouvelles tâches ménagères. Choisissez celles qui conviennent aux capacités de votre enfant et continuez à les faire avec lui lorsque c'est possible. L'enfant apprend de vous et les tâches monotones, comme laver la vaisselle, peuvent devenir des occasions spéciales pour partager avec vous ses joies et ses peines. Les enfants ne prennent pas de rendez-vous avec leurs parents pour discuter de ce qui les préoccupe profondément. Un tel échange se produit au cours d'activités normales, lorsque les mains sont occupées, mais que le cœur et l'esprit des parents et des enfants se rejoignent.

Ne soyez pas étonnée si votre jeune assistant manifeste parfois peu d'enthousiasme. C'est normal. Ne ménagez pas les compliments et soyez patiente avec votre apprenti. Nous avons tous besoin de nous sentir utiles et il est bon pour les enfants de savoir que leur famille compte sur eux pour accomplir la tâche qui leur a été assignée. Nous, les parents, ne devons pas laisser passer une occasion en or d'aider nos enfants à prendre des responsabilités et à se sentir fiers d'avoir fait le travail demandé et de l'avoir bien fait.

Les enfants d'âge scolaire de la famille acceptent habituellement très bien un nouveau bébé. Ils aiment les bébés et ceux-ci le leur rendent bien. Ce qui cause parfois problème, ce sont les différentes activités extérieures auxquelles les enfants de cet âge participent souvent et qui exigent la présence d'un parent. Il s'agit souvent de conduire l'enfant à des parties ou à des cours, d'assister à des activités ou de travailler ensemble des projets spéciaux. Un tel rythme de vie peut signifier une course effrénée pour une mère qui a également un nouveau bébé.

Vous devrez être réaliste et ferme en établissant des limites pour le moment présent. Ne faites que ce que votre bébé et vous pouvez vraiment gérer. Votre conjoint peut vous donner un bon coup de main en consacrant davantage de temps aux activités des enfants plus âgés chaque fois que c'est possible. Si une activité particulière compte beaucoup pour votre enfant et que ni vous ni votre conjoint ne pouvez y participer, ne soyez pas gênée de demander l'aide d'un autre parent. Un ami ou un voisin, par exemple, peut conduire l'enfant pour quelques semaines. Vous lui rendrez ce même service un peu plus tard.

Si vous décidez d'emmener le bébé en auto avec vous, vous devez utiliser un siège d'auto pour bébé. Si vous l'utilisez fidèlement dès la première sortie du bébé (habituellement au moment du retour de l'hôpital), vous et votre bébé vous habituerez rapidement à cette façon de faire. L'endroit le plus sécuritaire dans la voiture pour votre bébé ou votre bambin est la banquette arrière. Pensez à allaiter votre bébé avant de partir en voiture, ainsi vous serez tous deux beaucoup plus détendus. Si le bébé a besoin de téter avant d'arriver à destination, garez-vous dans un endroit sûr et occupez-vous de lui. Quelle meilleure excuse pourriez-vous avoir pour justifier un retard ?

Si vous devez reconduire votre mari à son travail et vos enfants à l'école, une bonne planification est essentielle. Betty Wagner, co-fondatrice de la Ligue La Leche, y parvenait en réglant la sonnerie du réveil vingt minutes plus tôt qu'à l'ordinaire. Elle restait au lit, réglait le réveil à l'heure habituelle et allaitait son bébé. Lorsqu'elle allait préparer le petit déjeuner et aider les enfants plus âgés, elle était au moins certaine que le bébé n'aurait pas faim au milieu des préparatifs du matin.

Vous serez fière de voir vos aînés grandir et comprendre que le bébé est totalement dépendant et que cela exige parfois des sacrifices de leur part. Plusieurs d'entre nous ont été heureuses de constater que les pleurs du bébé bouleversent presque toujours les enfants plus âgés. Ils sentent que quelque chose ne va pas et ils ne retrouvent le sourire que lorsque le bébé est heureux. Vous découvrirez qu'en faisant tout naturellement passer les besoins du bébé en premier vous donner l'exemple qu'on doit se préoccuper des autres et tous en profiteront. C'est un bon moyen d'apprendre à vos enfants à devenir des parents affectueux.

Trouver son propre style

Les parents doivent prendre de nombreuses décisions lorsque leurs enfants grandissent et que les besoins de la famille changent. Nous avons tous grandi avec une idée précise de ce que signifie être parent et élever des enfants. Peut-être avez-vous grandi dans une famille aimante, affectueuse et vous prenez vos parents comme modèle lorsque vous avez des enfants à votre tour. Ou au contraire votre enfance n'a pas été heureuse et vous voulez offrir à vos enfants un meilleur climat familial.

D'une manière ou d'une autre, vous vous efforcerez d'apprendre tout ce que vous pouvez sur l'art d'être parent, le soin des enfants, leurs besoins et leur développement. Vous trouverez en appendice une liste de livres qui vous fourniront des informations utiles à ce sujet. De plus, les discussions avec des parents qui partagent les mêmes valeurs et les mêmes préoccupations que vous peuvent se révéler inestimables. Les groupes de la Ligue La Leche vous offrent cette possibilité. Quoique les thèmes des réunions mensuelles touchent l'allaitement et les jeunes bébés, d'autres sujets sont souvent discutés au cours de réunions qui peuvent être planifiées selon les demandes.

Le congrès annuel de la Ligue La Leche vous offre également l'occasion d'en apprendre davantage sur l'art d'être parent. Informez-vous auprès d'une monitrice pour connaître la date de cet événement ou consultez le site Web de la LLLI pour obtenir de plus amples informations sur les évènements à venir auxquels vous aimeriez assister. Pour la liste des pays francophones, consultez l'appendice.

Chapitre 12

L'alimentation

Si vous avez déjà de bonnes habitudes alimentaires, vous n'avez aucune raison de faire de changements majeurs pendant que vous allaitez. D'un autre côté, si vous êtes consciente du fait que votre régime alimentaire a besoin d'être amélioré, la grossesse et l'allaitement peuvent être de bons moments pour vous motiver à le faire. Le développement de votre bébé durant la grossesse dépend en grande partie d'une bonne alimentation. Votre santé et votre bien-être en dépendent également. Votre désir de contribuer au bien-être de votre bébé devrait être une bonne source de motivation. Il vous sera alors plus facile de changer vos habitudes alimentaires.

Votre bébé connaîtra un bon départ grâce au lait maternel. Quand viendra le temps d'introduire des solides, vous continuerez en lui offrant des aliments sains et en lui donnant de bonnes habitudes alimentaires qu'il gardera toute sa vie. Le meilleur moyen d'y parvenir, c'est de vivre au sein d'une famille où chacun se nourrit bien.

Dans le présent chapitre, nous traitons de certains grands principes de nutrition afin de vous aider à choisir les aliments dont vous et votre famille avez besoin pour être en bonne santé. Nous vous encourageons à approfondir le sujet en lisant des livres sur la bonne alimentation et en vous tenant au courant des dernières recommandations alimentaires provenant de sources fiables.

À la Ligue La Leche, nous considérons qu'une bonne alimentation consiste en un régime varié et équilibré, composé d'aliments servis dans un état aussi proche que possible de leur état naturel. À quelques exceptions près, plus un aliment est transformé, plus il perd ses éléments nutritifs. Pour vous aider à préparer des mets délicieux et nutritifs pour toute la famille, La Ligue La Leche a publié une série des livres de recettes testées par des mères et accompagnées de conseils pour une saine alimentation.

Whole Foods for the Whole Family est un livre de recettes complet qui peut être utilisé aussi bien par les débutants que par les « chefs » expérimentés de la famille. Les recettes y sont à base de produits non transformés et contiennent un minimum de sel et de sucre. Ce livre est disponible en français sous le titre *MiLLLe et une recettes santé.*

Whole Foods for the Whole World est un recueil de recettes provenant de familles de la Ligue La Leche du monde entier.

Whole Foods for Babies and Toddlers de Margaret Kenda offre de l'information sur l'introduction des solides et inclut des recettes de base qui peuvent servir de mets familiaux.

Whole Foods for Kids to Cook présente des recettes simples à base d'aliments complets et naturels que les enfants peuvent cuisiner facilement.

Ces livres sont disponibles auprès des groupes de la Ligue La Leche, dans le catalogue et sur le site Web de la LLLI au www.lalecheleague.org. Pour plus de détails, consultez l'appendice.

Les principes de base

Certaines des suggestions suivantes proviennent du regretté Dr Herbert Ratner qui, dans une sage démarche vers une saine alimentation, propose un choix équilibré d'aliments qui comblent tous nos besoins alimentaires. Selon lui, les principes de base pour une saine alimentation sont :

- Mangez une grande variété d'aliments ;
- Mangez une grande variété d'animaux et de plantes ;
- Mangez les différentes parties des animaux et des plantes.

Les gens cherchent instinctivement une variété de styles et de couleurs pour décorer leur maison et s'habiller. Pour se développer, le corps

Une bonne occasion de partager des trucs sur l'alimentation, c'est de se réunir entre mères qui allaitent.

tire également profit de la diversité des aliments qui offrent de multiples saveurs, couleurs et textures (souple, moelleux, ferme, juteux ou croustillant). Toutes les différentes textures, couleurs et saveurs des aliments sont le reflet des divers éléments et valeurs nutritives dont le corps a besoin.

Lorsque vous choisissez vos aliments, ne vous limitez pas aux animaux à quatre pattes, comme le bœuf, en excluant les animaux à deux pattes, comme le poulet. Ne vous limitez pas aux animaux terrestres, au détriment des animaux marins.

En fait, ne vous limitez pas aux protéines de source animale. Quand vous pensez au « plat principal », cherchez des recettes qui contiennent des fèves et autres légumineuses (lentilles, arachides), des noix et des céréales. De nombreux plats traditionnels savoureux contiennent ces aliments nutritifs, souvent accompagnés de petites quantités de viande ou de fromage. Votre famille, ainsi que votre budget, ne s'en portera que mieux.

Du côté des plantes, ne vous restreignez pas aux seuls fruits et légumes que vous connaissez. En plus des légumes verts, essayez les légumes jaunes ou oranges : courges, patates douces et les différentes variétés de poivrons. Les différentes parties des plantes sont également comestibles. Ces parties n'ont pas besoin d'appartenir aux mêmes plantes. Il y a les feuillus, incluant la verdure, qui se mangent en salade, tout comme la bette à carde, le chou collard, les feuilles de betteraves, le chou kale et tous les autres choux. Il y a aussi les légumes racines comme les carottes, les betteraves, les navets et les oignons. Il y a également les tiges et les tubercules telles l'asperge et la pomme de terre, sans oublier les fruits des plantes comme le maïs, les haricots et les tomates, de même que les pommes, les oranges, les raisins, les bananes et les melons.

Avec un tel choix, il n'y a pas de raison de vous limiter aux deux ou trois mêmes légumes pour le restant de vos jours. Vous priveriez votre corps des éléments nutritifs que chacun a à offrir.

Les graisses, nécessaires à la cuisson et à la préparation de certains aliments, fournissent de l'énergie. Il y a des graisses d'origine animale et végétale, des graisses solides et liquides, des gras saturés et non saturés. Le beurre, la crème, le saindoux et le gras de volaille sont des graisses d'origine animale. La margarine et les huiles végétales sont des graisses d'origine végétale. La recherche médicale a démontré qu'il existe un lien entre les régimes alimentaires à haute teneur en gras et les maladies cardiovasculaires ou autres. Les nutritionnistes signalent qu'aujourd'hui bien des gens ont une alimentation trop riche en matières grasses. Certaines graisses sont meilleures que d'autres pour la santé. Toute graisse qui demeure à l'état solide à la température de la pièce (beurre, margarine, shortening[1]) devrait être consommée avec modération. L'huile d'olive, de même que l'huile de certains poissons (thon, saumon, corégone) sont meilleures pour la santé et apporteront de la variété et de la saveur à vos repas de famille. L'huile de carthame, l'huile de canola ainsi que l'huile de soya contiennent également des graisses qui sont bonnes pour la santé.

Vous pouvez diminuer la quantité de matières grasses de votre recette préférée de bœuf haché en le remplaçant en totalité ou en partie par de la dinde hachée maigre. Quand des assaisonnements ou d'autres ingrédients sont ajoutés, il y peu de différence dans l'apparence et dans le goût. Une autre façon de diminuer les graisses animales, c'est de réduire la consommation d'aliments d'origine animale et de compter davantage sur des protéines d'origine végétale.

Variez vos menus

Quand vous planifiez les repas pour la famille, pensez à offrir une variété d'aliments. Vous pouvez prendre en considération vos propres préférences dans la mesure où elles ne sont pas trop restrictives et où vous ne les imposez pas à toute la famille. Après tout, vous ne voulez pas que vos enfants grandissent en ne mangeant qu'un nombre limité d'aliments, à moins qu'il n'y ait une raison pour de telles restrictions.

[1] Corps gras à base d'huile végétale, employé en pâtisserie.

Margaret Kenda, nutritionniste et auteure de *Whole Foods for Babies and Toddlers,* écrit :

> *Une bonne alimentation est question d'équilibre. Équilibrez chacun de vos repas en intégrant des aliments qui se complètent bien pour satisfaire vos divers besoins physiques. Plus la consommation de bons aliments est diversifiée, plus vous êtes assurée d'avoir une alimentation complète.*

Si vous, ou un autre membre de la famille, détestez un aliment en particulier, il existe toujours un substitut. Le fromage et le yogourt sont de bons substituts au lait. Les œufs remplacent bien la viande et le poisson, tout comme les combinaisons de grains entiers, de noix, de pois secs, de fèves, de lentilles et de riz brun. C'est l'illustration d'une des lois de la nature. Il existe une si grande variété d'aliments que, à chaque époque et sur chaque continent, chaque culture a eu accès à un vaste choix d'aliments comestibles. L'extraordinaire diversité de plats nationaux nous le prouve. De plus, grâce aux moyens de transport modernes et à la mécanisation, nous avons accès en tout temps et en abondance à une grande variété d'aliments provenant de tous les pays du monde.

Mangez au naturel

En général, plus un aliment s'éloigne de son état naturel, moins il a de valeur nutritive. Les aliments frais sont habituellement meilleurs que ceux qui sont congelés et les aliments congelés sont préférables à ceux qui sont en conserve. Puisque la cuisson est un pas vers la transformation, certains aliments sont meilleurs crus plutôt que cuits. Ceci est particulièrement vrai pour les fruits et les légumes, à quelques exceptions près. Par exemple, la vitamine A est mieux assimilée dans les carottes cuites. La plupart des aliments riches en protéines doivent être cuits. Tout en tenant compte de leur digestibilité, les aliments un peu moins cuits sont meilleurs que ceux qui le sont trop. Le mode de cuisson qui consiste à faire sauter les aliments à feu vif en les remuant permet de cuire rapidement les aliments tout en conservant plusieurs des éléments nutritifs et la saveur des aliments crus.

En consommant les nombreuses parties comestibles des aliments vivants et en vous concentrant sur les aliments naturels, vous obtiendrez tous les éléments nutritifs en quantité suffisante et naturelle. Vous recevrez tous les nutriments essentiels que la science a découverts, de même que ceux qui restent à découvrir ; pas seulement les vitamines et les minéraux d'aujourd'hui, mais aussi les vitamines, les minéraux et les autres facteurs nutritionnels qui sont encore inconnus. En mangeant quotidiennement une grande variété d'aliments, vous aurez moins besoin de vitamines ou d'autres suppléments. Cette façon de se nourrir est plus économique et ne requiert pas de formation scientifique. Vous éviterez d'être malade et vous aurez de plus un vaste choix d'aliments pour satisfaire tous les goûts de votre famille.

À éviter

Les additifs chimiques. Moins il y en a, mieux c'est ! De nombreux additifs chimiques sont utilisés fréquemment dans l'industrie alimentaire moderne. Ils servent à rehausser la couleur ou à prolonger la durée de conservation. Il faudrait faire davantage d'études afin de déterminer jusqu'à quel point ces produits sont sans danger pour la santé. Entre temps, vu que certains de ces produits chimiques n'ont pas été vraiment testés et que leur innocuité n'a pas été démontrée, il semble plus sage de les éviter. Lisez les étiquettes sur les emballages et choisissez les articles contenant le moins de saveurs artificielles, colorants et agents de conservation. Mieux encore, chaque fois que vous le pouvez, préparez vous-même votre nourriture à partir des meilleurs produits frais disponibles.

Le sucre. C'est un des grands responsables des désordres de l'appétit. Lorsqu'il est utilisé en grande quantité, il peut émousser notre goût pour les saveurs délicates des aliments frais et naturels. On peut facilement abuser du sucre, ce qui est particulièrement néfaste pour les bébés et les jeunes enfants, surtout parce qu'il satisfait l'appétit et supplante les aliments naturels et bons pour la santé. Le sucre est présent dans de nombreux desserts, friandises et boissons gazeuses. Mais il y a aussi une quantité impressionnante de sucre « caché » dans d'autres aliments d'usage courant. Pour votre santé, il est essentiel que vous preniez l'habitude de lire les étiquettes sur chaque emballage des produits que vous achetez. Le sirop de maïs, les édulcorants, le fructose, le saccharose et le dextrose sont d'autres noms pour le sucre.

Bien des membres de la Ligue La Leche qui ont la réputation d'être de bonnes cuisinières ont appris à supprimer le sucre ou à en réduire grandement la quantité dans un grand nombre de recettes. Elles ont découvert

Les petits aiment participer à la préparation des repas.

qu'il est possible de réduire considérablement la quantité de sucre dans les desserts sans en changer la saveur. Si vous servez des fruits pour le dessert à vos petits dès le début, ils en raffoleront. Au fur et à mesure que votre conjoint et vous réduirez votre consommation de sucre, vos papilles gustatives découvriront le goût du sucre naturel.

Le sel. L'usage du sel (chlorure de sodium) dans l'alimentation est également discutable. Tout comme le sucre, on en abuse souvent pour rehausser la saveur des aliments. Ceci peut mener à une surconsommation de sel qui risque d'être nocive. Chez certaines personnes, l'hypertension est liée à la surconsommation de sel. (L'hypertension peut causer un infarctus, l'une des principales causes de décès dans plusieurs régions du monde.)

À l'origine, on utilisait du sel pour conserver les aliments ou masquer le goût désagréable de ceux qui commençaient à se gâter parce qu'ils n'avaient pas été réfrigérés. Il est préférable pour notre santé de réduire notre consommation de sel. De nombreuses excellentes cuisinières ont découvert d'autres façons de rehausser les saveurs. Elles utilisent une grande variété de fines herbes, d'épices ou d'autres condiments.

Les grains et les céréales raffinés. Ces produits trompent également notre sensation de faim. La transformation des céréales et des grains détruit une quantité importante de minéraux et de vitamines. Pour compenser la perte de ces nutriments naturels, on doit les enrichir. Cette pratique évite des carences nutritives évidentes à ceux qui ne consomment que des produits raffinés (de la farine blanche au lieu de la farine de blé entier, du riz blanc au lieu du riz brun, etc.). Mais on ne fait qu'enrichir un produit de qualité inférieure. Beaucoup d'autres nutriments importants sont perdus, incluant les fibres.

Les céréales et les grains entiers sont une excellente source de fibres, tout comme la plupart des fruits et des légumes. À long terme, un régime alimentaire à forte teneur en fibres peut aider à prévenir certaines formes de cancer. À court terme, les fibres sont importantes pour prévenir la constipation, un problème pour beaucoup de femmes pendant la grossesse et après l'accouchement. La transformation fait disparaître les fibres des aliments, en même temps que la saveur et la texture. Servez du pain de grains entiers, des céréales complètes, chaudes ou froides, et d'autres grains tels que le riz brun ou l'orge. Vous augmenterez ainsi la consommation de fibres de votre famille et la valeur nutritive de vos repas.

Bien se nourrir

En suivant la démarche que nous vous avons proposée et en développant l'art de présenter des mets succulents et attrayants, vous rendrez la table familiale agréable et toute la famille en profitera du point de vue alimentaire. Voici quelques trucs qui vous aideront, vous et votre famille, à bien vous nourrir.

Lisez les étiquettes

Prendre l'habitude de lire la liste des ingrédients sur les emballages, les conserves et les bouteilles est très important. Cela vous aidera à choisir des aliments qui contiennent des ingrédients sains et à éviter ceux qui contiennent trop de sucre, de sel, de graisses, d'additifs chimiques, de colorants artificiels ou d'ingrédients auxquels un membre de la famille risque d'être allergique.

Une autre raison importante de lire la liste des ingrédients, c'est que les étiquettes sont souvent trompeuses. Par exemple, une boîte dont l'étiquette indique « boisson aux fruits » n'est en fait qu'une boisson à saveur artificielle de fruits contenant beaucoup de sucre. En apposant l'étiquette de « boisson », le fabricant a respecté les normes d'étiquetage et a fait croire sans doute à certaines personnes que le produit en question est meilleur pour leur santé qu'il ne l'est réellement. L'emploi du terme « enrichi » peut également prêter à confusion. Un fabricant indique parfois la liste des vitamines qui ont été ajoutées, mais ces produits « enrichis » offrent une valeur nutritive bien moindre que l'aliment naturel et, ce, à un prix plus élevé.

Ne vous y trompez pas ! Si, dans les ingrédients énumérés sur l'étiquette d'un pain, vous lisez « farine de blé », c'est qu'il s'agit de farine blanche. Pour indiquer que le grain n'a pas été transformé, il doit être écrit de « blé entier » ou de « grain entier ». De plus, vous devez également savoir que les ingrédients sont inscrits par ordre décroissant, selon la quantité qu'on retrouve dans le produit. Par exemple, si la farine est le premier ingrédient sur la liste, cela signifie que le produit contient plus de farine que tout autre ingrédient. Si le second ingrédient est le sucre, le dextrose ou le sirop de maïs, c'est que, après la farine, le produit contient du sucre en plus grande quantité que n'importe quel autre ingrédient, et ainsi de suite (Bien entendu, si plusieurs types d'édulcorants sont indiqués séparément, il est possible qu'en les additionnant, on se rende compte que le sucre est en fait le principal ingrédient.) Les produits chimiques viennent habituellement en dernier, mais certains produits très raffinés peuvent contenir plus d'ingrédients chimiques que d'aliments. Par exemple, les colorants à café, certains desserts au pouding[2] et certaines crèmes glacées contiennent plus de produits chimiques que tout autre ingrédient.

Changez vos habitudes alimentaires

Les habitudes alimentaires ne se changent pas du jour au lendemain. Il faut du tact, de la patience et de l'imagination pour introduire un nouvel aliment. Au début, choisissez un aliment qui ressemble à l'aliment habituel. Quand vous êtes à l'épicerie et que vous lisez les étiquettes, n'achetez pas les aliments que vous ne voulez pas que votre famille consomme. Si les adultes de la famille continuent de manger des biscuits et des croustilles, les enfants voudront suivre leur exemple.

Une présentation différente peut rendre le nouvel aliment plus attrayant. Du fromage fondu sur une tranche de pain de blé entier sera plus attirant pour un bambin s'il a la forme d'un triangle ou d'un papillon.

---

[2] Dans le sens de crème à la vanille, au chocolat, etc.

Une tranche de melon sur des feuilles de laitue devient un voilier voguant sur l'eau. Stimulez l'imagination de votre bambin en appelant une tranche de pomme croquante un « biscuit » de pomme. Des bâtonnets de légumes de toutes les couleurs servis avec une trempette[3] attirent le regard. Même un contenant inhabituel peut piquer la curiosité des enfants ! Servez les collations dans de la vaisselle pour jouer, dans des tasses spéciales ou dans la propre boîte à lunch du bambin. Passez au mélangeur une banane, du lait, quelques glaçons et un peu de vanille. Servi dans un grand verre avec une paille, quel enfant pourra y résister ?

Utilisez des grains entiers

Introduire des grains entiers dans le régime alimentaire de votre famille peut s'avérer fort agréable puisqu'il existe des centaines de façons de les apprêter. Si votre famille n'aime pas les flocons d'avoine au petit déjeuner, essayez la farine de maïs, soit en céréale, en crème ou en délicieux pain chaud. Certaines recettes combinent la farine de maïs et la farine de blé entier alors que d'autres n'utilisent que la farine de maïs. Le kacha est un plat populaire chez ceux qui sont originaires du Moyen-Orient et de l'Europe de l'Est. Il est nourrissant et facile à préparer. On peut le servir chaud ou froid, un peu comme le riz. L'arôme épicé des muffins au son et aux raisins qui sont en train de cuire attirera les gens à table. Il est difficile de résister à un muffin chaud et les recettes de muffins s'adaptent facilement pour inclure n'importe quel ingrédient que vous avez sous la main : pommes, noix, bleuets[4], carottes râpées, etc. Quelle agréable façon de bien commencer la journée ! Essayez également les granolas[5]. Les recettes qui en contiennent sont nombreuses et il est agréable de les faire soi-même, puisque celles vendues en magasin contiennent beaucoup de sucre et de gras.

Si votre conjoint et vos enfants plus âgées protestent contre l'introduction de pain de blé entier, offrez-leur pendant un certain temps des sandwichs « moitié-moitié » faits d'une tranche de pain blanc et d'une tranche de pain de blé entier. Les très jeunes enfants dont le goût n'a pas encore été « conditionné » adoptent d'emblée le pain de blé entier.

---

[3] Sauce froide et épaisse dans laquelle on peut tremper des légumes crus avant de les manger.

[4] Baie bleue ressemblant à la myrtille.

[5] Céréales naturelles à base de flocons d'avoine, de germes de blé, de son.

Vous pouvez introduire graduellement de la farine de blé entier dans vos pains et vos pâtisseries. Vous n'avez qu'à remplacer une petite quantité de la farine blanche que vous utilisez dans vos recettes par de la farine de blé entier. Cela se fait très bien avec le pain maison et les muffins. Bien des mères ont découvert qu'il est très agréable de faire son propre pain et elles ont trouvé cela plus facile qu'elles ne le pensaient. En augmentant graduellement, sur une période de quelques mois, la quantité de farine de blé entier par rapport à celle de farine blanche, vous en viendrez à faire un pain de blé entier à 100 % dont le goût ne semblera plus aussi « bizarre ». Votre famille en viendra peut-être à le préférer au pain blanc, surtout s'il sort tout chaud du four !

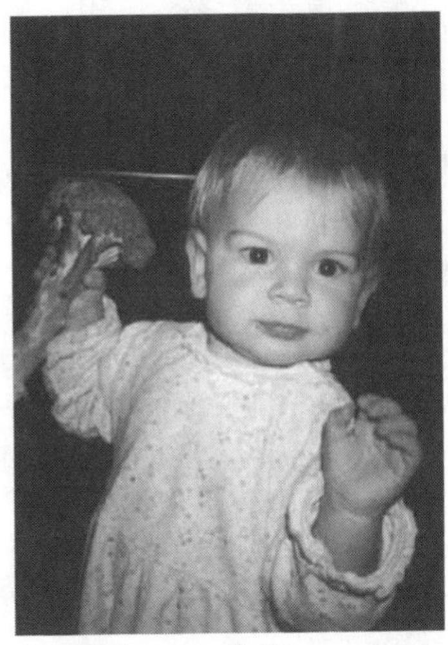

Ça vaut la peine d'offrir une grande variété d'aliments sains et nutritifs à votre famille.

Si vous continuez à utiliser de la farine blanche dans vos recettes, prenez de la farine non blanchie. Vous éviterez ainsi les produits chimiques servant au blanchiment. Pour obtenir une plus grande valeur nutritive, ajoutez une cuillerée à table de farine de soya à chaque tasse de farine blanche. Riche en protéines, le soya augmentera la valeur nutritive de vos préparations et personne ne s'en apercevra. Le lait écrémé en poudre constitue aussi un excellent supplément nutritif si personne ne souffre d'allergies. Vous pouvez en ajouter une à deux cuillerées à table à différents gâteaux, pains, muffins ou crêpes sans en changer le goût ni la texture.

Ajoutez des noix et des graines à vos recettes

À l'état naturel, les noix et les graines sont trop nutritives pour qu'on les oublie. Même grillées, elles demeurent nourrissantes, par contre un peu moins que lorsqu'elles sont consommées fraîches. Vous augmenterez la valeur nutritive de vos salades de pommes de terre, de poulet ou de thon en y ajoutant une ou deux cuillerées à table de graines de sésame. Elles sont si petites et leur saveur est si délicate que même le plus difficile des membres de votre famille ne les remarquera pas. En saupoudrant les céréales ou le yogourt du petit déjeuner de graines de tournesol ou de sésame, vous augmenterez leur valeur nutritive et les rendrez plus savoureux et plus croquants. Vous pouvez ajouter des graines de sésame ou des noix finement hachées dans presque tous vos mélanges sans que personne ne s'en aperçoive. Les noix et les graines sont délicieuses dans les gaufres, les crêpes, les muffins et les pains.

Les petits emballages de noix et de graines vendus à l'épicerie sont relativement chers et rarement frais. Allez plutôt vous servir dans les magasins qui offrent des noix, des graines et des fruits séchés en vrac et achetez-les au kilo. Vous ferez non seulement des économies appréciables, mais vous aurez aussi des aliments plus frais et plus savoureux. Conservez-les au congélateur pour les garder frais plus longtemps.

Il faut faire attention de ne pas donner de noix aux enfants de moins de trois ans. Ils peuvent ne pas les mastiquer suffisamment et ils risquent d'inhaler les petits morceaux au lieu de les avaler.

Consommez moins de viande

Si votre famille ne mange que du bœuf et du poulet, essayez cette façon rapide de préparer du poisson. Commencez par des filets frais ou congelés, sans arêtes, d'environ deux centimètres d'épaisseur. La façon la plus simple et la plus rapide de les cuire consiste à les griller. Plus le temps de cuisson est court, plus ils conservent leur valeur nutritive. Badigeonnez les filets de beurre fondu ou d'huile d'olive et faites-les griller environ cinq minutes de chaque côté, un peu plus longtemps s'ils sont congelés ou plus épais. Au moment de servir, saupoudrez de graines d'aneth, de paprika, de poudre de cari ou de toute autre épice que vous aimez. Arrosez ensuite de jus de citron frais ou garnissez le plat de service de tranches de citron.

Les collations

Offrez des collations nutritives, pas seulement des aliments « vides ». Si vous et vos enfants êtes affamés et que le repas n'est pas prêt, mangez des légumes crus ou un fruit frais. Si vous offrez à un petit affamé une pomme ou une orange, pelée et coupée en tranches, même le plus difficile ne pourra y résister. Même si l'appétit déjà frugal de l'enfant est affecté par une collation avant le repas, ce n'est pas grave, s'il s'agit d'une collation nutritive. Considérez ce fruit comme faisant partie de son repas. Très souvent, un aliment nourrissant sera vite avalé s'il est offert avant le repas, alors que le même aliment servi cuit dans une assiette aurait été mis de côté. Cela nous rappelle une mère qui avait pris l'habitude de faire cuire seulement la moitié des légumes qu'elle avait préparés. Elle servait l'autre moitié crue et ainsi chaque enfant avait le choix. Cependant, soyez vigilante si vous servez des carottes crues à un enfant de moins de trois ans. Si elles ne sont pas bien mastiquées, elles peuvent être inhalées au lieu d'être avalées. Par contre, les jeunes enfants peuvent très bien manger d'autres légumes crus et fruits frais.

Les collations glacées sont particulièrement appréciées lorsqu'il fait chaud. Elles peuvent également soulager les gencives douloureuses des bambins qui percent des dents. Parmi les collations nutritives, notons : les sucettes glacées au jus de fruit et au yogourt, les fruits congelés (bleuets, fraises, raisins, tranches de pêche ou de poire) et même les pois verts surgelés. De plus, les bananes congelées sur un bâtonnet sont bien meilleures pour vos enfants que les barres à la crème glacée.

Les fruits secs, y compris les raisins, sont nutritifs, mais il faut éviter d'en faire une collation quotidienne. Parce qu'ils contiennent beaucoup de sucre, ils peuvent gâter les dents. De plus, à cause de leur texture, ils ont tendance à coller entre les dents, échappant ainsi au brossage et contribuant à causer des caries. En outre, un grand nombre de fruits secs ont été trempés inutilement dans du miel ou roulés dans du sucre. Les fruits séchés au soleil, sans sucre ou miel ajouté, sont excellents dans les gâteaux, biscuits ou muffins de blé entier. Ainsi utilisés, ils sont moins dommageables pour les dents.

Étanchez votre soif

Les jus de légumes et de fruits non sucrés étanchent la soif et ont une bonne valeur nutritive. Il existe une grande variété de jus de pomme, de raisin, de tomate, de pamplemousse et d'ananas non sucrés et sans additifs chimiques qui sont vendus en conserve ou en bouteille. Les mélanges de jus de fruits non sucrés sont également populaires. Des concentrés surgelés de jus d'orange, de pomme, de raisin ou mélanges de jus non sucrés sont aussi disponibles. Le jus d'orange ou de pamplemousse fraîchement pressé est délicieux. Ajoutez de l'eau minérale gazéifiée à du jus de fruit pour obtenir une boisson pétillante.

Si vous avez toujours de tels jus sous la main, au réfrigérateur, votre famille apprendra à apprécier leur goût naturellement sucré. Bien entendu, vous vous abstiendrez d'acheter des colas et autres boissons gazeuses. S'il n'y en a pas dans la maison, les jus naturels seront plus tentants.

N'oubliez pas l'eau ! Pour vraiment étancher la soif, il n'y a rien de mieux ! Quand elle sort du réfrigérateur ou d'un pichet aux couleurs vives, elle semble plus attirante que l'eau du robinet. Une tranche de lime ou de citron dans un verre d'eau glacée est une boisson rafraîchissante par une chaude journée d'été. Parce qu'ils subissent des pressions pour servir des boissons gazeuses, les parents doivent se montrer patients, fermes et astucieux lorsqu'ils offrent des substituts. L'habitude de plus en plus répandue d'apporter une bouteille d'eau fraîche avec soi partout où l'on va doit être encouragée.

Cultivez-les vous-même

La meilleure suggestion que nous puissions vous faire est d'avoir votre propre potager. Tant mieux si vous disposez d'un peu d'espace dans votre cour. Sinon, informez-vous s'il existe des jardins communautaires dans votre quartier. Ou encore demandez à un ami ou à un voisin de vous louer un espace en échange de quelques légumes et fruits frais.

L'odeur qui se dégage d'un jardin a quelque chose de très particulier, l'odeur âcre des plants de tomates, le délicieux parfum des feuilles de carottes. Et par-dessus tout, vous éprouverez un grand sentiment de fierté et de satisfaction lorsque vous verrez les graines que vous avez semées donner de délicieux fruits et légumes qui n'attendent que d'être mangés. Les enfants vont souvent manger les légumes qu'ils ont cueillis dans le jardin, alors qu'ils les auraient refusés en d'autres circonstances.

Un autre avantage à cultiver vos propres légumes, c'est qu'ils seront exempts des produits chimiques que les producteurs utilisent dans le sol et des pesticides qu'ils vaporisent sur les plants au cours des différentes étapes de leur croissance. Malheureusement, certains de ces produits chimiques demeurent sur la pelure des fruits et des légumes et l'eau ne peut les enlever. En les épluchant pour enlever les produits chimiques, vous perdez aussi certains éléments nutritifs essentiels. Vous n'aurez pas à le faire avec la récolte de votre potager.

Conseils particuliers pour les mères qui allaitent

Nous l'avons déjà dit : si vous avez de bonnes habitudes alimentaires, il n'y a pas de raison de les changer parce que vous allaitez. Rappelez-vous cependant qu'il vous faut manger suffisamment pour rester en bonne santé. Bien manger est l'une des responsabilités d'une bonne mère.

Quelques rappels

En mangeant bien, vous vous sentirez mieux et vous pourrez profiter du plaisir d'allaiter votre bébé.

Quand vous allaitez, vous ressentez naturellement le besoin de boire davantage et vous devriez boire suffisamment pour étancher votre soif. Vous pouvez prendre de l'eau, des jus de fruits ou de légumes, du lait, de la soupe ou d'autres liquides. Au début, l'excitation et les soins constants que requiert le bébé vous feront oublier que vous avez soif. Certaines mères prennent un verre d'eau chaque fois qu'elles s'assoient pour allaiter leur bébé et elles apportent également une bouteille d'eau avec elle quand elles sortent. Si vous urinez souvent et que votre urine est jaune pâle, c'est que vous buvez suffisamment.

La constipation (des selles dures et sèches) peut parfois être le signe que vous ne buvez pas assez de liquides. Si vous souffrez de constipation, buvez davantage et consommez plus de fruits frais et de légumes crus. Assurez-vous aussi de manger suffisamment de grains entiers (pains et céréales). Évitez d'avoir recours aux produits pharmaceutiques. En fait, il est préférable de prévenir le problème en s'assurant, dès la grossesse, que vous avez toujours une bonne provision de fruits, de légumes et d'aliments riches en fibres. Il vous sera alors plus facile de manger de bons aliments. Bien des nouvelles mères se sont aperçues que manger des poires fraîches est particulièrement efficace pour garder les selles molles. Les pruneaux, frais ou cuits, et le jus de pruneau peuvent également aider. Pour certaines, des légumes verts cuits sont tout ce dont elles ont besoin.

Les produits laitiers et les autres sources de calcium

Il n'est pas nécessaire de boire du lait pour faire du lait. Si vous êtes allergique au lait, vous n'avez aucunement besoin d'en boire. Le lait de vache est une bonne source de calcium, mais c'est aussi un allergène très fréquent. S'il y a des antécédents dans votre famille, réduisez ou cessez votre consommation de lait pendant la grossesse, car c'est à ce moment que certains bébés développent une sensibilité au lait. La réaction allergique n'apparaît qu'après la naissance.

Il est aussi possible que vous n'aimiez pas le lait même si vous n'y êtes pas allergique. Il est bon toutefois que vous sachiez que d'autres produits peuvent vous procurer le calcium dont votre bébé et vous avez besoin. Le yogourt, les fromages à pâte ferme (cheddar, suisse et parmesan) et le fromage cottage[6] sont de bonnes sources de calcium. Bien des gens allergiques au lait peuvent tout au moins tolérer de petites quantités du produit allergène. La mélasse verte et le tofu enrichi au calcium, un dérivé des fèves de soya de plus en plus commercialisé, constituent également de bonnes sources de calcium tout comme le bok choy, le brocoli, le chou collard et le chou kale. Les graines de sésame sont particulièrement riches en calcium. Vous pouvez les ajouter à vos pâtisseries, muffins ou crêpes ou encore en saupoudrer les salades et les céréales.

En règle générale, la viande et les noix contiennent peu de calcium sauf pour trois exceptions qu'il vaut la peine de mentionner, soit le foie, les amandes et les noix du Brésil. Pour ce qui est des poissons, on trouve beaucoup de calcium dans les sardines et le saumon en conserve dont on consomme habituellement les arêtes. Contrairement aux arêtes pointues des autres poissons, celles-là sont rondes et suffisamment souples pour être mangées. De plus, elles ajoutent un côté croustillant à la texture plutôt molle du poisson. Vous pouvez tartiner du pain et des craquelins avec du saumon en conserve que vous aurez mis en purée à la fourchette ou au mélangeur.

La caféine et les boissons gazeuses

Si vous êtes une grande consommatrice de café, de thé ou de cola, vous vous demandez peut-être si la caféine va affecter votre bébé.

Une consommation excessive de caféine par la mère pourrait provoquer une réaction chez le bébé. Moins de 750 ml (24 oz) de café par jour ne causera pas de problème à la plupart des mères et des bébés. Il se peut que vous augmentiez votre consommation de caféine en buvant du thé ou des colas. Certains médicaments en vente libre contiennent aussi de la caféine. Si vous croyez que cela peut être la cause de l'agitation de votre bébé ou de son faible gain de poids, consommez moins de caféine durant une semaine et voyez si ça aide. Comme bien des gens développent une accoutumance à la caféine, il est possible que vous souffriez de maux de tête pendant un jour ou deux si vous cessez brusquement d'en prendre.

---

[6] Fromage blanc à gros caillots.

Certaines mères boivent plutôt des tisanes qui ne contiennent pas de caféine et la plupart des marques de tisanes sont sans danger si utilisées avec modération. Par contre, certaines herbes peuvent être dangereuses si elles sont consommées en grande quantité. En général, il est préférable de prendre les liquides sous forme d'eau, de jus ou de lait et de limiter votre consommation de café ou de thé.

Souvenez-vous que les boissons gazeuses contiennent, en plus de la caféine, beaucoup de sucre et n'ont aucune valeur nutritive. Les boissons gazeuses sans sucre ne sont pas meilleures. Les édulcorants, comme l'aspartame et la saccharine, sont peut-être moins nocifs pour les dents, mais ils peuvent représenter un danger pour la santé et ils n'assouvissent pas vraiment votre faim. Ces édulcorants artificiels ne devraient jamais être donnés à des enfants. Rappelez-vous que si vous, en tant que parent, consommez chaque jour des boissons gazeuses, vous pouvez être certaine que vos enfants voudront en faire autant.

Les suppléments

De nos jours, bien des gens qui prennent des vitamines ou des suppléments de minéraux pour prévenir ou combler certaines carences obtiennent de bons résultats. Bien entendu, il ne s'agit que de suppléments, ils ne remplacent pas une saine alimentation.

Votre médecin vous prescrira peut-être des suppléments de vitamines et de minéraux pendant votre grossesse, plus particulièrement du fer, dont vous devrez faire de nouvelles provisions puisque votre bébé constituera à même la vôtre sa propre réserve qui durera pendant ses six premiers mois de vie. Votre médecin vous suggérera peut-être de continuer à prendre des suppléments aussi longtemps que vous allaiterez.

Il est important pour une mère qui suit un régime végétalien ou macrobiotique, sans aucune protéine animale, de prendre des suppléments de vitamines B12 afin d'éviter que son bébé ne souffre d'une déficience en vitamine B12.

Les régimes amaigrissants et l'exercice

Les mères se demandent s'il est possible de perdre du poids tout en allaitant. Eh bien oui ! En fait, l'allaitement facilite la perte des kilos en trop pris durant la grossesse. Après tout, ces réserves étaient là pour emmagasiner l'énergie nécessaire à la production de lait maternel. Les nouvelles mamans qui n'allaitent pas doivent recourir aux régimes amaigrissants et à l'exercice pour perdre du poids. Les mères qui allaitent ont une longueur d'avance, car les calories nécessaires à la production du lait sont déjà puisées à même les réserves de graisses accumulées. Des études ont démontré que les mères qui allaitent ont tendance à perdre plus de poids quand leur bébé a entre trois et six mois que les mères qui consomment moins de calories, mais qui n'allaitent pas. Bien entendu, les courbes de perte de poids varient selon les individus et dépendent du régime alimentaire et du degré d'activité tout autant que de l'allaitement.

Selon la Dre Judith Roepke, une nutritionniste à la retraite et membre du *Health Advisory Council* de la LLLI, la période de lactation est idéale pour perdre du poids. La lactation semble même utiliser les graisses accumulées avant la grossesse. Il est toutefois important d'y aller doucement. La Dre Roepke suggère que les mères qui allaitent ne fassent rien pour provoquer volontairement la perte de poids pendant les deux premiers mois après la naissance. Le corps a besoin de cette période pour se remettre de l'accouchement et pour établir une bonne sécrétion lactée. La plupart des mères perdront quelques kilos de toute façon, en mangeant selon leur appétit. Si vous n'avez pas perdu de poids après deux mois, il faudra alors augmenter votre niveau d'activité tout en réduisant votre apport calorique, en consommant moins de matières grasses et de sucre. Mettez le bébé dans sa poussette ou un porte-bébé, sortez à l'extérieur et marchez trois kilomètres, cinq fois par semaine. En même temps, réduisez votre régime quotidien de seulement 100 calories (l'équivalent d'une cuillère à thé de beurre ou d'huile) et vous pouvez espérer perdre un kilo ou plus en un mois. Ce n'est pas une perte de poids importante, mais elle vous assure que votre bébé et vous continuerez d'être bien nourris. De plus, l'exercice procure des bienfaits qui vont bien au-delà des kilos et des centimètres.

Certaines questions ont été soulevées en ce qui a trait aux effets de l'exercice sur le lait de la mère. Une étude, dont on a beaucoup parlé, suggérait aux mères de ne pas allaiter immédiatement après avoir fait de l'exercice à cause de changements possibles dans la composition de leur lait. D'autres études ne sont pas arrivées aux mêmes résultats. En fait, l'une d'elles a démontré que les mères qui allaitent et qui font de l'exercice régulièrement avaient un volume de lait plus élevé que celles qui ne faisaient pas d'exercice. Après avoir passé en revue de nombreuses études sur les mères qui allaitent et qui font de l'exercice, les chercheurs ont conclu que la pratique modérée d'exercices physiques pendant l'allaitement était sans danger et se révélait bénéfique à la plupart des femmes.

Les diètes intensives, les diètes à la mode et les pertes de poids rapides causent des problèmes aux mères qui allaitent. Par le passé, on craignait qu'une perte de poids trop rapide ne libère des polluants environnementaux dans le sang de la mère qui allaite et n'augmente leur taux dans son lait. Par contre, des recherches plus récentes ont démontré que ce risque n'existe pas.

Les régimes à haute teneur en protéines et faibles en glucides sont potentiellement néfastes pour les mères qui allaitent à cause des substances libérées dans le lait maternel par le métabolisme de la mère qui s'est modifié. Qui plus est, toute perte de poids radicale risque d'entraîner une baisse de la production de lait.

Bien des mères trouvent qu'elles perdent du poids simplement en allaitant. Évitez les sucreries et la « malbouffe » (des aliments hautement caloriques mais peu nutritifs) et tenez-vous en à une alimentation saine. C'est souvent tout ce dont vous avez besoin pour perdre du poids. Une bonne alimentation vous aidera aussi à combattre la fatigue et à mieux vivre les hauts et les bas qui sont inévitables dans la vie d'une nouvelle mère.

CINQUIÈME PARTIE

VOTRE BÉBÉ GRANDIT

Chapitre 13

L'introduction des solides

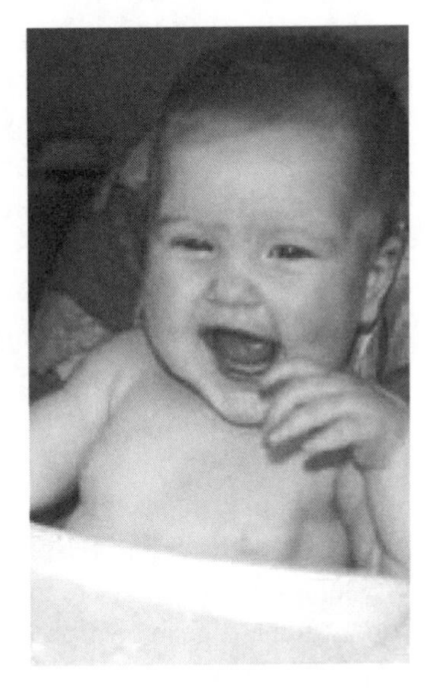

La tendance à introduire les aliments solides de plus en plus tôt est apparue avec l'avènement du biberon. Une rivalité s'est alors installée entre les mères (et parfois même entre les médecins). C'était à qui aurait le plus gros bébé qui mangerait la plus grande variété d'aliments, en plus grande quantité, le plus tôt possible. Même l'industrie des aliments pour bébés a favorisé et encouragé cette tendance. On a fait croire aux mères qu'il y avait un avantage à donner des solides très tôt.

Les scientifiques du monde entier ont confirmé que le lait maternel constitue la nourriture par excellence pour les bébés parce qu'il est l'aliment complet que la nature a prévu pour eux. Les nourrissons se développent mieux sans l'introduction hâtive d'aliments solides à leur régime. Pour le bébé né à terme et en bonne santé, le lait maternel est l'aliment par excellence durant au moins les six premiers mois de sa vie. Il n'y a habituellement aucune raison d'introduire quelque nourriture que ce soit dans l'alimentation du bébé allaité avant cela. En 1997, l'*American Academy of Pediatrics* recommandait de n'offrir que du lait maternel pendant six mois au bébé allaité né a terme.

Il existe au moins deux bonnes raisons pour attendre de commencer à offrir d'autres aliments à votre bébé allaité. Premièrement, vous voulez maintenir votre production de lait et plus le bébé prend de solides, moins il prendra de lait au sein. Par conséquent, moins il boit au sein, moins il y aura de lait. La recherche a confirmé que les bébés qui commencent les solides tôt équilibrent leur apport énergétique en diminuant la quantité de lait maternel qu'ils consomment. Lorsque les aliments solides remplacent le lait maternel dans le régime du bébé, cela diminue la quantité d'anticorps que le bébé reçoit. En introduisant les solides trop tôt, on substitue un aliment de qualité inférieure à l'aliment de qualité supérieure.

La seconde raison d'attendre, c'est que plus le bébé est jeune, plus il y a de risques qu'un autre aliment que le lait maternel lui cause des allergies. La majorité des aliments solides sont mal digérés par un jeune bébé. Ils peuvent causer une réaction désagréable chez le bébé âgé de deux mois, mais être bien assimilés par le même bébé, si on retarde leur introduction jusqu'à ce qu'il ait atteint l'âge de six mois ou plus.

Jusqu'à ce que le système digestif du bébé soit suffisamment développé pour pouvoir digérer les autres aliments sans difficultés, il est sage et préférable de le faire profiter pendant quelques mois encore de la nourriture qui est parfaitement adaptée à ses besoins.

Même âgés de sept ou huit mois, certains bébés sujets aux allergies refuseront les aliments solides. Peut-être est-ce le moyen que la nature a trouvé pour les protéger des aliments qui pourraient leur occasionner des problèmes ? Ces bébés peuvent très bien continuer à se développer en ne prenant que du lait maternel, jusqu'à ce que leur système soit prêt à tolérer d'autres aliments.

Vers l'âge de six ou sept mois, la plupart des bébés commencent à percer des dents et leur besoin naturel de mâcher et de mordre se fait plus pressant. La bouche et la langue du bébé sont maintenant plus habiles et son système digestif est probablement prêt à absorber de nouveaux aliments. Votre bébé vous fera savoir quand il sera prêt. Observez-le, lui, plutôt que le calendrier.

Les vitamines

Les suppléments de vitamines ne sont pas toujours recommandés pour un bébé allaité. Si la mère a un apport suffisant en vitamines dans son propre régime alimentaire, son lait en contiendra suffisamment et en quantité idéale pour son bébé. Les recherches le confirment. Pendant que vous allaitez, votre médecin vous suggérera sans doute de continuer à prendre les vitamines que vous preniez au cours de la grossesse. Aussi

Observez votre bébé et non le calendrier pour des signes indiquant qu'il est prêt à commencer les solides.

longtemps que votre bébé exclusivement allaité se développe bien, il n'a pas besoin de suppléments de vitamines de fer, de fluor ou autres pendant les premiers mois.

La seule exception est la vitamine D. Il n'y a pas beaucoup de vitamine D dans le lait maternel. La lumière du soleil est la source naturelle de vitamine D pour les bébés et les adultes. Toutefois, à cause des problèmes liés à une surexposition au soleil, les différentes associations médicales recommandent de limiter ou d'éviter d'exposer les jeunes bébés au soleil et suggèrent plutôt de donner un supplément de vitamine D à tous les bébés. Vous trouverez d'autres informations sur la vitamine D au chapitre 18.

Ses premiers aliments

Au moment où les bébés sont prêts à manger des aliments solides, ils sont également capables de s'asseoir dans une chaise haute et ils cherchent naturellement à tout mettre dans leur bouche. La façon la plus simple d'introduire les solides, c'est d'asseoir le bébé dans sa chaise ou, s'il préfère, sur vos genoux et de le laisser goûter une petite quantité de son premier aliment.

Ces premiers repas solides se déroulent habituellement plus facilement si vous allaitez d'abord votre bébé afin de calmer son appétit. Sinon, il ne sera pas d'humeur à essayer quelque chose de nouveau. Avec un peu de pratique et de patience de votre part, il comprendra assez rapidement. Ces premières tentatives servent simplement à lui faire accepter l'idée de la nourriture, pas à lui remplir l'estomac. Pour commencer, utilisez une petite cuillère avec seulement une petite quantité de nourriture, soit environ un quart de cuillerée à thé. Si vous avez un bébé indépendant qui refuse la cuillère, présentez-lui des aliments en petits morceaux qu'il pourra prendre avec ses doigts et porter lui-même à sa bouche. En saisissant de petits morceaux d'aliments comme des pois ou des haricots cuits, il développera sa motricité fine et sa coordination. Vers l'âge d'un an, il pourra probablement s'alimenter seul, presque sans aide.

Un avertissement semble toutefois nécessaire ici. La plupart des bébés ont un excellent « réflexe de haut-le-cœur » qui leur permet de faire remonter ce qu'ils ont avalé de travers. Toutefois, pendant que votre tout-petit est en train d'apprendre à se nourrir par lui-même, évitez de quitter la pièce ou de le laisser seul. De plus, ne lui donnez pas d'aliments à mâchouiller lorsqu'il est couché, car il pourrait s'étouffer en les poussant trop loin dans sa gorge.

Commencez doucement

Il faut introduire les nouveaux aliments un à la fois. Cela veut dire un aliment seul et non un plat comme un ragoût ou une soupe, ni même des céréales multi-grains. Cette précaution vise à protéger le bébé de six ou sept mois d'éventuelles réactions allergiques, bien que les possibilités soient beaucoup moins grandes que chez un bébé plus jeune. Si votre bébé présente soudain des rougeurs ou de l'érythème fessier, signes d'une possible allergie, et que vous avez introduit les aliments un à la fois, vous saurez lequel est responsable. Vous pourrez alors l'éliminer temporairement de son alimentation. Attendez au moins l'âge d'un an avant d'introduire des aliments causant déjà des réactions allergiques chez d'autres membres de la famille.

C'est une bonne idée d'attendre une semaine avant d'introduire un nouvel aliment. Il n'y a aucun avantage à essayer d'introduire une très grande variété d'aliments dans le moins de temps possible. Au contraire, il est préférable de laisser le temps à votre bébé de bien s'habituer à un nouvel aliment avant de lui en offrir un autre. Le premier jour, donnez-lui une fois l'équivalent d'une cuillère à thé du nouvel aliment. Augmentez peu à peu la quantité pour qu'à la fin de la semaine, il en mange autant qu'il en veut deux ou trois fois par jour. Il vous fera probablement savoir qu'il n'en veut plus en tournant la tête, en pinçant les lèvres, en crachant la nourriture ou par tout autre geste sans équivoque. Croyez-le sur parole. Ne tentez pas de l'amadouer, de le pousser ou de le forcer à manger. Ceci pourrait entraîner des troubles de l'alimentation. Ne lui donnez que la quantité qu'il demande, pas celle que vous pensez qu'il devrait prendre.

Les bébés aiment certains aliments et d'autres moins, comme nous. Ainsi, si votre bébé refuse un aliment en particulier, ne vous affolez pas. Oubliez cela et essayez autre chose. Même si durant une semaine il a mangé avec appétit une banane par jour et que, tout à coup, il n'en veut plus du tout, laissez-le faire. Il n'est pas malade, il en a simplement assez des bananes !

Lorsque le bébé a bien accepté un aliment, continuez à lui en donner par la suite au moins une petite quantité environ une fois par semaine afin d'éviter une possible réaction allergique si l'aliment était réintroduit après un certain temps. Par mesure de prudence, continuez ainsi jusqu'à ce que votre bébé ait un an.

Oubliez les bonnes manières

Ce n'est pas le moment de vous préoccuper des bonnes manières. Un bébé affamé devient vite frustré s'il est soudainement « attaqué » par une serviette humide au lieu d'une autre bouchée d'un aliment savoureux. Freinez vos élans de propreté pour l'instant. Votre bébé commence à peine à apprendre à manger et il n'est pas encore prêt pour les leçons de bienséance. Couvrez-le d'une grande bavette[1] et enlevez sa chaise du tapis ou placez un carré de plastique sous celle-ci. (Un chien affamé peut être commode pour nettoyer sous la chaise haute !)

Vous éviterez également les dégâts et favoriserez son apprentissage si vous mettez une seule chose à la fois sur sa tablette : une bouchée de l'aliment à manger avec les doigts pour commencer, puis une assiette incassable contenant une petite portion d'un seul aliment et (pas en même temps) une petite tasse incassable avec un couvercle hermétique et un bec verseur. Servez de petites portions et attendez que votre bébé en réclame plus.

---

[1] Bavoir.

Le choix des aliments

Il n'est pas nécessaire, selon la plupart d'entre nous, d'utiliser les aliments commerciaux pour bébés. Ils sont relativement dispendieux et certains contiennent des substances indésirables et des agents de conservation. Si vous utilisez ces produits, lisez les étiquettes pour en connaître la composition exacte. Malgré les améliorations qui ont été apportées au cours des dernières années, il est préférable et plus simple pour les bébés de commencer à manger les mêmes aliments que nous. Si vous êtes consciente de l'importance d'une bonne alimentation et que votre famille a des habitudes alimentaires saines, ce que vous mangez conviendra également à votre bébé. De plus, cela facilitera par la suite le passage à la table familiale. (Consultez le chapitre 12 qui porte sur l'alimentation.)

Dans son excellent livre *Whole Foods for Babies and Toddlers* , Margaret Kenda écrit :

> *La nourriture pour bébé que vous préparez vous-même est remarquablement supérieure (aux aliments commerciaux pour bébés). En plus des importants avantages nutritionnels, vous pouvez procurer d'autres avantages à votre bébé en lui offrant votre propre nourriture. […] Votre enfant connaîtra le goût des aliments frais. En grandissant, votre enfant préfèrera naturellement les meilleurs aliments, les plus nutritifs. […] Vous aurez donné à votre fille ou votre fils un avantage pour toute sa vie.*

Elle continue en expliquant que préparer soi-même la nourriture du bébé n'a pas besoin d'être compliqué :

> *Vous n'avez pas vraiment besoin d'ustensiles particuliers. Beaucoup de premiers aliments peuvent être cuits avec la nourriture des adultes, sans épices et autres ingrédients auxquels le bébé n'est pas prêt. Bien des aliments pour bébés peuvent être écrasés avec un ustensile aussi simple qu'une fourchette.*

Pour rendre certains aliments plus faciles à manger pour le bébé, vous pouvez utiliser un mélangeur, un hachoir d'aliments pour bébé ou un robot culinaire. Une fourchette fera cependant l'affaire pour la plupart des aliments que vous lui donnerez. Si votre bébé est âgé de six mois ou plus quand vous introduisez les aliments solides, il n'est pas nécessaire de lui donner des purées.

Votre bébé vous fera savoir s'il n'est pas prêt à manger.

Quelques indications pour l'introduction des solides

La banane écrasée. C'est un excellent premier aliment, car c'est un aliment frais et sain qui a une plus grande valeur nutritive que les céréales. En général les bébés adorent la texture molle de la banane mûre. La première fois, offrez une petite portion à votre bébé, puis augmentez graduellement les quantités. Par la suite, vous pourrez lui en donner un morceau entier qu'il pourra prendre dans ses mains et… écraser lui-même entre ses doigts ! Vous éliminerez ainsi rapidement un aliment en purée tout en satisfaisant le bébé dans son désir de se nourrir seul.

Si votre bébé n'aime pas la banane, la patate douce ou l'avocat constituent un autre bon choix. Il est préférable de faire cuire la patate douce entière afin d'en conserver tous les éléments nutritifs. La patate douce a une saveur délicate et une excellente valeur nutritive. L'avocat a une consistance molle et contient beaucoup de vitamines et de fer. Vous pouvez en couper une tranche et conserver le reste au réfrigérateur pour une autre journée. La plupart des bébés en raffolent.

La viande. On introduit la viande tôt à cause de sa grande teneur en fer et en protéines. Dans les familles végétariennes, d'autres aliments riches en protéines peuvent remplacer la viande. Il est facile de modifier la consistance de la viande pour le bébé. Le bœuf haché, la viande bouillie ou de tendres morceaux de poulet se coupent facilement en petits morceaux ou s'écrasent bien à la fourchette. Mieux encore, grattez une pièce de viande crue à l'aide d'un couteau. La viande tendre se détachera des filandres et vous pourrez la faire cuire pour votre bébé.

Quand le bébé mange une sorte de viande depuis une semaine, offrez-lui un os de grosseur moyenne, lisse et à bouts ronds, auquel adhère encore un peu de viande. Un pilon de poulet conviendra parfaitement et il est juste de la bonne grosseur. (Assurez-vous d'abord d'enlever le petit os long et étroit et le cartilage au bout.) Il est plus que probable que le bébé le mordillera avec un plaisir évident, surtout s'il a un urgent besoin de mâcher et de mordre. Il développera par la même occasion sa coordination musculaire.

Afin d'avoir toujours sous la main de la viande pour votre bébé, gardez au congélateur des portions de bœuf ou de poulet cuit, préalablement coupé ou haché, enveloppées individuellement. Si vous servez à votre famille de la viande qui est trop difficile à manger pour votre bébé, réchauffez-lui une petite portion de viande congelée.

Le poisson est un autre aliment riche en protéines que le bébé peut manger facilement. Il est toutefois une cause fréquente d'allergies. S'il n'y a pas d'allergies dans votre famille et que votre menu comporte régulièrement du poisson, vous pouvez en offrir avec précaution au bébé. Attention aux arêtes. Vérifiez chaque morceau entre vos doigts avant de le donner au bébé. Attendez qu'il soit plus âgé avant de lui offrir du poisson fumé ou mariné et des crustacés.

Les céréales et les pains de grains entiers. Servis entre les repas ou pendant que vous préparez le dîner, des morceaux de pain de grains entiers séché ou grillé sont pratiques et faciles à mastiquer pour votre bébé. Le pain à 100 % de blé entier est le plus répandu, mais les autres pains de grains entiers constituent également un bon choix. Si vous servez régulièrement une céréale complète cuite, vous aurez peut-être envie d'en offrir aussi à votre bébé. Assurez-vous d'abord qu'elle ne contient ni sucre ni édulcorant et faites-la cuire avec de l'eau et non du lait. Évitez les céréales multi-grains tant que votre bébé n'a pas goûté chacune d'elles individuellement. Les céréales prêtes à servir pour bébé, qui sont très raffinées, n'ont pas la même valeur nutritive que celles que vous préparez à la maison. Elles représentent également une dépense supplémentaire.

Le pain de grains entiers grillé (ou un croûton de pain séché) a un autre avantage : on peut facilement le tartiner. Par exemple, une tartine recouverte d'une fine couche de beurre d'arachide crémeux ou de beurre d'amande est toujours populaire pour un bébé qui est assez âgé pour la manger sans s'étouffer (Attention au beurre d'arachide dans les familles où il y a des allergies). Optez pour une marque naturelle, sans édulcorant ni agent de conservation. Un peu plus tard, du fromage à tartiner et d'autres mélanges à tartiner nutritifs que vous aurez préparés pourront également être utilisés sur le pain.

Les fruits frais. On peut râper ou gratter à la cuillère une pomme ou une poire pelée et déposer ces râpures sur la tablette de la chaise haute. Bientôt vous pourrez offrir à votre bébé un morceau de pomme pelée, une poire mûre ou une pêche à grignoter. Les abricots, les prunes et le melon sont bons, eux aussi. Si votre bébé a huit mois ou plus, offrez-lui d'autres fruits frais en saison mais avec précaution. Les bébés éprouvent parfois des difficultés avec les minuscules graines de certains petits fruits et quelques-uns ont tendance à causer des allergies, particulièrement les framboises.

Les bleuets congelés se mangent très bien avec les doigts et votre bébé appréciera leur goût froid et croquant, surtout s'il perce des dents. Les bleuets peuvent tacher les vêtements du bébé, alors mettez-lui une grande bavette de plastique. Les agrumes et les fruits d'agrumes peuvent parfois causer des allergies, attendez donc que le bébé ait environ un an avant de lui en donner. On peut commencer par des quartiers de mandarine, mais assurez-vous d'avoir enlever tous les pépins avant.

Évitez de servir des fruits en conserve, car ils contiennent du sucre. Ils ont une valeur nutritive moindre que les fruits frais, mais il vaut mieux servir des fruits en conserve non sucrés plutôt que pas de fruit du tout. Les fruits séchés comme les raisins, les dattes ou les figues ne devraient pas être offerts au bébé avant qu'il n'ait un an. Par la suite, offrez-les à l'occasion seulement. Bien qu'ils soient nourrissants, ils sont très sucrés et ils ont tendance à coller entre les dents, ce qui cause des caries.

Les légumes. La patate douce et la pomme de terre constituent deux bons choix pour le bébé. N'ajoutez ni beurre ni margarine à la portion du bébé. Votre bébé pourra ainsi apprécier la saveur naturelle de l'aliment.

Vous pouvez aussi mélanger un peu de carotte crue, finement râpée, à une pomme râpée ou à un autre aliment que votre bébé mange déjà. Les carottes cuites sont bonnes également. Les autres légumes cuits, servis à la table familiale, seront offerts un à la fois comme vous l'avez fait pour chaque nouvel aliment. Certains tout-petits raffolent des légumes congelés tout juste sortis de leur emballage. C'est le cas des petits pois qu'ils peuvent prendre un à la fois entre leurs doigts et porter à leur bouche. Attendez que votre bébé ait environ un an avant de lui offrir du maïs et des tomates, car ceux-ci sont des sources potentielles d'allergies.

Ne vous inquiétez pas si, au début, vous trouvez des petits morceaux de légumes non digérés dans les selles de votre bébé. Les légumes, même cuits, sont plus difficiles à digérer que beaucoup d'autres aliments.

Les légumes crus ont une plus grande valeur nutritive que les légumes cuits, mais la plupart sont trop difficiles à mâcher et à digérer pour un bébé. Certains légumes crus, particulièrement les carottes et le céleri, peuvent être dangereux pour l'enfant, car il peut en inhaler des morceaux au lieu de les avaler.

Certains bébé aiment se nourrir seuls dès le début.

Les œufs. Parce que les œufs, particulièrement le blanc d'œuf, semblent l'une des causes les plus fréquentes d'allergies, il est habituellement préférable d'attendre que votre bébé ait au moins un an avant de les introduire dans son alimentation. Commencez par offrir des œufs durs. Placez l'œuf dans l'eau et portez à ébullition. Retirez du feu, couvrez et laissez reposer pendant vingt minutes. Pelez sous l'eau froide. Au début, servez uniquement le jaune d'œuf, écrasé et humecté selon son goût. Commencez par un quart de cuillerée à thé et augmentez graduellement d'un quart de cuillerée à la fois. Quand votre bébé mange des œufs depuis un mois environ, vous pouvez lui offrir des œufs brouillés. Généralement les bébés aiment les manger avec les doigts. Vous pouvez aussi faire cuire un œuf avec ses céréales pour en augmenter la valeur nutritive.

Le lait de vache et les produits laitiers. Évitez complètement le lait de vache s'il y a des allergies dans la famille ou si votre bébé a déjà montré des signes d'allergies. Le seul lait dont votre bébé a besoin est le vôtre. Dans certaines régions du monde, les adultes ne boivent pas de lait du tout, ils s'alimentent pourtant bien et sont en bonne santé.

Lorsque le bébé a neuf ou dix mois, on peut introduire le fromage cottage, le yogourt et les fromages. Ces produits laitiers fournissent du calcium et d'autres éléments nutritifs et ils risquent moins de provoquer des allergies que le lait de vache.

Boire à la tasse

À un certain moment au cours de sa première année, vous pouvez commencer à offrir à votre bébé de l'eau ou du jus, dans une tasse, une fois par jour, à l'heure du repas ou entre les repas, selon ce qui vous convient le mieux. Il n'y a aucune raison de vous presser. Un conseil de Betty Wagner pour apprendre au bébé à boire à la tasse : laissez-le boire avec une petite paille. (Celles qui se plient conviennent parfaitement.) Le bébé peut facilement aspirer et on évite les dégâts, rien ne coule ni ne dégouline. Ou encore, essayez la tasse en plastique munie d'un couvercle hermétique et d'un bec verseur.

Votre bébé devrait surtout boire du lait maternel, de l'eau, des soupes maison (les soupes en conserve contiennent beaucoup de sel et d'agents de conservation), des jus de légumes ou de fruits non sucrés. Diluez le jus avec de l'eau pour qu'il ne soit pas trop concentré. Il a été prouvé que donner trop de jus de fruits aux bébés ou aux bambins causait de la malnutrition, car les petits avaient moins d'appétit et mangeaient moins d'aliments sains. Ne donnez pas plus de 125 ml (4 oz) de jus de fruits par jour. Évitez les boissons gazeuses, elles contiennent beaucoup de sucre ou d'édulcorants et parfois de la caféine. De plus, elles n'ont aucune valeur nutritive. Les boissons gazeuses contenant des édulcorants artificiels tels que l'aspartame ou la saccharine doivent également être évitées. Rien ne vaut un bon verre d'eau pour étancher la soif.

Les aliments à éviter

Vous remarquerez sans doute que depuis le début nous vous suggérons de donner à votre bébé des aliments sains et nutritifs. Nous vous conseillons vivement d'éviter les aliments transformés qui renferment beaucoup de sucre, de sel, de colorants, d'agents de conservation et de produits chimiques.

Lorsque vous aurez donné un bon départ à votre bébé en l'allaitant, nous sommes convaincues que vous voudrez continuer sur la même voie quand il commencera à manger. Votre bébé sera tout aussi satisfait sans biscuits, bretzels, biscuits de dentition, poudings, gâteaux ou crème glacée. Faites-lui d'abord découvrir le goût naturellement sucré des fruits frais et la bonne saveur des grains entiers. C'est à cet âge qu'il faut lui faire prendre de bonnes habitudes alimentaires qu'il conservera toute sa vie.

On devrait éviter de donner du miel à des bébés de moins d'un an parce qu'il peut contenir des bactéries qui causent le botulisme chez le nourrisson.

L'introduction des solides peut prendre en tout de trois à six mois. Lorsqu'il mangera une grande variété d'aliments sans présenter de signes d'allergie ou de détresse, vous pourrez mélanger les aliments ou introduire un nouvel aliment sans crainte. Aussi longtemps que vous lui offrirez des aliments sains et nutritifs, fiez-vous à son appétit et donnez-lui ce qu'il veut quand il a faim.

À mesure que vous ferez connaître divers aliments à votre tout-petit, vous aurez certainement envie d'en savoir plus sur une alimentation saine pour toute la famille. Dans les livres de recettes de la LLLI , *Whole Foods for the Whole Family (MiLLLe et une recettes santé), Whole Foods from the Whole World*, et *Whole Foods for Babies and Toddlers,* vous trouverez de bonnes suggestions pour garder votre bébé et tous les autres membres de votre famille délicieusement bien nourris. Pour plus de détails, consultez l'appendice.

Chapitre 14

Sevrer graduellement avec amour

Quand devrais-je sevrer mon bébé ? Comment faire ? Combien de temps cela prendra-t-il ? Certaines mères s'inquiètent déjà de sevrer alors que leur bébé n'a que quelques semaines.

Pourquoi les mères se tracassent-elles au sujet du sevrage presque aussitôt qu'elles commencent à allaiter ? Il y a sûrement de nombreuses raisons à cela, mais nous croyons que la raison principale est liée au fait que, dans notre société, on s'attend à ce que les bébés soient sevrés tôt. Les mères sont mal à l'aise à l'idée que leur bébé tète encore après avoir atteint l'âge où tout le monde s'attend à ce qu'il soit sevré.

Nous ne sommes pas d'accord avec le sevrage précoce qu'impose la société. Nous croyons que, idéalement, la relation d'allaitement devrait se poursuivre jusqu'à ce que le bébé n'en ait plus besoin.

Une mère qui s'est sentie obligée de sevrer à cause des critiques des autres nous a fait cette réflexion concernant sa décision : « J'ai laissé les pressions sociales mettre fin à l'une des expériences les plus importantes que j'ai eue avec mon fils… J'aimerais pouvoir tout recommencer maintenant que je suis plus sûre de moi. »

Plus que du lait

Votre bébé continue à profiter des bienfaits de votre lait aussi longtemps que vous l'allaitez. Le lait maternel ne perd rien de ses propriétés avec le temps. Des recherches ont démontré que les avantages immunologiques du lait maternel, qui protègent votre bébé contre les maladies au cours des premiers mois, se prolongent bien au-delà.

Si on considère l'allaitement seulement comme un mode d'alimentation, on peut comprendre la raison qui pousse à sevrer le bébé dès qu'il peut manger divers aliments solides et boire à la tasse. Ce sevrage peut même se produire avant l'âge d'un an.

Par contre, lorsqu'on considère l'allaitement dans son ensemble, on reconnaît que le bébé a des besoins affectifs qui sont facilement comblés par l'allaitement. Il est alors difficile de comprendre pourquoi il faut déterminer un moment précis pour mettre un terme à cette relation intime si importante. Si nous ne satisfaisons pas ces besoins quand nos enfants sont petits, il se peut qu'ils soient sous-alimentés au point de vue affectif, comme ils le seraient physiquement s'ils étaient privés d'un nutriment important dans leur alimentation.

Les besoins affectifs

La mère qui allaite et son bébé développent une relation basée sur leurs besoins réciproques. Cette relation évolue graduellement, au fur et à mesure que leurs besoins changent. L'un des besoins les plus pressants du nouveau-né, c'est la nourriture. Pendant cette période de la petite enfance, la mère ressent le besoin physique d'être soulagée du lait qui gonfle ses seins. La mère et son bébé ont aussi mutuellement besoin l'un de l'autre pour bien d'autres choses. Le bébé a besoin d'affection et la mère répond avec plaisir à son besoin d'amour. Puis, peu à peu, le bébé devient habituellement, jusqu'à un certain point, moins dépendant de sa mère. Son horizon commence à s'élargir et il essaie de voler de ses propres ailes. L'allaitement demeure cependant aussi important, c'est un havre de paix dans un univers parfois difficile.

Lorsque le bébé n'est pas sevré vers l'âge d'un an, la mère se demande parfois s'il ne dépend pas trop d'elle. Elle craint qu'en poursuivant l'allaitement, elle l'empêche de cheminer vers l'indépendance. Le sevrage est toutefois une étape du développement et, tout comme pour la marche et la parole, l'enfant franchit cette étape selon son propre rythme.

Tous les enfants se sèvrent tôt ou tard. Certains ont besoin de poursuivre la relation d'allaitement plus longtemps que d'autres mais vient un jour où ils n'en éprouvent plus le besoin. Et ils ne sont pas plus dépendants pour autant. Nous avons pu nous en assurer maintes et maintes fois puisque nous avons observé à loisir des centaines de bébés qui étaient considérés comme des « téteurs invétérés ». Et, en grandissant, c'est plutôt le goût de l'indépendance, non la dépendance, qu'ils semblaient avoir en commun.

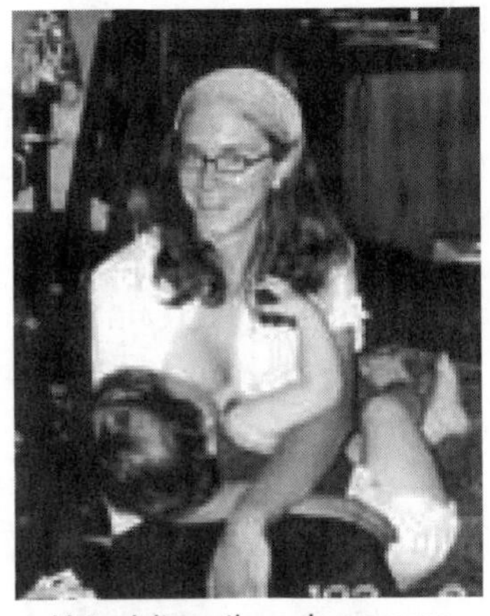

Votre lait continue de procurer des avantages importants à votre bébé qui grandit.

Dans le livre *New Mother's Guide to Breastfeeding* publié par *l'American Academy of Pediatrics*, l'éditrice, la Dre Joan Meeks, écrit :

> *Il n'y a certainement aucune preuve que l'allaitement prolongé rende un bébé plus dépendant ou que cela lui cause du tort de quelque façon que ce soit. Au contraire, de nombreux parents sont fiers de dire à quel point leur bébé qui a été allaité de façon prolongée est un être indépendant, en bonne santé et particulièrement intelligent. Aussi longtemps que vous vous sentez à l'aise d'allaiter votre bambin, vous n'avez aucune raison d'arrêter.*

Le Dr William Sears, auteur et pédiatre, confirme : « Dans ma pratique, les enfants les plus sains au point de vue physique et affectif sont ceux qui ont été allaités pendant des années. »

Souvenez-vous également qu'en grandissant votre bébé ne tétera plus aussi souvent que lorsqu'il avait deux semaines ou six mois. Le bambin qui « tète encore » demandera peut-être le sein seulement au moment de « faire dodo » ou pour se faire consoler s'il se cogne la tête ou s'il a un rhume. L'allaitement lui apporte du réconfort lorsqu'il est malade et votre lait continue à lui fournir des anticorps qui l'aident à guérir plus vite.

Vous allaitez toujours ?

Rappelez-vous que tous les enfants se sèvrent un jour. Les jeunes enfants désirent ardemment passer au prochain stade de leur développement. Vous ne cherchez sûrement pas à battre un record pour l'allaitement le plus long. Allaiter un bambin n'est pas un but à atteindre, il s'agit plutôt d'un aspect d'une relation unique entre une mère et son enfant.

Gabrielle Vena, du Québec, nous parle de cette relation particulière avec sa fille :

> *Je ne me voyais vraiment pas allaiter un an ou davantage. Je ne pouvais m'empêcher de trouver cela un peu exagéré, du moins pour moi. Je fis part à une monitrice de mes doutes et elle s'empressa de me rassurer : « Ne t'en fais pas, Gabrielle, cela viendra en son temps. Allaite au jour le jour, tu verras toi-même ce qu'il te conviendra de faire au moment opportun. »*
>
> *J'allaitai donc et le temps passa. Vite. Beaucoup trop vite. Un changement s'opérait en moi. J'avais allaité les aînés pour leur donner une nourriture, la meilleure. J'allaitais ma petite Élisabeth, mon quatrième bébé, pour la nourrir aussi, bien sûr, mais pour lui donner bien davantage. Plus qu'un simple repas, la tétée devenait une façon unique et intense de l'aimer, de la cajoler.*
>
> *Elle a maintenant vingt mois et, croyez-le ou non, je l'allaite encore et les quelques tétées qui lui restent sont aussi importantes pour elle que pour moi. C'est une ravissante petite fille, très épanouie, avec de belles joues rouges et une santé à toute épreuve.*

Le sevrage naturel

« Mais quand va-t-il se sevrer ? » vous demandez-vous quand votre petit de deux ans vous tend les bras pour se faire prendre et téter encore ? En fait, il a commencé à se sevrer dès qu'il a pris sa première bouchée d'aliments solides. Sevrer, selon *Le petit Robert*, c'est « cesser progressivement d'allaiter, d'alimenter en lait (un enfant), pour donner une nourriture plus solide ». Bien que la plupart des gens considèrent le sevrage comme la fin de quelque chose, une perte ou une privation, il s'agit en réalité de quelque chose de positif, d'un début, d'une expérience plus large. L'horizon de l'enfant s'élargit, son univers s'agrandit. C'est une lente progression, il avance prudemment une étape à la fois. C'est très excitant, mais cela peut aussi parfois être angoissant. C'est une autre étape de son développement.

Dans un merveilleux livre empreint de sagesse, *Le bambin et l'allaitement*, Norma Jane Bumgarner parle du « caractère imprévisible du sevrage naturel ». Elle affirme :

> *Un jour viendra où votre enfant ne trouvera plus la tétée aussi absolument essentielle à son bien-être. Il ne demandera plus aussi souvent le sein, ou il sera distrait de la tétée par mille et un petits détails [...] Vous répondrez, tout naturellement et sans même y penser, un peu moins rapidement à ses demandes [...] En son temps (personne ne peut prévoir quand), votre enfant abandonnera toutes les tétées sauf celles auxquelles il tient le plus.*

Norma Jane poursuit en décrivant comment certains enfants continuent d'apprécier ces quelques tétées pour un temps, les éliminant d'eux-mêmes lentement jusqu'à ce qu'ils soient sevrés. Elle termine en disant : « Chaque cas de sevrage naturel est unique de sorte qu'il est impossible de garantir quoi que ce soit à ce sujet, excepté qu'il surviendra un jour. »

Dans le livre de Diane Bengson, *À propos du sevrage... quand l'allaitement se termine*, des mères décrivent plusieurs expériences différentes de sevrage qu'il soit précoce ou tardif, soudain ou graduel, naturel ou planifié. Ce livre rassure les parents : le sevrage est un processus naturel et il n'est pas nécessaire que ce soit un évènement stressant pour la mère et l'enfant.

L'auteure Diane Bengson explique :

> *L'âge du sevrage dépend de plusieurs facteurs. Ainsi, les circonstances de votre vie, les besoins et la personnalité de votre bébé, vos besoins et vos sentiments jouent tous un rôle dans le moment et le déroulement particulier du sevrage de votre bébé.*

Que faire si je veux sevrer mon bébé ?

Chacune de nous doit prendre des décisions concernant l'allaitement et le sevrage en tenant compte de sa situation familiale et personnelle. Vous n'êtes peut-être pas en faveur du sevrage naturel ou vous croyez que cela ne vous convient pas. Si vous pensez qu'il est nécessaire de sevrer votre

Si vous essayez de sevrer, il faudra donner beaucoup d'attention à votre tout-petit.

bébé, envisagez toutes les possibilités avant de prendre votre décision. Peut-être que certains compromis permettraient au bébé de téter au moins une ou deux fois par jour. Arrêtez-vous quelques instants et demandez-vous si sevrer votre bébé améliorera la situation. Selon Norma Jane Bumgarner, « l'allaitement rend la tâche de la mère plus facile, pas plus difficile ». Souvenez-vous que la maladie, la prise de médicaments, une intervention chirurgicale ou le retour au travail ne signifient pas qu'il faut nécessairement sevrer avant que votre bébé et vous ne soyez prêts.

Si c'est possible, prenez votre temps pour sevrer et allez-y lentement. Nous considérons le sevrage comme quelque chose qui doit se faire « graduellement et avec amour ». Lorsque vous réduirez le nombre de tétées, il faudra multiplier les marques d'affection envers votre bébé et les exprimer de façon différente.

Fondamentalement, le sevrage consiste à remplacer l'allaitement par d'autres types d'aliments et de soins affectueux aux moments de la journée où vous donniez d'habitude la tétée. Éliminez une seule tétée à la fois et distrayez votre tout-petit en lui offrant un verre de jus, en lisant une histoire ou en faisant une promenade dans le quartier au moment où il demande habituellement à téter. Laissez passer quelques jours pour lui permettre de s'habituer à ce changement et pour éviter un engorgement, puis éliminez une autre tétée. Selon le nombre de tétées que prend votre bébé chaque jour, le sevrage peut prendre jusqu'à deux semaines ou plus. Ce n'est pas une bonne idée de précipiter les choses. Le sevrage représente un gros changement pour vous deux, il vous faut donc du temps pour vous y habituer.

Puisque le sevrage implique que vous donniez d'autres aliments que votre lait à votre bébé pour le nourrir, il faudra le planifier avec attention. Si vous décidez de sevrer votre bébé avant l'âge d'un an, vous devrez discuter avec votre médecin s'il est préférable de donner le biberon et ce qu'il faut offrir. Si vous sevrez votre bébé du sein au biberon, vous ne remplacerez que quelques-unes des tétées habituelles par un biberon. Rappelez-vous que votre bébé prenait également le sein pour se réconforter et qu'il n'aura probablement pas besoin d'autant de biberons qu'il prenait de tétées dans une journée. Pendant la journée, pour compenser, vous devrez donner deux fois plus de baisers et de caresses et passer deux fois plus de temps à vous blottir l'un contre l'autre dans la chaise berçante. Au lieu de le bercer dans la position habituelle pour téter, rapprochez son visage du vôtre et tenez-le contre votre joue quand vous le bercez ou le réconfortez.

Avec un bébé plus âgé ou un bambin qui mange bien et qui boit à la tasse, vous garderez quelques collations nutritives à portée de la main. Si vous lui offrez fréquemment au cours de la journée des verres d'eau ou, à l'occasion, des jus non sucrés, sa soif sera étanchée, souvent avant même qu'il ne réalise qu'il a soif et demande à téter. Offrir des morceaux de fruits frais, comme des oranges, des melons et des pêches, est également une bonne idée. Assurez-vous de lui donner des aliments nutritifs et riches en protéines lors de ses repas, car il ne recevra plus les nutriments de votre lait.

Ne ménagez pas vos efforts pour que les moments où vous éliminez une tétée soient agréables et amusants. Le père de votre enfant peut alors être une aide très précieuse. Il peut aller promener le bébé, le mettre au lit le soir et se lever s'il se réveille la nuit.

Votre bambin sera probablement ravi de votre intérêt soudain pour les promenades, les visites au parc ou les casse-tête. Vous essaierez d'éviter les situations où il avait l'habitude de téter, comme vous asseoir dans la chaise berçante ou le laisser grimper dans votre lit le matin.

Il faudra aussi vous montrer souple. Si votre petit réagit mal à l'idée de ne plus téter à l'heure de la sieste ou du coucher ou à tout autre moment, vous pouvez décider de conserver cette tétée encore un certain temps. Le sevrage ne doit pas être une question de « tout ou rien ».

Cette façon de sevrer « graduellement et avec amour » peut représenter beaucoup de travail. Par contre, un sevrage brusque peut causer un traumatisme physique et émotif. De plus, ce n'est jamais une bonne idée, ni pour vous ni pour votre bébé. En remplaçant les tétées par beaucoup de « maternage différent », vous aiderez votre petit à traverser l'étape du sevrage tout en gardant intacte sa confiance en vous. Il aura peut-être de la difficulté à comprendre pourquoi il ne peut plus téter mais, au moins, il sera rassuré par le fait que sa mère ne l'a pas abandonné, qu'elle est toujours présente, qu'elle l'aime et le comprend.

Une mère du Missouri, Maggie Bryan, raconte comment s'est déroulé le sevrage de son fils :

J'ai entendu parler du sevrage naturel pour la première fois à une réunion de la Ligue La Leche. J'ai été tout d'abord étonnée, puis j'ai remarqué combien les bambins allaités semblaient proches de leur mère. Les mois ont passé. J'étais confiante que Sean arrêterait de téter quand il se sentirait prêt, respectant son propre rythme.

Imaginez mon désarroi lorsque je me suis vue devenir de plus en plus impatiente face à ses demandes répétées pour téter. Je rêvais d'une nuit sans tétée où je pourrais enfin me réapproprier mon corps ou encore être simplement capable de lire quelques pages du journal du matin sans être dérangée. Je soupçonnais parfois Sean d'utiliser la tétée pour monopoliser mon attention.

Mais qu'importe, je ne pouvais plus ignorer mes sentiments qui, eux, étaient bien réels. C'est donc, avec une certaine appréhension, que j'ai décidé de réduire le nombre de tétées pour voir si mon sentiment d'impatience diminuerait.

J'ai commencé par demander à Sean d'attendre une minute, le temps de finir de lire le journal et, à ma grande surprise, j'ai découvert qu'il pouvait coopérer pendant environ cinq minutes. Ceci fonctionnait également dans d'autres situations où je ne souhaitais pas l'allaiter en public. La vie avec un bambin allaité est alors devenue plus facile à gérer. Sean tétait surtout à l'heure de la sieste, au moment de se coucher et, à l'occasion, une fois pendant la nuit.

Le temps a passé. Sean a cessé de faire la sieste et, par la suite, de demander à téter la nuit. Les rares fois où il se réveillait, c'est son papa qui le prenait affectueusement contre lui jusqu'à ce qu'il se rendorme. Puis, à mon grand étonnement, Sean a commencé à préférer se lever le matin pour manger un bol de céréales plutôt que de rester au lit pour téter !

Tout d'un coup, Sean semblait s'être sevré ! En réalité, le sevrage s'était étalé sur près de six mois. Parfois, c'était moi qui l'avais incité à le faire, parfois c'était lui qui en avait pris l'initiative. En fin de compte, son père et moi n'avons fait qu'encourager un nouveau comportement qu'il était prêt à adopter volontairement. De cette façon, j'ai senti que le sevrage nous a permis, à Sean et à moi, d'acquérir une plus grande maturité.

Même si le sevrage ne s'est pas déroulé exactement comme je l'avais imaginé, on peut dire qu'il s'est fait graduellement et avec amour.

Allaiter un bambin

Aujourd'hui, dans notre culture, on s'attend à ce que tous les bébés soient sevrés tôt. Cela n'a pourtant pas été la coutume au cours des siècles passés. Dans la Bible, il est souvent fait mention du sevrage vers l'âge de trois ans. Aujourd'hui encore, dans bien des régions du monde, les enfants se sèvrent d'eux-mêmes à l'âge de trois ou quatre ans, et même plus tard. La regrettée Niles Newton, Ph. D., soulignait qu'au cours de l'histoire et dans la plupart des régions du monde les bébés ont été allaités de deux à quatre ans. Elle faisait également remarquer que les changements dans les habitudes d'allaitement ne sont pas un fait isolé, mais qu'ils sont liés à un ensemble de mœurs qui touchent l'éducation des enfants.

Comme les attentes à l'égard du sevrage varient selon les différentes cultures, l'anthropologue Katherine Dettwyler a entrepris des recherches sur les différents âges de sevrage des primates et autres mammifères afin de déterminer l'âge du sevrage « naturel » chez l'humain. Elle a tenu compte de facteurs tels que la durée de la gestation, l'apparition des dents permanentes, la taille du petit par rapport à celle de l'adulte et elle a fait des comparaisons pour déterminer l'âge moyen du sevrage dans chacune des espèces. Selon ces critères, elle a déterminé que l'âge du sevrage naturel chez l'humain se situerait entre trois et sept ans. Ceci n'influencera peut-être pas la décision que vous prendrez de sevrer votre bébé, mais cela pourrait vous rassurer si vous et votre bébé êtes heureux de poursuivre un sevrage naturel et que les autres ont tendance à critiquer cette décision.

Les avantages d'allaiter un bambin

Combler les besoins de votre enfant, voilà le secret. Dès sa naissance, la mère cherche à répondre aux besoins de son enfant. En grandissant, s'il continue à exprimer le besoin de téter, il est tout à fait naturel que la mère continue à satisfaire ce besoin.

Vous découvrirez qu'il y a de nombreux avantages liés à l'allaitement d'un bambin. C'est si facile de calmer un enfant épuisé ou maussade et de l'endormir au sein. S'il se fait mal, il n'y a pas de meilleur moyen de le consoler. Parce que le sein apaise, l'allaitement aide à transformer, dans beaucoup de familles, les « terribles » deux ans en « formidables » deux ans, minimisant l'attitude contestataire caractéristique d'un enfant de cet âge. On accuse parfois l'allaitement d'être responsable d'un comportement pourtant normal chez un bambin. Le fait de s'accrocher et de réclamer de l'attention est tout à fait normal à cet âge, que l'enfant soit allaité ou non.

Il est beaucoup plus facile de voyager avec un enfant s'il est encore allaité. Même loin de la maison, votre petit sera de bonne humeur s'il peut compter sur le sein pour le réconforter.

Votre lait contient des agents immunitaires, des vitamines et des enzymes aussi longtemps que votre enfant continue à téter. Une étude effectuée auprès d'enfants âgés de seize à trente mois a révélé qu'il y avait eu moins de cas de maladies nécessitant des soins médicaux parmi les bambins allaités. Si votre enfant tombe malade, l'allaitement le réconfortera. S'il a l'estomac dérangé, il se peut qu'il ne puisse digérer rien d'autre que du lait maternel.

Vous trouverez sans doute plus pratique d'apprendre à votre enfant un mot spécial pour désigner la tétée. Choisissez-le soigneusement, afin qu'il vous permette d'allaiter votre bambin discrètement. Dans certaines familles, on dit « nana », alors que chez d'autres, on utilise « noum noum ». De sorte que si l'enfant lance « Je veux nana ! » au restaurant, personne ne tournera la tête.

Certaines circonstances se prêtent mal à l'allaitement d'un bambin. Si votre bébé de deux mois se met à hurler pendant que vous êtes dans la file d'attente au supermarché, vous devrez sans doute mettre votre panier de côté et aller dans la voiture quelques minutes pour l'allaiter. Par contre, lorsqu'il sera un peu plus âgé, qu'il sera capable d'attendre et qu'il aura une certaine notion du temps, vous pourrez lui offrir une collation nutritive et lui demander d'attendre que vous soyez revenus dans la voiture pour l'allaiter. Si vous prévoyez de rendre visite à quelqu'un qui, selon vous, sera gêné de voir votre enfant au sein, offrez-lui de téter avant votre départ, en espérant qu'il n'aura pas besoin de téter durant la visite.

Il tète trop ?

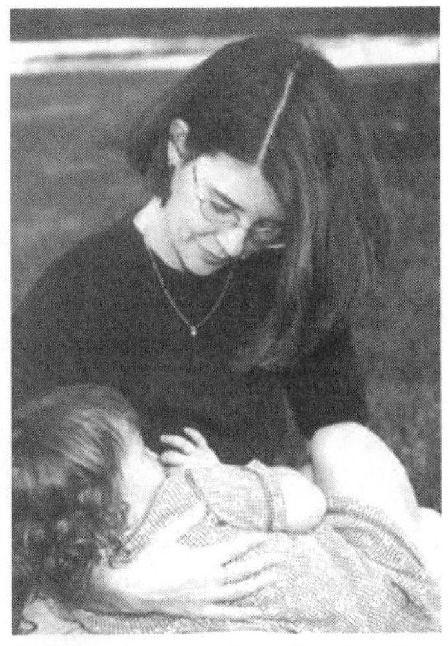
Le sevrage naturel se déroule selon les besoins individuels de l'enfant.

Beaucoup d'enfants allaités vont téter à l'occasion seulement, par exemple pour s'endormir ou pour se consoler s'ils se sont fait mal. Cependant, il arrive parfois qu'un enfant semble insatiable. Si vous croyez que votre petit demande à téter « trop souvent » pour son âge, examinez soigneusement ce qui se passe présentement dans sa vie ou dans la vôtre. Assurez-vous de lui donner beaucoup d'attention sous toutes sortes de formes et offrez-lui de prendre une collation nutritive ou de lui lire une histoire avant qu'il ne demande à téter. Vous pouvez parler, chanter, lire, jouer ou partir explorer les environs ensemble. Laissez-le également participer à ce que vous faites. Il peut laver les couvercles des casseroles pendant que vous lavez la vaisselle, apporter les chaussettes pour les mettre dans la machine à laver ou passer l'aspirateur.

Est-il loin de vous plus longtemps qu'il ne peut le supporter ? Êtes-vous à la maison avec lui, mais trop occupée par autre chose ? Passez-vous trop de temps au téléphone ou devant l'ordinateur ? Vivez-vous une grande peine ? Déménagez-vous ? Votre enfant traverse-t-il une étape importante de son développement ? A-t-il une otite, une allergie ? Est-il malade ? Vous pouvez ajouter à cette liste vos propres idées concernant la raison qui pousse votre enfant à chercher un peu plus de réconfort au sein.

Quand votre enfant demande à téter et que vous n'êtes pas certaine qu'il en ait vraiment besoin, au lieu de la tétée, vous pouvez lui offrir une pomme coupée en tranches et lui lire une histoire. Si cela le satisfait, tant mieux, mais s'il insiste ou s'il pleure, vous saurez alors qu'il a vraiment besoin de téter. Respectez son développement personnel et son individualité, allaitez-le en ayant confiance qu'il grandira et qu'il délaissera ce type de relation à son propre rythme.

Dans *À propos du sevrage...quand l'allaitement se termine*, Diane Bengson parle des signes qui indiquent qu'un enfant n'est pas encore prêt à se sevrer :

> *Un enfant qui est incapable de substituer autre chose à l'allaitement est en train de vous dire qu'il n'est pas prêt à se sevrer. [...] Une autre indication qu'il n'est pas prêt, c'est qu'il semble souvent triste et abattu.*

Il est possible que le sevrage se déroule trop vite pour l'enfant. Diane Bengson continue :

> *Un enfant est parfois bousculé par le rythme du sevrage. Même si votre enfant semble prêt à se sevrer, il est important de lui laisser le temps de s'habituer au changement. [...] Si vous soupçonnez que le sevrage est trop rapide, vous pouvez réagir en permettant à votre enfant de téter plus souvent. [...] Il peut avoir besoin de plus de temps pour s'habituer à remplacer la tétée par de nouveaux rituels pour s'endormir et trouver d'autres façons de s'assurer votre amour et votre attention.*

Certains petits continuent à vouloir téter plusieurs fois aussi bien la nuit que le jour. Lorsque votre petit se réveille la nuit, prenez-le, serrez-le dans vos bras, couchez-le avec vous et allaitez-le s'il en a envie. Puis, s'il est d'accord, recouchez-le dans son propre lit. Sachez cependant qu'il dormira peut-être mieux et se réveillera moins souvent si vous le gardez avec vous, dans votre lit. Il existe de nombreuses raisons pour lesquelles un bambin veut téter la nuit. Il perce peut-être des dents, ce qui porte souvent les tout-petits à pleurer. Il peut avoir faim ou soif pendant la nuit et avoir besoin d'une collation nourrissante avant d'aller se coucher. Ou bien il a été tellement affairé durant la journée qu'il n'a pas eu sa dose d'étreintes et de caresses et il a simplement besoin d'être près de vous.

Que faire quand il n'y a rien à faire ?

La mère a quelquefois besoin d'évaluer sa relation d'allaitement avec son bambin et de voir si tout va vraiment bien. Dans certains cas, offrir le sein devient une solution de facilité et remplace les autres formes d'attention dont le bambin a besoin.

Un bébé plus âgé ou un bambin peut demander à téter seulement parce qu'il n'a rien de plus intéressant à faire ou parce que c'est le seul moyen d'obtenir l'attention de sa mère. Même si votre petit n'est plus un nouveau-né, il a toujours autant besoin de sa mère. Ce besoin change évidemment et le maternage d'un bambin demande alors une bonne part d'ingéniosité, parfois même d'habileté physique. Tout son être grandit. Son esprit, tout comme son corps, a besoin d'être stimulé. Il a besoin de faire la conversation et d'avoir un compagnon pour explorer et expérimenter toutes ces nouvelles choses merveilleuses de l'univers qu'il découvre.

Personne ne peut partager avec lui ces choses mieux que vous qui êtes son professeur, son guide, son protecteur et la personne la plus chère à ses yeux. Personne mieux que vous ne connaît son « langage », ne comprend aussi bien ses goûts et ses besoins. Vous savez quand il a faim et quand il a besoin d'une collation pour patienter jusqu'au repas. Vous savez quand il n'en peut plus et qu'il a besoin de se reposer dans vos bras.

Une mère raconte comment elle s'est rendue compte que sa fille avait besoin d'autres marques d'attention affectueuse à part l'allaitement. Freda Main, de l'Arizona, écrit :

Il y a un mois, Céleste était une enfant allaitée de deux ans qui exigeait de plus en plus de moi. Elle semblait mécontente et souvent fâchée contre tout et tout le monde, y compris elle-même et moi. Je sais que cela n'est pas inhabituel pour une enfant qui a une nouvelle petite sœur depuis cinq mois. J'avais toujours cru que Céleste se sèvrerait quand elle serait prête, sans que j'aie besoin d'intervenir.

Je me disais : « Cette enfant ne fait que téter ! » et je me suis aperçue que c'était exactement le cas. J'ai finalement compris. Je n'ai pas arrêté de penser que l'allaitement satisfaisait tous les besoins de Céleste, comme il le faisait depuis longtemps. C'est que j'ai pris conscience que je ne lui accordais pas toute l'attention qu'elle méritait quand elle ne tétait pas.

Pour moi l'allaitement était devenu si simple et si facile que je n'ai pas vu que j'avais oublié de faire évoluer ma relation avec ma fille. Ce qui avait toujours si bien fonctionné auparavant ne répondait plus à ses besoins maintenant.

J'ai commencé à changer ma façon de faire. Chaque jour, fidèlement, je passais du temps avec Céleste et je lui donnais toute mon attention. Nous avons fait beaucoup de choses ensemble : nous avons joué avec de la pâte à modeler, nous avons collectionné et collé ensemble des bâtons de « popsicle »[1] *et nous avons lu de nombreuses histoires. Je pouvais m'asseoir, la prendre dans mes bras, la serrer*

[1] Sucettes glacées.

contre moi et l'embrasser même, sans devoir donner la tétée. On parlait ensemble. Quand la petite de cinq mois dormait, je passai du temps avec Céleste au lieu de cocher des items sur ma liste de choses à faire. Nous avons commencé à manger à des heures régulières, à lire des histoires à l'heure du coucher et à suivre une routine quotidienne. J'ai commencé à prendre conscience de l'importance du contact visuel et j'ai vraiment fait un effort pour parler moins et écouter davantage.

À ma grande surprise, en l'espace de quelques jours, la petite fille qui, me semblait-il, ne se sèvrerait jamais, tétait à peine. J'étais devenue plus attentive à ce dont elle avait vraiment besoin et je tentais davantage de répondre à ses besoins.

Ça n'a pas été facile pour moi de changer. Et quand je me suis sevrée moi-même, Céleste s'est sevrée aussi. Je ne crois plus maintenant que la mère n'a rien à faire au cours d'un sevrage qui se déroule au rythme de l'enfant. Comme dans toute chose, l'expérience demeure le meilleur professeur.

Il se réveille encore la nuit

Même si votre bébé commence à dormir presque toute la nuit sans interruption à l'âge de quelques mois, cela ne signifie pas que vous n'aurez plus à vous occuper de lui la nuit. Les bambins se réveillent souvent la nuit pour toutes sortes de raisons. Bien des bébés d'un an ont des habitudes alimentaires irrégulières et ils peuvent se réveiller la nuit parce qu'ils ont faim. Si vous pensez que c'est la raison pour laquelle votre bambin se réveille la nuit, assurez-vous qu'il reçoit des aliments nutritifs fréquemment pendant la journée et offrez-lui une bonne collation avant de se coucher. Peut-être a-t-il soif ? Offrez souvent de l'eau à votre bambin, surtout quand il fait chaud.

Le bébé plus âgé ou le bambin qui se réveille la nuit perce peut-être des dents. Même si cela ne semble pas le déranger durant la journée, ses gencives peuvent le faire souffrir davantage la nuit, quand il n'est pas distrait par ce qui l'entoure. N'avez-vous jamais été victime d'un léger mal de dent qui est devenu carrément insupportable dès que vous avez commencé à vous assoupir ? Un bambin ne peut pas exprimer par des mots ce qu'il ressent, mais, comme il est très fréquent que des enfants de cet âge se réveillent la nuit, il se peut que les dents y soient pour quelque chose.

La fatigue ou des muscles endoloris peuvent empêcher un bambin très actif de dormir. Il y a d'autres possibilités. Joue-t-il assez à l'extérieur ? Fait-il assez d'exercice ? Y a-t-il eu de la tension au cours de la journée parce que vous l'avez emmené faire des courses ou des visites trop longues ? Une expérience angoissante ? Une émission de télévision qui lui aurait fait peur ? A-t-il reçu assez de câlins et de baisers ? Trop de restrictions ? Si vous avez répondu de façon satisfaisante à toutes ces questions et que votre bambin se réveille encore la nuit, mettez le blâme sur ce que vous voulez et rappelez-vous que cela passera. Quelle que soit la raison, l'allaitement semble procurer le réconfort dont les bambins ont besoin la nuit.

La carie dentaire

Lorsque de nombreuses caries apparaissent dans la bouche d'un bambin allaité, les parents risquent de se faire sermonner par le dentiste sur les dangers que représentent les tétées nocturnes. Au moment de prendre la décision de réparer les dents de l'enfant et afin de prévenir l'apparition de nouvelles caries, le dentiste peut recommander à la mère de sevrer son bambin, du moins pendant la nuit. Mais, que faire si le bébé n'est pas prêt à renoncer à ses tétées du coucher et du milieu de la nuit, encore moins à se sevrer complètement ?

Heureusement, il n'est pas nécessaire de sevrer pour réparer des caries ou pour en prévenir d'autres. Il n'y a aucune preuve scientifique solide qui sous-tend la théorie que les tétées nocturnes causent un accroissement de caries dentaires chez les bébés plus âgés et les bambins. Par contre, il y a beaucoup de facteurs, autres que l'allaitement, qui sont reconnus pour causer de la carie chez les bambins et les jeunes enfants. De nombreuses mères ont trouvé des façons de travailler avec leur dentiste à améliorer l'hygiène dentaire de leur bambin tout en continuant à satisfaire ses besoins affectifs par l'allaitement. À l'occasion, cela peut signifier changer de dentiste, pour en trouver un qui soit plus favorable à l'allaitement de bambins ou, du moins, mieux disposé à travailler avec des familles qui considèrent que l'allaitement est important pour répondre aux besoins d'un jeune enfant.

Des études qui ont porté sur un grand nombre de bébés allaités et de bébés nourris avec des préparations lactées ne font pas de lien entre l'allaitement à long terme et des niveaux plus élevés de caries dentaires. Les chercheurs ont indiqué que le lait maternel, si on le comparait aux préparations lactées pour nourrissons, pouvait en fait aider à prévenir la carie de plusieurs façons différentes. Par exemple, le lait maternel ne fait pas baisser le taux de pH de la bouche, comme c'est le cas avec le lait artificiel. Un faible taux de pH permet aux bactéries qui causent la carie dentaire de se développer. De nombreux facteurs immunitaires présents dans le lait maternel peuvent inhiber la croissance de ces bactéries. Les préparations lactées pour nourrissons peuvent endommager l'émail des dents, les rendant ainsi plus vulnérables à la carie. Le lait maternel dépose du calcium et du phosphore dans les dents, ce qui les rend plus solides. Les chercheurs ont découvert que le lait maternel seul, sans autre addition de sucre dans la bouche pour nourrir les bactéries, ne cause pas de carie dentaire. Cela semble évident car, comme le dit le dentiste Brian Palmer: « Ce serait un suicide évolutionniste si le lait maternel devait causer des caries. »

Certains dentistes pensent que l'accumulation de lait dans la bouche pendant que le bébé tète est une cause importante de caries dentaires. Ceux qui connaissent mieux les mécanismes de l'allaitement ne partagent pas cette opinion. Ils font remarquer que la succion au sein de la mère envoie le lait dans le fond de la bouche du bébé, évitant ainsi les dents de devant. Comme la succion stimule la déglutition, le lait maternel quitte la bouche rapidement, contrairement aux préparations lactées et aux jus de fruit qui peuvent s'écouler du biberon dans la bouche du bébé endormi. Les mères à qui on dit que les tétées nocturnes peuvent être néfastes pour les dents de leur enfant devraient se rappeler que la grande majorité des bambins qui tètent avant de s'endormir ou durant la nuit n'ont pas de caries dentaires. Il arrive souvent qu'un enfant connaissant de sérieux problèmes de caries dentaires a des frères et sœurs qui ont été allaités la nuit et dont les dents sont parfaitement saines.

Évidemment, il y a des raisons de s'inquiéter si un bambin a la bouche pleine de caries. Les parents veulent comprendre. Certains enfants sont génétiquement prédisposés aux caries. La diète prénatale de la mère ainsi que son niveau de stress peuvent affecter la formation des dents dans l'utérus, tout comme la prise d'antibiotiques durant la grossesse. Bien entendu, le régime alimentaire de l'enfant en plus du lait maternel est un facteur important. Les aliments sucrés qui entrent en contact avec ses dents causent des caries. La prévention de la carie dentaire est une des nombreuses bonnes raisons pour nourrir votre famille avec des aliments nutritifs complets en évitant les sucreries et les boissons gazeuses. Même des jus de fruit en grande quantité peuvent causer de la carie dentaire.

Les pédodontistes recommandent de commencer à nettoyer les dents de votre enfant dès l'apparition de sa première dent, surtout s'il mange déjà d'autres aliments que le lait maternel. Lorsque la carie dentaire devient un problème, le dentiste peut suggérer de nettoyer les dents du bébé avec un chiffon doux après chaque tétée, au moins pendant la journée. Quelques gorgées d'eau après la tétée peuvent également aider à nettoyer les dents. Une mère, dont le fils avait beaucoup de caries, le retirait doucement du sein quand il avait fini de téter la nuit et elle l'encourageait à se retourner sur le dos, s'assurant ainsi qu'il avalait sa dernière gorgée de lait avant de s'endormir.

Renee Cox, une mère du Michigan, nous raconte ce qu'elle a vécu avec son bambin qui avait plusieurs caries et ce qu'elle a fait pour prévenir d'autres problèmes :

Ma fille, Katherine, maintenant âgée de quatre ans, a eu de nombreuses caries et a même dû avoir une couronne. Je me suis donc empressée d'amener William chez le dentiste dès que ses premières dents sont apparues, soit vers l'âge d'un an. C'est là que j'ai appris la mauvaise nouvelle : il avait quatre caries sur les dents d'en haut, en avant.

Il était étonnant que William ait autant de caries. En fait, William mangeait très peu de sucreries et buvait très peu de jus (il buvait surtout de l'eau). Il tétait à la demande. Il dormait dans notre lit et tétait toute la nuit.

Après que je lui eus fait comprendre clairement que William continuerait d'être allaité à la demande le jour comme la nuit, mon dentiste a suggéré une marche à suivre pour essayer de garder ses dents propres et immaculées. J'allais essuyer les dents de Williams avec un linge après chaque tétée, lui brosser les dents trois ou quatre fois par jour et appliquer une petite quantité de fluor topique (en m'assurant d'essuyer le surplus de fluor). Cette solution nous permettait de poursuivre l'allaitement aussi longtemps que nécessaire et, en même temps, William aurait des dents saines.

Nous avons donc commencé ce « programme expérimental » – au lever, brosser ses dents, appliquer du fluor topique, l'allaiter durant la journée, garder un linge sec à portée de la main, essuyer ses dents après chaque tétée (ce qu'il n'aimait pas), s'endormir, allaiter pendant la nuit. Je dois avouer que je ne me suis pas réveillée la nuit pour essuyer ses dents avec un linge. Une des raisons pour lesquelles

William dort avec nous, c'est pour qu'il puisse téter et que je n'ai pas besoin de me réveiller la nuit.

On a continué pendant trois mois, on a été passé un examen de contrôle et on n'a trouvé aucune carie. Puis, il y a eu un autre examen après trois mois et toujours pas de caries. Imaginez, six mois sans carie ! Tout le personnel du cabinet du dentiste était content pour nous, et même William a trouvé le moyen de faire un sourire. J'étais contente de savoir que l'allaitement de nuit n'avait pas causé de carie supplémentaire.

Bien sûr, William proteste encore à chaque brossage, mais, à vingt-et-un mois, il tête encore à la demande, il n'a pas de caries et il a le plus joli sourire !

Réparer plusieurs caries dans la bouche d'un jeune enfant peut nécessiter une anesthésie générale. Ou le médecin peut donner à l'enfant un médicament qui le gardera conscient mais très détendu pendant l'opération. À cause de la médication, l'enfant ne sera peut-être pas autorisé à manger, à boire ou à téter plusieurs heures avant l'intervention. Ann Davis, de l'Ohio, a vécu cette situation avec ses deux filles :

Quand ma fille avait deux ans, nous avons découvert des caries sur deux de ses dents. Comme c'étaient des molaires et qu'elles ne seraient pas remplacées par des dents permanentes avant l'âge de douze ans, nous nous sommes entendus sur la nécessité de les faire réparer. Après avoir consulté plusieurs dentistes, nous en avons trouvé un qui acceptait de faire l'intervention à son cabinet en utilisant de l'oxyde d'azote et un calmant. J'ai donné le médicament à ma fille avant de quitter la maison, ce qui l'a mise de bonne humeur. Les réparations ont été complétées en moins de trente minutes, à ma grande surprise, et comme le médicament faisait encore effet, ma fille était très bien ! Le dentiste n'a pas voulu que je reste avec elle durant l'intervention, mais j'ai pu l'accompagner jusqu'à la chaise et l'installer. Tout bien considéré, j'étais satisfaite de la façon dont les choses s'étaient passées.

Ma seconde expérience avec la carie dentaire a été beaucoup plus difficile, surtout parce que les dents de ma benjamine étaient plus endommagées et ce, à un plus jeune âge. À dix-sept mois, j'ai remarqué des taches sur ses dents. Le dentiste a confirmé mes doutes : huit dents étaient cariées, certaines dents ayant plus d'une carie. Encore une fois, nous avons convenu que les réparations étaient nécessaires. Cependant, comme le travail à effectuer était plus important, notre dentiste nous a recommandé l'anesthésie générale à l'hôpital local pour enfants.

Dans les deux cas, j'ai fourni au dentiste de la littérature médicale soutenant mon désir d'allaiter mes filles jusqu'à quelques heures avant la chirurgie. Mon dentiste était prudent mais consentant. Notre aînée s'était fait réparé les dents très tôt le matin, ce qui avait rendu les dernières heures de la nuit plus difficiles à gérer. Pour éviter ce désagrément, nous avons pris le rendez-vous pour la chirurgie de notre deuxième fille vers midi. Elle a tété à son réveil, puis j'ai pu la distraire de l'allaitement en jouant avec elle. Il a été plus facile pour nous deux de nous adapter plutôt que de devoir restreindre l'allaitement au milieu de la nuit.

Allaiter pendant une grossesse ?

Si vous êtes enceinte, il n'est pas nécessaire de sevrer immédiatement. Il se peut que votre enfant se sèvre au début de la grossesse quand il s'apercevra que votre lait n'a plus le même goût ou vers le quatrième mois alors qu'il y a diminution de la sécrétion lactée chez certaines mères. Il peut aussi se sevrer à la fin de la grossesse quand le lait redevient du colostrum. Il peut également le faire après la naissance, à cause de la séparation qu'elle aura occasionnée si vous devez rester à l'hôpital plusieurs jours ou parce que l'augmentation subite de votre production de lait ne lui convient pas. Par contre, si votre enfant semble vraiment vouloir téter malgré les changements qui surviennent durant la grossesse, n'hésitez pas à continuer de l'allaiter si vous en avez envie.

Il n'y pas de raisons de sevrer brusquement parce que vous êtes enceinte.

Dans une étude auprès de 503 mères de la Ligue La Leche devenues enceintes pendant qu'elles allaitaient, les chercheurs ont découvert que

69 % de leurs bébés s'étaient sevrés à un moment donné en cours de grossesse. Bien sûr, il n'y avait aucun moyen de savoir combien de ces petits se seraient sevrés si leur mère n'avait pas été enceinte.

Vous vous inquiétez peut-être des effets de l'allaitement sur votre grossesse. Si votre alimentation est bien équilibrée et qu'elle comporte une grande variété d'aliments nutritifs, vous n'avez aucune raison de vous inquiéter des effets que cela peut avoir sur l'un ou l'autre de vos bébés. Certaines mères craignent que l'allaitement pendant la grossesse ne provoque une fausse couche. Rien ne le prouve. Beaucoup de femmes ayant fait des fausses couches précédemment n'en ont pas fait pendant qu'elles allaitaient un bambin.

Dans son livre *Adventures in Tandem Nursing : Breastfeeding during Pregnancy and Beyond*, Hilary Flower a passé en revue les dernières recherches sur les effets de la stimulation des mamelons sur l'utérus de la femme enceinte. Elle conclut qu'il y a, au cours de la grossesse normale, un système de protection naturelle qui bloque les effets de la stimulation des mamelons sur l'utérus jusqu'au terme de la grossesse. Qu'en est-il alors dans le cas d'une grossesse à risque et que la mère a des contractions ? Devrait-elle sevrer son bambin ?

Hilary Flower continue :

> *Comment prendre la meilleure décision ? Souvenez-vous que le sevrage ne garantit pas que la grossesse sera sauvée ni que la poursuite de l'allaitement causera nécessairement la perte du fœtus. En dernière analyse, une mère doit prendre la décision qui convient le mieux à sa situation, telle qu'elle la perçoit. Parfois, la réponse sera de sevrer […] et parfois la réponse sera de continuer d'allaiter.*

Pendant votre grossesse, il se peut que vous n'ayez pas envie de continuer d'allaiter votre bambin. Si c'est le cas, nous vous suggérons de suivre les conseils qui ont été donnés pour sevrer « graduellement et avec amour ». C'est à vous de décider ce qui convient le mieux à votre famille.

Et, pour citer encore Hilary Flower :

> *Une mère confrontée au dilemme du sevrage doit souvent prendre une décision audacieuse, une décision qu'elle considère loin d'être idéale. En faisant ce choix difficile, une mère doit surmonter ses réserves pour évaluer avec honnêteté et compassion ses propres besoins et ceux de son enfant. […] Au bout du compte, c'est un acte de foi.*

Allaiter en tandem

Si vous allaitez durant toute votre grossesse, il se peut que vous ayez à allaiter deux enfants d'âge différent. C'est ce qu'on appelle « l'allaitement de non-jumeaux », « l'allaitement en tandem » ou tout simplement « le co-allaitement ». Les mères trouvent autant d'avantages que d'inconvénients à cette situation quelque peu spéciale.

L'enfant plus âgé sera rassuré de pouvoir continuer à téter. Le fait de partager ces moments particuliers avec son petit frère ou sa petite sœur peut aider à prévenir la jalousie. Cependant, vous vous demandez peut-être si votre nouveau-né ne souffrira pas d'un manque de lait ou de l'absence d'une relation seul à seul avec vous. Certaines mères sont surprises par l'intensité du sentiment qui les pousse à protéger leur nouveau-né ce qui leur fait éprouver un certain ressentiment lorsque leur bambin demande à téter. Vous pouvez alors limiter les tétées de votre bambin à certains moments de la journée ou bien le laisser téter seulement après que le nouveau-né a terminé. La plupart des mères trouvent des solutions et le nouveau-né reçoit tout le lait dont il a besoin sans aucun problème. Vous vous sentirez mieux en parlant avec d'autres mères qui ont vécu la même situation.

Caroline Gascon, du Québec, raconte comment elle a répondu aux besoins de ses deux enfants par l'allaitement :

Lorsque je suis devenue enceinte de mon deuxième, la tétée occupait encore la majeure partie de la vie de Jonathan. Comme ce moment était privilégié entre nous, j'ai décidé de poursuivre l'allaitement en considérant mon fils aîné comme une personne unique sur tous les plans et non seulement comme un grand frère face au nouveau bébé qui arrivait. Après tout, Jonathan n'avait pas choisi d'avoir un petit frère.

Vous dire que les premiers mois furent faciles serait mentir. Nicolas tétait tout le temps. Jonathan voulait téter tout autant. Bref, je ne faisais qu'allaiter. C'était très exigeant ! Mais l'allaitement n'était pas la partie la plus difficile. Il me permettait de satisfaire Nicolas qui avait besoin d'être collé, après ses neuf mois intra-utérins. Je répondais aussi aux besoins de Jonathan qui vérifiait s'il avait toujours sa place auprès de moi en tétant. Le plus pénible a été la réaction de cet aîné à l'arrivée de son petit frère. Et je sais que j'aurais vécu cette difficulté avec ou sans l'allaitement de non-jumeaux.

Aujourd'hui, je suis heureuse d'avoir eu la patience de continuer de les allaiter tous les deux. Jonathan a délaissé la « voie agressive » après les quatre premiers mois. Tout n'était évidemment pas réglé ! Mais leur relation fraternelle est maintenant très saine et globalement positive. L'allaitement les a-t-il rapprochés ? Je ne le saurai jamais, mais les tétées ont été un précieux outil pour traverser cette période d'adaptation. Nicolas tète encore souvent. Jonathan, lui, n'en a besoin que deux ou trois petites fois par jour. Chacun suit son chemin vers le sevrage en sachant qu'il a sa place auprès de maman.

Une mère, Heide Buffet, de France, constate que l'allaitement a aidé à créer des liens étroits entre ses enfants :

Lorsque Lennart, mon troisième enfant, est né, son grand frère, Niclas avait deux ans et trois mois et tétait encore, car il en avait toujours un grand besoin. Je n'ai donc pas songé à arrêter l'allaitement que j'ai poursuivi pendant la grossesse.

Quand Lennart pleure, Niclas me demande de le prendre et de l'allaiter. Lui, par contre, ne tète plus que pour la sieste ou au coucher et la nuit, avec des exceptions quand il en a de besoin. Cet arrangement me laisse des tétées tranquilles avec Lennart et des heures d'histoires avec les grands. J'espère que Niclas choisira lui-même son moment pour arrêter l'allaitement, car je souhaite lui donner, comme à Marie avant lui et comme à Lennart après lui, le temps de grandir en douceur.

Il arrive à l'occasion qu'un bambin, qui semblait complètement sevré, demande soudain à téter à nouveau. (Cela se produit parfois au moment de la naissance du nouveau bébé.) Ceci ne veut pas dire que le bambin retournera nécessairement au sein. Mary Beard, une mère de l'Ohio, se rappelle :

Après la naissance de Julian, Elliott m'a demandé une fois à téter. J'ai dit « Oui », il m'a répondu « Oh » et il est parti. Apparemment, il voulait simplement s'assurer qu'il pouvait encore le faire. Une fois rassuré, il n'en a plus jamais reparlé !

Une autre mère, Mandy Clifton, de Nouvelle-Zélande, a vécu une expérience semblable :

Il arrive parfois qu'un bambin continue à téter après la naissance du nouveau bébé.

Alors que Daisy était complètement sevrée, une amie m'a demandé si elle tétait encore. En entendant cette question, Daisy m'a confié : « Maman, je m'ennuie de ton lait. » Comme j'étais déjà à la fin de ma grossesse, je lui ai répondu qu'elle pourrait téter de nouveau lorsque le bébé aurait quelques semaines. Elle était d'accord. Quand le temps est venu et que j'ai offert à Daisy de l'allaiter, elle a grimpé sur mes genoux, les yeux brillants. Mais, quand elle a essayé de prendre le sein, elle s'est aperçue qu'elle ne savait plus comment faire ! Elle était tellement surprise qu'elle en a même oublié de se fâcher !

Si votre bambin demande à téter et qu'il réagit avec enthousiasme et ravissement devant une telle générosité, détendez-vous et laissez-le téter si vous vous sentez à l'aise de l'allaiter. La plupart des mères qui allaitent un bambin en même temps qu'un nouveau bébé éprouvent des sentiments partagés à ce sujet. Elles réalisent cependant que bien des tout-petits ont encore besoin d'être rassurés. En continuant de les allaiter avec le nouveau bébé, elles peuvent leur apporter ce réconfort.

Dans le livre *Adventures in Tandem Nursing*, Hilary Flower suggère à la mère de réfléchir à savoir si oui ou non elle a vraiment envie d'allaiter en tandem avant de permettre à son enfant de reprendre le sein :

Certaines mères savent déjà qu'elles ne seront pas prêtes à allaiter en tandem. Si vous décidez qu'offrir le sein n'est pas votre premier choix, vous feriez mieux d'essayer de découvrir pourquoi votre enfant demande à téter encore et tenter de répondre à ce besoin précis aussi activement que possible d'une autre manière.

Sylvie Grégoire, du Québec, témoigne de son expérience :

Quand j'allaitais Isabelle, je m'occupais de Sébastien, je lui lisais des histoires, je chantais avec lui. Sébastien me demandait le sein occasionnellement, soit pour goûter ou me signaler que je ne m'occupais pas assez de lui. Il voulait faire comme sa sœur, mais le pauvre avait perdu le mode d'emploi ! ! ! Alors, à l'occasion, je tirais mon lait et lui donnais au verre. Il était très content.

Plusieurs livres cités dans le présent chapitre comportent des informations qui s'appuient sur l'expérience d'autres mères aussi bien que sur l'avis de nombreux experts.

Le livre de Norma Jane Bumgarner, *Le bambin et l'allaitement*, est un classique de la Ligue La Leche depuis plus 20 ans. Révisé et réédité en 2000 (en anglais), il est un excellent outil pour les mères de bambins allaités en ce qui concerne le sevrage, l'allaitement pendant une grossesse ou l'allaitement en tandem.

Un autre volume qui a été récemment publié par La Leche League International est celui de Diane Bengson, une monitrice LLL, *À propos du sevrage… quand l'allaitement se termine.*

Le plus récent ouvrage qui répond aux questions sur le sevrage et l'allaitement de bambins ainsi qu'à l'allaitement pendant une grossesse et l'allaitement en tandem est celui d'Hilary Flower : *Adventures in Tandem Nursing : Breastfeeding during Pregnancy and Beyond.*

Vous pouvez vous procurer ces ouvrages sur le site Web de la LLLI au www.lalecheleague.org ou auprès de votre groupe de la Ligue La Leche. Pour les pays francophones, consultez la liste en appendice.

Chapitre 15

La discipline : guider avec amour

Notre but, comme parents, c'est d'avoir la sagesse de guider nos enfants tout au long de leur croissance pour qu'ils deviennent des êtres indépendants, matures et affectueux dont les talents et les capacités auront atteint leur plein épanouissement.

Notre première tâche consiste à combler les besoins physiques et affectifs de notre enfant de notre mieux, car cela servira de fondation à sa progression vers l'âge adulte. Ainsi l'allaitement permet de lui offrir un bon départ dans la vie. En effet, la relation d'allaitement nous rend plus sensibles à ses besoins, nous sommes donc plus rapides et plus confiantes à trouver les moyens d'y répondre. Les besoins de notre enfant changent au fur et à mesure qu'il grandit. Nous devons graduellement le laisser voler de ses propres ailes pour qu'il assume la direction de sa propre vie. Bien sûr, ce processus se poursuivra jusqu'à l'âge adulte, mais il commence dès la petite enfance. Par conséquent, le présent livre n'aurait pas été complet, si nous n'avions pas parlé des premières manifestations de l'indépendance.

Il est important que votre conjoint et vous discutiez de votre vision de la discipline avant que votre bébé ne devienne un bambin. Cela vous permettra de développer votre propre style d'éducation.

Jeter les fondations

La discipline fait partie intégrante de tout ce que nous faisons pour et avec nos enfants. Après avoir développé une philosophie de maternage de nos bébés et de nos bambins par l'allaitement et le sevrage, nous sommes maintenant prêtes à développer d'autres aspects du maternage d'un jeune enfant. « Si vous avez fait du bon travail en maternant, vous faites déjà du bon travail en ce qui a trait à la discipline », affirme le Dr Hugh Riordan, père et psychiatre.

Le besoin d'être guidé

En grandissant l'enfant aura besoin d'être guidé, instruit et parfois corrigé pour apprendre les règles qui régissent notre monde. Si la base d'un amour inconditionnel a été posée alors qu'il était bébé et s'il voit ses parents comme des gens aimables, polis et prévenants, il s'efforcera de les imiter parce qu'il cherche à leur faire plaisir (la plupart du temps). Nous devons toutefois respecter son rythme de croissance et ne pas lui en demander plus que ce qu'il est capable de donner à ce stade de son développement. Cependant, vu son manque d'expérience, nous pouvons et nous devons l'orienter. Comment y parvenir ? Voilà où se trouve souvent la difficulté. Avant de commencer à discipliner avec succès nos tout-petits, nous devons avoir une bonne idée de la raison pour laquelle nous le faisons et de la façon dont nous devrions nous y prendre. Guider notre enfant à travers son développement doit se faire de façon harmonieuse et constante. Dès la petite enfance, les enfants ont besoin d'être guidés avec amour, en tenant compte de leurs capacités et en se montrant sensibles à leurs émotions.

Elizabeth Hormann, une mère expérimentée, monitrice de la Ligue La Leche, a écrit ce qui suit au sujet des bambins et de leurs besoins :

> *Nous aimons penser que les enfants apprennent les vertus de notre civilisation – dévouement, compassion, considération – simplement par notre bon exemple. Mais la plupart d'entre eux ont besoin d'un peu plus que cela. Définir clairement ce qu'est un comportement acceptable, croire en leurs capacités et les rappeler périodiquement à l'ordre quand ils sont indisciplinés – tout ceci est nécessaire. Nous devons parfois contrarier nos tout-petits […] Il nous faut être vigilantes pour éviter qu'ils ne blessent quelqu'un ou qu'ils n'abîment leurs biens. Nous devons faire la différence entre le comportement normal pour un bambin ou*

Les parents doivent développer leur propre style d'éducation.

un jeune enfant et une conduite qui devient dérangeante et excessive. Il n'est pas facile de guider un jeune enfant qui tient à tout prix à s'engager dans une autre direction, mais il a besoin que nous le fassions.

Ce n'est pas vraiment différent de ce que nous avons fait quand ils étaient bébés. Nous considérions leurs besoins et nous y répondions. Nous ne tenions pas compte des remarques des gens qui disaient que nous les gâtions, les dorlotions ou que nous ne pensions pas assez à nous. Nous étions sûres de bien nous connaître ainsi que nos bébés et la plupart du temps c'était le cas. Cela n'a pas changé. Nous connaissons encore nos enfants mieux que quiconque. Parce que nous les connaissons bien et les aimons tendrement, nous sommes mieux préparées que toute autre personne pour les aider à traverser des étapes complexes : grandir, apprendre les règles et développer son caractère.

Guider nos enfants avec amour constitue une partie importante des soins que nous leur donnons. Cela les aide à être aimants et aimables avec les gens, dans nos familles et ailleurs. Après l'allaitement, c'est le plus beau cadeau qu'un jeune enfant puisse recevoir et, comme pour l'allaitement, les avantages durent toute la vie.

La discipline et les punitions

Le mot « discipline » est perçu comme un terme péjoratif souvent associé aux châtiments et à la privation. Pourtant la discipline fait référence aux lignes de conduite que nous, les parents, enseignons affectueusement à nos enfants afin de les aider à agir comme il faut et avec discernement. La discipline les aidera aussi à devenir des êtres confiants, heureux et bienveillants qui entreront dans la vie avec l'assurance qu'ils ont la capacité de réussir tout ce qu'ils entreprennent.

Dans *The Discipline Book* , les auteurs William et Martha Sears expliquent leur approche de la discipline qui est fondée sur leurs connaissances professionnelles et l'expérience personnelle qu'ils ont acquise en élevant huit enfants :

> *La discipline est fondée sur une saine relation entre le parent et l'enfant. Pour savoir comment discipliner votre enfant, vous devez d'abord connaître votre enfant.*

Ils poursuivent l'explication :

> *Les parents qui appliquent une bonne discipline consacrent temps et énergie à demeurer un pas devant leur enfant et à mettre en place les conditions qui favorisent un bon comportement, laissant à l'enfant moins de possibilités de mal se conduire.*
>
> *De tels parents :*
>
> - *restent en contact avec leurs enfants ;*
> - *développent une sensibilité réciproque entre parent et enfant ;*
> - *passent plus de temps à encourager le comportement souhaité, ils font donc moins appel à des sanctions disciplinaires ;*
> - *comprennent bien ce qu'est un comportement approprié à l'âge de l'enfant ;*
> - *ont recours à l'humour pour encourager l'enfant à coopérer ;*
> - *peuvent se mettre à la place de l'enfant et réorienter le comportement.*

En ce qui a trait au rôle de la punition dans cette définition de la discipline, les Sears pensent qu'elle doit être utilisée avec la plus grande sagesse :

> *L'enfant qui est trop puni (ou trop sévèrement) se comportera bien davantage par crainte de la punition ou par peur de celui qui la lui inflige que pour la satisfaction qu'il retire d'une bonne conduite.*

Le Dr William G. White, un père et un médecin de famille expérimenté, fait cette observation :

Le but des parents n'est pas de faire de bons enfants, mais de bons adultes. Le « bon enfant » est docile, le bon adulte a du caractère. [...] Le mot « discipline » vient de « disciple ». [...] La discipline n'est donc pas une punition. Les enfants ne sont pas des chiens de Pavlov, qui doivent être programmés avec des récompenses et des punitions. Ils sont des êtres humains, des personnes de grande valeur et empreints de dignité. Ils méritent non seulement d'être traités comme des personnes, mais ils doivent savoir que nous les considérons comme des personnes, qu'ils ont de la valeur à nos yeux, que nous respectons leur intelligence, leur volonté, leurs sentiments, leurs désirs, leurs besoins et leur jugement autant que nous souhaiterions qu'ils respectent les nôtres.

Que penser de la fessée ?

Se montrer plus malin qu'un bambin résolu représente tout un défi. Ses frasques et ses explorations lui apparaissent comme de simples parties de plaisir sans conséquences, mais elles peuvent être dangereuses ou dévastatrices. Notre rôle consiste à lui apprendre qu'il y a des limites et à les fixer pour lui. Nous avons découvert qu'à long terme donner la fessée à un bambin rebelle ne mène qu'aux larmes, à la rancœur et au besoin irrésistible (mais compréhensible) de frapper à son tour un jeune frère ou une jeune sœur. Les enfants apprennent par l'exemple et ils désirent par-dessus tout imiter leurs parents. Il faut alors nous demander quel genre de modèle nous voulons être pour nos enfants. Punir de jeunes enfants en leur donnant la fessée ou en les giflant ne fait que refléter l'impatience et la frustration du parent. Ce n'est pas le genre de comportement que nous voulons que nos enfants imitent. La fessée n'apprend pas l'autodiscipline à l'enfant.

Dans leur livre *The Irreductible Needs of Children*, les Drs T. Berry Brazelton et Stanley I. Greenspan, insistent :

Le châtiment corporel, tel la gifle et la fessée, n'est plus une solution acceptable en matière de discipline. Discipliner signifie enseigner et non punir. Le châtiment corporel n'est pas respectueux et ne fait que porter atteinte à l'amour-propre de l'enfant.

À titre de psychologue, Eda Le Shan écrit dans son livre, *When Your Child Drives You Crazy* :

Le jeune enfant a besoin de beaucoup d'occasions d'avoir du plaisir.

La fessée est-elle une forme de discipline utile et positive ? Non, absolument pas ! Elle peut faire passer votre colère et détendre l'atmosphère, mais elle n'apprend rien de constructif sur les relations humaines. Après tout, n'est-ce pas là le but de la discipline : un moyen d'apprendre à nos enfants à vivre avec eux-mêmes et avec les autres d'une manière civilisée ?

Même lorsque nous croyons agir de façon rationnelle en donnant une fessée, nous n'enseignons rien de bien valable. Par exemple, nous disons : « Je te donne la fessée pour que tu te rappelles qu'il est dangereux de traverser la rue. » La leçon qui sera retenue, c'est : « Je suis là, moi, un adulte – peut-être même un diplômé universitaire – et tout ce dont je dispose pour t'enseigner les dangers de la circulation, c'est la violence physique ! » Quel portrait désolant du potentiel humain !

Bien entendu, les parents font aussi d'autres choses qui peuvent être nuisibles à l'enfant. Le châtiment corporel n'est qu'un aspect. Les parents peuvent miner l'estime de soi d'un enfant d'autres façons également. Nancy Samalin, auteure de *Loving Your Child Is Not Enough* explique :

Les enfants prennent de façon très personnelle les critiques de leurs parents. Ils se sentent attaqués par quelqu'un dont ils recherchent l'admiration. […] Les enfants ont besoin d'estime et d'éloges, pas d'indifférence et de critiques.

Un enfant n'a jamais une trop grande estime de soi. Si vous saisissez chaque occasion pour souligner les réussites de votre enfant, pour le féliciter personnellement et témoigner votre appréciation, il coopèrera davantage et se montrera plus compétent et confiant.

Les caractéristiques du bambin

Les parents trouvent parfois difficile la transition entre le don de soi total qu'exige le nouveau-né et le rôle plus actif de satisfaire les besoins d'un bambin. Avec les années, plusieurs d'entre nous avons dû nous défaire de certaines des idées qu'on nous avait inculquées sur la discipline. Nous avons appris à relaxer un peu, à rire beaucoup et à retomber très rapidement sur nos pieds.

Une bonne partie du maternage d'un bambin consiste à l'aider à passer de la petite enfance, époque où son moindre désir était un véritable besoin, à une autre étape, où il devient un jeune enfant qui s'ouvre sur le monde et qui commence tout juste à prendre conscience des besoins des autres. Au cours de ce processus, il a besoin qu'on l'aide à comprendre que tous ses désirs ne sont pas des besoins et, qu'en fait, certains de ceux-ci ne seraient pas du tout bons pour lui, s'ils étaient exaucés. Lorsque le bébé devient un bambin, les parents doivent commencer à établir des limites.

Bien que la plupart des gens essaient de respecter le rythme de croissance de leur nourrisson, il en va autrement avec le bambin de dix-huit mois ou de deux ans. Lorsque des petits doigts s'approchent des prises de courant, que des pièces de monnaie se retrouvent dans la bouche et que les lampes sont renversées, les parents font alors face à de nouveaux défis. Bien entendu, nous ne pouvons permettre le désordre complet dans notre maison ni la liberté totale. Il nous faut cependant reconnaître que notre enfant arrive à un autre stade de sa croissance. Le bambin est en train de découvrir le monde qui l'entoure, il veut donc toucher, sentir et défaire tout ce qu'il voit. Il devient un détective privé curieux, examinant tout ce qu'il trouve. Ce comportement est tout à fait naturel à cet âge. Inutile de le punir, il n'en sera que plus frustré. Cela ne veut pas dire que vous ne devez rien faire. Il faut le distraire et le guider fermement mais gentiment vers autre chose.

Tous les enfants ne sont pas identiques. Certains ont seulement besoin d'être avertis à quelques reprises de ne pas toucher à un objet interdit. Si l'enfant peut apprendre à respecter quelques « tabous », sans être continuellement repris ou réprimandé et sans qu'il n'éprouve de frustration, alors cette méthode est excellente. En règle générale, il est plus prudent de placer les objets dangereux ou fragiles hors de sa portée.

Si votre petit explorateur découvre un objet interdit, une bonne façon de satisfaire sa curiosité consiste à vous asseoir avec lui et à le laisser toucher, sentir et même tenir cet objet. Montrez-lui comment fonctionne le séchoir à cheveux et expliquez-lui en langage simple, avec beaucoup de gestes, qu'il faut être prudent, car cela peut être dangereux ou peut se casser. Donnez-lui assez de temps pour lui permettre de l'examiner sous votre surveillance. Puis, changez de sujet, distrayez-le et rangez l'objet interdit. Mieux encore, rangez-le hors de sa vue et de sa portée. (N'oubliez pas que les bambins sont d'excellents grimpeurs.)

Mieux vaut prévenir

Le vieil adage « Mieux vaut prévenir que guérir » prend toute son importance quand il s'agit d'éviter des ennuis à votre bambin actif. Comme nous le rappelle Nancy Stanton, de la Floride :

> *C'est le bon sens même que d'essayer d'aménager votre maison de façon sécuritaire pour votre bambin, sinon vous passerez la journée à vous disputer avec votre enfant. Il est déjà assez difficile de protéger votre enfant des choses sur lesquelles vous n'avez aucune emprise (comme les voitures qui passent dans la rue), alors si vous avez plusieurs enfants d'âge préscolaire, simplifier le plus possible votre environnement à la maison.*
>
> *Pour éviter de perdre la raison, des mesures extrêmes sont parfois nécessaires avec certains bambins très actifs. Ne vous en faites pas, un jour vous pourrez remettre en place les poignées de vos armoires de cuisine. Il y a de bonnes chances que vous ayez déjà abandonné une des armoires du bas à votre bambin. Rangez-y de véritables articles de cuisine comme des casseroles, des bols de plastique, de grandes cuillères et des spatules.*

Les situations dangereuses

En cas de réel danger, comme lorsque l'enfant mâche un fil électrique ou s'élance dans la rue, la mère devrait exprimer ouvertement et sans retenue sa frayeur. Peu à peu l'enfant comprendra que ces peurs sont justifiées et il évitera les dangers réels. Un cri d'alarme, accompagné d'un jeu de pieds rapide, envoie un message très clair à l'enfant qui s'approche d'une prise de courant ou qui court vers la rue.

Ayez toujours votre bambin à l'œil, il en va de sa sécurité. Des pédiatres ont étudié attentivement les scénarios d'accidents chez les très jeunes enfants. Ils affirment que ce n'est qu'à l'âge d'environ trois ans qu'on peut commencer à leur apprendre la prudence. Avant cet âge, l'enfant ne peut être en sécurité que sous l'œil vigilant de ceux qui s'occupent de lui. C'est votre devoir de vous assurer qu'il y a toujours quelqu'un pour le surveiller.

Dans leur livre *The Irreductible Needs of Children*, les Drs T. Berry Brazelton et Stanley I. Greenspan, affirment :

> *Qu'ils soient bébés, bambins ou d'âge préscolaire, les enfants devraient toujours être sous l'œil des personnes qui s'occupent d'eux.*

Le petit est en sécurité sous le regard attentif de sa mère.

Cherchez la cause

Il peut y avoir de nombreuses raisons qui expliquent la mauvaise humeur de votre tout-petit ou son refus de coopérer. Est-il fatigué ? S'ennuie-t-il ? A-t-il faim ? Est-il surexcité ? Découvrir la cause d'un comportement indésirable est un bon moyen d'éviter des problèmes à l'avenir.

Les petits enfants (comme les adultes) sont souvent de mauvaise humeur s'ils sont surmenés ou affamés. Nancy Stanton nous fait remarquer :

> *Les bambins ont habituellement besoin de faire une sieste pendant la journée, mais ils ne veulent rien manquer. Si votre enfant est vraiment fatigué, arrêtez tout, fermez les rideaux, la télévision et ne faites rien, placez un oreiller sur le sol et étendez-vous tous les deux.*

Ou peut-être que son comportement est un signal qui vous indique qu'il est temps d'arrêter de parler au téléphone, de rendre visite aux voisins, de travailler à l'ordinateur ou de mettre fin à toute autre activité qui vous tient loin de lui en pensée sinon physiquement. C'est le moment de vous remettre à son niveau et de vous occuper de lui.

Dites ce que vous pensez

« Rentre à la maison tout de suite, Catherine ! », répétez-vous pour la cinquième fois. Catherine, ignorant encore votre appel, continue de jouer. Voulez-vous vraiment qu'elle vienne « tout de suite » ou cela vous importe-t-il peu ? Si cela vous importe peu, alors ne l'appelez pas tant que vous ne voulez pas qu'elle vienne. À ce moment-là, appelez-la une fois. Attendez quelques minutes, puis appelez-la à nouveau. Si elle ne répond pas, sortez, prenez-la et emmenez-la joyeusement et prestement à la maison. Elle apprendra vite que vous pensez ce que vous dites.

« C'est peut-être trop demander à un jeune enfant qu'au premier appel, il arrête de jouer et entre pour venir manger », affirme Edwina Froehlich, une des fondatrices de la Ligue La Leche. « Essayez de sortir dix minutes à l'avance avec une collation nutritive que vous savez qu'il aimera et quand il aura fini, faites-le rentrer. »

Restreignez les heures d'écoute de la télévision

Les émissions de télévision peuvent avoir une très grande influence sur le comportement des jeunes enfants. Vous devez surveiller le genre d'émissions que vos enfants regardent de même que le temps qu'ils passent devant le petit écran. Un jeune enfant apprend grâce à diverses activités et interactions. La télévision n'offre pas la possibilité d'avoir ces types d'apprentissage. Ce que les enfants apprennent en regardant la télévision peut très bien ne pas correspondre à vos valeurs familiales. Les enfants d'âge préscolaire sont souvent incapables de faire la différence entre la fiction et la réalité. Les émissions comportant des scènes de violence peuvent être particulièrement troublantes et angoissantes pour eux.

Mais souvent ce n'est pas tellement ce qui passe à la télévision qui cause les plus gros problèmes, mais plutôt ce qui ne se passe pas quand on l'écoute. Trop de télévision nuit à la communication entre les membres de la famille.

Il existe, bien sûr, des émissions éducatives conçues pour les jeunes enfants. Vous les jugez peut-être valables. En tant que parent, vous avez la responsabilité de faire un choix éclairé. Malgré cela, vous devez être consciente des risques que représentent les messages publicitaires. Un enfant peut être incité à demander des jouets dispendieux ou des aliments non nutritifs simplement parce qu'il est bombardé de messages publicitaires.

Certaines mères préfèrent permettre à leurs enfants de visionner des vidéocassettes pendant une durée déterminée, plutôt que de les laisser regarder une chaîne de télévision qui diffuse des émissions pour enfants sans interruption. Les vidéocassettes offrent un autre avantage par rapport aux émissions de télévision : elles ne comportent pas de publicités.

Les bambins sont en sécurité s'ils sont à vos côtés lorsque vous allaitez le bébé.

En 1999, l'*American Academy of Pediatrics* faisait une déclaration controversée qui disait qu'aucun enfant de moins de deux ans ne devrait être autorisé à regarder la télévision. L'AAP s'inquiétait du fait que regarder la télévision est une activité trop passive et qu'elle empêche les bambins de profiter d'activités plus saines qui sont importantes pour leur développement. Dans leur livre *The Successful Child*, le Dr William et Martha Sears traitent de la question des enfants qui regardent la télévision. Ils disent :

> *Pendant les deux premières années surtout, les bébés et les bambins ont besoin d'interactions directes avec les personnes qui s'occupent d'eux afin de développer leur plein potentiel.*

Ils parlent aussi de l'augmentation des comportements agressifs qu'on observe chez les enfants qui ont été exposés à la violence à la télévision et dans les jeux vidéo. Ils concluent :

> *Comme c'est le cas avec beaucoup d'aspects de l'éducation des enfants, les décisions en ce qui a trait à la télévision exigent une approche sensée.*

Les crises de colère

Au sujet des bambins et des crises de colère, Edwina Froehlich témoigne de sa propre expérience :

Les crises de colère peuvent être dévastatrices à la fois pour la mère et pour l'enfant. Puisque j'ai eu deux enfants qui faisaient des crises de colère, j'en connais un peu sur le sujet. Avec mon premier garçon, j'ai suivi les conseils habituels. Une bonne tape sur les fesses le faisait crier encore plus, évidemment, l'empoigner fermement pour le conduire à sa chambre était douloureux pour mes tibias et ses cris couvraient toute réprimande sévère. L'ignorer semblait être ce qu'il y avait de mieux à faire, puisque cela n'alimentait pas son hystérie. Tout de même, cela ne réglait rien et ne prévenait pas d'autres crises. En m'informant davantage sur nos besoins nutritifs, j'ai découvert que les crises de colère coïncidaient avec une période de faim. Ces crises se produisaient rarement après un repas. Lorsqu'une crise est commencée, vous ne pouvez l'interrompre en offrant de la nourriture, mais le fait d'en comprendre la cause peut au moins vous permettre de mieux la supporter. Encore mieux, cela peut vous aider à prévenir ou, à tout le moins, à atténuer les prochaines crises.

Quand notre plus jeune fils avait à peu près deux ans et demi, une amie est venue dîner et Peter a fait sa première colère ! Je suis allée le rejoindre, je me suis assise par terre près de lui et j'ai tendu la main pour lui caresser le dos doucement. Au début, il a violemment repoussé ma main. Je suis donc simplement restée assise près de lui et j'ai murmuré en attendant : « Je t'aime Petey. » Peu de temps après, il s'est tourné vers moi et a enfoui son visage dans mes genoux en sanglotant. Quand la crise a été finie, il avait oublié pourquoi il s'était ainsi emporté et nous avons couru immédiatement à la cuisine. J'étais heureuse et soulagée d'avoir réussi à le calmer, mais je redoutais d'autres crises. À ma grande surprise, il n'y en a eu que deux ou trois autres, moins fortes et moins longues.

Si votre enfant fait souvent des crises de colère, essayez de voir si elles évoluent selon une certaine séquence. Surviennent-elles à la même heure chaque jour ? Seulement en présence de certaines personnes ? Quelle semble être la cause de la frustration ? Pouvez-vous éliminer cette cause ? Essayez de faire ce que vous pouvez pour éviter les situations frustrantes qui le portent à « exploser ».

Si votre enfant fait une crise de colère, il se calmera plus rapidement si vous restez calme et que vous ne le menacez pas. Dès que l'enfant vous le permet, touchez-le doucement et aidez-le à se remettre. Lorsqu'il aura fini de sangloter, vous pouvez lui offrir une bonne collation si vous croyez qu'il a faim. Cependant, assurez-vous de ne pas lui donner une sucrerie, sinon il pourrait faire une autre crise peu de temps après.

Pour l'enfant, il n'y a pas de différence entre faire une crise de colère à la maison et en faire une en public, mais pour les parents c'est très pénible. Les témoins manifestent rapidement leur désapprobation face à votre « vilain » enfant. Bien que cela soit gênant, le parent doit réagir de la même façon, en gardant son calme et en parlant d'une voix rassurante, et surtout, en évitant de se mettre en colère. Dans cette situation, la mère et l'enfant sont bouleversés, mais des deux, l'enfant est le plus désemparé. Il ne peut pas faire taire sa rage sur demande. Donc, si vous le pouvez, prenez-le dans vos bras et trouvez un endroit plus discret où il dérangera moins de gens. Toute tentative de le raisonner dans un état de telle agitation ne servira à rien. La seule chose à faire, c'est de rester calmement auprès de lui et d'attendre que ça passe.

L'enfant qui mord

Et que dire de l'enfant qui mord ou qui donne des coups ? Il semble que ce soit un problème assez fréquent et pénible, particulièrement lorsqu'il y a d'autres enfants dans l'entourage. Norma Jane Bumgarner, de l'Oklahoma, a raconté un jour cette histoire :

Il y a environ deux ans (lors d'une réunion de la Ligue La Leche), mon adorable bambin, parfait en tout point, superbement materné, a été mordu par un vilain petit monstre gâté et négligé. Du moins, c'est ainsi qu'il m'est apparu à l'époque. Tout en consolant mon bébé, j'ai lancé des regards lourds de reproches à la mère du jeune coupable, sans même dissimuler les sentiments que nous éprouvons toutes quand quelqu'un fait mal à notre enfant.

Mais, comme il existe une justice ici-bas, j'ai eu un autre enfant qui était non seulement un enfant qui mord, mais aussi le plus déterminé et le plus dangereux de tous. C'est l'une des choses les plus difficiles auxquelles j'ai été confrontée dans ma vie et les quelques mères qui ont réagi comme je l'avais fait, deux ans auparavant, m'ont rendu la tâche encore plus difficile.

Évidemment, lorsque nous nous rendons compte que nous avons ce problème avec notre jeune enfant, il est de notre devoir d'être toujours vigilante et d'intervenir en entraînant l'enfant plus loin, promptement et fermement. La rapidité est essentielle. Crier, donner la fessée ou mordre l'enfant à son tour ne sert à rien. Diane Kramer, du Nouveau-Mexique, écrit :

Les jeunes enfants réagissent habituellement beaucoup avec leur bouche. Elle leur sert à sentir, à aimer, à vérifier et à discuter. Il leur faut du temps et de la maturité pour s'apercevoir que ces réactions ne sont pas toutes acceptables. Entre temps, aimez-les, prenez-les dans vos bras, aidez-les à surmonter leurs frustrations et rappelez-vous que cela aussi passera.

Si votre enfant a tendance à mordre lorsqu'il est avec un groupe d'enfants, il faudra éviter de le mettre dans cette situation durant un certain temps. Apprenez-lui à s'entendre avec un seul enfant à la fois, tout en exerçant une grande vigilance.

Le marchand de sable ne passe plus

Dans certaines familles, l'heure du coucher est une source de frustration où tous se retrouvent épuisés et exaspérés avant de réussir à s'endormir. Un peu de planification vous évitera cet enfer ! Même si cela n'a pas une grande importance de coucher votre enfant d'âge préscolaire à une heure déterminée chaque soir parce qu'il n'a pas à se lever tôt le lendemain, c'est tout de même une bonne idée de le coucher à une heure régulière.

Il ne faut toutefois pas le coucher trop tôt, sinon il n'aura pas sommeil. Les enfants ne peuvent dormir qu'un certain nombre d'heures. Si votre enfant va au lit à 19 h, il sera peut-être debout et bien éveillé à 5 h le lendemain matin. On ne peut pas tout avoir.

Faites de l'heure du coucher un moment intime et douillet, un moment paisible, où rien ne presse. Un bain chaud et du temps pour jouer dans l'eau, une collation nutritive telle une pomme, suivie d'un brossage de dents et d'une belle histoire, alors que vous êtes bien au chaud tous les deux sous les couvertures, tout cela aidera à détendre votre enfant et le préparera à s'endormir volontiers. Il vous demandera peut-être de rester près de lui pendant un moment. Vous devriez accepter. Rester seul, cela fait peur.

Au fur et à mesure que les enfants grandissent, être parent devient un peu moins exigeant mais demeure toujours un défi.

Regard sur l'avenir

Lorsque les enfants grandissent, la discipline relève encore plus du défi. Ils continueront à exercer des pressions sur vous, vérifiant vos limites, jusqu'à l'adolescence. S'ils savent que vous êtes et avez toujours été ferme, conséquente, affectueuse et que vous leur faites confiance, alors ce sera plus facile.

Quand vous fixerez des limites pour votre enfant plus âgé, il sera parfois véritablement en colère contre vous, mais il se calmera rapidement s'il sait que vous l'aimez vraiment. Prouvez-lui que vous l'aimez par vos gestes, même lorsque vous devez lui dire « non ». Comme nous le rappelle le Dr Ross Campbell : « La première chose qu'il faut comprendre quand on veut avoir un enfant bien discipliné, c'est qu'il doit se sentir aimé, c'est la partie la plus importante d'une saine discipline ».

Quoi qu'il arrive, souvenez-vous que chaque enfant est unique et que vous ne pouvez établir de règles strictes qui conviennent à tous les enfants. En matière de discipline, ce qui fonctionne avec un enfant ou une famille peut ne pas fonctionner avec un autre. Choisissez ce qui convient à votre famille. Grâce à votre relation d'allaitement, vous avez une connaissance intime de votre petit et, si vous comprenez bien le vrai sens de la discipline, vous pouvez suivre sans problème votre instinct de parent. « Notre rôle de parent ne consiste pas simplement à prendre soin de nos enfants, mais aussi à leur apprendre à s'occuper d'eux-mêmes », affirme Norma Jane Bumgarner.

Quand votre enfant vient au monde, vous vous employez à satisfaire tous ses besoins. Vous l'allaitez quand il a faim et vous le gardez dans vos bras aussi longtemps qu'il en a besoin et qu'il semble l'apprécier. En grandissant, il demande un peu moins à se faire prendre, mais il recherche la compagnie des gens. De temps en temps, vous le placez au milieu de la famille. Au fil des jours, des semaines et des mois, il devient plus indépendant, il commence à manger des aliments solides et il tète moins longtemps ou moins souvent. Bientôt il saisit des morceaux d'aliments et les porte à sa bouche lui-même. Et, un jour, il se nourrit seul, tenant sa cuillère avec dignité et aplomb, malgré d'occasionnels dégâts spectaculaires. Il sait maintenant boire à la tasse et, avec les mois qui passent, il ne prend plus qu'une seule tétée avant de s'endormir. Vous êtes toujours là, s'il a besoin de vous. Sachant qu'il peut redevenir un bébé quelque temps s'il en a envie, il s'aventure de plus en plus loin sur le chemin de l'enfance et, finalement (beaucoup trop tôt, quand on y repense), il n'est plus un bébé. Avant même de vous en apercevoir, il partira pour l'école en vous envoyant joyeusement la main.

Les années passent et bien qu'être parent soit un peu moins exigeant, cela demeure toujours un défi intéressant. Nos enfants auront toujours besoin de nous d'une façon ou d'une autre, Dieu merci ! Cependant, il faut savoir quand se tenir à l'écart et à quel moment offrir de l'aide. Puis, un jour, votre petit garçon se tiendra auprès de sa femme pendant qu'elle allaitera leur bébé avec bonheur. Ou bien ce sera votre fille, qui ressemble tellement à sa mère quand elle avait le même âge, qui allaitera fièrement son bébé. Tout ce travail, tout ce temps et tous ces soucis en auront vraiment valu la peine.

Guidé avec bienveillance et entouré de l'amour auquel il a droit depuis sa naissance et dont notre monde a si grand besoin, votre enfant passera progressivement de la dépendance à l'indépendance.

SIXIÈME PARTIE

CIRCONSTANCES PARTICULIÈRES

Chapitre 16

Des difficultés dès la naissance

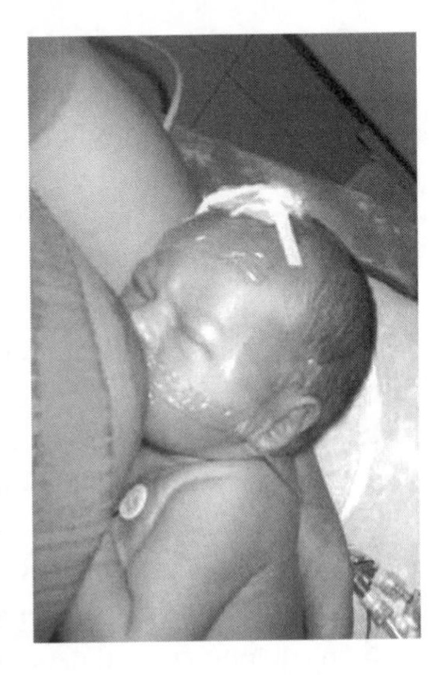

Pour certaines mères et leur bébé, l'allaitement peut connaître un départ plus lent à cause d'épreuves inattendues, comme un accouchement par césarienne ou des problèmes de jaunisse. Ce genre de difficultés ne devrait pas vous empêcher d'allaiter votre bébé. Avec de bonnes informations, du soutien et de la détermination, vous pouvez vous en sortir et profiter de nombreuses heures de bonheur en allaitant votre bébé. L'effort supplémentaire que vous fournirez en vaudra la peine. Votre bébé bénéficiera d'une bonne source de nutrition ainsi que de la protection immunologique que procure le lait maternel et, tous les deux, vous apprécierez le rapprochement et la commodité de simplement s'asseoir pour allaiter.

Allaiter après une césarienne

Vous pouvez très certainement allaiter votre bébé après une césarienne. L'allaitement connaîtra probablement un départ plus lent, car la césarienne est une intervention chirurgicale majeure et il faut du temps pour s'en remettre. Si la césarienne est prévue, essayez d'obtenir à l'avance le plus de renseignements possibles sur ce type de naissance. Si vous devez accoucher par césarienne ou si vous lisez le présent chapitre après une césarienne, soyez assurée qu'elle ne constitue pas une entrave à une heureuse expérience d'allaitement.

Si possible, discutez avec votre médecin du choix des anesthésiques avant l'accouchement. Bien que l'anesthésie générale soit la plus simple à administrer et qu'elle soit nécessaire dans les situations d'urgence, vous serez inconsciente au moment de l'accouchement et somnolente durant un certain temps par la suite. Votre bébé sera également somnolent au début. Ceci pourrait retarder votre premier contact avec lui, vous qui avez attendu si longtemps pour le prendre dans vos bras et l'allaiter. Une anesthésie locale (péridurale ou rachianalgésie) vous permet de rester consciente de façon à pouvoir prendre votre bébé pour l'allaiter tout de suite après sa naissance.

Il est important d'allaiter votre bébé dès que possible non seulement à cause de l'importance du contact précoce et du lien affectif, mais aussi parce que l'allaitement fait contracter l'utérus qui reprend sa forme initiale plus rapidement. Ceci aide aussi à la cicatrisation.

Vous pouvez allaiter sur la table d'opération, mais il vous faudra de l'aide pour mettre le bébé au sein et pour le tenir. En effet, vous aurez encore un soluté dans un bras et votre autre bras sera peut-être immobilisé pendant que le médecin referme l'incision. Il vous sera alors difficile de manipuler le bébé. Votre conjoint ou l'infirmière peut vous aider en couchant le bébé sur votre poitrine pour qu'il puisse téter et en le guidant doucement vers votre mamelon.

Si la première tétée a lieu dans la salle de réveil, placez le bébé pour qu'il puisse atteindre le mamelon facilement. Vous serez fort probablement étendue sur le dos à cause de l'anesthésie, assurez-vous alors que le bébé est bien soutenu et qu'il est assez près de vous pour saisir facilement le mamelon. Vous ne devriez pas ressentir trop de douleur puisque vous serez encore sous l'effet de l'anesthésie. Encore une fois, n'ayez pas peur de demander de l'aide pour mettre le bébé au sein.

Les premiers jours

Il n'y a rien de mieux que la cohabitation pour apprendre à connaître son bébé et pour bien débuter l'allaitement. Certains hôpitaux ne la permettent pas pendant les vingt-quatre premières heures dans les cas de césarienne, mais la plupart sont de plus en plus flexibles à ce sujet. Les mères trouvent réconfortant d'avoir leur bébé avec elles en tout temps. Prévoyez la présence du père, d'un autre membre de la famille ou d'une amie pour vous aider avec le bébé.

Les premiers jours, votre abdomen sera douloureux et sensible. La plupart des médicaments contre la douleur n'auront aucun effet sur votre bébé allaité, alors ne vous sentez pas obligée d'avoir à subir un quelconque inconfort. Votre bébé et vous connaîtrez un meilleur départ si vous vous sentez confortable.

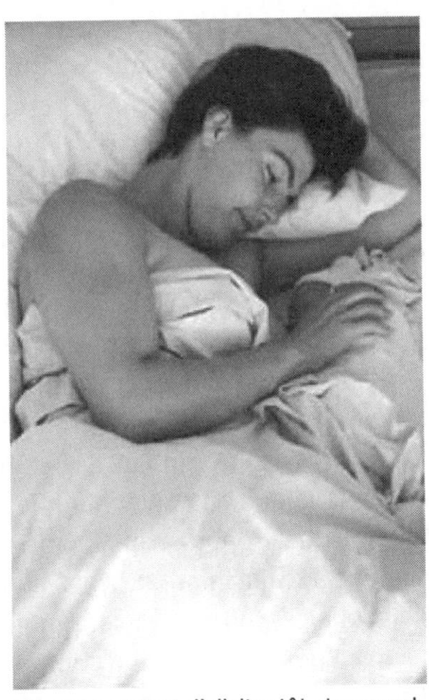
Il est important d'allaiter tôt et souvent après un accouchement par césarienne.

Les bébés nés par césarienne peuvent être plus léthargiques que ceux qui n'ont pas eu à subir les effets secondaires des anesthésiques. Ceci peut durer quelques jours et, pendant cette période, votre bébé peut avoir un réflexe de succion plus faible. Portez une attention particulière aux habitudes de succion et à la façon dont votre bébé prend le sein. Il est particulièrement important d'éviter l'utilisation de tétines artificielles qui pourraient interférer avec les efforts du bébé pour apprendre à téter efficacement. Si le bébé démontre le moindre signe de difficulté à prendre le sein ou à téter, informez-vous s'il y a, à l'hôpital, une consultante en lactation qui pourrait vous aider. Sinon, communiquez avec une monitrice de la Ligue La Leche pour obtenir de l'aide.

Allaiter en position couchée

Il sera plus facile d'allaiter en position couchée les premiers jours. Vous et votre bébé pourrez sommeiller ensemble et cela vous permettra de passer plus de temps avec lui sans vous fatiguer.

Votre lit étant en position horizontale, faites relever les barres de retenue du lit et placez des oreillers supplémentaires derrière votre dos pour un meilleur soutien. Tournez-vous doucement sur un côté en vous agrippant aux côtés du lit et en relâchant vos muscles abdominaux. Bougez lentement pour éviter toute tension. Placez une serviette pliée ou une couverture roulée sur votre ventre pour vous protéger des coups de pieds du bébé. Repliez les jambes et mettez un oreiller entre vos genoux pour un meilleur soutien et pour exercer moins de pression sur les muscles du ventre. Calez-vous dans les oreillers derrière votre dos.

Demandez à la personne qui vous aide ou à une infirmière de placer le bébé sur le côté, face à vous, pour que vous soyez ventre contre ventre. Il se peut que sa tête doive reposer sur votre bras ou sur une couverture roulée afin que sa bouche soit à la hauteur de votre mamelon. Dans cette position, le bébé devrait pouvoir bien saisir le mamelon.

Durant les premiers jours, il est important d'allaiter des deux seins à chaque tétée, ce qui signifie qu'il faudra vous tourner. En prenant appui sur vos pieds et en pliant les genoux, tournez doucement vos hanches. Faites-le lentement, en évitant de tirer sur votre plaie. Là encore, utilisez les côtés du lit pour vous faciliter la tâche. Replacez les oreillers et demandez à l'infirmière de vous aider à mettre le bébé à l'autre sein.

Lorsque votre plaie sera moins sensible, vous pourrez vous tourner seule en tenant votre bébé contre votre poitrine. Utilisez la technique décrite précédemment tout en tenant bien votre bébé.

Allaiter en position assise

Il est bon d'allaiter dans plusieurs positions différentes au cours des premiers jours de façon à accélérer le processus de guérison. Certaines femmes préfèrent allaiter en position assise dans un lit ou un fauteuil.

Demandez qu'on relève la tête du lit à la verticale et élevez légèrement vos jambes. Bougez les jambes à l'occasion pour favoriser la circulation sanguine. Placez un oreiller ou une couverture roulée sous votre bras pour soutenir la tête du bébé et un autre sur votre plaie où vous déposerez votre bébé. Cela protégera votre abdomen et votre bébé se trouvera à la hauteur de votre mamelon. Tenez le bébé très près de vous, ventre contre ventre, sa tête soutenue par votre bras. De votre main libre, vous pourrez ainsi soutenir votre sein.

Allaiter en position « ballon de football »

C'est une bonne façon d'éviter la pression sur votre plaie puisque le bébé est couché à côté de vous et qu'il n'appuie pas sur votre abdomen. En position assise, mettez un oreiller sous votre bras. Placez la tête du bébé près de votre sein, son visage tourné vers vous et son corps serré contre le vôtre. Son corps devrait être fléchi au niveau des hanches, ses fesses venant s'appuyer contre le dossier de la chaise où vous êtes assise ou contre le lit. Soutenez la nuque de votre bébé avec votre main. Assurez-vous qu'il est à la hauteur de votre mamelon afin que vous n'ayez pas à vous pencher vers l'avant pour l'atteindre.

Le retour à la maison

Lorsque vous serez de retour à la maison, vous aurez besoin de beaucoup de repos. Non seulement vous avez donné naissance, mais vous avez aussi subi une intervention chirurgicale majeure. Placez le berceau à côté de votre lit, ou encore couchez le bébé directement à côté de vous dans votre lit, afin de ne pas avoir à vous lever. Avec une pile de couches, un pichet de jus ou d'eau et une collation, vous pourrez tenir pendant plusieurs heures. Ainsi vous pourrez vous reposer tous les deux tout en apprenant à vous connaître.

Si cela est possible, trouvez quelqu'un qui s'occupera de faire la cuisine et les tâches ménagères pendant que vous vous reposerez. Demandez à vos amies d'apporter des repas, de jouer avec vos bambins ou de faire la lessive.

Certaines femmes ont du mal à accepter la césarienne alors qu'elles avaient prévu un accouchement vaginal. Une chirurgie majeure, surtout lorsqu'elle est inattendue, peut se révéler bouleversante quand on avait planifié un tout autre genre de naissance. Les mères ayant accouché par césarienne peuvent souhaiter entrer en contact avec un groupe de soutien afin de parler de leurs problèmes et de partager leurs expériences. De nombreuses mères qui ont accouché d'un premier bébé par césarienne ont été capables d'accoucher par voie vaginale par la suite. Pour plus d'informations à ce sujet, consultez l'appendice. La Ligue La Leche peut également vous offrir de l'aide. Ses monitrices vous feront des suggestions, elles vous encourageront et vous donneront plus d'informations sur l'allaitement et le maternage après une césarienne.

Voici ce que Ann Hague, de la Géorgie, écrit :

Même si la mère qui a accouché par césarienne et son bébé doivent faire preuve de plus de patience et de persévérance, cela en vaut vraiment la peine. Je me suis bien remise de l'opération et mon bébé et moi faisons l'expérience d'une belle relation grâce à l'allaitement. L'accouchement par césarienne peut être un moment qu'on redoute, mais cela ne devrait pas vous empêcher de vivre cette remarquable expérience d'amour que représente l'allaitement.

Que faire si votre bébé a la jaunisse ?

Votre bébé n'a peut-être que quelques heures, mais il est plus probable qu'il ait deux ou trois jours. Vous remarquez alors que le blanc de ses yeux ainsi que sa peau sont de couleur jaunâtre. Ou peut être a-t-il l'air d'avoir été sous les tropiques, car il a le teint bronzé. Le médecin vous avertit que votre bébé a la jaunisse et il peut même mentionner le taux de bilirubine dans son sang.

La jaunisse est fréquente chez les bébés au cours des premières semaines et elle a tendance à se manifester plus souvent chez les bébés allaités. Dans la plupart des cas, elle est sans danger et aucun traitement n'est nécessaire. La jaunisse disparaît et le bébé ne s'en porte pas plus mal. Vous pouvez continuer d'allaiter votre bébé et de profiter tous deux des bienfaits que procure l'allaitement. En fait, allaiter votre bébé tôt après la naissance et fréquemment par la suite est une excellente façon d'éviter que la jaunisse ne devienne un problème. Même si un traitement s'avère nécessaire, il y a bien des moyens d'empêcher que vous ne soyez séparée de votre bébé. Le fait d'en connaître davantage sur la jaunisse vous aidera à comprendre ce qui se passe et vous évitera de vous inquiéter du bien-être de votre bébé. Comprendre ce qu'est la jaunisse vous aidera aussi à mieux communiquer avec les professionnels qui s'occupent de votre bébé.

La jaunisse physiologique ou normale

Chez le nouveau-né, la jaunisse est fréquente et généralement sans conséquence. Plus de la moitié des nouveau-nés développent une jaunisse dans les jours qui suivent la naissance à un degré faible ou modéré qui n'aura aucune conséquence. Dans la plupart des cas, la jaunisse disparaîtra d'elle-même en l'espace de deux à trois semaines.

La jaunisse normale du nouveau-né est appelée « jaunisse physiologique ». Cela signifie que la jaunisse fait partie d'un processus physiologique normal. La jaunisse en elle-même est la conséquence d'un excès de bilirubine temporairement accumulée dans le sang et les tissus du bébé. La bilirubine est un pigment jaune orangé qui donne à la peau du bébé la

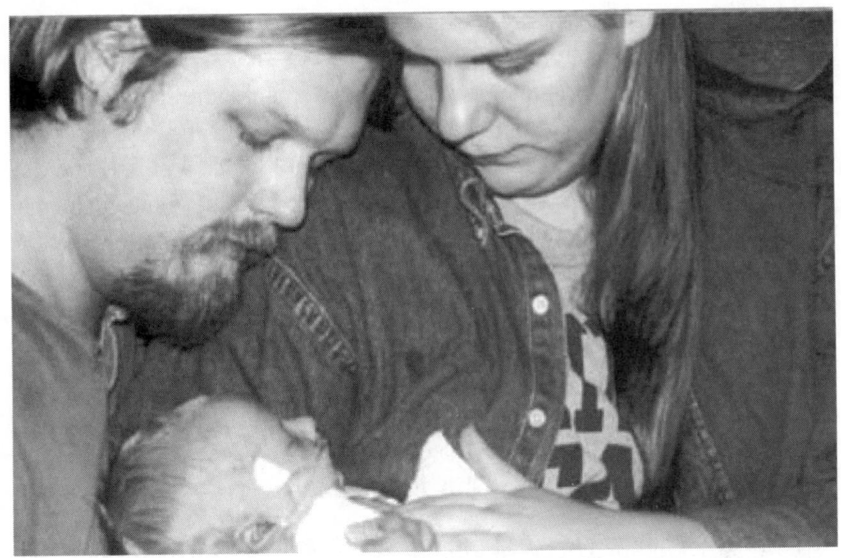

Il est naturel que les parents s'inquiètent lorsque leur nouveau-né a un sérieux problème de santé.

couleur caractéristique de la jaunisse. La bilirubine vient du processus naturel de décomposition des globules rouges excédentaires. Ce processus fait partie de l'ajustement du bébé à la vie extra-utérine.

Normalement, de nouvelles cellules sanguines sont produites en permanence et les vieilles meurent. Les nouveau-nés ont plus de globules rouges parce que l'apport en oxygène était limité dans l'utérus ; le bébé avait alors besoin d'une plus grande quantité de ces globules pour transporter l'oxygène. Après la naissance, les poumons du bébé reçoivent suffisamment d'oxygène et les globules supplémentaires ne sont donc plus nécessaires.

Ces vieilles cellules meurent alors, ce qui libère du fer et de la bilirubine. Le fer est emmagasiné dans le foie et dans d'autres tissus. Plus tard, il servira à la production de nouvelles cellules sanguines. La bilirubine est simplement un résidu de cette élimination et le foie devrait la métaboliser. Il y a donc jaunisse lorsque le foie immature d'un nouveau-né ne parvient pas à transformer la bilirubine aussi rapidement qu'elle est produite ; l'excès de bilirubine est emmagasiné dans les tissus. Pour déterminer si un traitement est nécessaire, le taux de bilirubine est calculé à l'aide d'un appareil spécial qui mesure l'intensité de la coloration de la peau ou à l'aide d'une analyse de sang. Si le bébé a un taux de bilirubine anormalement élevé ou si le taux s'élève rapidement, ces tests seront répétés plusieurs fois par jour durant la première semaine, de façon à en surveiller l'évolution.

La jaunisse physiologique apparaît généralement entre la deuxième et la quatrième journée chez un bébé sain et né à terme. Dans la plupart des cas, elle disparaît d'elle-même graduellement quoique cela puisse prendre plusieurs semaines chez certains bébés. La jaunisse normale n'est pas une maladie ; c'est un état bénin qui ne laisse aucune séquelle. En fait, puisque la jaunisse physiologique apparaît plus souvent chez les bébés allaités, certains experts croient que les taux plus élevés de bilirubine seraient la norme naturelle pour les nouveau-nés. Ils pourraient même avoir un effet bénéfique.

La jaunisse qui débute dès le premier jour

La jaunisse pathologique ou anormale est souvent visible dès la naissance ou dans les premières vingt-quatre heures et le taux de bilirubine peut grimper assez rapidement. Un traitement médical est habituellement nécessaire dans les cas de jaunisse pathologique. L'allaitement peut se poursuivre pendant le traitement et il aide souvent à réduire la jaunisse. Chez le nouveau-né, la jaunisse pathologique est souvent due à une incompatibilité des groupes sanguins (Rh ou ABO). Bien que l'incompatibilité Rh soit de plus en plus rare, celle des groupes sanguins ABO, moins sévère, est encore assez fréquente. En procédant à une analyse de votre groupe sanguin avant la naissance de votre bébé, le médecin saura s'il doit surveiller l'apparition de l'un ou l'autre de ces états. La jaunisse pathologique peut également être causée par une infection, des problèmes métaboliques ou une obstruction gastro-intestinale.

Un taux excessif de bilirubine est une source d'inquiétude, car il peut causer des dommages au cerveau. Un taux de 340 µmol/l (20 mg/dl) ou plus est considéré élevé dans les premières quarante-huit heures. Par la suite, un taux de 430 µmol/l (25 mg/dl) est considéré élevé chez un bébé né à terme et autrement en bonne santé. Des taux inférieurs peuvent occasionner des problèmes chez les enfants nés prématurément. Le kernictère, un terme médical qui désigne les dommages au cerveau pouvant être causés par une concentration excessive de bilirubine, est très rare et est plus inquiétant chez les prématurés ou les bébés malades atteints de jaunisse pathologique.

Les problèmes causés par la jaunisse

Lorsqu'on annonce aux parents que le taux de bilirubine de leur bébé est élevé, que de nombreux tests sanguins sont nécessaires ou que leur bébé atteint de jaunisse doit être traité, ils peuvent devenir très inquiets. L'état de santé de leur précieux nouveau-né, qui allait si bien la veille, semble soudain préoccupant et problématique. Les parents peuvent alors poser beaucoup de questions et les réponses qu'ils reçoivent peuvent les décontenancer.

Certaines mères peuvent même se faire dire que la jaunisse est causée par le lait maternel. À une certaine époque, on pensait que le taux de bilirubine élevé chez les bébés allaités, s'il persistait après les premiers jours, était causé par un type particulier de jaunisse appelée « jaunisse au lait maternel ». De nombreux médecins préconisaient alors de nourrir le bébé avec des préparations lactées pour nourrissons pendant un jour ou deux. C'était, selon eux, la meilleure façon de réduire le taux de bilirubine. Malheureusement, même si ce sevrage ne devait être que temporaire, il signifiait le début de la fin de l'allaitement pour bien des mères. Les mères dont les bébés ont la jaunisse ont tendance à sevrer ceux-ci plus tôt, non pas que la jaunisse interfère avec l'allaitement mais le traitement, si.

Les parents doivent se rappeler que les complications ou les dommages causés par un haut taux de bilirubine sont très rares. La décision concernant le traitement dépend de l'âge du bébé, s'il a d'autres problèmes de santé et de la vitesse à laquelle le taux de bilirubine augmente. Les parents ont leur mot à dire dans les décisions relatives au choix d'un traitement et vous devriez aviser votre médecin traitant de l'importance que vous accordez à la poursuite de l'allaitement et au fait que vous ne voulez pas être séparée de votre bébé. Vos sentiments influenceront les recommandations du médecin. Alors que certains médecins persistent à vouloir interrompre l'allaitement pendant un jour ou deux pour faire baisser le taux de bilirubine, d'autres reconnaissent que cet avis n'est pas dans le meilleur intérêt de la mère ou du bébé. En ce qui a trait à la jaunisse du nouveau-né, les lignes directrices de l'*American Academy of Pediatrics* indiquent que les parents doivent avoir voix au chapitre en ce qui concerne le traitement administré à leur bébé, de même qu'elles suggèrent plusieurs différents choix de traitement qui incluent la poursuite de l'allaitement.

En fait, les tétées fréquentes aideront à faire chuter le taux de bilirubine et elles devraient faire partie du traitement. Une surveillance constante de la condition physique du bébé, de même que des efforts pour l'encourager à téter souvent et de façon efficace sont peut-être le seul traitement dont il aura besoin pour faire diminuer le taux de bilirubine.

Le bébé qui a la jaunisse peut dormir plus que les autres nouveau-nés et, par conséquent, sa mère devra peut-être le réveiller pour certaines tétées. Un bébé qui a la jaunisse devrait être allaité dix à douze fois par jour. La mère devra peut-être encourager son bébé à téter activement pendant de longues périodes en utilisant, par exemple, la méthode de la compression du sein (décrite au chapitre 17) ou toute autre technique empêchant le bébé de s'assoupir après avoir tété seulement quelques minutes. Les bébés qui sont nés plus de deux semaines avant terme sont plus susceptibles d'avoir la jaunisse et d'éprouver des difficultés à téter au cours des premiers jours. Ces bébés ont besoin de beaucoup d'encouragements affectueux.

La photothérapie

Si votre médecin juge nécessaire de traiter la jaunisse de votre bébé, il prescrira probablement la photothérapie. Des lampes fluorescentes sont utilisées pour accélérer l'élimination de la bilirubine. Le bébé est placé sous ces lampes, vêtu seulement d'une couche, avec un bandeau protecteur sur les yeux.

Ce traitement a pour but d'éviter que le taux de bilirubine n'atteigne le niveau critique où, dans des cas extrêmes, des transfusions s'avèrent nécessaires pour changer le sang du bébé.

En règle générale, plus l'élévation du taux de bilirubine sera précoce et rapide, plus la photothérapie commencera tôt. Chez un bébé né à terme, âgé de deux à trois jours, elle peut commencer à un taux de 310 µmol/l (18 mg/dl) ou à 340 µmol/l (20 mg/dl) s'il s'agit d'un bébé âgé de plus de trois jours. Les bébés malades ou prématurés présentent des problèmes particuliers et il faut souvent commencer le traitement médical à un taux inférieur.

Même si votre bébé doit passer du temps sous les lampes fluorescentes, l'allaitement peut et devrait se poursuivre. Les tétées fréquentes sont importantes pour aider le bébé à éliminer l'excès de bilirubine. Vous voudrez vous assurer qu'il tète encore plus souvent que ce qui est habituellement recommandé pour un nouveau-né, soit environ toutes les deux heures ou dix à douze fois par jour. Cela l'empêchera également de se déshydrater.

Il n'est pas nécessaire que la photothérapie soit continue pour être efficace. Lorsque vous allaitez votre bébé, retirez le bandeau qui lui couvre les yeux, serrez-le contre vous et regardez-le dans les yeux. Le fait de le tenir et de la caresser, même lorsqu'il est sous les lumières, vous rassurera tous les deux.

Dans certains cas, on pourra installer votre bébé et les lampes dans votre chambre à l'hôpital. Vous vous sentirez mieux si votre bébé est près de vous et il sera plus facile de l'allaiter fréquemment. Le traitement à l'aide de lampes fluorescentes peut aussi être effectué à domicile, à l'aide d'une unité louée, afin que le bébé n'ait pas à demeurer à l'hôpital une fois que la mère a obtenu son congé. Une autre option, le *Wallaby*, est une couverture de fibres optiques qui s'enroule autour du tronc du bébé. Il n'est pas nécessaire de couvrir les yeux du bébé à l'aide d'un bandeau protecteur et la mère peut prendre et allaiter son bébé sans interrompre le traitement. (Vous trouverez en appendice des informations sur le *Wallaby*.) Vous aurez probablement besoin de retourner à l'hôpital pour des tests sanguins afin de surveiller le taux de bilirubine du bébé.

« Faire passer » la jaunisse

À une certaine époque, on croyait que le fait de donner des biberons d'eau au bébé aiderait à « faire passer » la jaunisse. Cependant, des recherches ont démontré que les suppléments d'eau donnés aux bébés au cours des premiers jours n'aident pas à réduire la jaunisse. En fait, une étude a rapporté que plus un bébé recevait d'eau, plus son taux de bilirubine était élevé.

Les biberons d'eau peuvent réduire le nombre de tétées du bébé et causer une confusion entre la tétine et le mamelon. Tout ce qui détourne le bébé du sein ou qui l'empêche de téter au moins dix à douze fois par jour peut faire augmenter la jaunisse chez le bébé allaité. Puisque la bilirubine est éliminée dans les selles du bébé, des tétées fréquentes constituent une des meilleures façons d'aider le bébé à éliminer l'excès de bilirubine.

L'hypoglycémie chez les nouveau-nés

Les nouveaux-nés sont souvent testés pour déterminer le niveau de glucose dans leur sang et les parents se font parfois dire que leur bébé fait de l'hypoglycémie – ou qu'il a un faible taux de sucre dans le sang – et qu'il a besoin d'être traité avec un supplément de glucose. Les bébés à risque plus élevé de faire de l'hypoglycémie sont ceux qui sont nés avant ou après terme, ceux qui sont petits ou gros pour leur âge gestationnel et ceux qui ont été privés d'oxygène. L'hypoglycémie peut aussi indiquer la présence d'une infection ou d'un désordre métabolique.

La cause la plus fréquente d'hypoglycémie est une alimentation retardée ou inadéquate. Un bébé qui est mis au sein tôt après la naissance et gardé près de sa mère afin qu'il puisse téter à volonté aura beaucoup moins de chances de montrer des signes d'hypoglycémie. Chez les adultes, le traitement pour un faible taux de sucre dans le sang consiste en de petits repas fréquents et riches en protéines, ce qui est exactement ce que le nouveau-né reçoit lorsqu'il tète souvent. Pour la plupart des bébés à risque de souffrir d'hypoglycémie, l'allaitement fréquent (dix à douze fois par jour) stabilisera le taux de glucose dans le sang.

Donner de l'eau glucosée plutôt que d'allaiter cause une hausse subite du taux de sucre dans le sang suivie d'une baisse rapide. Offrir de l'eau glucosée dans les premiers jours a aussi été associé avec une perte de poids plus grande et un taux de bilirubine plus élevé. Un bébé qui est nourri avec de l'eau glucosée ne bénéficie que d'un faible apport nutritionnel. Son estomac étant rempli, il tètera moins souvent et de façon moins efficace.

Dans certains hôpitaux, l'eau glucosée est donnée à tous les bébés dont le poids de naissance se situe au-dessus ou en-dessous de certaines normes. Il est bon d'en discuter au préalable avec votre professionnel de la santé et de demander que des suppléments de routine de glucose ne soient pas donnés. Si un test sanguin indique qu'un supplément de glucose est nécessaire, l'utilisation de tétines artificielles peut être évitée en offrant le glucose à la cuillère, à la tasse ou au compte-gouttes. Le glucose est parfois administré par voie intraveineuse. Allaiter au moins dix à douze fois par jour est la meilleure façon de stabiliser le niveau de glucose d'un bébé.

Le bébé prématuré

La taille des bébés prématurés varie beaucoup. Certains pèsent un kilo ou moins, d'autres sont complètement développés et dépassent les deux kilos. Certains parviennent à téter immédiatement après la naissance, alors que d'autres doivent être protégés, gardés au chaud dans un incubateur et n'ont pas la force de téter avant plusieurs semaines. Si votre bébé est très petit, il devra peut-être demeurer à l'hôpital un mois ou plus et il sera peut-être nourri au moyen d'un tube au début. Quelle que soit la situation, votre lait est très important pour votre bébé et donner votre lait à votre bébé est également important pour vous. Exprimer du lait pour votre bébé est un geste que vous seule pouvez faire et cela pourra vous aider à surmonter l'inquiétude et la peur que vous ressentirez à son sujet.

Lucienne Tenin Libeau, de France, témoigne :

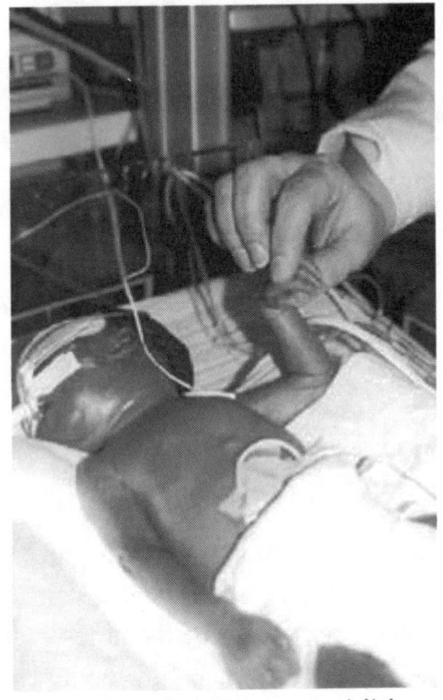

Exprimer du lait pour votre bébé prématuré est un geste que vous seule pouvez faire.

Anne est née à sept mois de grossesse, à la suite de la mort in utero de son frère jumeau, Guillaume. Les premiers jours furent une longue attente pour savoir si ce tout petit « bout de femme » allait vivre. Attente angoissée mais malgré tout sereine, car mon mari et moi étions persuadés qu'il fallait qu'elle vive, qu'il ne pouvait en être autrement. C'est pourquoi je pensai à démarrer au plus tôt l'allaitement.

Lien formidable qui permet, dans ces moments difficiles, de se rapprocher de notre enfant perdu dans cet univers d'alarmes sonnant à tout moment, de tracés angoissants, de sondes et d'appareils. De tout cela nous avons fait abstraction pour lui transmettre, par le toucher, l'envie de vie que nous avions dans le cœur.

J'ai exprimé mon lait à l'aide d'un tire-lait électrique 24 heures après la naissance et ensuite quatre à cinq fois par jour. Ces moments n'étaient pas du tout contraignants. Au contraire, cela tissait chaque jour un peu plus nos liens avec Anne et cela nous permettait de penser souvent à elle.

En tant que parents d'un bébé prématuré, nous avons un grand rôle à jouer ; jour après jour, venir le voir, faire sa connaissance, le câliner, lui assurer le meilleur lait qui est celui de sa maman, afin qu'il puisse lutter avec toutes les forces dont il dispose.

Plus tard, lorsque le bébé sera prêt à être nourri au sein, l'allaitement aidera à faire oublier la séparation que vous et votre bébé avez vécue. Rebecca Strasser, du Tennessee, se félicite d'avoir persévéré dans ses tentatives pour allaiter son bébé, Jonathan, prématuré de douze semaines et pesant à peine 1300 grammes. Elle explique :

> *Allaiter Jonathan a permis d'alléger la douleur de notre séparation prématurée... Je serai éternellement reconnaissante envers tous ceux qui m'ont encouragée à persévérer dans ce sens et qui m'ont permis de connaître la joie de l'allaiter.*

Le lait maternel, le meilleur aliment

Le lait maternel est le meilleur aliment possible pour le bébé prématuré comme pour le bébé né à terme. Le lait maternel est facile à digérer ; les bébés prématurés utilisent les graisses et les protéines du lait maternel de façon plus efficace que celles contenues dans les préparations lactées pour nourrissons. Des études ont démontré que le lait maternel accroît le développement du cerveau des bébés prématurés. Une étude comparative entre des bébés prématurés nourris au lait maternel et d'autres nourris avec des préparations lactées a démontré que ceux nourris au lait maternel avaient un quotient intellectuel plus élevé à l'âge de sept ans et demi et huit ans. Les bébés prématurés qui reçoivent du lait maternel dans les pouponnières des hôpitaux développent moins d'infections que ceux nourris avec des préparations lactées pour nourrissons et ils sont moins sujets à l'entérocolite nécrosante, une grave maladie des intestins qui peut se développer chez les prématurés. Le lait des mères qui accouchent prématurément contient de plus grandes quantités d'anticorps et de certains nutriments que le lait des mères qui accouchent à terme. Il a été démontré que certaines de ces différences demeurent présentes dans le lait durant les six premiers mois d'allaitement. Lorsque vous donnez votre propre lait à votre bébé, votre contribution est vitale pour lui. La technologie médicale ne peut reproduire le lait maternel, l'aliment par excellence pour votre bébé.

Un grand prématuré, né plus de deux mois avant la date prévue, peut avoir besoin de suppléments de vitamines et de minéraux en plus du lait maternel. Si votre médecin juge que votre bébé a besoin de ce type de suppléments, ne croyez pas que c'est parce que votre lait n'est pas adéquat. C'est seulement que les grands prématurés peuvent avoir davantage

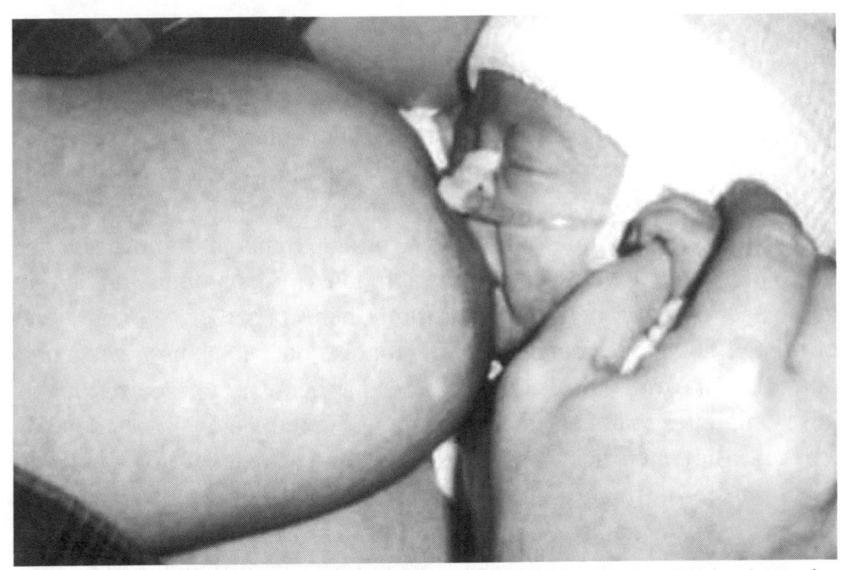

Des études ont démontré que l'allaitement cause moins de stress au bébé prématuré que l'alimentation au biberon.

besoin de certains nutriments pour grandir et se développer correctement. Votre lait fournit toujours l'essentiel de l'alimentation particulière dont votre bébé prématuré a besoin, en plus de la protection immunologique qui ne se retrouve pas dans les préparations lactées pour nourrissons.

Si, au début, votre bébé prématuré ne peut téter directement au sein, commencez à exprimer votre lait dès que possible. En exprimant fréquemment du lait au cours des premières semaines après la naissance, vous vous assurez que votre corps sera capable de fabriquer suffisamment de lait dans les mois à venir pour satisfaire les besoins de votre bébé. Vous devriez exprimer du lait aussi souvent que votre bébé tèterait, c'est-à-dire huit fois ou plus par jour, et ce, à l'aide d'un tire-lait électrique permettant d'exprimer des deux seins à la fois. Ce genre de tire-lait s'avère être le plus efficace pour maintenir la production de lait chez la mère d'un bébé qui ne peut pas encore prendre le sein. Il se peut que votre compagnie d'assurances rembourse les frais d'acquisition ou de location d'un tel tire-lait sur présentation de la prescription du médecin.

Le colostrum est le premier lait que vous obtiendrez et il est particulièrement important pour votre bébé à cause des anticorps qu'il contient. Si votre bébé ne peut prendre le colostrum tout de suite, demandez à ce qu'il soit congelé et conservé pour les premières fois où il sera nourri au moyen d'un tube. Dès que votre bébé pourra prendre quelque chose par la bouche (ou par tube nasogastrique), votre lait est le meilleur aliment pour lui.

Au cours des premières semaines, si vous exprimez votre lait fréquemment, vous en produirez peut-être bien plus que votre bébé ne pourra en boire. Ceci n'est pas un problème, car stimuler une sécrétion lactée abondante dans les premières semaines indique à votre corps qu'il doit continuer à produire du lait. Votre production peut diminuer un peu avec le temps. Votre corps ne peut réagir à un tire-lait comme il réagirait au contact de votre bébé. Penser à votre bébé, regarder sa photo, téléphoner à l'hôpital pour connaître ses progrès, tout cela vous aidera à produire davantage de lait. Bien des mères parviennent à produire plus de lait lorsqu'elles vont exprimer leur lait à l'hôpital, au chevet du bébé ou après l'avoir tenu peau à peau grâce à la méthode kangourou. (Vous trouverez plus d'informations concernant l'expression et la conservation du lait maternel au chapitre 7.)

Idéalement, votre lait devrait être conservé au réfrigérateur et donné à votre bébé dans les cinq à huit jours qui suivent l'expression et ce, sans aucune autre transformation. Chauffer le lait à une température élevée détruit plusieurs de ses qualités protectrices. Si votre bébé ne peut prendre votre lait dans les cinq à huit jours, vous devriez le congeler.

L'hôpital vous fournira peut-être des contenants pour recueillir votre lait. Sinon vous pouvez utiliser n'importe quel contenant stérilisé. Assurez-vous que vos mains sont très propres avant d'exprimer votre lait. Par contre, une douche quotidienne suffit à garder vos mamelons propres et il n'est pas nécessaire (ni recommandé) de les laver avec du savon, la nature les ayant dotés de leurs propres sécrétions nettoyantes.

L'apparence de votre lait changera au fil des jours. Le colostrum peut être clair ou doré. Lorsque le colostrum se change en lait, celui-ci paraîtra plus riche, plus crémeux et sera de couleur blanche, avec parfois des reflets dorés. Après quelques semaines, le lait plus mature semble s'éclaircir et prend une apparence bleutée. Si vous le laissez reposer, vous remarquerez que la crème remonte à la surface. La quantité de matières grasses dans le lait peut varier d'une fois à l'autre selon la durée d'expression du lait, le nombre de réflexes d'éjection et l'intervalle entre les séances d'expression. Toutes ces variations sont parfaitement normales, vous n'avez pas à vous en inquiéter.

Le besoin de soutien

C'est un véritable atout lorsque les médecins et les infirmières qui prennent soin de votre bébé vous soutiennent et vous encouragent à allaiter. Ces professionnels que vous voyez tous les jours peuvent vous aider à avoir confiance en votre capacité d'allaiter et de materner votre bébé. Parfois le personnel soignant qui s'occupe des prématurés ne sait pas très bien comment aider la mère qui allaite et il peut être difficile pour eux de vous assister. Le fait de savoir que d'autres mères ont allaité leur bébé prématuré vous donnera confiance. Le soutien d'une monitrice de la Ligue La Leche ou d'une consultante en lactation peut vous aider dans ces temps difficiles.

Restez en contact avec l'hôpital et le médecin pour connaître les progrès de votre bébé. La plupart des professionnels comprennent très bien le besoin qu'ont les parents de savoir ce qui arrive à leur bébé. Ils vous encourageront également à venir donner à votre bébé autant de soins et d'attention que possible. Même dans un incubateur, le bébé a besoin de contacts physiques et vous aussi avez besoin d'être avec lui. Linda O'Brien, de l'Arkansas, nous explique comment elle parcourait plus de 70 kilomètres pour être avec son fils à l'unité néonatale de soins intensifs :

Personne ne semblait comprendre le besoin que je ressentais d'avoir Jeff avec moi et celui de Jeff d'être près de moi. À tout moment, il y avait quelqu'un qui m'ordonnait de me reposer – « Allez à la maison ! » disaient-ils. « Dormez ! Nous pouvons prendre soin de votre fils. » À un certain moment, j'ai pensé qu'ils avaient peut-être raison et j'ai essayé. Cependant, une fois rendue à la maison, je ne faisais que pleurer. Alors, je suis retournée à l'hôpital, préparée à y rester. À mon arrivée, Jeff pleurait, mais il s'est calmé au son de ma voix et au contact de mes caresses. Il était évident qu'il avait reconnu sa mère, même s'il n'était âgé que de deux jours.

La méthode kangourou

La méthode kangourou est de plus en plus courante dans les pouponnières en néonatalogie, au fur et à mesure que les médecins et les infirmières prennent conscience de ses bienfaits à la fois pour les parents et les bébés. Dans la méthode kangourou, le bébé prématuré est placé peau à peau sur la poitrine de sa mère, sous un grand t-shirt, une chemise de nuit ou une couverture qui les couvre tous les deux. Des études ont démontré que ce contact a un effet presque magique sur la physiologie du bébé prématuré. Les battements de cœur et la respiration du bébé deviennent plus réguliers. Les prématurés établissent un contact visuel avec leur mère, ils sentent ses mamelons et peuvent faire quelques tentatives pour téter. Après quelques minutes d'éveil calme, beaucoup de bébés s'endormiront paisiblement et profondément sur la poitrine de leur mère. La méthode kangourou redonne confiance aux mères qui se sentent alors plus proches de leur bébé. Après avoir porté leur bébé peau à peau, les mères expriment souvent des quantités plus importantes de lait.

Des jumeaux prématurés, âgés de seulement deux jours, sont tenus près de leur mère grâce à la méthode kangourou.

Demandez aux infirmières qui s'occupent de votre bébé s'il est possible de pratiquer la méthode kangourou. Certains hôpitaux autorisent même les grands prématurés à profiter du contact peau à peau avec leur mère. Les pères peuvent également y participer.

La première tétée

Selon la taille et l'âge gestationnel du bébé, il faut parfois des jours ou des semaines avant qu'il ne soit finalement prêt à téter. Lorsque cela est possible, les premières tétées devraient se faire au sein plutôt qu'au moyen d'une tétine artificielle sur un biberon. Les recherches ont prouvé qu'il est plus facile pour un bébé de coordonner la succion, la déglutition et la respiration quand il est au sein plutôt que lorsqu'il boit au biberon. L'allaitement cause donc moins de stress au bébé que l'alimentation au biberon. Certains médecins suggèrent que lorsque la mère n'est pas présente pour nourrir le bébé au sein, celui-ci devrait être nourri à la tasse ou à l'aide d'un tube de façon à éviter la confusion entre la tétine et le mamelon.

La première fois qu'on allaite un bébé prématuré, c'est souvent difficile. Il faut se montrer patiente et persévérante. Prenez tout votre temps. Demandez un fauteuil confortable, dans un endroit discret, et de nombreux oreillers. Demandez l'assistance de la consultante en lactation de l'hôpital ou d'une infirmière qui a l'expérience des bébés allaités. Votre bébé ne sera peut-être pas capable de téter efficacement plus de quelques secondes lors de ses premiers essais. Considérez ceux-ci comme des séances d'entraînement. En fait, une mère qui a une production de lait abondante aura peut-être besoin d'exprimer son lait au préalable pour éviter à son bébé prématuré d'être « inondé » par une trop grande quantité de lait lors de sa première tétée.

Lors de ces premières séances d'allaitement, il est possible que le bébé saisisse le mamelon immédiatement et qu'il se mette à téter, ou il peut ne téter que brièvement ou encore simplement lécher le mamelon. Ces premières tétées sont souvent davantage des moments pour apprendre et aimer que de véritables tétées. Vous profitez tous les deux de ce contact étroit. Si votre bébé montre des signes de fatigue ou de stress, faites une pause et tenez-le simplement peau à peau pendant un moment. Les bébés prématurés se fatiguent rapidement. Ces premières séances d'allaitement seront donc de courte durée.

Les positions habituelles pour allaiter un bébé de taille normale en bonne santé peuvent ne pas convenir pour allaiter un petit bébé prématuré. Ce bébé a besoin d'être mieux soutenu. Si, par exemple, vous lui donnez le sein droit, utilisez la main gauche pour soutenir la nuque et les épaules du bébé. Étendez votre bras gauche sur toute la longueur du corps de votre bébé qui repose sur des oreillers posés sur vos genoux. Utilisez votre main droite pour tenir votre sein, avec le pouce d'un côté et les doigts de l'autre côté, formant un « U ». Vous aurez une bonne vue de ce qui se passe ainsi qu'un bon contrôle des mouvements du bébé. Assurez-vous que votre dos et vos bras sont bien soutenus par des oreillers, puis essayez de détendre votre dos et vos épaules. Rassurez votre bébé en le manipulant calmement et doucement.

Certains prématurés ont de la difficulté à prendre le sein de manière à faire ressortir le mamelon en l'amenant le plus loin possible au fond de leur bouche. Pour certains, il sera plus facile de saisir le mamelon et d'obtenir du lait si la mère utilise une téterelle en silicone. Les mères de bébés prématurés peuvent avoir besoin de continuer à utiliser la téterelle pendant plusieurs semaines. Les infirmières ou la consultante en lactation de l'hôpital pourront vous en procurer une et vous montrer comment l'utiliser.

Il se peut que les infirmières veuillent surveiller votre bébé de près pendant les premières tétées. Lorsque votre bébé aura appris à prendre le sein et à téter efficacement quelques minutes, il se peut qu'il soit pesé sur une balance électronique très précise avant et après chaque tétée pour déterminer la quantité de lait qu'il aura bue. N'hésitez pas à vous féliciter de la prise de chaque gramme ! Concentrez-vous sur les aspects positifs et utilisez les résultats des pesées comme un moyen de vous aider à comprendre à quoi ressemble un allaitement efficace.

Le livre de la Ligue La Leche *Breastfeeding Your Premature Baby* vous fournira des informations détaillées sur la façon d'exprimer du lait pour un bébé prématuré ainsi que sur la manière d'effectuer la transition vers le sein. Pour plus d'informations, consultez l'appendice.

Vous ramenez votre bébé à la maison

Viendra enfin ce jour tant attendu où vous pourrez ramener votre petit bébé à la maison. Vous mettrez peut-être en doute votre capacité à prendre soin de votre bébé puisque, jusqu'à maintenant, sa vie dépendait en grande partie des infirmières et d'un équipement médical spécialisé.

Rassurez-vous, car, à ce stade-ci, il a surtout besoin de vos bras affectueux, de votre attention bienveillante et de votre lait chaud. Le bébé prématuré a énormément d'amour et de tétées à rattraper et il a besoin de tout le temps et de tous les contacts que vous pouvez lui offrir. Dormez avec votre bébé, portez-le dans vos bras ou dans un porte-bébé, faites-lui sentir votre présence par tous les moyens. Cela vous aidera à mieux le connaître, à reconnaître quand il a faim ou quand il a besoin de repos. Revêtez-le seulement d'une couche et donnez-lui beaucoup de contact peau à peau. Soyez toujours disponible pour l'allaiter. Évitez toutefois de trop le stimuler. Les bébés prématurés ont aussi besoin de calme, de tranquillité et de beaucoup de repos.

S'il a reçu des suppléments (de lait maternel ou de préparations lactées pour nourrissons), demandez au médecin de vous indiquer les quantités que vous devez lui donner d'ici à ce que vous l'allaitiez exclusivement. Il est naturel, durant ces premiers jours à la maison, de s'inquiéter si le bébé prend suffisamment de lait à chaque tétée. Pour certaines mères, le fait de louer une balance électronique du même type que celle utilisée à l'hôpital pour peser le bébé avant et après chaque tétée, peut apaiser leurs inquiétudes et faciliter l'arrêt progressif des suppléments. Au fur et à mesure que l'allaitement progresse, vous pouvez ne peser votre bébé qu'une fois par jour et ce jusqu'à ce que vous soyez entièrement rassurée qu'il grandit et se développe bien grâce à votre lait uniquement. Vous pouvez également savoir si votre bébé prend assez de lait en comptant le nombre de couches mouillées et souillées à chaque jour. Comme toujours, cinq ou six couches mouillées et trois à cinq selles par jour vous indiquent que votre bébé reçoit suffisamment de lait.

S'il est nécessaire de continuer à donner des suppléments à votre bébé prématuré, vous pouvez exprimer votre lait après avoir allaité pour obtenir le lait de fin de tétée très riche en matières grasses et l'utiliser comme supplément. En continuant d'exprimer votre lait, vous maintenez votre production de lait jusqu'à ce que votre bébé apprenne à téter correctement. Si le bébé doit prendre régulièrement des suppléments de lait maternel ou de préparation lactée pour nourrissons, vous voudrez peut-être utiliser un dispositif d'aide à l'allaitement. Consultez le chapitre 7 pour en apprendre davantage sur les façons d'augmenter votre sécrétion lactée.

Beaucoup de contacts physiques et de soins affectueux permettront à votre bébé prématuré de grandir et de se développer. Mais tous ces efforts pour maintenir votre sécrétion lactée dans le but de nourrir votre bébé prématuré en valent-ils la peine ? Jo-Anne Montgomery, du Manitoba, pense que oui. Sa fille, Shannon, est née neuf semaines avant terme. « Allaiter ma fille a été l'un des plus grands bonheurs de ma vie et ça l'est toujours. » dit-elle. « J'encourage toutes les mères qui veulent allaiter leur bébé prématuré à persévérer. »

Un bébé aux besoins spéciaux

Le bébé qui naît avec un handicap ou un problème médical a encore plus besoin de l'allaitement qu'un bébé en bonne santé. Le bébé aux besoins spéciaux bénéficie tout particulièrement de la stimulation, de l'attention et du réconfort que procure naturellement l'allaitement au sein. La mère du bébé en profite également, étant donné que l'allaitement lui permet de se concentrer sur son bébé en premier lieu. Si votre bébé a un problème de santé qui complique l'allaitement, souvenez-vous qu'il est presque toujours possible d'allaiter et que c'est important pour vous deux. Si votre bébé a un problème, communiquez avec une monitrice de la Ligue La Leche ou la LLLI pour obtenir de l'aide et des renseignements sur l'allaitement.

Le bébé atteint du syndrome de Down

Pour le bébé atteint du syndrome de Down, une ambiance familiale chaleureuse ainsi qu'un maximum d'interactions avec les autres membres de la famille l'aideront à développer ses capacités au maximum.

L'allaitement communique votre amour et votre affection à votre bébé d'une façon toute particulière. Il s'agit de quelque chose de « normal » que vous pouvez faire avec votre bébé, même lorsque vous devez faire face à toutes les émotions qui accompagnent la naissance d'un bébé handicapé. L'allaitement est particulièrement important pour le bébé atteint du syndrome de Down, car celui-ci est plus sujet aux infections respiratoires et aux otites et l'allaitement offre une certaine protection contre ces infections.

Le bébé atteint du syndrome de Down répond volontiers à l'amour et retourne cet amour avec ferveur à ceux qui l'entourent. Il fait souvent la joie de toute la famille. Voici ce que Lucille Clancy dit de son fils :

> *Mon cœur disait « je l'aime » et ma raison « si seulement les choses avaient été différentes », mais bientôt Chad, par ses grands sourires, m'a rendu au centuple tout l'amour que je lui avais donné.*

Le bébé atteint du syndrome de Down est souvent endormi au cours des premières semaines et il peut avoir un réflexe de succion plus faible. Il vous faudra alors beaucoup d'aide et de patience pour l'allaiter. Soyez calme et patiente quand il apprend à saisir le mamelon, à téter et à avaler. Vous devrez peut-être exprimer du lait après la tétée pour stimuler votre sécrétion lactée durant les premiers jours. Si votre bébé a besoin de suppléments au début, vous pouvez lui offrir du lait de fin de tétée, riche en calories, dans une tasse, un compte-gouttes, une seringue ou un dispositif d'aide à l'allaitement. L'allaitement peut prendre un certain temps à démarrer, mais les bébés atteints du syndrome de Down apprennent à la longue à téter au sein. Ne vous découragez pas si vous rencontrez des difficultés. Les joies d'allaiter votre bébé valent bien les efforts supplémentaires. Grâce à votre aide et à votre amour, votre bébé finira par apprendre.

Le bébé avec une fissure labiale ou une fente palatine

La fissure labiale (ou bec-de-lièvre) et la fente palatine représentent un défi pour l'allaitement. Cependant, le bébé né avec une fissure labiale peut habituellement téter au sein de manière efficace avant même de subir une intervention chirurgicale. La fente palatine cause des obstacles beaucoup plus importants à l'allaitement.

Le bébé avec une fissure labiale aura peut-être besoin d'aide pour maintenir une prise hermétique du sein pendant qu'il tète. Certaines mères utilisent leur pouce pour fermer l'espace laissé par l'ouverture dans la lèvre du bébé. Chez d'autres mères, le sein suffit à remplir cet espace. Durant les deux premiers jours qui suivront la naissance, vous pourrez offrir à votre bébé beaucoup d'occasions de s'habituer à téter sur un sein relativement vide et mou. Ceci lui permettra d'apprendre à saisir le mamelon et à téter efficacement bien avant que ne se produise la montée de lait.

La restauration chirurgicale de la lèvre se fait souvent quand le bébé est encore assez jeune et qu'il ne boit que du lait maternel. Expliquez au médecin à quel point il est important pour vous de continuer à allaiter votre bébé avant et après l'intervention. Selon les recommandations de l'*American Society of Anesthesiologists,* les bébés peuvent recevoir du lait maternel jusqu'à quatre heures avant l'anesthésie générale et de nombreux chirurgiens autorisent l'allaitement dès le réveil du bébé après la réparation d'une fissure labiale. L'idée qu'un bébé puisse être allaité tout de suite après une intervention chirurgicale pour la réparation d'une fissure labiale est de plus en plus acceptée de nos jours et des articles sur le sujet ont été publiés dans les revues médicales. Malgré tout, certains médecins se montrent toujours réticents à ce changement dans leurs procédures habituelles. Si nécessaire, n'hésitez donc pas à chercher une seconde opinion.

Tammy Shaw, de l'Illinois, a convaincu son médecin de laisser son fils Peter téter immédiatement après l'intervention. Elle écrit :

> *Mon mari et moi avons donné de l'information sur l'allaitement au Dr Johnson. Il a accepté d'emblée de me laisser allaiter aussitôt après l'intervention chirurgicale. Il a compris mon désir d'allaiter Peter sans tarder. Il m'a affirmé que si des points cédaient après la tétée, il pourrait les refaire rapidement sans douleur pour Peter. Il a admis qu'il était important de réconforter Peter. Quand le Dr Johnson est venu nous voir après l'intervention et qu'il a vu Peter téter allègrement, il était enchanté de le voir calme et radieux si tôt après l'opération.*

Une autre mère, Valerie Hawkes-Howat, du Massachusetts, a déployé beaucoup d'efforts pour trouver un médecin qui autorisait l'allaitement après une réparation de la fissure labiale. Elle est heureuse d'avoir persévéré. Elle nous parle de la première tétée de Willie après son opération :

Quand on a ramené Willie de la salle d'opération, il m'a regardé de ses yeux brillants en me faisant un large sourire tout endormi. J'en aurais pleuré de soulagement. Le seul bandage qui recouvrait son visage était fait de trois petites bandes étroites au-dessus de sa lèvre supérieure. L'infirmière m'a aidée à le prendre et à l'installer sur mes genoux sans déplacer l'intraveineuse dans son pied. Je l'ai serré dans mes bras et il a commencé à chercher le sein, alors je l'ai allaité immédiatement. Il a semblé très heureux d'être à nouveau au sein. Il n'a pas montré de signes d'inconfort, rien. J'ai remarqué comment sa lèvre supérieure reposait sur mon aréole, sans aucune tension. Il n'y avait pas d'enflure ni de contusion près des points de suture.

Une fente palatine peut causer de multiples obstacles à une succion efficace. La taille et la position de la fente palatine seront déterminantes pour établir si l'allaitement sera possible ou non. De nombreux bébés qui ont une fente palatine ne peuvent produire suffisamment de succion pour garder le sein dans leur bouche. Il se peut qu'ils ne puissent pas comprimer l'aréole entre leur langue et leur palais. Le lait pourra alors passer directement du sein à leur cavité nasale et ils s'étoufferont et cracheront. Ces difficultés à s'alimenter ne se limitent pas à l'allaitement. Nourrir au biberon un bébé qui a une fente palatine peut aussi représenter un défi et exiger beaucoup de temps.

Essayez différentes positions et techniques qui vous aideront à déterminer si l'allaitement de votre bébé est possible ou pas. Vous aurez sans doute besoin de l'assistance d'une consultante en lactation en plus de celle des autres professionnels de la santé qui s'occupent de votre bébé. Certains bébés tètent plus efficacement grâce à un obturateur de palais, un appareil qui s'imbrique dans la bouche du bébé et qui couvre la fente de son palais.

Si votre bébé n'est pas capable de téter très bien, vous devrez utiliser un tire-lait électrique pour stimuler votre sécrétion lactée. Le lait ainsi exprimé pourra être offert en supplément à votre bébé. Même si votre bébé est incapable de téter directement au sein, en continuant d'exprimer votre lait, vous lui procurerez les avantages nutritionnels et immunitaires essentiels du lait maternel.

La fibrose kystique et les autres cas de malabsorption

Les bébés atteints de fibrose kystique[1], de la maladie cœliaque ou d'autres maladies reliées à une mauvaise assimilation ont avantage à être allaités. En fait, l'apparition des symptômes de ce type de maladie est souvent retardée si le bébé est allaité. Le lait maternel aide à prévenir les infections respiratoires et permet aux bébés d'avoir une croissance plus normale.

Malgré la fibrose kystique, Ben, le fils de Kathleen Winterer, a pris du poids régulièrement grâce au lait maternel. Il était en bien meilleure santé parce qu'il était allaité :

> *Au moment de l'hospitalisation de Ben, on nous a dit qu'il aurait probablement une ou deux pneumonies pendant sa première année. Je suis heureuse de dire que Ben a fêté son deuxième anniversaire le mois dernier et qu'il n'a toujours pas eu de pneumonie. Évidemment, j'aime à croire que mon lait l'a aidé à passer à travers cette première année décisive.*

Les désordres métaboliques

Dans plusieurs pays, pratiquement tous les nouveau-nés sont testés automatiquement pour la phénylcétonurie (PCU), un désordre métabolique rare qui interfère avec le développement du cerveau s'il n'est pas traité. Les bébés souffrant de PCU sont incapables de digérer la phénylalanine, un acide aminé, bien qu'ils aient besoin d'une faible dose de ce nutriment pour se développer normalement. Le lait maternel contient moins de phénylalanine que les préparations lactées pour nourrissons faites à base de lait de vache. Les médecins ont découvert qu'un bébé atteint de PCU peut continuer à se nourrir au sein tout en recevant un supplément de préparation lactée spéciale.

Une étude a démontré que les bébés qui avaient été allaités avant que ne soit diagnostiquée leur phénylcétonurie avaient en moyenne à l'école primaire un quotient intellectuel plus élevé de 14 points que ceux qui avaient été nourris avec des préparations lactées pour nourrissons dès la naissance. Il arrive parfois que les résultats d'un test diagnostique de PCU se révèlent faussement positifs. Il est donc important de savoir que

---

[1] Appelée également mucoviscidose.

l'allaitement peut se poursuivre pendant que le test est repris pour confirmer le diagnostic.

La galactosémie est un autre désordre métabolique rare. Les bébés qui en souffrent ne peuvent digérer le lactose, le principal hydrate de carbone contenu dans le lait maternel. Les bébés atteints de galactosémie ne peuvent donc pas être allaités et doivent être nourris avec du lait artificiel sans lactose.

La perte d'un bébé

La mort d'un bébé, qu'elle soit due à une fausse couche, à un décès au moment de la naissance ou peu de temps après, ou plus tard suite à une maladie ou un accident constitue une expérience que la plupart d'entre nous préfère ne pas envisager. Malheureusement, de nombreuses familles vivent de telles tragédies. Les parents qui subissent cette terrible perte sont généralement en état de choc et éprouvent un grand chagrin. Ils constatent également que le corps de la mère ne réagit pas immédiatement à ce qui se passe et qu'il commencera ou continuera à fabriquer du lait.

La mère qui a perdu un nouveau-né à la naissance ou peu après, ou qui a fait une fausse couche au cours du second trimestre de sa grossesse obtient souvent rapidement son congé de l'hôpital. La production de lait commencera donc à la maison. Il est bon d'être préparée à ce qui va arriver. Les mères vivent souvent l'engorgement – le gonflement et le durcissement douloureux des seins – comme un véritable choc. Les mères qui ont perdu un bébé alors que leur production de lait était bien établie vivront aussi un engorgement et elles auront besoin d'être soulagées. Vous trouverez des traitements pour soulager l'engorgement au chapitre 4.

Les femmes hésitent souvent à soulager leur engorgement en exprimant du lait, de crainte de stimuler davantage leurs seins. Cependant, l'expression d'une petite quantité de lait est probablement la meilleure chose à faire. Une douche chaude ou un bain chaud sont excellents avant de commencer à exprimer du lait. La chaleur vous aidera non seulement à manipuler vos seins douloureux mais souvent aussi à faire couler un peu de lait. Au début, il faudra peut-être exprimer de petites quantités de lait plusieurs fois par jour de même que la nuit si vous ressentez de l'inconfort. On exprime un peu de lait d'abord pour soulager la sensation d'inconfort et ensuite pour éviter une trop grande accumulation de lait dans les canaux lactifères, ce qui pourrait mener à une infection du sein. Vous trouverez sans doute utile de porter un soutien-gorge à support ferme pour un meilleur soutien et un confort accru. Pendant quelques jours, vous devrez peut-être prendre une taille plus grande que celle que vous prenez normalement.

Quand la sécrétion lactée est déjà bien établie, certaines mères disent que le fait d'exprimer et de donner leur lait à une banque de lait les aide à sentir qu'elles font quelque chose d'utile pour un autre bébé. Si vous choisissez d'agir ainsi, vous pourrez réduire votre sécrétion lactée graduellement et plus aisément.

Bien des mères sont déconcertées par la façon dont le réflexe d'éjection peut être déclenché à la seule pensée de leur bébé. Les accolades de vos amis pour vous consoler peuvent aussi provoquer ce réflexe. Portez des compresses ou coussinets d'allaitement, mettez des vêtements amples et imprimés ou apportez des vêtements pour vous changer, si nécessaire.

Quels que soient vos sentiments, acceptez-les comme normaux. Le chagrin peut en effet durer très longtemps. Se souvenir de l'anniversaire du bébé et de la date du jour de ses funérailles, montrer ses photos, donner un nom au bébé, même s'il est mort-né, tout cela peut aider. Les conjoints ont besoin de se soutenir mutuellement et de comprendre que le chagrin peut les affliger de façons diverses, à des moments différents. Au début, les gens offrent souvent beaucoup d'aide, mais après quelques semaines, ils s'attendent à ce que les parents aient surmonté leur chagrin. Il s'agit d'un moment crucial pour les parents endeuillés qui peuvent trouver que le chagrin refait surface très souvent. La Dre Penny Stanway, une médecin britannique dont le troisième bébé est mort-né, affirme :

> *La plupart des femmes veulent relater, encore et encore, les circonstances de la mort de leur bébé avec quiconque veut bien les écouter. La mère aura besoin de temps pour accepter cette perte. La meilleure façon d'y parvenir est de repasser le film des événements dans sa tête et d'en parler, comme pour assimiler ce qui est arrivé, pour l'imprégner dans son esprit.*

L'aide des amis

Le soutien des amis, des parents et des professionnels de la santé impliqués est essentiel. Ayant perdu son fils Leo à l'âge de trois mois, Celia Waterhouse, d'Angleterre, fait cette suggestion aux amis :

Dites simplement à quel point vous êtes triste. Cela ne chagrinera pas davantage la mère parce que vous lui rappelez le souvenir de son bébé. Comme si elle pouvait l'oublier ! Même si la conversation en reste là, le simple fait d'avoir compris sa peine est important.

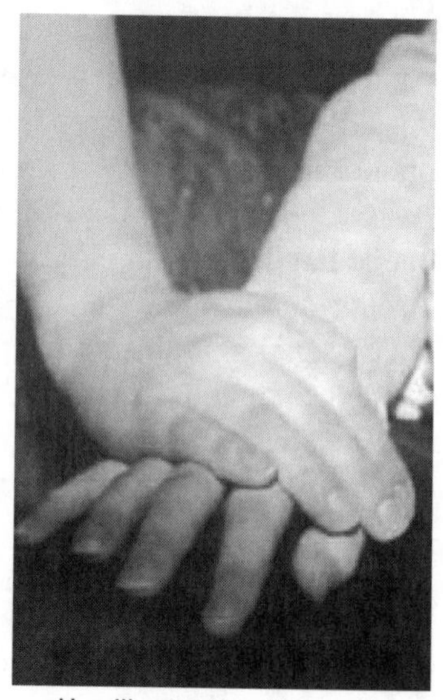

L'oreille attentive d'une amie aide la mère vivre son chagrin.

Une aide d'ordre pratique – préparer les repas, faire la lessive, s'occuper des enfants plus âgés – sera certainement bienvenue, mais des amis prêts à parler, à pleurer et à écouter sont aussi d'un grand réconfort.

Les groupes de soutien pour les parents qui ont perdu un enfant offrent la possibilité de partager ses sentiments et ses expériences avec d'autres parents. Consultez l'appendice.

Chapitre 17

Quand la situation exige un peu plus d'attention...

L'allaitement requiert souvent de la patience et un solide engagement, mais des mères ont tout de même continué d'allaiter leur bébé dans presque toutes les situations possibles et imaginables. Elles ont découvert, en fait, que lorsque les circonstances qui entourent l'allaitement sont loin d'être idéales, ses bienfaits deviennent encore plus importants.

Les nouveau-nés et leurs mères qui sont aux prises avec des problèmes apprécient le rapprochement émotionnel et le réconfort que leur procure la relation unique d'allaitement. L'allaitement les aide à faire connaissance en dépit des complications. De plus, les bienfaits nutritionnels et immunologiques du lait maternel sont particulièrement importants pour le bébé à risque.

Les circonstances pouvant vous empêcher d'allaiter votre bébé sont rares. Vous pouvez être assurée que votre lait est la meilleure source de nutrition pour votre bébé. S'il peut prendre des liquides ou de la nourriture par la bouche, le meilleur choix demeure le lait maternel. Non seulement le lait maternel est sans danger pour un bébé malade, mais il constitue pour lui l'un des meilleurs remèdes disponibles. Les médecins signalent souvent la rapidité à laquelle les bébés allaités récupèrent suite à une maladie.

Si vous ou votre bébé tombez malade, faites clairement savoir au médecin, ou à tout autre professionnel de la santé qui vous prodigue des soins, que vous voulez continuer d'allaiter votre bébé et demandez sa collaboration à la réussite de votre entreprise. Votre attitude positive à l'égard de l'allaitement est le facteur le plus important et votre médecin en tiendra compte. Votre insistance à poursuivre autant que possible l'allaitement au cours d'un traitement médical pourra influencer le choix de traitement que le médecin vous proposera. Si votre médecin refuse ou est incapable d'agir de façon à vous permettre de continuer d'allaiter, vous avez le droit de chercher à obtenir un autre avis médical. Le bien-être de votre bébé passe avant tout.

Dans une situation d'allaitement inhabituelle, votre médecin peut s'adresser au *Center for Breastfeeding Information* (CBI) de La Leche League International. Encouragez-le à le faire. Vous trouverez de plus amples renseignements sur le CBI en appendice.

Vous pouvez aussi profiter du soutien de votre monitrice locale de la Ligue La Leche. Celle-ci pourra peut-être vous mettre en contact avec une autre mère ayant allaité dans des circonstances semblables aux vôtres. N'hésitez donc pas à l'appeler si vous avez besoin d'aide. Vous pouvez également trouver de précieuses informations sur votre situation particulière en visitant notre site Web ou en consultant d'autres livres publiés par la LLLI. (Pour les pays francophones, consultez la liste en appendice.)

Naissances multiples : joies multiples

Une mère peut-elle allaiter des jumeaux ? Oui, bien sûr. À vrai dire, les mères qui allaitent des jumeaux disent même que les avantages de l'allaitement se multiplient du fait d'avoir deux bébés à aimer.

Dans son livre *Mothering Multiples,* Karen Gromada, monitrice de la Ligue La Leche et elle-même mère de jumeaux, parle des avantages d'allaiter des jumeaux :

> *Les avantages de l'allaitement augmentent en importance et en intensité quand vous avez plusieurs bébés à la fois. C'est une bonne chose de pouvoir économiser deux fois plus d'argent et d'éviter deux fois plus de préparation. C'est aussi deux fois plus agréable de se pelotonner au lit pour les tétées de nuit, plutôt que de se réveiller au son de bébés qui pleurent et de les faire patienter, le temps de réchauffer leurs biberons […] Un des avantages de l'allaitement est particulièrement important […] Vous profiterez d'un contact peau à peau maximum avec chacun de vos bébés.*

Du lait en abondance

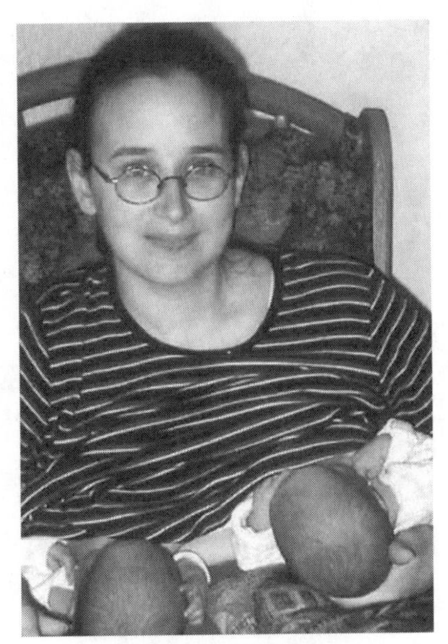

Allaiter des jumeaux
est particulièrement gratifiant.

Toutes les mères de jumeaux s'accordent à dire que la production de lait ne représente pas un problème. Connu et éprouvé, le précepte qui s'applique à l'allaitement d'un bébé s'applique également à l'allaitement de jumeaux : plus vous allaitez, plus la production de lait augmente. Une mère de l'Illinois, Lee Mueller, a donné naissance à des jumeaux pesant chacun plus de 3,6 kg. Pourtant, elle n'a pas eu besoin de recourir à des suppléments de préparation lactée ni d'introduire les aliments solides plus tôt. Une autre mère de jumeaux, Judy Latka, du Wisconsin, fait le commentaire suivant : « Je considère que l'allaitement est si naturel que je m'étonne de voir les gens surpris que j'allaite mes jumeaux. L'allaitement est facile, en fait c'est d'une autre paire de bras aimants dont j'ai besoin. » Judy savait qu'il était important d'allaiter ses bébés tôt et souvent. Elle ajoute : « J'avais discuté de mes intentions à plusieurs reprises avec mon médecin et mes efforts ont été récompensés. Mon séjour à l'hôpital a été bref et nous avons pu rentrer à la maison vingt-huit heures après la naissance des bébés. »

Parce qu'ils sont souvent de plus petit poids à la naissance, les jumeaux ont encore plus besoin de la protection que le lait de leur mère leur procure. Les bébés de naissances multiples ont plus de risques de naître prématurément et, par conséquent, doivent parfois séjourner plus longtemps à l'hôpital dans des unités de soins spécialisés. Votre lait les aidera à grandir et à demeurer en bonne santé. Si, dès le départ, vous êtes dans l'impossibilité d'allaiter un de vos bébés, ou même les deux, prévoyez d'utiliser un tire-lait électrique pour exprimer votre lait et stimuler ainsi votre sécrétion lactée.

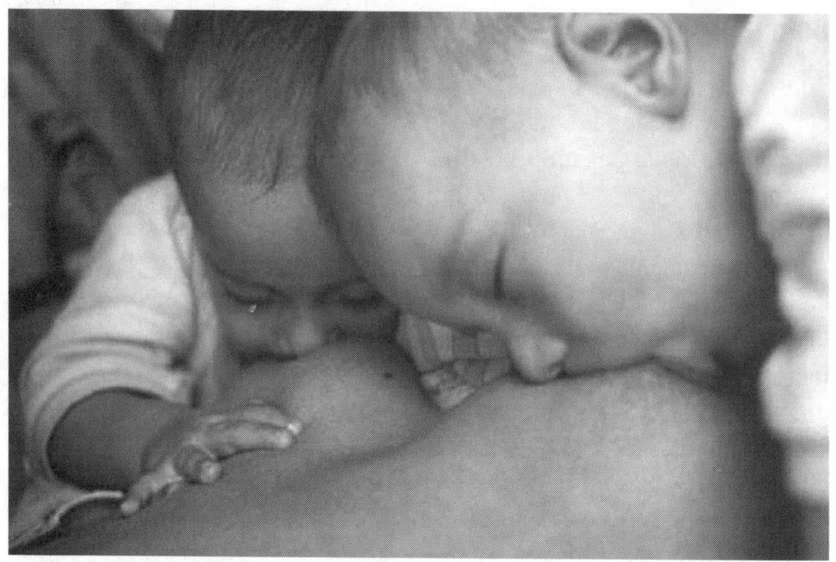

Allaiter vous assure un contact peau à peau maximum avec chaque bébé.

Préparez-vous

Quand vous vous préparez à une naissance multiple (en espérant que vous serez prévenue à l'avance afin de pouvoir vous préparer), écoutez les conseils visant à réduire les tâches ménagères et à faciliter le maternage. Multipliez-les pour qu'ils répondent à vos besoins. Réduisez les travaux ménagers au minimum. Comme tous les bébés, vos jumeaux requièrent une attention calme et affectueuse, ce qu'une mère fatiguée parvient difficilement à donner. Au cours des premiers mois du moins, planifiez d'obtenir de l'aide pour les tâches ménagères. Votre conjoint, par exemple, peut accomplir plus que sa part habituelle et vous pouvez faire appel à des amis et à votre famille pour vous aider. Si vous pouvez vous le permettre, l'embauche d'une aide-ménagère est un bon investissement. Vous devriez consacrer tous vos moments libres au repos et à la détente et non à faire la lessive.

Allaiter deux bébés

Il n'appartient qu'à la mère, en tenant compte de ses propres préférences et de celles de ses jumeaux, de prendre la décision d'allaiter ses deux bébés ensemble ou séparément. Une monitrice de la Ligue La Leche, Carolyn Johnson, de l'Illinois, décrit ce qu'elle faisait pour satisfaire ses deux bébés affamés :

Les jumeaux peuvent être allaités en position « entrecroisée ».

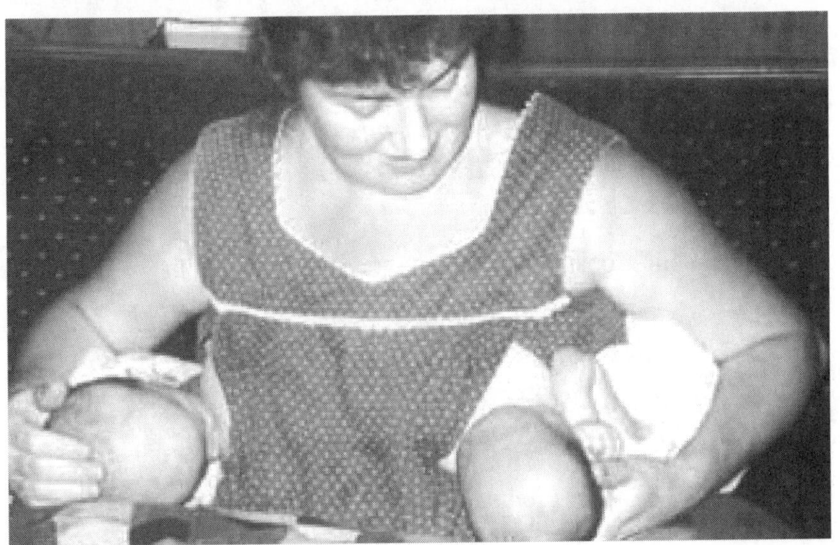

Vous pouvez utiliser un coussin spécialement conçu pour allaiter des jumeaux, ce qui vous aidera à placer les bébés en position « ballon de football ».

Quand je n'avais pas beaucoup de temps, j'allaitais les jumelles ensemble, assise dans une chaise berçante, avec Jill sur la cuisse de Judy. Sinon je trouvais qu'il était beaucoup plus facile d'allaiter les bébés séparément. J'en réveillais une trente minutes avant l'heure « prévue » de la tétée de l'autre afin d'éviter de devoir les allaiter ensemble. Bien sûr, j'alternais afin que chaque bébé puisse profiter de la première « cuvée ».

Si l'une était encore affamée après avoir bu d'un côté, je lui offrais alors l'autre sein. La suivante commençait à téter du côté où l'autre avait terminé. Habituellement la dernière à téter était la première à s'éveiller affamée. Il y avait des moments où mes bébés demandaient à téter de nouveau une heure et demie à deux heures plus tard, ce qui aidait à augmenter ma production de lait afin de répondre à leurs besoins. En règle générale, deux jours de tétées très fréquentes suffisaient à les satisfaire et nous pouvions ensuite reprendre un horaire moins exigeant.

Je me suis toujours assurée que les jumelles soient au moins allaitées toutes les trois heures et je les réveillais si nécessaire. La nuit, je ne regardais pas ma montre, mais je les gardais près de notre lit dans un berceau et un landau et, tout ce que j'avais à faire, c'était de prendre la plus affamée dans notre lit, de l'allaiter en somnolant jusqu'à ce que l'autre s'éveille, puis de changer de bébé. C'était un système qui me convenait parfaitement puisqu'il me permettait de ne pas perdre de sommeil. De plus, je ne les changeais pas de couche la nuit, sauf en cas de « fuites ». Elles n'ont jamais souffert d'érythème fessier et n'ont pas semblé non plus être dérangées par le fait de ne pas être changées la nuit.

Emmanuelle Constant, de France, témoigne à son tour :

Ne me demandez pas qui a tété, quand ou de quel côté. Je ne me pose pas de questions quant à la quantité de lait, car j'ai l'impression que les bébés ont autant de lait à leur disposition que leurs aînés. Je les allaite soit un par un, soit ensemble, selon qu'ils me demandent ou non en même temps. Pour les allaiter ensemble, je les installe en position « football » sur un coussin d'allaitement posé en fer à cheval sur mes genoux. J'ai alors les deux mains libres pour lire, téléphoner ou faire quelque chose avec les frères et sœurs. Et si je suis relativement reposée, je pense que c'est grâce à l'organisation de nos nuits car, comme tous les bébés de la famille, Félix et Roméo dorment dans le lit de leurs parents. Je me tourne du côté de celui qui se réveille, il tète et nous nous rendormons, jusqu'à ce que son frère se réveille et que je me retourne vers lui…

Pour moi, bébé singulier ou jumeaux, les plaisirs et les avantages de l'allaitement sont les mêmes.

Patti Lemberg, du Texas, a découvert plusieurs façons d'allaiter ses deux bébés en même temps :

> *Quand ils étaient très petits, chacun se lovait dans le creux d'un bras, les fesses dans ma main, les jambes allongées le long de ma cuisse. Si l'un d'eux se déplaçait, j'attrapais l'arrière de sa couche et je le replaçais. En fait, j'utilise encore cette position s'ils veulent se faire bercer et téter en même temps. Une autre bonne position consiste à s'installer sur un divan avec les deux têtes sur mes cuisses et les corps allongés sur le fauteuil sous mes bras. Cette position est super, car elle permet d'avoir les mains libres pour tenir un livre et siroter une boisson. Lorsqu'ils sont encore petits, il est préférable de mettre un oreiller sous chaque bébé pour un meilleur confort et une hauteur adéquate. Ces jours-ci, je préfère allaiter couchée sur leur lit (un matelas sur le sol), avec David à ma gauche, couché en position normale, et Alan à ma droite, couché de travers sur ma poitrine. Cette façon de faire peut paraître bizarre, mais toute position confortable à la fois pour la mère et les bébés est une bonne position. Vous devez chercher en utilisant les meubles et les oreillers jusqu'à ce que vous trouviez ce qui vous convient.*

Presque toutes les mères qui allaitent plus d'un bébé signalent qu'elles ont davantage faim et soif. Certaines prennent donc l'habitude de prendre un repas de plus avant d'aller se coucher. Quant au travail que représente le fait de s'occuper de plus d'un bébé, une mère de jumeaux émet le commentaire suivant : « C'est très gratifiant, mais pendant les trois premiers mois, vous n'avez pas le temps d'y penser. » Marge Saphier souhaite que les mères de jumeaux s'accordent du temps pour fréquenter un groupe de la Ligue La Leche, malgré leur emploi du temps chargé. Elle explique : « Bien que je sois moi-même une monitrice de la Ligue La Leche, j'ai vraiment eu besoin du soutien des autres mères et il m'est difficile d'exprimer à quel point je leur suis reconnaissante. »

Avec plus d'un bébé, votre attention est dirigée d'une façon toute particulière vers vos bébés. Le simple fait de les observer, en notant leurs différences, leurs rythmes de croissance distincts, leurs tempéraments particuliers, constitue un spectacle toujours passionnant, toujours nouveau. Vous découvrirez et apprendrez alors des choses qui vous aideront considérablement à développer votre compétence de mère, tout en augmentant le plaisir d'être avec vos bébés. Comme l'affirme une mère de

Allaiter des triplés est tout un exploit !

jumeaux : « Je crains qu'après avoir pu observer deux petits grandir et s'épanouir, je ne trouve un peu ennuyeux d'avoir un seul bébé ! »

Allaiter plus de deux bébés

Si l'allaitement de deux bébés vous semble déjà un exploit en soi, vous serez étonnée d'apprendre que des mères ont été capables d'allaiter exclusivement des triplés et même des quadruplés ! Des suppléments peuvent être nécessaires au début, mais aussitôt que les bébés tètent efficacement, il y a habituellement du lait en quantité suffisante.

Une mère de triplés a exprimé son lait pendant plusieurs semaines alors que ses bébés prématurés étaient à l'hôpital. Dès le retour à la maison des trois bébés, elle n'a eu aucune difficulté à allaiter les deux garçons, mais sa fille, chez qui la tétine artificielle avait créé de la confusion, préférait le biberon.

La mère était si déterminée à tout faire pour que ses trois bébés bénéficient des bienfaits du lait maternel qu'elle a continué d'exprimer son lait pour l'offrir à sa fille tout en allaitant exclusivement ses deux garçons.

Avec trois ou quatre bébés à nourrir et dont il faut s'occuper, il est souvent sage pour les mères de noter les tétées et les changements de couches mouillées ou souillées pour s'assurer que chaque bébé tète assez souvent et qu'il boit du lait en quantité suffisante.

Si vous attendez plus d'un bébé, ou si vous les avez déjà, vous trouverez des renseignements additionnels sur l'allaitement et les soins à donner à plus d'un bébé dans le livre de Karen Gromada : *Mothering Multiples, Breastfeeding and Caring for Twins or more !* Révisé en 1999, ce volume est disponible auprès des groupes de la Ligue La Leche ou à La Leche League International. Pour plus de détails, consultez l'appendice.

La relactation et la lactation provoquée

Quand les choses se passent normalement, le corps de la mère se prépare à l'allaitement durant la grossesse et l'accouchement déclenche le processus de sécrétion du lait dans les seins. La succion active du bébé entretient par la suite cette production de lait. Par contre, si le bébé n'est pas mis au sein à la naissance ou si l'allaitement cesse peu de temps après, le lait « se tarit ». La relactation consiste à rétablir la sécrétion lactée de la mère après des semaines ou des mois d'interruption. Il faut faire preuve de patience et de détermination, mais on peut y arriver. C'est la succion du bébé qui stimulera la production de lait. En fait, certaines mères sont parvenues à allaiter un bébé adopté sans l'apport hormonal de la grossesse ni de l'accouchement. C'est ce qu'on appelle la lactation provoquée.

Très souvent, les mères qui tentent une relactation sont celles dont les bébés ne peuvent tolérer le lait artificiel.

Kimberly Fradejas, de la Floride, s'inquiétait du fait que sa fille Brandy ne semblait tolérer aucune préparation lactée pour nourrissons. Trois semaines après sa naissance, elle a amené son bébé à la clinique. Kimberly nous raconte ce qui s'est passé par la suite :

J'ai demandé s'il était trop tard pour que j'allaite. L'infirmière m'a dit qu'il n'était peut-être pas trop tard. Elle m'a montré comment offrir le sein à mon bébé. Brandy l'a bien pris tout de suite et elle a tété pour la première fois là, dans ce bureau. Je n'oublierai jamais cette expression dans son joli petit visage. C'était comme si elle avait enfin ce qu'elle attendait depuis sa naissance. L'infirmière me conseilla alors de mettre Brandy au sein chaque fois qu'elle avait faim, puis de supplémenter après la tétée avec une petite quantité de préparation lactée. Au fur et à mesure que ma production de lait augmentait, je diminuais la quantité de lait artificiel que je donnais à Brandy jusqu'à ce qu'elle n'en prenne plus du tout.

L'infirmière m'a mise en contact avec une monitrice de la Ligue La Leche qui m'a donnée de l'information sur la façon d'augmenter ma production de lait et qui m'a recommandé des livres sur l'allaitement maternel. Comme je ne connaissais rien à l'allaitement, elle m'a invitée à venir à une réunion de la Ligue La Leche où j'ai pu rencontrer d'autres mères qui allaitaient.

Brandy est maintenant âgée de quatre mois et demi et pèse près de 10 kg. C'est un bébé heureux et en très bonne santé. Je suis fière de faire ce qu'il y a de mieux pour elle. Je regrette seulement de ne pas avoir commencé à l'allaiter dans la minute qui a suivi sa naissance.

Allaiter un bébé adopté

Les premières mères adoptives qui ont été en contact avec la Ligue La Leche allaitaient déjà leur bambin quand elles ont adopté leur nouveau bébé. En mettant fréquemment le jeune bébé au sein, elles sont parvenues à augmenter suffisamment leur sécrétion lactée pour combler, en partie ou en entier, les besoins du nourrisson.

Cependant, même des mères qui n'ont jamais été enceintes réussissent à produire au moins une partie de la quantité de lait nécessaire au bébé en le mettant au sein, en exprimant du lait à l'aide d'un tire-lait ou en combinant les deux méthodes. Dans la plupart des cas, les mères adoptives ne peuvent stimuler une production de lait complète. Les bébés reçoivent alors des suppléments de préparation lactée pour nourrissons en plus du lait maternel. Les suppléments peuvent être donnés au sein à l'aide d'un dispositif d'aide à l'allaitement. De cette façon la mère et le bébé peuvent apprécier la proximité de l'allaitement exclusif.

Jo Young, d'Angleterre, a pu produire du lait pour son fils adoptif, Peter, malgré le fait qu'elle n'ait jamais été enceinte. Elle a commencé à stimuler sa production lorsque celui-ci était âgé de trois semaines. Elle explique :

Grâce aux efforts et aux sacrifices d'un petit groupe de personnes, j'ai réussi à provoquer ma lactation et, aussi incroyable que cela puisse paraître, Peter était exclusivement nourri au sein à l'âge de trois mois et demi. Il a été exclusivement allaité jusqu'à ce qu'il commence à goûter aux aliments solides vers six mois. Durant

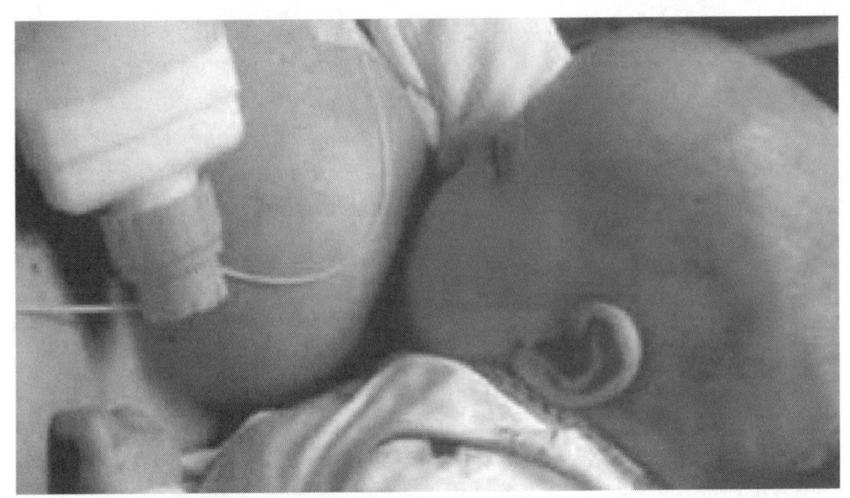

L'utilisation d'un dispositif d'aide à l'allaitement permet d'allaiter un enfant adopté.

les premiers mois où il dépendait surtout des préparations lactées pour nourrissons, Peter avait l'air faible et souffrant. Il avait constamment le rhume. Je suis convaincue que les merveilleux changements survenus dans son apparence sont attribuables au lait maternel qu'il a reçu. Sa peau s'est éclaircie et il a maintenant l'air typique d'un bébé allaité : potelé, enjoué, épanoui.

Je ne pourrai jamais exprimer toute la gratitude que j'éprouve à l'égard des amis qui nous ont soutenus, mais je crois qu'ils sont conscients de l'inestimable cadeau qu'ils nous ont offert à Peter et à moi.

La proximité et l'intimité de la relation d'allaitement sont extrêmement importantes pour les mères adoptives, quelle que soit la quantité de lait qu'elles produisent. Anne Sanger, de l'Arizona, écrit :

Il me semble que c'est hier que nous sommes allés à l'agence d'adoption pour ramener Lisa dans notre famille. Elle avait quatre jours et semblait tellement minuscule. C'est maintenant une belle petite fille heureuse âgée d'un an.

J'ai pu allaiter Lisa grâce à un dispositif d'aide à l'allaitement. Je m'étais beaucoup préparée avant son arrivée. Quand Lisa a eu dix mois et qu'elle mangeait toute une variété d'aliments, en plus du lait maternel, nous avons cessé d'utiliser le dispositif d'aide. Notre belle relation d'allaitement se poursuit encore aujourd'hui.

Il est difficile pour moi d'expliquer ce que cela représente de pouvoir allaiter Lisa. Je voulais lui faire don de l'amour et du merveilleux mode de communication que la relation d'allaitement offre aux mères.

Je sais que l'allaitement de mon enfant adopté n'a pas été la chose la plus facile que j'aie eu à faire dans la vie, mais c'est celle qui a été la plus gratifiante. Nous nous sentons privilégiés d'être les parents d'une enfant aussi heureuse.

La technique de base

L'essentiel de la technique de relactation ou de lactation provoquée consiste à encourager le bébé à téter aussi souvent que possible. C'est ainsi que vous stimulez les seins à produire du lait. Les mères adoptives peuvent souvent commencer à établir leur sécrétion lactée avant l'arrivée du bébé. Évidemment, ce sera plus facile si vous savez à quelle date le bébé sera avec vous. Utilisez un tire-lait ou exprimez du lait manuellement durant trois à cinq minutes à chaque sein, plusieurs fois par jour, en augmentant graduellement le nombre de fois. Si vous le faites fidèlement, vos seins commenceront à produire du lait, habituellement après deux à six semaines. Au début vous n'obtiendrez que quelques gouttes, mais cela augmentera dès que votre bébé commencera à téter.

Certaines plantes et certains médicaments sont parfois utilisés pour stimuler la lactation ou augmenter la quantité de lait produite. Les substances qui stimulent le corps pour produire du lait sont appelées galactogènes. Votre monitrice de la Ligue La Leche ou une consultante en lactation peut vous fournir de l'information sur leur utilisation. Les médicaments pour accroître ou stimuler votre production lactée nécessitent une ordonnance de votre médecin.

S'il vous est possible de prendre des arrangements pour allaiter votre bébé dans les heures qui suivent sa naissance, n'hésitez surtout pas à le faire. L'une des plus grandes difficultés de la relactation est de parvenir à intéresser le bébé à téter le mamelon s'il a pris l'habitude du biberon depuis déjà plusieurs semaines ou plusieurs mois. Il faut beaucoup de patience et de détermination. La mère qui essaie de rétablir sa sécrétion lactée a grandement besoin d'être encouragée et soutenue. Pendant un certain temps, elle s'efforcera presque jour et nuit de nourrir son bébé aussi souvent que possible. Évidemment, plus le bébé tètera souvent, plus il y aura de lait disponible la prochaine fois. Il serait bon de communiquer avec une monitrice de la Ligue La Leche pour obtenir plus d'informations.

Votre bébé devra continuer à prendre des préparations lactées pour nourrissons. Allaitez-le d'abord, aussi longtemps qu'il le voudra bien, puis offrez le supplément. De nombreuses mères évitent complètement de recourir aux biberons et aux tétines artificielles. Elles offrent ces suppléments à la cuillère, à la tasse, dans un petit bol flexible ou à l'aide d'une seringue d'alimentation.

On peut aussi utiliser un dispositif d'aide à l'allaitement qui permet au bébé de recevoir un supplément tout en tétant au sein. (Voir en appendice.) Un bébé, qui a beaucoup de difficulté à faire la transition du biberon au sein, peut bénéficier de l'utilisation d'une téterelle dont la sensation dans sa bouche s'apparente à celle de la tétine du biberon. La téterelle peut être utilisée en même temps que le dispositif d'aide à l'allaitement.

Si votre bébé boit au sein aussi souvent que possible et s'il prend des suppléments seulement pendant ou après la tétée, vous pourrez réduire graduellement la quantité totale de suppléments que vous lui offrez au fur et à mesure que votre sécrétion augmentera. En notant la quantité de suppléments qu'il prend chaque jour, vous serez en mesure de constater qu'elle diminue graduellement et vous saurez ainsi que votre sécrétion lactée augmente. Il faudra également surveiller le nombre de couches mouillées ainsi que le nombre de selles pour vous assurer que votre bébé boit suffisamment.

Lorsque vous établissez votre sécrétion lactée, il est essentiel de consulter le médecin du bébé régulièrement et de surveiller son gain de poids chaque semaine pour s'assurer qu'il se développe normalement.

Bien des mères adoptives arrivent graduellement à cesser d'offrir des suppléments à leur bébé autour de l'âge d'un an, lorsque celui-ci commence à manger des aliments solides en plus grande quantité. Leur bébé continue à téter au sein à la fois pour le lait qu'il y boit et pour le réconfort qu'il y trouve.

Des informations ainsi que des détails sur la relactation obtenus auprès de mères qui ont allaité des bébés adoptés vous permettront d'avoir des attentes réalistes et une perspective exacte de la situation. Des livres traitant de ce sujet sont disponibles auprès de votre groupe local de la Ligue La Leche ou à La Leche League International. Vous trouverez également des récits de mères ayant vécu cette expérience sur le site Web de la LLLI. Pour plus de détails, consultez l'appendice.

Si votre bébé tombe malade

La plupart du temps, votre bébé allaité sera heureux et en bonne santé. Vous serez ravie et fière de savoir que sa santé est attribuable en grande partie à votre lait. Grâce à la protection immunologique acquise par le biais du lait maternel, un bébé allaité sera moins susceptible d'attraper les virus de la grippe ou du rhume. Même lorsque la mère est malade, il vaut mieux pour le bébé que l'allaitement se poursuive. Le bébé est déjà exposé aux microbes responsables de la maladie et le lait maternel le protègera. En fait, la mère qui allaite produit des anticorps sur demande pour faire face aux germes spécifiques qui s'attaquent à son bébé.

Que faire si votre bébé souffre d'une grippe ou d'une otite, ou encore s'il vomit, s'il a la diarrhée ou une maladie plus sérieuse encore ? Sachez que quelle que soit la gravité de la maladie, vous pouvez presque toujours poursuivre l'allaitement. Si le bébé peut prendre quelque chose par la bouche, votre lait est le meilleur aliment pour lui, sauf dans le cas où il souffre d'un désordre métabolique. Le lait maternel lui fournit une alimentation parfaite, facile à digérer, ainsi que des anticorps pour combattre l'infection. De plus, le réconfort que procure la relation d'allaitement est également un facteur important du processus de guérison.

Les rhumes et les otites

Des études ont démontré que les bébés allaités risquaient moins de faire des infections du système respiratoire ou des otites. Cela ne signifie pas toutefois que votre bébé ne connaîtra jamais ces problèmes. Un bébé qui a le rhume, mal à la gorge ou une otite peut avoir de la difficulté à téter. Dans ce cas, les suggestions suivantes peuvent vous servir :

- Peu de temps avant d'essayer de l'allaiter, portez le bébé à la verticale, à l'aide d'un porte-bébé si nécessaire. Cette pratique peut aider à drainer les sécrétions de son nez.
- Allaitez le bébé en position semi-assise. En cas d'otite, cela peut aider puisque la position couchée augmente la pression sur les tympans du bébé.
- Utilisez un humidificateur à brume fraîche dans la pièce où le bébé dort ainsi que dans celle où vous l'allaitez.
- Juste avant la tétée, aspirez doucement les sécrétions du nez de votre bébé à l'aide d'une poire nasale souple.

Si le bébé demeure malgré tout trop inconfortable pour téter, exprimez votre lait manuellement ou à l'aide d'un tire-lait, puis offrez-le lui à la cuillère, à la tasse ou à l'aide d'un compte-gouttes. Il serait certes préférable de consulter votre médecin si le bébé fait de la fièvre ou s'il refuse de téter pendant plus que quelques heures.

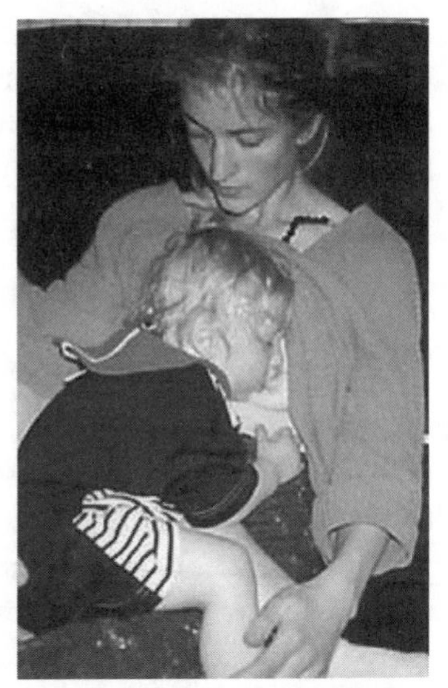

Un bébé malade a besoin du réconfort que procure la relation d'allaitement ainsi que de la protection du lait maternel.

La diarrhée et les vomissements

Si votre bébé se porte bien et qu'il se développe normalement, la consistance de ses selles n'a pas vraiment d'importance. Toutes les selles molles et fréquentes ne sont pas synonymes de diarrhée. Chez le bébé allaité, il est assez normal d'avoir des selles très molles, parfois même liquides. Nombreux sont ceux qui, particulièrement dans les premières semaines, ont de six à huit selles par jour. Certains vont même souiller une couche à chaque tétée. Plus tard, lorsqu'ils ont plus de six semaines, des bébés peuvent ne faire qu'une selle par jour, par semaine et même parfois moins souvent. Si les selles sont moins fréquentes, elles sont habituellement assez abondantes. Tout ceci est normal. Il n'y a pas lieu non plus de s'inquiéter lorsqu'un bébé, par ailleurs en bonne santé, a une selle verte et liquide à l'occasion.

Si un bébé ne fait pas de fièvre, il serait sage d'envisager d'autres possibilités avant de conclure qu'une maladie est la cause de la diarrhée ou des vomissements. Les antibiotiques ainsi que les suppléments de vitamines peuvent causer de la diarrhée. Il arrive que des antibiotiques, des vitamines, du fer ou d'autres suppléments pris par la mère qui allaite causent des problèmes digestifs à son bébé. Un biberon occasionnel de préparation lactée peut provoquer de la diarrhée ou des vomissements chez un bébé particulièrement sensible. Il est également possible que le bébé soit sensible à l'introduction d'un nouvel aliment dans son alimentation. Dans certains cas, un aliment consommé par la mère qui allaite peut affecter son bébé en lui causant des problèmes digestifs ou de la diarrhée.

Si un bébé fait douze à seize selles par jour, ou si celles-ci sentent très fort ou contiennent des traces de sang, il est très probable qu'il souffre d'une infection gastro-intestinale. En règle générale, si le bébé peut prendre quoi que ce soit par la bouche, il devrait continuer à recevoir du lait maternel. Le lait maternel se digère si rapidement que, même si votre bébé semble en vomir la majeure partie, certains fluides et nutriments seront tout de même absorbés. Il faut habituellement de trois à cinq jours, parfois moins, avant que les symptômes ne disparaissent.

La diarrhée cause parfois des problèmes plus graves chez les bébés et les jeunes enfants. Si une infection cause une inflammation et une irritation de la paroi intestinale, celle-ci laisse alors passer les liquides et les éléments nutritifs trop rapidement dans le corps. La perte d'eau et de minéraux peut conduire à la déshydratation et éventuellement à un état de choc. Parmi les symptômes de la déshydratation, on note l'apathie, l'abattement, la sécheresse de la bouche, une diminution de la sécrétion des larmes, des urines peu abondantes et de la fièvre. Consultez votre médecin si vous croyez que votre bébé malade se déshydrate. Pour prévenir la déshydratation, assurez-vous que votre bébé boit beaucoup de liquide. Chez le bébé allaité, la meilleure façon est de lui offrir des tétées courtes et fréquentes.

Tant que votre bébé mouille au moins deux couches par jour durant sa maladie, il ne risque pas la déshydratation. Dans les cas plus sérieux de diarrhée, le médecin peut recommander de donner au bébé des suppléments d'une solution orale de réhydratation afin de restaurer le niveau de fluides et de minéraux dans son système. Même si la solution orale de réhydratation est recommandée, l'allaitement peut et doit se poursuivre. Le lait maternel demeure une excellente source de fluides et de nutriments dans le cas d'infections gastro-intestinales et les anticorps contenus dans le lait aideront à combattre l'infection.

Les professionnels de la santé peuvent conseiller aux mères de bébés nourris au lait artificiel et de bambins qui boivent du lait de vache d'éviter de leur donner tout produit laitier jusqu'à ce que cessent les vomissements ou la diarrhée. Cependant, cette consigne d'éliminer le lait s'applique seulement dans le cas du lait de vache et non pour le lait humain qui contient des substances qui réduisent l'inflammation et combattent l'infection dans le ventre du bébé. Les recherches ont démontré que les bébés qui continuent de téter se remettent plus vite d'une diarrhée.

Les mères qui allaitent un bébé ou un bambin savent qu'un sevrage brusque, même temporaire, peut représenter une épreuve tant pour le bébé que pour la mère. Quand sa source habituelle de réconfort lui est enlevée, le bébé malade devient encore plus frustré et contrarié. Sans parler des seins de la mère qui se congestionnent et deviennent de plus en plus inconfortables.

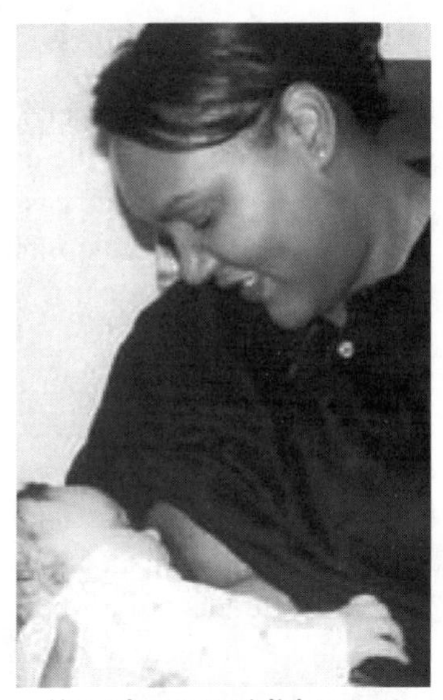

Une mère et son bébé peuvent continuer à bénéficier de l'allaitement même si l'un ou l'autre est malade.

Pour le bébé qui vomit, il est préférable de retirer les aliments solides le temps que cessent les vomissements. Si son estomac est vraiment dérangé, il peut être utile d'exprimer manuellement la presque totalité du lait de vos seins et de le laisser se réconforter à un sein presque vide. En offrant de petites quantités de lait maternel à chaque tétée (mais en allaitant assez souvent), votre bébé sera peut-être moins enclin à tout vomir de nouveau. Rester au sein et téter pour le réconfort l'aidera également à garder le lait dans son estomac. S'il tolère bien ces petites quantités de lait, votre bébé pourra, après quelques heures, commencer à en prendre un peu plus à chaque tétée. Par contre, si les petites tétées sont elles aussi vomies à répétition et ce, pendant plusieurs heures, il faudra alors consulter votre médecin et surveiller les signes de déshydratation.

Pour le bébé de six mois et plus ou le bambin qui réclame quelque chose à boire parce qu'il a soif, un peu de glace concassée ou quelques cuillerées d'eau pourront peut-être le satisfaire pendant un certain temps. Congelez le lait que vous exprimez pour vous soulager. Offrez-lui ce lait congelé pour le désaltérer. L'avantage de la glace est qu'elle fond lentement et constitue une distraction intéressante. Si cela lui suffit pour l'instant, tant mieux. Sinon, laissez-le téter à un sein vide, mais ne lui donnez rien d'autre. Dans tous les cas, le sevrage est inutile et non recommandé.

Le lait maternel est le meilleur aliment possible pour le bébé malade et tant qu'il peut prendre quelque chose par la bouche, ce devrait être votre lait. Quand un bébé allaité est malade, le réconfort que lui procure l'allaitement est sans doute le bienfait le plus important qui soit.

L'intolérance au lactose

On croit parfois qu'un bébé qui a des selles molles et très fréquentes souffre de ce qu'on appelle une « intolérance temporaire au lactose ». On vous conseillera alors de cesser l'allaitement. Il est possible que cela se produise à la suite d'une infection gastro-intestinale ou d'un traitement aux antibiotiques. La paroi de l'estomac peut être encore irritée ou les bonnes bactéries qui vivent dans les intestins du bébé peuvent avoir besoin de plus de temps pour se remettre de l'infection ou du traitement aux antibiotiques. Il peut s'écouler un certain temps avant que les selles du bébé ne retrouvent leur consistance habituelle. Il n'est cependant pas nécessaire de substituer du lait artificiel sans lactose au lait maternel. La véritable intolérance au lactose est à peu près inconnue chez les bébés et les jeunes enfants qui n'ont pas atteint l'âge du sevrage.

Dans son livre, *Safe and Healthy*, le Dr William Sears appelle ce phénomène la « diarrhée indésirable ». Dans un tel cas, la meilleure chose à faire est de supprimer tout ce que le bébé prend par la bouche sauf votre lait. Offrez-lui toutes les occasions possibles de téter, mais assurez-vous d'abord qu'il finisse bien de téter au premier sein avant de passer à l'autre, afin qu'il reçoive beaucoup de lait de fin de tétée qui est riche en matières grasses et contient moins de lactose. Au bambin qui mange habituellement des aliments solides et boit d'autres liquides en plus du lait maternel, il faudra éviter de donner des aliments difficiles à digérer. Offrez-lui des bananes, du riz, de la compote de pomme non sucrée, de la viande maigre ou des morceaux de pain grillé au blé entier, en plus de l'allaiter fréquemment et de lui donner de l'eau à la tasse. À mesure que les symptômes de la maladie ou que les effets des médicaments disparaîtront, les selles redeviendront normales, quoique cela puisse prendre de deux à quatre semaines avant que le bébé ne recommence à faire des selles à la fréquence habituelle. Entre temps, votre enfant profitera de la proximité et du réconfort particuliers que procure l'allaitement ainsi que de ses bienfaits physiques, et, de ce fait, il se rétablira beaucoup plus rapidement.

Le reflux gastro-œsophagien

Si le bébé régurgite après avoir tété, ou qu'il vomit fréquemment, on peut soupçonner un reflux gastro-œsophagien (RGO), qui amène le contenu acide de l'estomac à remonter dans l'œsophage causant ainsi de la douleur et de l'irritation. Certains bébés atteints de RGO ne régurgitent pas du tout mais développent d'autres symptômes. Si vous soupçonnez ce problème chez votre bébé, soyez assurée que l'allaitement peut et doit être maintenu. On a trouvé que les bébés allaités souffrant de RGO avaient des périodes de reflux moins fréquentes et moins sévères que les bébés nourris au lait artificiel. Dans ce cas, la digestibilité du lait maternel est définitivement un avantage.

Pour faciliter l'allaitement, vous pouvez allaiter le bébé en le tenant à la verticale et, après les tétées, vous pouvez le maintenir dans cette position en le portant dans un porte-bébé. Certains médecins suggèrent des tétées courtes et fréquentes, jugeant que de plus petites quantités de lait risquent moins de remonter. Allaiter d'un seul sein à chaque tétée peut également aider certaines mères et leur bébé. Le Dr Jack Newman, pédiatre canadien et spécialiste en allaitement, recommande que le bébé qui souffre de reflux soit encouragé à téter le plus longtemps possible à chaque tétée. La succion provoque des vagues de contractions musculaires au niveau de l'œsophage qui poussent la nourriture vers l'estomac. Continuer à téter pour le réconfort, même si le sein est presque vide, peut contribuer à empêcher le repas du bébé de remonter.

Pour de plus amples informations concernant le RGO, consultez le dépliant sur le reflux gastro-œsophagien disponible à la Ligue La Leche. Vous trouverez également en appendice des renseignements sur un groupe d'aide nommé PAGER, où des parents et des professionnels de la santé offrent de l'information à ce sujet.

La chirurgie chez le bébé allaité

Si votre bébé allaité a besoin de subir une intervention chirurgicale, vous voudrez certainement minimiser autant que possible la période de jeûne qui précède l'anesthésie générale. Discutez-en à l'avance avec le chirurgien et l'anesthésiste. Étant donné que le lait maternel se digère plus rapidement, la période où rien ne peut être consommé par la bouche est plus courte pour les bébés allaités que pour ceux qui sont nourris au lait artificiel. Les recommandations actuelles de l'*American Academy of Anesthesiologists* précisent que les bébés allaités devraient être autorisés à téter jusqu'à quatre heures avant la chirurgie. Certains hôpitaux et médecins vont même jusqu'à permettre l'allaitement deux ou trois heures avant. Il vous faudra trouver des moyens de distraire le bébé pendant la période où il ne sera pas autorisé à téter. Après la chirurgie, plusieurs mères ont la possibilité d'être dans la salle de réveil avec leur bébé et de l'allaiter aussitôt qu'il se réveille. L'allaitement peut alors être une source de réconfort autant pour la mère que pour le bébé. Dès que le bébé peut prendre quelque chose par la bouche, le lait maternel demeure une fois de plus le premier choix.

Le gain de poids lent

Lorsqu'un bébé ne semble pas bien téter et qu'il ne prend pas de poids en buvant uniquement du lait maternel, tout le monde s'inquiète. La mère peut se sentir inquiète et incompétente. Le médecin insiste pour que quelque chose soit fait, mais parfois sans savoir comment venir en aide à la mère et au bébé pour régler la situation. Un gain de poids lent chez un bébé allaité, qui est par ailleurs en bonne santé, demande qu'on porte une attention particulière au bébé, à sa mère et à leurs habitudes d'allaitement.

Comment savoir s'il y a de bonnes raisons de s'inquiéter du gain de poids lent ou de la façon dont le bébé est allaité ? Voici quelques indications que le bébé ne prend peut-être pas assez de lait au sein :

- À deux semaines, le bébé n'a pas repris son poids de naissance.
- Il ne mouille pas assez de couches et fait trop peu de selles. Après la « montée de lait », un bébé allaité devrait mouiller cinq à six couches et faire de trois à cinq selles par jour. (Les bébés plus âgés peuvent faire des selles moins souvent.)
- Au cours des trois premiers mois, le bébé prend moins de 170 g (6 oz) par semaine. (Un gain de poids de moins de 170 g (6 oz) par semaine peut être acceptable chez certains bébés.)
- Le bébé tète moins de huit à douze fois par jour.
- Le bébé ne se réveille pas pour téter la nuit.

La plupart du temps, les difficultés concernant l'allaitement peuvent être aisément surmontées mais, dans tous les cas, les bébés qui prennent du poids lentement devraient être suivis par un médecin. Ce dernier s'assurera qu'aucune maladie n'est à la source du problème. Pendant que vous vous efforcerez d'améliorer votre allaitement, de fréquentes visites au cabinet du médecin pour faire peser le bébé vous rassureront et vous aideront à mesurer le progrès accompli.

Certains bébés qui au sein prennent peu de poids, ou pas du tout, auront besoin de suppléments pendant un certain temps. Ces suppléments peuvent être offerts au bébé de façon à ne pas nuire à ses efforts pour apprendre à téter plus efficacement. (Plus loin, dans le présent chapitre, vous trouverez une description de différentes méthodes d'alimentation.) Les mères de bébés qui prennent du poids lentement peuvent ainsi avoir à exprimer du lait afin de maintenir leur sécrétion lactée. Si, au cours des premières semaines de lactation, le lait n'est pas retiré des seins de la mère plusieurs fois par jour, la production de lait diminuera et il sera beaucoup plus difficile de l'augmenter par la suite.

Pour aider le bébé à mieux téter

Consultez la section du chapitre 7 intitulée *Boit-il assez de lait ?* Vous y trouverez des explications sur la façon d'aider votre bébé à téter efficacement, afin qu'il obtienne le plus de lait possible et qu'il puisse ainsi prendre du poids plus rapidement. Tenez compte ensuite des points suivants :

Le garder plus longtemps au sein. Si un bébé ne prend pas assez de poids, la première question à se poser concerne la fréquence à laquelle le bébé est allaité. La cause la plus souvent associée au gain de poids lent est une fréquence d'allaitement insuffisante. Le lait maternel se digère rapidement. Les tétées fréquentes sont donc mieux adaptées au bébé et lui assure un apport régulier d'éléments nutritifs. Si votre bébé ne prend pas suffisamment de poids, il est important que vous l'allaitiez toutes les deux heures au moins, avec peut-être un intervalle plus long de trois ou quatre heures la nuit s'il dort. Par exemple, si votre bébé commence à téter à huit heures, remettez-le au sein à dix heures, sans tenir compte de la durée de la tétée de huit heures. Prévoyez d'allaiter votre bébé de dix à douze fois par vingt-quatre heures durant la période où vous tentez d'améliorer son gain de poids.

Il arrive que le bébé au gain de poids lent soit un bébé placide, un nourrisson tranquille qui dort régulièrement quatre à cinq heures d'affilée. Si votre bébé dort beaucoup, vous pensez sûrement : « Quel bon bébé ! ». Ne vous laissez pas leurrer par une telle placidité. Ce gros dormeur ne prend peut-être pas assez de poids justement parce qu'il ne boit pas autant qu'il le devrait. Notez soigneusement le nombre de couches mouillées et souillées. Au cours des premiers jours, le bébé devrait mouiller de cinq à six couches et faire trois à quatre selles quotidiennement. Au fur et à mesure que le bébé grandit, le nombre de selles peut diminuer. Il peut même arriver qu'il n'ait une selle que tous les trois ou quatre jours mais, dans ce cas, la selle sera plus abondante.

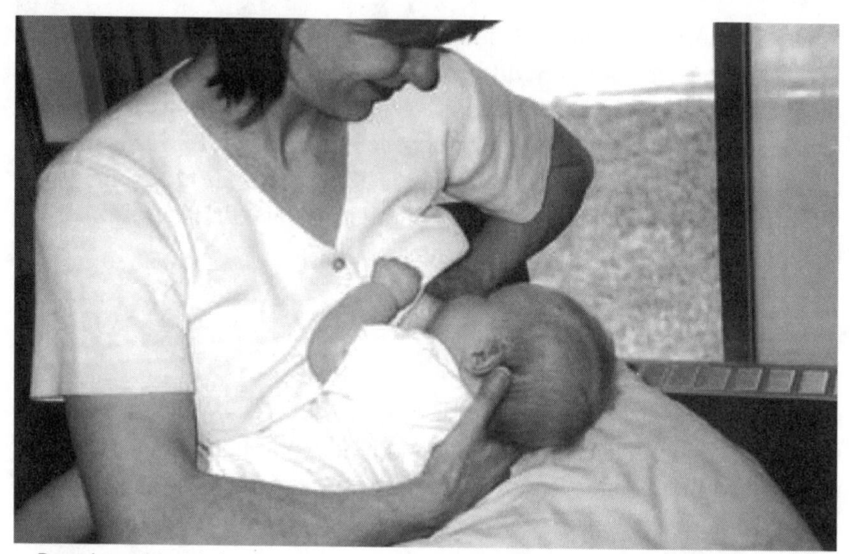

Dans la position de la « madone inversée », la main droite de la mère soutient le cou et les épaules du bébé et sa main gauche soutient le sein quand le bébé tète au sein gauche. Il serait probablement plus facile de soutenir le sein en « U » plutôt qu'en « C » comme ici, puisque le bras de la mère serait plus près de son corps. On utilise souvent cette position pour placer le bébé au sein quand il a de la difficulté à saisir le mamelon.

La mère d'un bébé dormeur doit prendre l'initiative et s'efforcer d'encourager son bébé à téter plus souvent. Vous devrez donc surveiller l'heure attentivement. Pendant quelque temps, vous lui donnerez un coup de pouce en l'encourageant gentiment à téter. En le prenant et en l'allaitant souvent, vous l'aiderez à s'éveiller. Il a tout autant besoin de cette stimulation qu'il a besoin de votre lait. Tout ceci contribue à son bon développement.

Pour réveiller un bébé dormeur qui doit téter plus fréquemment, enlevez-lui tous ses vêtements, sauf sa couche, et tenez-le contre vous, peau à peau. (Si vous avez un peu froid, enveloppez-vous tous les deux d'une couverture.) Frottez-lui le dos ou les pieds. Parlez-lui ou chantez-lui une chanson. Si votre bébé est trop endormi pour téter, essayez de l'asseoir sur vos genoux en soutenant son menton avec votre main et en le penchant vers l'avant pour qu'il plie le corps à la hauteur des hanches. Ou encore, en soutenant sa tête avec une main, faites-le passer d'une position horizontale à une position verticale. Vous pouvez aussi faire marcher vos doigts le long de sa colonne vertébrale.

Si votre bébé a tendance à s'endormir et à téter de manière inefficace après seulement quelques minutes au sein, vous devrez l'encourager à

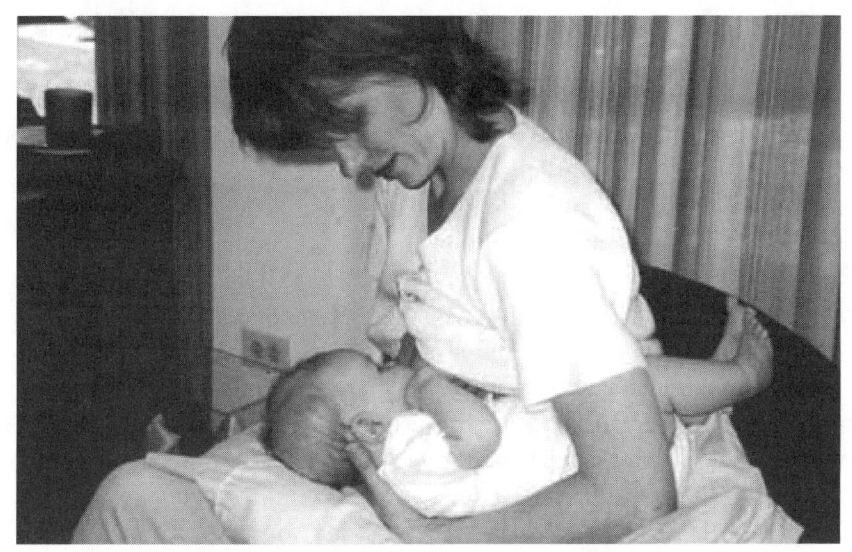

En utilisant la position « ballon de football », une mère peut bien observer comment son bébé prend le sein.

continuer de téter. Une des façons les plus efficaces d'y arriver consiste à utiliser la technique de la compression du sein décrite plus loin. Vous pouvez également l'encourager verbalement. La mère d'un bébé dormeur raconte que, chaque fois que le bébé ouvrait les yeux pendant la tétée, elle lui disait à voix haute : « Oui ! Bravo ! Tu peux y arriver ! » Chaque fois, il réagissait à ses paroles en tétant bien pendant à peu près une minute de plus. Est-ce que ce sont les paroles encourageantes de la mère ou ses soins continuels et attentifs qui ont fait la différence ? Personne ne peut le dire, mais ce petit bébé maigrichon est rapidement devenu potelé à souhait.

S'assurer qu'il a bien pris le sein. Il arrive parfois qu'un bébé passe beaucoup de temps au sein sans pour autant prendre du poids rapidement. Dans ce cas-là, il faut se demander si la succion du bébé est efficace. Prend-il bien le mamelon ? Sa bouche devrait couvrir une bonne partie de l'aréole, le cercle foncé qui entoure le mamelon. Le bébé qui tète du bout des lèvres obtiendra seulement le lait qui se trouve déjà dans le sein. Il n'aura pas accès au lait additionnel qui coule lorsqu'il amène le mamelon loin dans sa bouche et qu'il tète vigoureusement. Il n'obtiendra donc pas tout le lait dont il a besoin, ni le lait le plus riche qui contient le plus de matières grasses. Des mamelons douloureux peuvent vous indiquer que votre bébé ne prend pas correctement le mamelon dans sa bouche.

Si vous croyez que votre bébé ne saisit pas bien le mamelon ou qu'il ne tète pas efficacement, observez-le attentivement au moment de la tétée. Un bébé qui tète efficacement avale souvent dès que se produit le réflexe d'éjection du lait. Vous voyez bouger toute sa mâchoire et vous remarquez un léger mouvement au niveau des tempes et des oreilles. Vous pouvez l'entendre déglutir ou vous notez qu'il fait une légère pause en respirant lorsque sa bouche est grande ouverte, ce qui vous indique qu'il avale du lait. Un bébé, qui a une succion efficace, tète activement et avale du lait pendant dix minutes ou plus à chaque tétée.

En aidant votre bébé à prendre le mamelon correctement, vous lui permettez de téter efficacement et donc de prendre plus de lait en moins de temps. Consultez la section du chapitre 4 intitulée *La tétée en détail*. En plaçant le bébé au sein, assurez-vous que son corps vous fait face pour éviter qu'il ait à tourner la tête pour saisir le mamelon. Assurez-vous que le bébé ouvre la bouche toute grande en prenant le sein et qu'il en saisit une bonne partie afin que le mamelon se retrouve au fond de sa bouche. Le bébé devrait prendre le sein, le menton en premier, pour que sa mâchoire inférieure soit le plus loin possible du mamelon.

Certains bébés prennent plus aisément le sein lorsque la mère utilise une téterelle en silicone sur son mamelon. La téterelle peut être utilisée seulement pour quelques tétées ou le bébé peut avoir besoin de s'en servir pendant plusieurs semaines. À une certaine époque, on pensait que l'utilisation de la téterelle nuisait à la production de lait de la mère, mais ce n'est plus le cas. Toutefois, si le bébé a déjà un gain de poids lent, la mère devrait tout de même exprimer du lait manuellement ou à l'aide d'un tire-lait pendant quelque temps, après chaque tétée, pour s'assurer que ses seins sont assez stimulés. Elle peut offrir ce lait au bébé s'il doit prendre des suppléments.

En utilisant la position « ballon de football » ou celle de la « madone inversée », vous pourrez bien soutenir la tête de votre bébé et mieux observer sa position au sein et sa façon de téter. S'il est en position « ballon de football », assurez-vous que son corps est plié à la hauteur des hanches et qu'il n'a pas le dos arqué.

La compression du sein. Certains bébés ne prennent pas suffisamment de poids parce qu'ils ont tendance à s'endormir au sein ou parce qu'ils préfèrent « suçoter » ou téter légèrement le mamelon, surtout pour se réconforter. La compression du sein, une technique proposée par le Dr Jack Newman, aide à maintenir le flot de lait constant. Les bébés réagissent en continuant à téter vigoureusement, ce qui leur permet d'obtenir un lait plus riche en matières grasses. Vous pouvez utiliser cette technique au moment où la succion du bébé diminue et qu'il ne prend plus les profondes gorgées qui indiquent qu'il avale du lait. Pour certains bébés, cela peut se produire quelques minutes seulement après le début de la tétée.

Lorsque la succion du bébé diminue ou qu'elle s'arrête, tenez votre sein avec le pouce d'un côté et les quatre doigts de l'autre. Pressez le pouce et les autres doigts ensemble en comprimant fermement le sein, tout en évitant de causer de la douleur. La compression du sein pousse le lait vers le mamelon ce qui amène le bébé à réagir en tétant activement et en avalant.

Gardez la pression sur votre sein jusqu'à ce le bébé se remette à « suçoter » plutôt qu'à téter activement. Relâchez ensuite la pression. Certains bébés peuvent recommencer à téter activement à ce moment précis, car le lait qui s'était accumulé dans le sein derrière votre main s'écoule vers le mamelon. D'autres ne recommenceront à téter que lorsque vous comprimerez votre sein de nouveau. Changez légèrement la position de vos doigts sur le sein afin de presser sur une nouvelle partie du sein à chaque compression.

Répétez l'opération jusqu'à ce que cela ne suffise plus à stimuler une succion active chez le bébé. Puis, changez de sein et répétez le processus. Au besoin, vous pouvez répéter le processus de compression du sein aux deux seins plusieurs fois à chaque tétée, tant que le bébé réagit par une succion active. Vous devrez peut-être essayer différentes techniques pour comprimer les seins avant de trouver celle qui fonctionne le mieux pour vous et votre bébé.

Boire suffisamment de lait de fin de tétée. Même si c'est une bonne idée d'offrir les deux seins à votre bébé à chaque tétée, le fait de changer de côté trop tôt peut empêcher le bébé de boire le lait de fin de tétée si riche en matières grasses et dont il a besoin. Plus le bébé tète, plus le pourcentage de matières grasses contenu dans le lait maternel augmente. Si vous le changez de sein trop tôt, il ne recevra pas ce lait à haute teneur en gras qui l'aide à grandir et qui le rassasie.

C'est ce qu'on appelle un déséquilibre du « lait de début et de fin de tétée » ou une sécrétion lactée surabondante. Dans ce cas, même si la mère semble produire du lait en quantité suffisante, le bébé prend peu de

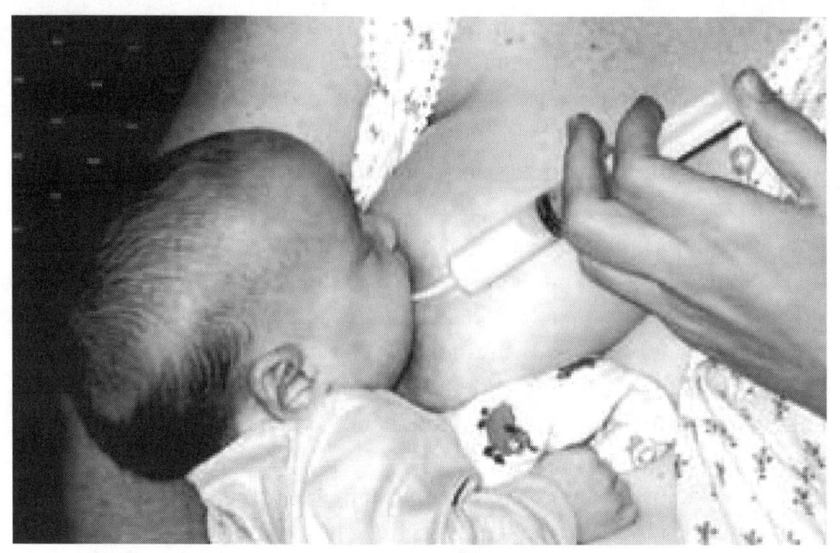

On peut utiliser une seringue d'alimentation pour donner au bébé un supplément au sein.

poids. Bien qu'il tète souvent, il demeure maussade, a beaucoup de gaz et ses selles sont molles et verdâtres. Il semble boire trop de lait et il lui arrive même de régurgiter après les tétées. Dans ce cas, il est probable que ce bébé boit trop de lait de début de tétée aux deux seins et pas assez de celui, plus riche, qui arrive en fin de tétée.

Une mère dont le bébé présente ces symptômes peut utiliser la méthode de compression du sein décrite précédemment afin d'encourager son bébé à téter de façon plus active et plus longtemps au premier sein. Lorsque le bébé est enfin rassasié et qu'il se retire du sein, elle peut lui offrir le second sein. Certains bébés acceptent de le prendre et continuent de téter encore un peu, alors que d'autres attendront la prochaine tétée. Une étude très intéressante a démontré que les bébés qui buvaient aux deux seins à chaque tétée prenaient une plus grande quantité de lait, tandis que ceux qui ne buvaient qu'à un seul sein à chaque tétée absorbaient une plus grande quantité de matières grasses.

La confusion entre la tétine et le mamelon. L'usage de la suce ou du biberon de préparation lactée, d'eau ou de jus de fruit peut entraîner une confusion entre la tétine et le mamelon et empêcher le bébé de téter efficacement au sein. Un seul biberon suffit parfois à rendre certains bébés confus, particulièrement au cours des premières semaines. Le bébé utilise des techniques tout à fait différentes pour exprimer le lait du sein et pour boire au biberon. Si votre bébé prend peu de poids, pensez-y bien avant d'utiliser une suce ou de donner un biberon, car la confusion entre la tétine et le mamelon peut empêcher le bébé de bien prendre le sein et de téter efficacement. Si le bébé a un gain de poids lent et que vous devez lui donner des suppléments, utilisez d'autres façons de le nourrir que le biberon afin d'éviter l'utilisation de tétines artificielles.

Si les difficultés persistent

Certains problèmes liés à l'allaitement ne peuvent être résolus par les solutions déjà mentionnées. Si votre bébé a pris l'habitude de ne saisir que le bout du mamelon ou s'il est « toujours en train de téter », mais qu'il somnole la plupart du temps ou qu'il garde le mamelon dans sa bouche sans téter activement ni avaler, il ne reçoit probablement pas beaucoup de lait. Les bébés qui ne restent au sein qu'un très court laps de temps, ou qui refusent tout simplement de prendre le sein, ne reçoivent pas non plus assez de lait. Si votre bébé ne prend pas mieux le sein et ne tète pas plus efficacement après un jour ou deux de travail actif de votre part, vous aurez besoin de l'aide de personnes qui ont une connaissance pratique dans ce domaine, comme une monitrice de la Ligue La Leche ou une consultante en lactation. De concert avec la personne qui vous aide ainsi que votre médecin, vous pourrez alors travailler ensemble pour que votre bébé continue à bien se développer pendant qu'il apprend à mieux se nourrir au sein. Même les bébés qui connaissent un départ très lent peuvent à la longue réussir à boire exclusivement au sein, malgré le fait qu'ils doivent parfois prendre des suppléments au début.

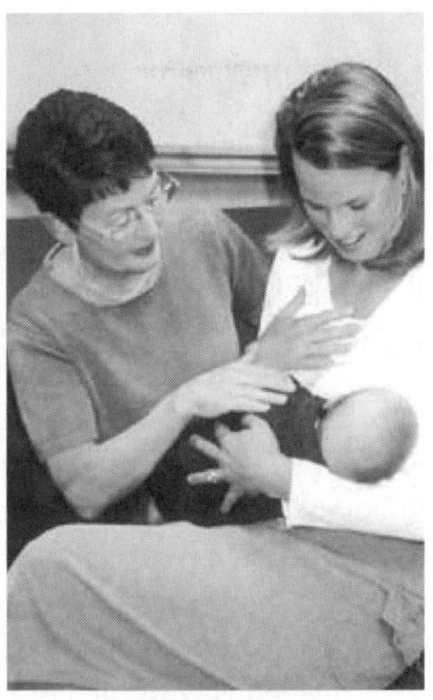

La mère d'un bébé qui prend du poids lentement peut avoir besoin de l'aide de quelqu'un qui connaît bien l'allaitement.

Une personne qualifiée peut vous observer au moment d'une tétée, évaluer les aptitudes à téter de votre bébé et vous montrer différentes façons d'apprendre à votre bébé à téter plus efficacement. Elle peut également vous aider à planifier la façon d'offrir les suppléments et exprimer votre lait pendant la période où votre bébé apprend à téter.

Les mères de bébés qui ne tètent pas correctement doivent exprimer leur lait pour maintenir leur sécrétion lactée. Au cours des premières semaines de lactation, si le lait n'est pas retiré fréquemment des seins chaque jour, la production de lait diminuera et il deviendra beaucoup plus difficile de l'augmenter par la suite. En exprimant du lait, vous prévenez cette situation et vous pouvez offrir à votre bébé le lait que vous avez recueilli.

Les suppléments

Les bébés allaités qui prennent du poids trop lentement, ou qui ne gagnent pas de poids du tout, auront besoin de suppléments alimentaires pendant quelque temps. Il n'est pas nécessaire toutefois de leur donner ces compléments au biberon. En fait, l'utilisation de tétines artificielles peut rendre la tâche plus difficile à un bébé qui tente d'apprendre à téter efficacement. Si, au moment où vous vous efforcez d'améliorer l'allaitement, le bébé a besoin de recevoir temporairement des suppléments, utilisez plutôt la tasse, le compte-gouttes, la seringue d'alimentation, la cuillère ou le bol au lieu du biberon.

Pour donner des suppléments à votre bébé à l'aide d'une tasse ou d'un bol, choisissez par exemple une petite tasse, un verre à liqueur ou un petit gobelet en plastique flexible que vous remplirez à moitié. Assurez-vous que le bébé est bien éveillé et alerte. Emmaillotez-le dans une couverture, de façon à ce que ses petites mains ne nuisent pas. Tenez-le assis bien droit sur vos genoux, appuyez doucement la tasse sur sa lèvre inférieure et inclinez-la pour que seule une petite quantité de lait touche ses lèvres. Ne versez pas de lait dans sa bouche. Maintenez la tasse dans la même position pendant qu'il avale, offrez-lui ensuite une autre gorgée. Laissez le bébé aller à son rythme.

L'utilisation d'une seringue, d'un compte-gouttes ou d'une cuillère est semblable à celle d'une tasse. Tenez le bébé assis bien droit sur vos genoux. Soyez patiente, procédez lentement en suivant le rythme du bébé.

Les suppléments peuvent également être donnés au sein à l'aide d'un dispositif d'aide à l'allaitement. Le bébé reçoit le supplément par un tube lorsqu'il tète, ce qui lui évite toute confusion causée par les tétines artificielles. De plus, la succion du bébé continue à procurer à vos seins la stimulation nécessaire pour produire davantage de lait.

L'aliment de premier choix à offrir au bébé comme supplément demeure le lait maternel que sa mère aura exprimé manuellement ou à l'aide d'un tire-lait. Si le bébé ne tète pas efficacement, la mère aura besoin d'exprimer du lait afin de maintenir sa sécrétion lactée. En exprimant régulièrement du lait, la mère s'assure qu'elle en aura suffisamment pendant que son bébé améliore sa succion. Si elle exprime du lait après les tétées, elle recueillera alors un lait qui contient un haut pourcentage de matières grasses et qui constitue un supplément particulièrement adapté aux besoins d'un bébé ayant un gain de poids lent.

Après le lait de la mère, le second choix de supplément pour un bébé serait du lait maternel provenant d'une banque de lait. Cependant, cette solution n'est pas toujours facilement accessible. Si votre bébé doit prendre des suppléments de préparation lactée pour nourrissons, demandez à votre médecin laquelle vous devriez utiliser et comment la préparer.

Exprimer du lait et donner des suppléments peut exiger beaucoup de temps, mais rappelez-vous que cela ne durera pas. Le temps et l'énergie que vous investissez aujourd'hui vous permettront d'être récompensée plus tard par un bébé en meilleure santé et une longue et heureuse relation d'allaitement.

Points à surveiller chez la mère

Si votre bébé prend du poids lentement, il faudra prendre soin de vous afin que vous trouviez l'énergie et la confiance dont vous aurez besoin pour augmenter votre sécrétion lactée et aider votre bébé à téter plus efficacement. En faites-vous trop, ce qui vous laisse peu de temps pour vous reposer ? Dans ces cas-là, on a déjà vu un pédiatre prescrire quelques jours ensemble au lit à la mère et au bébé qui ne prend pas suffisamment de poids. Essayez de réduire les autres causes de stress dans votre vie. Demandez à vos amis et à votre famille de cuisiner et de faire les courses pour vous. Faites de votre bébé la priorité du moment.

En retirant du lait de vos seins régulièrement, soit en allaitant votre bébé, soit en utilisant un tire-lait de bonne qualité, vous vous assurerez que votre corps continuera à produire du lait pour votre bébé. En comblant vos propres besoins, vous resterez en bonne santé et vous pourrez mieux affronter le stress associé à votre nouveau rôle de mère. Mangez-vous bien ? Pensez-y, qu'avez-vous mangé au petit déjeuner ce matin ? Et à midi, avez-vous mangé « sur le pouce » ? Buvez-vous assez d'eau ou de jus ? Votre apport en liquide peut inclure du café et du thé, mais souvenez-vous que la caféine ne vous aidera pas à vous sentir plus calme, ni à faire une petite sieste lorsque l'occasion se présentera. Il est reconnu que l'absorption de quantités excessives de boissons contenant de la caféine a un effet négatif sur la prise de poids de certains bébés. Cela s'applique également au tabagisme, surtout si la mère fume beaucoup.

Il a été prouvé que les contraceptifs hormonaux, particulièrement ceux qui contiennent des œstrogènes, affectent la quantité de lait produit par la mère. Seriez-vous anémique ou auriez-vous un problème de glande thyroïde ? Ces deux problèmes, s'ils ne sont pas traités, peuvent nuire à la sécrétion lactée. Consultez votre médecin à ce sujet.

L'avis du médecin

Le médecin demandera à voir votre bébé régulièrement pour le peser jusqu'à ce vous soyez tous rassurés qu'il tète correctement et qu'il grandit bien. Informez votre médecin de ce que vous mettez en oeuvre pour aider votre bébé à mieux téter et à prendre du poids plus rapidement. S'il s'avère nécessaire de donner des suppléments à votre bébé, expliquez-lui que vous préférez exprimer votre lait entre les tétées pour l'offrir en supplément à votre enfant. Si vous ne parvenez pas à exprimer assez de lait pour combler les besoins de votre bébé, votre médecin pourra vous conseiller des suppléments de préparation lactée pour nourrissons.

Au cours des vingt dernières années, la profession médicale a beaucoup appris sur l'allaitement maternel, mais la plupart des médecins ne connaissent pas en détail toutes les techniques d'allaitement permettant d'aider la mère d'un bébé qui ne tète pas bien. Votre médecin devrait pouvoir vous référer à une consultante en lactation ou à un autre expert qui sera en mesure de vous aider. Si le médecin de votre bébé ne vous soutient pas dans vos efforts pour allaiter, vous pourriez chercher dans votre région l'avis d'un autre médecin qui vous offrirait plus de soutien.

Un bébé au gain de poids lent peut aussi avoir des difficultés à téter à cause d'une blessure survenue à la naissance ou d'un autre type d'inconfort physique, ce qui pourra être vérifié par votre médecin. Un bébé ayant le frein de la langue trop court peut également avoir des difficultés à téter et sa mère aura les mamelons douloureux. Le frein de la langue de votre bébé peut être coupé dans le cabinet du médecin ou du dentiste. Cette chirurgie mineure ne requiert pas de points de suture ni d'anesthésie et améliore immédiatement la succion du bébé.

Certains bébés ayant des difficultés à téter pourraient bénéficier d'ajustements chiropratiques, de massothérapie ou autres traitements non intrusifs pratiqués par des professionnels habitués à traiter les bébés.

Dans certaines situations, l'usage de plantes médicinales ou de médicaments sur ordonnance peut aider à augmenter la production de lait chez la mère. Les médicaments doivent être prescrits par un médecin ou autre professionnel de la santé.

Dans des cas très rares, la mère ne réussira pas à augmenter suffisamment sa production de lait pour satisfaire complètement les besoins de son bébé. Une multitude de raisons peuvent être en cause : une chirurgie des seins, un problème hormonal ou un développement insuffisant des seins. Quelle que soit la raison, une mère peut continuer à offrir le sein à son bébé pendant qu'il reçoit les suppléments dont il a besoin. Rien ne l'oblige à renoncer complètement à l'allaitement.

Les bébés sont faits pour grandir et bien se développer et tout le monde se réjouit lorsqu'ils le font. Si votre bébé ne prend pas assez de poids, il y a probablement des raisons de s'inquiéter, mais soyez assurée que votre lait demeure toujours le meilleur aliment pour lui. Dès qu'il aura suffisamment à manger, sa santé florissante et son visage joufflu seront pour vous une source de fierté et de satisfaction dans les mois et les années à venir.

Le gain de poids lent chez le bébé allaité plus âgé

De quatre à six mois, la prise de poids du bébé allaité ralentit habituellement et il prend environ de 113 à 142 g (4 à 5 oz) par semaine. La circonférence de sa tête et celle de sa poitrine ainsi que sa taille qui augmentent sont autant d'indices qu'il grandit. Sa vivacité et l'éclat de son teint indiquent également si le bébé a suffisamment à manger. De six à douze mois, un bébé allaité en bonne santé peut ne prendre que de 57 à 113 g (2 à 4 oz) par semaine.

Des études ayant comparé la croissance de bébés allaités et celle de bébés nourris au lait artificiel démontrent qu'il existe des différences entre les deux groupes. Après l'âge de trois mois, les bébés allaités prennent moins de poids que ceux nourris au lait artificiel. Alors que les changements de taille et de circonférence crânienne sont similaires, les bébés allaités sont en général plus minces à l'âge d'un an. Les échelles de croissance utilisées par les médecins sont établies en fonction des bébés nourris au lait artificiel et peuvent donc ne pas convenir aux bébés allaités.

Pourquoi certains bébés se développent-il plus lentement que d'autres ? Ça peut dépendre d'une seule raison ou de la combinaison de plusieurs. Une maladie bénigne pourrait-elle causer le problème ? Il n'est pas rare qu'un bébé qui est souffrant ne tète pas bien. Le médecin fera sans doute un examen complet à votre bébé pour s'assurer qu'il n'est pas malade. Si votre bébé est malade, il est encore plus important de l'allaiter. Un effort maximum pour poursuivre l'allaitement et un traitement approprié accélèreront sa guérison.

Parfois, le gain de poids lent chez le bébé qui, jusque là, grandissait bien, peut aussi être attribué à un changement des habitudes d'allaitement. En effet, le bébé tète peut-être moins souvent si la mère a repris un rythme de vie plus occupé. Certains bébés deviennent si curieux du monde qui les entoure qu'ils ont de la difficulté à s'arrêter longuement pour téter. Pour que votre bébé recommence à prendre du poids normalement, il faudra peut-être que vous fassiez l'effort de l'allaiter plus souvent et plus longtemps.

Et si la mère est malade ?

« Comment puis-je prendre soin de mon bébé si je suis malade ? » C'est une question que se posent souvent des mères inquiètes. Il va sans dire que s'occuper d'un bébé actif et en bonne santé est un travail exigeant en tout temps, mais quand la mère est malade, cela peut devenir très préoccupant. Il est rassurant de savoir que les soins que vous prodiguez à votre bébé sont tellement simplifiés du fait que vous l'allaitez. Vous n'avez pas à vous inquiéter de devoir interrompre l'allaitement dans le cas de maladies bénignes comme le rhume ou la grippe. Les microbes ne sont pas transmis par le lait et votre bébé a certainement été exposé à la maladie, au moins aussi longtemps que vous et même bien avant que votre maladie ne se déclare.

Le lait maternel peut en fait éviter à votre bébé de tomber malade lorsque vous attrapez le rhume ou la grippe. Une mère qui allaite produit des anticorps spécifiques au microbe auquel son bébé a été exposé et transmet ces anticorps par le biais du lait maternel. De plus, l'allaitement vous aide à prendre le repos additionnel dont vous avez besoin quand vous ne nous sentez pas bien. Un sevrage brusque ne serait bénéfique ni pour vous ni pour votre bébé.

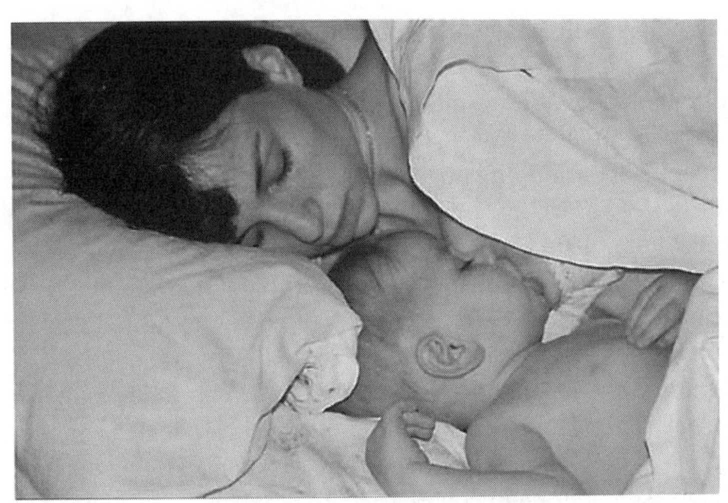

Lorsque vous ne vous sentez pas bien, vous pouvez vous reposer en allaitant votre bébé couchée.

Si vous souffrez d'une maladie plus grave, si vous êtes traitée pour une hépatite ou la tuberculose par exemple, les médecins membres du *Health Advisory Council,* le conseil médical consultatif de la LLLI, recommandent de poursuivre quand même l'allaitement. L'allaitement exige un minimum d'efforts de votre part et vous permet de vous reposer au maximum. De plus, votre lait aide à garder votre bébé heureux et en bonne santé.

Si vous tombez très sérieusement malade et que votre médecin vous suggère de sevrer votre bébé, expliquez-lui à quel point l'allaitement est important pour vous deux. S'il insiste, vous pouvez en parler au médecin de votre bébé ou demander un second avis médical afin de voir les différents choix qui s'offrent à vous et de trouver une façon d'éviter de sevrer votre bébé. Il serait bon d'en discuter avec votre monitrice de la Ligue La Leche, car il est possible qu'elle connaisse d'autres médecins qui soutiennent davantage l'allaitement.

L'hospitalisation

Envisagez toutes les options possibles avant de vous faire admettre à l'hôpital. Si, pendant votre maladie, vous pouvez demeurer à la maison, c'est encore ce qu'il y a de mieux. Obtenez de l'aide pour les travaux ménagers, la lessive, les repas et les soins aux autres enfants. Couchez votre tout-petit dans le lit avec vous. Il sera ainsi à proximité en tout temps et pourra téter quand il en aura envie.

Si vous devez être hospitalisée à la suite d'une maladie grave ou d'un accident, essayez de vous arranger pour avoir votre bébé avec vous ou, du moins, pour qu'on vous l'amène. Des mères qui allaitent ont découvert toutes sortes de trucs ingénieux pour éviter d'être séparées de leur bébé durant leur séjour à l'hôpital. Parlez de vos besoins et de ceux de votre bébé avec votre médecin et votre conjoint. Votre état de santé, les installations hospitalières, l'âge de votre bébé et la fréquence habituelle des tétées auront tous une influence sur la situation.

De nos jours, on pratique de plus en plus de chirurgies d'un jour qui permettent aux patients de retourner à la maison le jour même de l'intervention. Si cela est possible dans votre cas, vous pourrez ainsi retourner à la maison pour récupérer et allaiter votre bébé sans en être séparée plus longtemps. Les interventions comme la chirurgie dentaire peuvent presque toujours se faire sans interrompre l'allaitement. Quand l'intervention prévue n'est pas urgente, il est sans doute possible de la remettre à plus tard, lorsque votre bébé sera plus âgé.

Si vous devez demeurer à l'hôpital pour la nuit ou pour plusieurs jours, votre conjoint, un ami ou un parent, peut vous amener votre bébé pour que vous l'allaitiez. Certains hôpitaux accepteront même que le bébé cohabite avec vous, mais exigeront toutefois qu'une personne demeure dans la chambre avec vous pour vous aider à prendre soin du bébé.

Quand vous ferez part de vos demandes au médecin et aux responsables de l'hôpital, soyez conciliante et polie. Si vous êtes prête à collaborer avec les membres du personnel de l'hôpital, ils se montrent habituellement disposés à collaborer eux aussi. Faites-leur savoir combien il est important pour vous d'avoir votre bébé avec vous.

Les interventions chirurgicales majeures

Même dans le cas où la mère doit subir une intervention chirurgicale majeure, elle peut souvent faire des arrangements qui lui permettront de poursuivre l'allaitement. S'il vous est impossible de donner toutes les tétées, utilisez un tire-lait pour éviter d'avoir les seins engorgés. Faites inscrire dans votre dossier médical qu'il est nécessaire que vous exprimiez votre lait. L'hôpital pourra peut-être alors vous fournir un tire-lait et les infirmières pourront vous aider si vous êtes dans l'incapacité de vous en servir vous-même.

Vous n'avez pas à vous abstenir d'allaiter votre bébé ou de lui donner le lait que vous avez exprimé parce que vous avez eu une anesthésie générale. Vous pouvez allaiter votre bébé ou exprimer votre lait dès votre réveil après l'opération car les médicaments utilisés pour l'anesthésie locale ou générale ne sont pas dangereux pour votre bébé.

Dans certains cas où une séparation de quelques jours est inévitable, il est plus que probable que votre tout-petit sera ravi et impatient de recommencer à téter dès que vous serez à nouveau réunis. Marilyn Mastro, de la Floride, a subi une hystérectomie alors que sa fille, Frances, n'avait qu'un an et tétait encore. Elle témoigne :

> *La chirurgie s'était bien déroulée, sans complications post-opératoires. Mon mari avait pu amener les filles me voir quatre jours après l'opération. J'ai eu la permission d'allaiter Frances pour la première fois, en la plaçant sur un oreiller pour protéger mes points de suture, quatre jours et demi après la chirurgie. Entre temps, j'avais utilisé un tire-lait afin de soulager l'engorgement et maintenir ma sécrétion lactée. Pete a dit qu'après cette courte tétée, Franny a mieux dormi que toutes les autres nuits où j'avais été absente.*
>
> *Le médecin a signé mon congé le jour suivant. Je suis retournée à la maison, j'ai recommencé à allaiter Franny et à m'occuper de ma famille. J'avais cru qu'une hystérectomie totale signifiait la fin des joies de l'allaitement et cette pensée me déprimait et me terrifiait. C'est en voyant ma fille téter pour rétablir ma production de lait que j'ai réalisé à quel point la maternité et l'allaitement étaient devenus importants pour moi. Je suis heureuse que mon médecin ne m'ait pas convaincue de sevrer Franny complètement, car j'ai maintenant besoin de cette intimité avec elle presque autant qu'elle a besoin de moi.*

Les médicaments et autres substances

Consultez votre médecin avant de prendre un médicament lorsque vous allaitez, même en ce qui concerne les médicaments vendus sans ordonnance. En règle générale, la quantité de médication trouvée dans le lait maternel est tellement infime qu'elle n'a pas d'effet sur le bébé. Il est tout de même préférable d'éviter les médicaments lorsque vous allaitez.

Si un médecin vous prescrit un médicament, assurez-vous qu'il sache que vous allaitez votre bébé et qu'il est important pour vous de poursuivre l'allaitement. Quand une mère a besoin d'un médicament, il faut se poser trois questions : Le médicament sera-t-il nocif pour le bébé ? Y a-t-il plus de risques à utiliser ce médicament qu'à sevrer le bébé au lait artificiel ? D'autres traitements sont-ils disponibles ?

En prescrivant un médicament à une mère qui allaite, certains médecins exigent, de routine et par précaution, de sevrer le bébé. Dans les faits, peu de médicaments se sont avérés dangereux pour le bébé allaité. Un médecin qui conseille à une mère de sevrer son enfant simplement « au cas où » ne tient peut-être pas compte des risques associés à l'absorption de lait artificiel par le bébé. Du point de vue nutritionnel, les préparations lactées pour nourrissons n'équivalent pas au lait maternel. Les bébés nourris au lait artificiel risquent davantage d'être allergiques ou malades. De plus, un sevrage brusque est traumatisant pour la mère et le bébé. La mère peut se retrouver avec les seins douloureux et engorgés, s'exposant ainsi à la mastite qui s'ajouterait alors aux problèmes pour lesquels elle devait initialement prendre la médication. La relation mère-enfant souffre également d'un sevrage soudain. Il devient plus difficile, voire impossible de s'occuper et de contenter le bébé, ce dernier étant souvent inconsolable.

Dans l'édition 2002 de son livre *Medication and Mother's Milk* , un pharmacien, Thomas W. Hale, Ph. D., déclare :

> *Même si l'interruption de l'allaitement semble plus sécuritaire aux yeux du médecin, cela n'est pas vraiment nécessaire dans la plupart des cas, car la quantité de médicament transférée dans le lait est habituellement infime. On sait que la plupart des médicaments ont peu d'effets secondaires chez les bébés allaités parce que la dose transmise par le lait maternel est presque toujours trop faible pour être cliniquement significative ou sa biodisponibilité trop pauvre pour le bébé.*

La plupart des médecins savent que si un médicament constitue un risque potentiel pour le bébé, il est généralement possible d'y substituer autre chose qui présentera moins de risques, voire même aucun. Quand on connaît peu de choses des effets d'un médicament chez le bébé allaité, on peut souvent utiliser un autre médicament dont les effets sont mieux connus. Dans certains cas, le médecin pourra suggérer d'observer le bébé pour voir s'il a des effets secondaires causés par le médicament pris par la mère. On peut aussi modifier le traitement ou le remettre à plus tard jusqu'à ce que le bébé soit plus âgé.

Un nombre croissant d'études traitent des effets des médicaments sur l'allaitement. Si vous avez des questions sur les effets d'un médicament chez la mère qui allaite et son bébé, n'hésitez pas à consulter une personne compétente qui connaît bien les médicaments et qui est favorable à l'allaitement. Demandez à votre médecin de parler au pédiatre du bébé. Les pédiatres sont souvent plus au courant des effets des médicaments sur les bébés allaités que les médecins qui traitent uniquement des adultes. Vous trouverez en appendice une liste de différents livres de référence traitant des effets des médicaments sur l'allaitement. L'*American Academy of Pediatrics* publie une liste des médicaments qui sont sans danger pour les mères qui allaitent. Vous pouvez également consulter la liste des articles cités pour cette section dans les références bibliographiques à la fin du présent livre. De plus amples informations sur les médicaments et l'allaitement sont disponibles pour votre médecin sur Internet. Une monitrice de la Ligue La Leche pourra aussi vous aider à trouver des informations supplémentaires ou elle pourra vous diriger vers d'autres personnes-ressources. Dans la plupart des cas, il est possible de trouver une solution qui permet de garder le bébé au sein.

Les médicaments à éviter lorsqu'on allaite

Il y a quelques médicaments qui sont contre-indiqués lorsqu'on allaite. Par exemple, les produits toxiques utilisés en chimiothérapie pour traiter le cancer sont considérés comme dangereux pour le bébé allaité. Le sevrage est toujours nécessaire en cas de chimiothérapie.

Certaines substances radioactives servant à diagnostiquer ou parfois à traiter une maladie peuvent demeurer présentes dans le lait maternel à des niveaux suffisamment élevés pour représenter un risque pour le bébé. Selon le type de composé et le dosage utilisés, vous devrez cesser d'allaiter durant plusieurs heures et parfois même beaucoup plus longtemps. Entre temps, vous pourrez exprimer votre lait pour maintenir votre sécrétion lactée et le jeter. Demandez à votre médecin ou au radiologiste qui procède à l'examen de choisir les substances les plus compatibles avec l'allaitement.

Les composés radioactifs utilisés lors d'un traitement peuvent nécessiter un sevrage prolongé. Certaines mères ont exprimé et jeté leur lait pendant plusieurs mois, comme nécessaire, et elles ont ensuite repris l'allaitement dès que leur lait ne contenait plus d'agents radioactifs.

Les vaccins

Si votre groupe sanguin est Rh négatif et que votre bébé est Rh positif, vous recevrez probablement une injection de gamma-globuline anti-Rh (RhoGAM) peu de temps après votre accouchement. Ce vaccin est largement utilisé dans la prévention des complications dues au facteur Rh et il n'est pas nuisible au bébé allaité.

Tout comme le vaccin de gamma-globuline anti-Rh, nombre de vaccins n'ont aucun effet sur le bébé allaité. Selon les *United States Centers for Disease Control* (1994) : « Ni les vaccins vivants ni les vaccins morts ne représentent un risque pour la sécurité des mères qui allaitent ou de leur bébé. Parmi les vaccins acceptables, il y a ceux de la varicelle, la variole, le typhus, la typhoïde, la fièvre jaune, la poliomyélite (vaccin oral ou par injection), le tétanos, la diphtérie, la coqueluche, la rage, la rougeole, la rubéole, le choléra et la grippe. Le vaccin contre l'hépatite B est également sans danger pour les mères qui allaitent. »

Quant aux vaccins pour votre bébé, le même calendrier de vaccination est habituellement utilisé pour le bébé allaité et le bébé nourri au lait artificiel. Certains médecins pensent toutefois que l'injection de vaccins peut être retardée chez le bébé allaité à cause de la protection que lui procure le lait de sa mère.

Dans son livre *Listening to your baby*, le pédiatre Dr Jay Gordon, exprime cette opinion :

> *Selon moi, le système immunitaire de votre bébé de deux mois n'est pas encore prêt à recevoir ces injections et vous devriez attendre. Une infime minorité de médecins partagent ce point de vue. Je vous recommande donc de discuter avec votre pédiatre des vaccins et du moment propice pour les administrer.*

Vous pouvez allaiter votre bébé avant ou après l'administration de n'importe quel vaccin, même dans le cas du vaccin oral contre la poliomyélite. Certaines études indiquent que les bébés allaités répondent mieux à la vaccination parce qu'ils produisent plus d'anticorps dans leur sang que les bébés nourris au lait artificiel.

D'autres substances à surveiller

Le tabac. Même si vous fumez, vous connaissez sans doute les statistiques alarmantes concernant les effets du tabagisme. Les dangers éventuels de la cigarette pendant la grossesse vous ont peut-être incitée à cesser de fumer ou à diminuer considérablement. Cependant, malgré toutes vos bonnes intentions, vous fumiez peut-être encore à la naissance de votre bébé et vous vous demandez si cela aura un effet sur l'allaitement. Les professionnels de la santé s'accordent à dire qu'il est préférable pour le bébé d'une mère qui fume d'être allaité plutôt que d'être nourri au lait artificiel. Un bébé allaité vivant dans un environnement où l'on fume profitera grandement de la protection que confère le lait maternel contre les maladies respiratoires.

En règle générale, si la mère ne fume que quelques cigarettes par jour, le taux de nicotine se retrouvant dans son lait n'est pas suffisant pour occasionner des problèmes au bébé. Bien que la nicotine puisse être retrouvée dans le lait de la mère après qu'elle ait fumé, elle n'est pas absorbée facilement par le tube digestif du bébé et est plutôt rapidement métabolisée. Moins vous fumez, moins cela risque de causer des effets négatifs sur le bébé. En fumant le moins possible, la mère peut diminuer les risques potentiels pour son bébé.

Lorsqu'une mère qui allaite fume beaucoup (plus de 20 cigarettes par jour), il y a peut-être raison de s'inquiéter. Le tabagisme peut réduire la production de lait et causer, en de rares occasions, des symptômes chez le bébé allaité tels que des nausées, des vomissements, des douleurs abdominales et de la diarrhée. Une étude a démontré que le tabagisme réduit le taux de prolactine chez la mère qui allaite. D'autres études ont prouvé qu'il entravait le réflexe d'éjection du lait.

De nombreuses études ont démontré que la fumée secondaire est nocive pour les bébés et les jeunes enfants. Au fil des ans, plusieurs de celles-ci ont trouvé que les bébés et les enfants qui étaient exposés à la fumée de cigarette avaient beaucoup plus de risques de souffrir de problèmes respiratoires, incluant la pneumonie et la bronchite. Le syndrome de mort subite du nourrisson (SMSN) était également plus élevé chez les bébés exposés à la fumée secondaire. Si quelqu'un fume à la maison, il devrait donc le faire loin du bébé, en allant dans une autre pièce ou à l'extérieur.

Puisque les inquiétudes concernant les effets du tabagisme sur la mère qui allaite et son bébé sont fondées, l'idéal est de s'abstenir de fumer. Cependant pour celles qui ne peuvent cesser, essayez de diminuer, ce qui sera peut-être plus facile. Par contre, n'arrêtez pas d'allaiter.

L'alcool. Comme les études démontrent les effets nocifs que l'alcool peut avoir sur le fœtus, de nombreuses mères ne consomment aucun alcool durant leur grossesse. Ces mères se demandent peut-être si elles doivent continuer de s'abstenir au moment où elles allaitent.

Les effets sur le bébé allaité sont directement liés à la quantité d'alcool ingérée par la mère. Lorsque la mère qui allaite ne boit qu'à l'occasion ou qu'elle limite sa consommation à un verre ou moins par jour, il ne semble pas que la quantité d'alcool alors absorbée par le bébé lui soit nuisible. Si vous aimez boire occasionnellement un verre de vin en soirée ou une bière froide lors d'une chaude journée d'été, il n'y a aucune raison de vous en priver parce que vous allaitez.

L'alcool passe directement dans le lait maternel et il atteint son taux maximum 30 à 90 minutes après la consommation. Dès que le corps de la mère métabolise l'alcool, un processus qui dure de deux à trois heures, celui-ci est éliminé de son système ainsi que de son lait. Cependant, plus on consomme d'alcool, plus la quantité d'alcool est élevée dans le lait et plus il faudra de temps pour l'éliminer. On a également découvert que de grandes quantités d'alcool inhibent le réflexe d'éjection du lait. D'autres études ont démontré que les bébés tétaient plus fréquemment mais moins efficacement quand leur mère avait pris de l'alcool. Chez une mère qui allaite, l'abus régulier d'alcool pourrait provoquer un gain de poids lent ou un retard de croissance chez son bébé. L'alcool affecte aussi la capacité de la mère à prendre soin et à jouir pleinement de son bébé.

Une mère anxieuse et exténuée peut parfois avoir l'impression qu'une bière ou un verre de vin l'aidera à se détendre, mais il existe d'autres moyens de combattre le stress. Plusieurs mères se détendent en buvant une tasse de thé chaud ou glacé ou leur boisson préférée. S'allonger peut faire des merveilles et écouter de la musique est apaisant. Mais, ce qui est particulièrement agréable, lorsque vos nouvelles responsabilités pèsent trop lourd, c'est de sentir autour de vous les bras rassurants de votre conjoint.

Les stupéfiants. Une mère qui allaite devrait complètement s'abstenir de consommer de la marijuana, de la cocaïne, des amphétamines, de l'héroïne ou toute autre substance illégale. Les recherches démontrent que ces substances sont nocives pour le bébé allaité et qu'elles peuvent également avoir un effet néfaste sur la capacité de la mère à prendre soin de son bébé. On a découvert que l'usage de la marijuana, par exemple, peut réduire considérablement le taux de prolactine, l'hormone « maternelle » qui n'est pas seulement importante pour produire du lait en quantité suffisante mais aussi pour l'ensemble de la relation mère-enfant. Le THC, l'élément chimique actif de la marijuana, se concentre dans le lait maternel et apparaît dans l'urine du bébé allaité longtemps après que la mère en a consommé.

La cocaïne et l'héroïne passent en quantité significative dans le lait maternel et peuvent intoxiquer le bébé allaité et le rendre dépendant de ces produits. Les mères qui allaitent devraient éviter de consommer ces substances.

Les polluants environnementaux

Dans la vie moderne, nous ne pouvons pas échapper aux polluants environnementaux. Nous sommes tous exposés aux produits chimiques qu'il y a dans l'air que nous respirons, dans la nourriture que nous consommons et dans l'eau que nous buvons. Pour cette raison, on retrouve des traces de polluants environnementaux dans le lait humain aussi bien que dans le lait de vache et dans l'urine, le sang et les cheveux humains. La nouvelle largement diffusée à propos de la présence de certains produits chimiques trouvés dans les échantillons de lait maternel peut vous amener à vous demander si l'allaitement est vraiment sans danger. En fait, les tests faits sur les échantillons de lait maternel constituent une façon pratique pour les chercheurs de mesurer la concentration d'un produit chimique spécifique dans une population. Les rapports indiquant que des produits chimiques ont été trouvés dans le lait maternel sont le reflet de leur présence dans l'ensemble de la population. Les groupes de défense de l'environnement qui signalent ces résultats ne remettent pas en cause les bienfaits de l'allaitement. Ils tentent plutôt de nous prévenir des dangers que ces polluants représentent pour nous tous.

Alors que ces tests effectués sur les échantillons de lait de plusieurs mères peuvent donner des informations valables aux scientifiques cherchant à dépolluer notre environnement, une mère qui allaite peut se sentir personnellement concernée, surtout si les médias attirent l'attention sur les taux très élevés de certains produits chimiques dans le lait maternel. Quelles sont les conséquences pour elle et son bébé ? Devrait-elle faire tester son lait ? Devrait-elle continuer d'allaiter ?

Nous vous conseillons de faire preuve de bon sens en mettant les choses en perspective. Tout d'abord, il n'y a aucune preuve à ce jour que la présence de telles substances dans le lait d'une mère ait causé quelque tort que ce soit à son bébé allaité. Par contre, les risques associés au lait artificiel sont bien connus. Recourir aux préparations lactées pour nourrissons peut faire baisser ou non le taux d'un produit chimique spécifique dans l'alimentation du bébé, mais cela exposera sans aucun doute votre bébé à bien d'autres risques et il aura de plus grandes chances de développer des allergies et diverses maladies.

Une étude, qui a été réalisée aux États-Unis, a examiné la corrélation possible entre le taux de certains produits chimiques présents dans le lait maternel et le développement du bébé. Elle a démontré que les enfants qui étaient allaités obtenaient des résultats plus élevés aux tests cognitifs que les enfants nourris au lait artificiel, quel que soit le polluant chimique présent dans le lait. Une autre étude publiée en 1996 dans la revue *Pediatrics*, montrait que les enfants, qui avaient été exposés aux BPC et à la dioxine par le biais du lait maternel, obtenaient tout de même des résultats considérablement plus élevés aux tests moteurs et intellectuels que ceux nourris au lait artificiel. Les avantages de l'allaitement dépassent de loin tout risque lié à l'exposition à des polluants environnementaux par le biais du lait maternel.

La question des polluants ne doit certes pas être prise à la légère. Elle représente un risque pour nous tous et la recherche doit se poursuivre afin de déterminer l'étendue de ce risque et ce qui pourrait être fait à ce sujet. Il arrive parfois que les échantillons de lait maternel de plusieurs mères soient analysés et que les taux moyens de l'un ou de plusieurs polluants soient préoccupants. Ceci ne signifie pas pour autant que les mères doivent cesser d'allaiter. Alors qu'il y a encore beaucoup de choses que nous ne connaissons pas à propos des effets des polluants sur notre environnement, nous savons avec certitude que la préparation lactée pour nourrissons est un aliment de moindre qualité que le lait maternel. En outre, le bébé nourri au lait artificiel est exposé, au-delà des produits chimiques de la préparation lactée elle-même, au plomb et aux polluants de l'eau entrant dans sa préparation. On s'inquiète même des effets du latex qui est utilisé pour les tétines artificielles.

L'analyse du lait maternel démontre qu'il peut y avoir des variations d'une journée à l'autre et même selon le moment de la journée, s'il s'agit du matin ou du soir. Ainsi, l'analyse d'un seul échantillon de lait ne peut pas donner un portrait exact de ce que le bébé reçoit vraiment. En Norvège, une étude qui portait sur les insecticides dans le lait humain, a fait état de variations spectaculaires dans le lait d'une même mère à différents moments. Pour obtenir des résultats significatifs, il faudrait faire des tests à répétition et procéder à une analyse minutieuse et, même dans ce cas, les taux sécuritaires ne sont pas clairement déterminés. Les tests sur le lait maternel peuvent fournir aux scientifiques des informations sur les polluants dans l'ensemble de la population, mais ils ne fournissent pas d'informations utiles pour les mères individuellement.

Que pouvez-vous faire pour réduire la quantité de polluants absorbés par vous-même, votre bébé et toute votre famille ? Portez une attention particulière à ce que vous mangez ainsi qu'aux produits que vous utilisez dans la maison. Cessez d'utiliser des pesticides et autres produits en aérosol dans la maison, sur la pelouse ou dans le jardin. Évitez autant que possible de consommer des aliments pouvant contenir des résidus de pesticides. Pelez et lavez soigneusement les fruits et les légumes à l'eau courante en utilisant un savon à vaisselle doux. Pendant la grossesse ou l'allaitement, évitez de consommer des poissons d'eau douce provenant de cours d'eau reconnus pour être contaminés. Réduisez votre consommation de viande rouge et de produits laitiers. Enlevez le gras de la viande et de la volaille, car, chez les animaux, c'est dans la graisse que la plupart des polluants se concentrent. En réduisant l'exposition aux produits chimiques dans votre environnement à la maison, vous aiderez votre famille à demeurer en bonne santé.

Quand la mère a un problème particulier

Une mère atteinte d'un handicap s'apercevra qu'il est beaucoup plus commode d'allaiter son bébé. C'est vrai pour la mère non-voyante, malentendante, pour celle qui doit se déplacer en fauteuil roulant et pour celle qui se rétablit d'une maladie ou de blessures. L'allaitement nécessite moins d'efforts que l'alimentation au biberon et nourrir son bébé de son propre lait peut être particulièrement valorisant pour une mère souffrant d'une incapacité. De nombreuses publications de la Ligue La Leche sont disponibles en anglais sur cassette ou en braille pour les parents non-voyants ou handicapés.

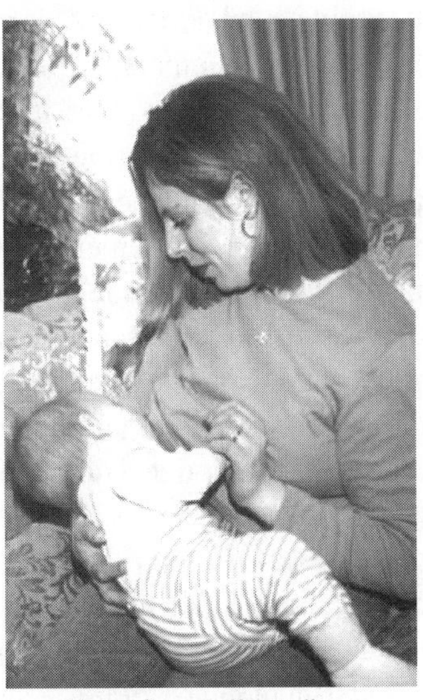

Une mère souffrant d'une incapacité peut éprouver une grande fierté à allaiter son bébé.

Les mères atteintes de maladies chroniques tirent également avantage de la facilité et de la satisfaction d'allaiter leurs bébés. Des maladies comme le diabète, le lupus, l'arthrite, l'épilepsie ou la sclérose en plaques ne devraient pas empêcher une mère de choisir d'allaiter son bébé. La plupart des médicaments consommés lorsqu'on souffre de ces affections sont sans danger pour le bébé allaité. L'allaitement simplifie les choses. Voici, en ce sens, le témoignage d'une mère diabétique :

> *Quand la mère allaite, elle ne perd pas de temps à stériliser des biberons et à les préparer. Elle n'a qu'à prendre son bébé avec elle dans son lit, relaxer et apprécier ce moment avec lui. L'avantage le plus important est probablement que le bébé jouit d'une meilleure santé. L'allaitement nous évite bien des visites chez le médecin pour des otites, des problèmes digestifs et des allergies.*

De plus, les bébés allaités ont tendance à être moins maussades puisque le lait maternel se digère plus aisément que les préparations lactées pour nourrissons. Si votre bébé allaité est maussade, il suffit souvent de le mettre au sein pour le calmer.

Un des avantages physiques de l'allaitement est particulièrement remarquable. Bien des mères atteintes de maladies chroniques notent que le changement hormonal attribuable à la grossesse entraîne une rémission temporaire de leurs symptômes. Quand la mère allaite, elle ne retrouve pas tout de suite le taux d'hormones qu'elle avait avant la grossesse, ceci se fait graduellement. Si le sevrage s'effectue naturellement, bien souvent les symptômes réapparaîtront beaucoup plus tardivement que si elle n'allaitait pas, lui permettant ainsi d'être en meilleure santé quand son petit bébé a le plus besoin d'elle. Cette rémission temporaire, pendant la grossesse et l'allaitement, a été observée chez des mères atteintes de polyarthrite rhumatoïde, de sclérose en plaques, de lupus et de diabète.

Quant aux mères atteintes d'une maladie dégénérative, l'allaitement peut contribuer à rehausser leur estime de soi et leur confiance en elles-mêmes en tant que mère. De tels sentiments positifs peuvent avoir un effet favorable sur l'évolution de leur maladie. Une mère atteinte d'épilepsie raconte :

> *L'allaitement m'a été salutaire, surtout pendant ces journées où je savais que je ne pouvais faire que très peu de choses pour mon enfant. Au moins, je lui donnais le meilleur de moi-même dans des domaines extrêmement importants : nourriture, chaleur, affection, contact physique et soins. Je n'aurais jamais eu la force ni l'énergie de donner des biberons.*

Selon la maladie, il y a certaines choses que la mère peut faire pour faciliter l'allaitement. Dans le cas d'une mère atteinte de polyarthrite rhumatoïde, par exemple, il peut être utile d'aménager confortablement un endroit pour allaiter offrant un bon appui et avec des oreillers à sa disposition. La mère épileptique doit trouver un endroit sécuritaire où déposer le bébé en cas de crise. Elle peut allaiter dans un fauteuil bien rembourré ou dans un lit muni de barres de retenue, dans lequel se trouvent des oreillers supplémentaires.

Un autre avantage de l'allaitement pour la mère atteinte d'une maladie chronique est le sentiment de proximité que lui procure sa relation avec son bébé et la sensation de normalité qu'elle ressent alors.

Gail Stutler, qui se rétablissait d'une opération au cerveau au moment de la naissance de son deuxième enfant, se rappelle qu'elle se sentait impuissante à bien des égards, mais malgré tout « Je pouvais prendre ce tout petit paquet, la mettre au sein et l'allaiter contre mon cœur. Je pouvais au moins accomplir une chose dont j'avais désespérément besoin alors que j'avais perdu tous mes moyens. »

Le diabète

L'allaitement offre des avantages particuliers aux mères diabétiques et à leurs bébés. Des études démontrent en effet que l'allaitement peut diminuer le risque pour le bébé de développer le diabète de type 1 et de type 2 plus tard dans sa vie. L'allaitement facilite le contrôle du diabète vu que le corps de la mère vit une transition plus lente, plus naturelle des besoins métaboliques de la grossesse à un état de « non-grossesse ». Le stress, qui est normal lorsqu'on doit adapter sa vie à un nouveau bébé, peut aggraver le diabète, mais les hormones de la lactation aident la mère à mieux gérer le stress.

Après la naissance, les bébés de mères diabétiques passeront peut-être un jour ou deux dans une unité de soins spécialisés. Cette séparation peut rendre plus difficile un bon départ de l'allaitement. Avant l'accouchement, faites part au médecin de votre bébé de votre désir d'allaiter et de cohabiter avec le bébé, dans la mesure du possible. Le personnel de l'hôpital devra examiner votre bébé pour s'assurer qu'il ne fait pas d'hypoglycémie. En allaitant votre bébé fréquemment, vous lui fournirez du colostrum qui l'aidera à éviter ce problème. Vous pourrez allaiter votre bébé plus souvent s'il reste près de vous. Il arrive chez une mère diabétique

que la « montée de lait » ne se produise pas avant le quatrième ou le cinquième jour après la naissance.

Tout au long de l'allaitement, la mère diabétique devra adapter quotidiennement son régime selon le nombre de tétées prises par le bébé. Si elle prend de l'insuline, elle devra équilibrer les doses aussi soigneusement qu'elle le faisait pendant la grossesse afin de contrôler son diabète en cours d'allaitement. L'insuline en elle-même n'a pas d'effets nocifs sur le bébé, car ses molécules sont trop grosses pour passer dans le lait. Les mères diabétiques sont plus sujettes aux candidoses. Le feuillet d'information *The Diabetic Mother and Breastfeeding* de la LLLI fournit d'autres détails à ce sujet. Pour plus d'informations, consultez l'appendice.

L'épilepsie

Les mères épileptiques profitent des hormones liées à l'allaitement ainsi que de la relaxation engendrée par le maternage naturel. Si la mère doit prendre des médicaments pour contrôler son épilepsie, elle devrait vérifier auprès de son médecin quels sont les effets de ces médicaments sur l'allaitement. La plupart des médicaments prescrits pour l'épilepsie n'affectent pas le bébé, mais si le médecin doute des effets d'un certain médicament, peut-être parce qu'il est tellement récent qu'on en connaît peu à son sujet, il devrait pouvoir en prescrire un autre. Une autre possibilité consiste à surveiller le bébé pour voir si le médicament affecte ou non sa croissance.

Si vous êtes une mère ayant un handicap, une incapacité ou une maladie chronique, il vous serait sans doute utile de communiquer avec une monitrice de la Ligue La Leche. Elle pourra vous fournir des informations additionnelles et vous encourager. Il se pourrait même qu'elle puisse vous mettre en contact avec une autre mère ayant allaité son bébé dans des circonstances semblables aux vôtres. Parler à quelqu'un qui « est passé par là » peut vous aider à trouver la confiance dont vous avez besoin pour vous dire que vous êtes capable de le faire vous aussi.

Le virus de l'immunodéficience humaine (VIH)

Une mère porteuse du VIH se trouve dans une situation difficile lorsque vient le temps de décider d'allaiter ou non son bébé. Le virus de l'immunodéficience humaine (VIH) est le virus responsable du SIDA. Le VIH peut être transmis d'une mère à son bébé pendant la grossesse ou lors de l'accouchement. Il y a certaines preuves que le VIH peut également être transmis au bébé par l'allaitement. Les risques que le bébé soit contaminé ou non peuvent dépendre du stade de la maladie de la mère, du traitement médical qu'elle reçoit, de son état nutritionnel, de la durée et de l'exclusivité de l'allaitement et de divers autres facteurs. Une étude, parue en 2001, a démontré que les taux de transmission du VIH étaient plus faibles quand la mère allaitait exclusivement pendant trois mois ou plus que lorsque les bébés recevaient à la fois du lait maternel et une préparation lactée pour nourrissons.

Chez la mère séropositive, le choix d'allaiter ou non sera déterminé par les circonstances. Dans certaines régions du monde, où le bébé qui n'est pas allaité risque de mourir d'une infection ou de malnutrition, les bébés de mères séropositives ont plus de chance de survivre s'ils sont allaités. Dans les régions du monde où l'alimentation artificielle ne présente pas de risques aussi graves, les mères porteuses du VIH peuvent faire le choix de ne pas allaiter. À l'heure actuelle, l'Organisation mondiale de la santé et les *United States Centers for Disease Control* conseillent aux mères infectées au VIH de ne pas allaiter si des substituts acceptables sont disponibles.

Des recherches plus spécifiques sur la relation entre le VIH et l'allaitement sont nécessaires, car de nombreuses questions demeurent toujours sans réponse. Un article récent publié en avril 2003 donne la liste des douze questions-clés, au chapitre de la recherche sur l'allaitement maternel et le VIH, qui demeurent sans réponse. Une femme enceinte séropositive devrait chercher les plus récentes informations sur le sujet avant de prendre une décision concernant l'allaitement.

AnotherLook est un organisme sans but lucratif qui recueille de l'information, soulève des questions cruciales et encourage la recherche sur l'allaitement maternel dans le contexte du VIH/SIDA. Leur site Web, www.anotherlook.org, est mis à jour régulièrement de façon à faire état des récentes recherches ainsi que des nouvelles recommandations.

La dépression post-partum

Durant la première semaine post-partum, de nombreuses mères vivent pendant un jour ou deux ce qu'on appelle le « bébé blues » Elle se mettent soudain à pleurer sans raison apparente et se demandent comment elles peuvent se sentir si tristes alors qu'elles devraient se sentir si heureuses. Les grands changements et les responsabilités accompagnant la venue d'un nouveau bébé leur causent du souci et de l'anxiété. La mère peut se sentir beaucoup plus émotive à cause des nombreux changements hormonaux post-partum et du manque de sommeil. Pour la plupart des femmes, cette période n'est que de courte durée, mais pour d'autres, l'anxiété, la tristesse, les sautes d'humeurs et d'autres symptômes persistent pendant des semaines et peuvent même réapparaître plusieurs mois après la naissance. Il ne s'agit plus alors du « bébé blues » : il s'agit de la dépression post-partum.

La dépression n'est pas un état dont on peut se sortir en claquant des doigts, même si certains suggèrent que c'est tout ce que la mère devrait faire. Une légère dépression peut s'atténuer avec le temps, surtout si la mère fait un effort sérieux pour prendre soin d'elle-même. Elle devrait manger des repas et des collations nutritives, aller marcher tous les jours ou essayer une autre forme d'exercice, demander de l'aide pour les tâches ménagères et dormir lorsque le bébé dort. Elle devrait trouver d'autres mères à qui parler, des amies qui peuvent la rassurer qu'elle fait du bon travail et qu'elle n'est pas seule à se sentir ainsi. Un groupe de La Ligue La Leche peut se révéler une ressource valable pour une mère qui lutte pour s'adapter au post-partum.

Lorsqu'une mère s'inquiète de ne pas être « à la hauteur » pour prendre soin de son bébé ou qu'elle se sent simplement déprimée, l'allaitement peut devenir sa principale source d'inquiétude. Elle peut trouver difficile de faire confiance à son corps et à sa capacité de produire assez de lait pour répondre aux besoins de son bébé. Elle peut commencer à penser que l'allaitement en soi est la cause de sa tristesse. Même si les difficultés causées par l'allaitement peuvent certes être pénibles, de nombreuses mères trouvent que demander de l'aide pour résoudre leurs difficultés d'allaitement est une solution plus positive que de prendre la décision de sevrer. En fin de compte, la mère et le bébé en bénéficient tous les deux. Il est également important de se rappeler que, même si elle décide de nourrir le bébé au lait artificiel, la nouvelle mère aura souvent à rencontrer les mêmes défis.

Lorsqu'une femme vit une dépression post-partum persistante, elle peut avoir besoin pour se remettre sur pied de l'aide d'un thérapeute, d'un psychiatre ou des deux. Une mère qui se sent la plupart du temps triste et déprimée ne peut s'occuper correctement de son bébé. C'est pourquoi il importe qu'elle obtienne de l'aide. C'est une bonne idée de s'adresser à différents professionnels avant d'en choisir un. Vous voudrez trouver un médecin ou un thérapeute favorable à l'allaitement qui comprendra son importance pour vous et votre bébé.

La dépression peut souvent être traitée très efficacement à l'aide de médicaments, mais il est important de savoir si ceux-ci sont sécuritaires pour le bébé. Il importe de savoir si la mère a véritablement besoin de cette médication, de connaître les autres possibilités et d'être au fait des plus récentes informations disponibles sur un médicament. Dans de nombreux cas, il est possible de choisir un médicament compatible avec l'allaitement. Une mère pourra demander à son conjoint ou à une amie de se joindre à la discussion à ce sujet avec le médecin, pour l'aider à affirmer son désir d'éviter le sevrage. Mettre un terme à la relation d'allaitement peut être très difficile pour une mère sur le plan émotif. De plus, un sevrage soudain risque d'entraîner des changements hormonaux qui accentueront sa dépression. Toute décision concernant le traitement de la dépression post-partum devrait tenir compte de ce fait. (Vous trouverez en appendice et dans les références bibliographiques des sources d'information sur la médication et l'allaitement qui peuvent être transmises au médecin de la mère.)

SEPTIÈME PARTIE

L'ALLAITEMENT MATERNEL : LE MEILLEUR CHOIX

Chapitre 18

L'aliment par excellence pour le bébé

Depuis la fondation de La Ligue Leche, il y a presque un demi-siècle, la science en a appris beaucoup sur le lait maternel et ses effets sur la croissance et le développement des bébés. Les recherches ont démontré que le lait maternel est plus qu'un bon aliment. C'est un lait vivant qui protège les bébés de la maladie et qui contribue activement au développement de tous les systèmes de leur corps. Au moment de la naissance, les nourrissons sont relativement immatures et, en leur offrant le sein de la mère, la nature comble le fossé entre l'environnement protecteur de l'utérus et le monde extérieur dans lequel il leur faudra survivre.

L'allaitement joue un rôle essentiel dans le « plan » de la nature pour assurer la survie et la croissance du bébé humain. L'allaitement nourrit le bébé et lui procure les matières premières dont il a besoin pour se développer comme la nature l'a prévu. Au fur et à mesure que la science acquiert des connaissances au sujet de la complexité des éléments qui composent le lait maternel et la façon dont le corps de la mère s'adapte aux besoins de son bébé allaité, il devient évident que le lait artificiel – les préparations lactées pour nourrissons – déroge considérablement du plan de la nature. Bien que les bébés nourris au lait artificiel grandissent et se développent correctement, les préparations commerciales pour nourrissons ne permettent pas la croissance et le développement optimal du bébé comme c'est le cas avec le lait que la nature a spécialement conçu pour lui.

Dans ce chapitre, on décrit les différentes façons dont le lait maternel et tout le processus de l'allaitement jouent un rôle primordial dans le développement et le bien-être du bébé. Le bon sens nous dit depuis longtemps que le lait produit par la mère est supérieur à son substitut commercial et un nombre grandissant de preuves scientifiques viennent appuyer totalement cette conclusion. L'allaitement n'est pas seulement un « extra » que vous pouvez choisir ou non d'offrir à votre bébé. C'est bien plus que quelques vitamines ou anticorps supplémentaires. Le lait maternel est la clé du développement et de la bonne santé du nourrisson. Tout bébé naissant a le droit d'être allaité. Après tout, les bébés sont faits pour être allaités !

La croissance de votre bébé

« Oh ! Comme il a grandi ! » Cette exclamation admirative est musique aux oreilles de la mère qui allaite. La croissance du bébé est beaucoup plus rapide durant les premiers mois de sa vie que durant toute autre période. La taille du cerveau d'un bébé naissant équivaut au tiers de sa taille adulte et atteindra la marque des deux tiers avant l'âge d'un an. La circonférence de la tête de votre bébé s'accroît d'environ 11,25 cm (4,5 po) durant la première année afin de permettre cette croissance extraordinaire de son cerveau. Un bon développement musculaire, une augmentation appréciable de sa taille de même qu'un gain de poids du bébé sont d'autres signes évidents de ses progrès.

Les bébés grandissent aussi d'une façon qui ne peut être évaluée à l'aide d'un pèse-bébé ou d'un ruban à mesurer. Pendant la première année de leur vie, les systèmes nerveux et endocrinien des bébés se développent. Ils acquièrent un meilleur contrôle musculaire et leur système immunitaire devient de plus en plus apte à les protéger des microbes. En seulement douze mois, les bébés apprennent à s'asseoir, à ramper, à se tenir debout, à se concentrer sur un visage, un objet ou une tâche. Les bébés âgés d'un an ont encore besoin de nombreux soins, mais ils sont de plus en plus indépendants.

Grandir est un processus compliqué pour le bébé et il ne peut se contenter de n'importe quelle nourriture. Il lui faut un aliment qui contient les bonnes protéines, graisses et glucides pour lui permettre de développer un cerveau et des muscles de grande qualité. Le corps de l'adulte est capable de décomposer ou de transformer les protéines ou les graisses, mais les bébés ne peuvent pas toujours le faire de façon efficace. Le lait maternel procure les nutriments spécifiques dont les bébés ont besoin pour grandir et se développer pendant les six premiers mois de leur vie. Même après avoir commencé à manger des aliments solides, au milieu de la première année, le lait maternel demeure le plus important apport nutritionnel durant toute la première année de vie du bébé. En plus des nutriments essentiels, les bébés y trouvent également une bonne quantité d'hormones, d'enzymes et d'anticorps qui les protègent des maladies et aident chacun des systèmes de leur corps à se développer de la façon prévue par la nature.

Une mère peut être fière des qualités uniques du lait qu'elle donne à son bébé.

Votre lait est parfaitement adapté pour répondre aux besoins nutritionnels particuliers de votre bébé. Deux mères ne produisent pas un lait identique (bien que toutes les mères, sauf les plus mal nourries, produisent un lait dont la grande qualité est remarquablement constante). La composition de votre lait varie d'un jour à l'autre, ainsi qu'au cours de la journée, tout comme fluctuent les autres liquides et systèmes dans votre corps. Le colostrum que boit votre bébé le premier jour de sa vie est différent de celui qu'il boit le deuxième ou le troisième jour. Les bébés prématurés ont besoin de plus grandes quantités de certains nutriments que les bébés nés à terme et il se trouve que le lait de la mère qui accouche prématurément est plus riche de plusieurs de ces nutriments.

Même le goût du lait change selon l'alimentation de la mère. Une étude a démontré que lorsque les mères consommaient des capsules d'ail, le lait prenait l'odeur de l'ail et que les bébés tétaient alors plus vigoureusement et prenaient plus de lait. Vous pouvez dire que votre lait programme les papilles gustatives de votre bébé pour ses prochains festins à la table familiale. Lors d'une tétée, votre lait change, passant d'écrémé à crémeux, ce qui permet à votre bébé allaité d'apprécier des changements de goûts pouvant être comparés à un repas composé de plusieurs plats. Le lait maternel permet de soutenir, renforcer, protéger et remplir le précieux petit corps de votre bébé tout en donnant à sa peau l'éclat propre aux bébés allaités. Le lait maternel est l'aliment de premier choix pour votre bébé et tout autre solution arrive en deuxième, loin derrière.

Un lait unique pour un être unique

Tous les mammifères produisent du lait, mais la composition de ce lait diffère d'une espèce à l'autre. Le lait, quelle que soit sa provenance, contient principalement de l'eau, des protéines, des matières grasses, du lactose (sucre), une quantité appréciable de vitamines et de minéraux et des traces d'enzymes et d'hormones. Ce sont les proportions des divers composants du lait qui diffèrent considérablement d'une espèce à l'autre afin de répondre à des rythmes de croissance, des comportements et des besoins propres à chaque espèce.

Le lait de vache, par exemple, contient beaucoup plus de protéines que le lait humain parce que les veaux ont besoin de grandir très vite afin de pouvoir suivre leur mère dans les champs. Le lait de la baleine est riche en matières grasses, car les baleineaux ont besoin d'une épaisse couche de graisse pour se tenir au chaud dans les eaux froides. Le lait humain, quant à lui, est composé d'un taux de lactose plus élevé ainsi que d'acides gras à longue chaîne spécifiques, essentiels au développement de l'outil le plus important de l'être humain : son cerveau. Le taux moins élevé de protéines oblige les bébés à se nourrir souvent, alors les mères gardent leurs petits près d'elles. Cet arrangement fonctionne parfaitement puisque les bébés ont également besoin de contacts physiques étroits pour être protégés du danger et pour développer des habiletés sociales essentielles à leur survie.

Les préparations lactées pour nourrissons ne sont qu'une pâle imitation du lait maternel. La plupart d'entre elles sont composées de lait de vache qu'on dilue avec de l'eau pour faire diminuer le taux de protéines. Du sucre doit ensuite être ajouté afin d'augmenter la quantité de glucides et de calories. Les publicités des préparations lactées pour nourrissons peuvent se vanter de contenir des matières grasses qui aident au développement du cerveau ou d'autres modifications qui permettent à une marque spécifique d'être la « meilleure pour le bébé ». Ce n'est toutefois pas en remaniant quelques protéines ou acides gras qu'on transforme du lait artificiel en un produit se rapprochant le moindrement de l'ensemble complexe de nutriments qui se trouvent dans le lait maternel. Les cellules vivantes qui aident à protéger le bébé de la maladie sont totalement absentes de la composition du lait artificiel. Il en est de même pour les enzymes et les hormones qui soutiennent le développement physiologique du bébé. Les préparations lactées pour nourrissons ne peuvent reproduire toutes les subtilités qu'offre le lait maternel pour assurer la croissance et la santé du nouveau-né. Le lait maternel est le seul qui soit aussi bien adapté aux besoins du bébé à cause de l'équilibre complexe de ses ingrédients.

Les préparations lactées pour nourrissons ne peuvent pas reproduire, dans toutes ses subtilités, le lait maternel et ses bienfaits sur la croissance et la santé du nouveau-né.

Les protéines sont essentielles à la croissance

De toutes les matières qui composent les êtres vivants, les protéines sont les plus caractéristiques, les plus typiques de chaque espèce. Les protéines de votre lait sont aussi différentes de celles du lait de vache (ou du lait d'autres animaux) que vous êtes différente de la vache. La caractéristique la plus remarquable se situe dans les quantités de caséine et de lactosérum. La grande quantité de caséine contenue dans le lait de vache forme des caillés volumineux, durs et caoutchouteux, difficiles à digérer pour le bébé humain. C'est pourquoi les bébés nourris au biberon ont l'estomac « plein » plus longtemps que les bébés allaités. Le lactosérum, plus abondant dans le lait maternel, est parfaitement adapté au système digestif du bébé. Il a une plus grande valeur nutritive que la caséine et produit des selles plus molles, d'une odeur plus agréable. Plusieurs des protéines du lactosérum présentes dans le lait maternel jouent également un rôle important dans la protection contre les infections.

Les acides aminés et la taurine

Les protéines se décomposent en acides aminés, les composantes des tissus corporels. Votre lait contient la proportion exacte d'acides aminés dont votre bébé a besoin.

La taurine, par exemple, est un acide aminé important. Il est présent en forte concentration dans le lait maternel, mais totalement absent du lait de vache. Les recherches semblent indiquer que la taurine joue un rôle biologique important dans le développement des cellules du cerveau et de la rétine de l'œil. Le nourrisson est incapable de synthétiser la taurine à partir d'autres nutriments et dépend donc entièrement de son alimentation pour obtenir cet acide aminé. Ceci n'est qu'un exemple de la façon dont le lait maternel répond parfaitement aux besoins du bébé. Parce qu'elle semble importante pour le développement du cerveau, certains fabricants ajoutent de la taurine à leurs préparations lactées pour nourrissons, mais celles-ci sont encore loin d'offrir une nutrition équivalente au lait maternel.

Les graisses fournissent de l'énergie et plus encore

Les matières grasses présentes dans votre lait procurent l'énergie nécessaire à la croissance. Les bébés conservent un peu de cette énergie dans une couche de graisse sous la peau. Cette réserve dans ses tissus adipeux permet au bébé de conserver sa chaleur et rend la peau du bébé si douce qu'on ne peut résister à l'envie de le cajoler. Un bébé allaité a la chair plus ferme et la peau plus soyeuse qu'un bébé nourri au lait artificiel, probablement à cause du type de gras contenu dans le lait maternel.

Les types spécifiques de gras présents dans le lait maternel jouent un rôle important dans le développement du cerveau et du système nerveux. Par exemple, le lait maternel contient de grandes quantités d'acide docosahexanoïque (ou DHA) et d'acide arachidonique (ou ARA), des acides gras polyinsaturés à longue chaîne. Ces acides gras sont des constituants essentiels de la structure du cerveau et des études ont démontré que les bébés allaités avaient de plus hauts taux de DHA dans le sang et dans le cerveau que les bébés nourris au lait artificiel. D'autres études ont révélé que des taux élevés de DHA et de ARA dans le sang sont associés à un meilleur développement visuel et cognitif chez les nourrissons. La disponibilité de ces acides gras essentiels dans le lait maternel est importante, étant donné la capacité limitée des nourrissons à fabriquer eux-mêmes ces substances à partir d'autres types de graisses alimentaires. Les fabricants de lait artificiel ont commencé à ajouter du DHA et du ARA dans leurs préparations lactées pour nourrissons, bien que la recherche n'ait pas encore pu prouver qu'un tel ajout faisait une différence au bout du compte sur le développement du bébé. La science commence à peine à étudier l'influence de la nutrition sur le développement du cerveau du nourrisson. Le DHA et le ARA ne représentent peut être qu'une partie de l'histoire.

Des cas isolés semblent indiquer que certains bébés développent des réactions gastro-intestinales lorsqu'on leur donne des préparations lactées enrichies de DHA. Le lait maternel fournira à votre bébé ces importants nutriments exactement dans les bonnes proportions, sans effets secondaires indésirables.

Le cholestérol est un autre type de gras nécessaire au développement du tissu cérébral et du système nerveux. Le lait maternel contient de grandes quantités de cholestérol, ce dont un bébé a besoin pendant les deux premières années de sa vie. De plus, les recherches laissent entendre que l'exposition au cholestérol par le biais du lait maternel peut permettre à une personne de mieux gérer son taux de cholestérol alimentaire à l'âge adulte. Les préparations lactées pour nourrissons contiennent beaucoup moins de cholestérol que le lait maternel. On peut penser qu'il s'agit d'une bonne chose, puisqu'on incite les adultes à réduire le taux de cholestérol dans leur régime alimentaire, mais les besoins nutritionnels des bébés en pleine croissance sont différents de ceux des adultes.

Le lait maternel contient autour de 2 à 3 % de matières grasses qui comptent pour 30 à 55 % de son apport calorique total. Les mères qui souffrent de malnutrition sévère et qui n'ont aucune réserve de graisse dans laquelle elles peuvent puiser, ont tendance à produire un lait dont le pourcentage de matières grasses est quelque peu inférieur à celui des mères bien alimentées, même si la teneur en protéines et en lactose de leur lait demeure normale. De plus, les différents types de matières grasses, ainsi que leurs proportions, varient selon le régime alimentaire de la mère.

La quantité de matières grasses présentes dans le lait d'une mère varie d'une tétée à l'autre et même durant une même tétée. La concentration de matières grasses dans le lait augmente à mesure que le bébé tète. La succion du bébé stimule le réflexe d'éjection du lait, incitant les cellules lactifères du sein à produire du lait plus riche en matières grasses. C'est pourquoi il est important de laisser le bébé finir de téter au premier sein avant de lui offrir le second. Le bébé a besoin de ce lait riche en matières grasses qui arrive en fin de tétée et qu'il obtient en vidant le premier sein. La teneur en gras du lait maternel dépend aussi de la fréquence des tétées. Celle-ci diminue au fur et à mesure que l'intervalle entre les tétées augmente. En d'autres termes, le bébé qui retourne au sein pour prendre un peu de lait vingt ou trente minutes après une tétée vigoureuse obtiendra un petit « digestif » riche en matières grasses.

Le bébé absorbe et utilise les matières grasses (ou lipides) du lait maternel d'une façon remarquablement efficace. C'est la lipase, une enzyme présente dans le lait maternel, qui agit dans l'intestin du bébé et facilite la digestion des lipides du lait. Cette caractéristique « auto-digestive » du lait humain est d'autant plus importante pour les nouveau-nés et pour les bébés prématurés dont les systèmes digestifs sont encore immatures.

Le lactose joue un rôle déterminant

Du point de vue nutritif, le lactose partage la tête d'affiche avec les protéines et les lipides. On le trouve seulement dans le lait et on l'appelle communément le « sucre du lait ». Parmi les différents sucres, le lactose possède des propriétés remarquables dont profite le nouveau-né. En tant que glucide, il constitue une source d'énergie immédiate, mais ce n'est là qu'une de ses fonctions. Le lactose contribue au développement optimal du cerveau et du système nerveux central de votre bébé. En règle générale, plus le cerveau d'une espèce est volumineux, plus le taux de lactose dans le lait est élevé. Le lait humain contient une fois et demi plus de lactose que le lait de vache, un fait facilement vérifiable par le goût sucré du lait maternel pour un palais adulte.

Les préparations lactées pour nourrissons à base de lait de vache contiennent du lactose, mais leur teneur en sucre doit être augmentée en ajoutant du sucrose ou d'autres substituts du sucre. Ceux-ci ne peuvent égaler le lactose. En effet, ce dernier se décompose et libère l'énergie à un rythme lent et régulier, évitant ainsi les hauts et les bas du taux de sucre dans le sang qui suivent l'ingestion de sucrose.

Le lactose a un effet bénéfique sur les intestins du bébé en favorisant l'absorption de certains minéraux, le calcium plus particulièrement, nécessaire à la saine croissance des os et des dents. De plus, il encourage la croissance des bonnes bactéries dans le système digestif du bébé. Ceci empêche la croissance de bactéries indésirables qui pourraient causer la diarrhée chez l'enfant. Tous ceux qui changent la couche d'un bébé allaité ont la preuve de la présence de ces bonnes bactéries dans son système digestif. Les selles d'un bébé exclusivement allaité dégagent une odeur caractéristique, aucunement désagréable, qui rappelle celle du babeurre. C'est là une preuve que son organisme est peuplé par une multitude de bactéries utiles. Les selles d'un bébé nourri au lait artificiel dégagent une forte odeur, très inconvenante pour un bébé.

Un équilibre parfait entre les vitamines et les minéraux

Les vitamines et les minéraux sont essentiels pour grandir en bonne santé. Pour les nourrissons, le lait maternel en est la meilleure source ainsi que la plus équilibrée. En fait, de nombreux experts en nutrition se réfèrent au lait maternel lorsqu'ils essaient de déterminer de quelle quantité d'un nutriment en particulier le nourrisson a besoin. Il en résulte un nombre toujours croissant de recherches sur tous ces différents nutriments, sur leur présence dans le lait maternel, de même que sur la façon dont ils interagissent pour favoriser la croissance du bébé et le garder en bonne santé. Les recherches à ce sujet sont si nombreuses qu'on ne peut les résumer toutes dans le présent chapitre. Cette section traitera surtout de la controverse que suscite quelques nutriments spécifiques.

Bien que le lait maternel soit reconnu comme l'aliment par excellence pour les nourrissons, on ne cesse de faire des promotions visant à persuader la mère que son lait est d'une quelconque manière inadapté ou que son bébé allaité a besoin d'autre chose en plus du lait maternel. Cette « autre chose » peut toujours être, semble-t-il, facilement fourni par un produit commercial. Des messages accrocheurs vous féliciteront d'allaiter votre bébé. Puis, subtilement, on glissera une phrase qui mentionne que la quantité d'une certaine vitamine ou d'un autre composant populaire, et qui semble important, est à la « limite de l'acceptable » dans le lait maternel. Ou encore un graphique dans une publicité indiquera que les niveaux d'un nutriment en particulier dans le lait maternel peuvent fluctuer, allant du plus bas niveau au plus élevé. En revanche, la publicité sous-entend qu'on peut toujours compter sur les préparations lactées pour nourrissons qui fournissent une quantité prévisible, calculée scientifiquement de ce nutriment. Les mères qui allaitent devraient savoir que ce sont plutôt les fondements scientifiques de ces messages publicitaires qui sont à la « limite de l'acceptable ». En ne racontant qu'une partie de l'histoire, les publicités induisent les mères en erreur et les inquiètent inutilement au sujet de la valeur nutritionnelle de leur lait.

Le fer

Lorsqu'il est question de vitamines et de minéraux pour le bébé, il est important de se rappeler que « plus » ne veut pas nécessairement dire « mieux ». Le bon fonctionnement de notre corps requiert un bon équilibre entre les nutriments. Verser quelques gouttes de suppléments de vitamines ou de minéraux dans la bouche de votre bébé « au cas où » n'est pas une bonne chose à faire. De même que ce n'est pas une bonne idée de précipiter l'introduction de solides ou de suppléments de préparations lactées pour nourrissons. Ces nutriments non nécessaires peuvent interférer avec l'équilibre nutritionnel du lait maternel. C'est particulièrement vrai en ce qui a trait aux suppléments de fer.

Le fer contenu dans le lait maternel, bien que présent en petites quantités, est extrêmement bien absorbé. Les fabricants sont obligés d'ajouter de grandes quantités de fer dans les préparations lactées pour nourrissons précisément parce que seulement une toute petite quantité de celui-ci peut être utilisée par le bébé.

Des études ont démontré que les bébés allaités ne souffrent pas d'anémie durant les six premiers mois de leur vie. Une étude a révélé que les bébés qui étaient exclusivement allaités, sans préparations lactées pour nourrissons ni solides, pendant sept mois et plus, atteignaient l'âge d'un an sans montrer de signes d'anémie. De plus, leur taux d'hémoglobine était plus élevé à un an et à deux ans que celui des bébés allaités ayant reçu des solides avant l'âge de sept mois. Il est clair que les bébés allaités n'ont pas systématiquement besoin de suppléments de fer.

En fait, les suppléments de fer peuvent interférer avec les composants du lait maternel qui protègent les bébés de la maladie et les aident à grandir. Les bébés âgés de plus de six mois profitent du fer dans les aliments solides. Toutefois, introduire les solides trop tôt peut diminuer leur capacité à absorber le fer présent dans le lait maternel.

Le calcium et la vitamine D

On connaît bien le rôle du calcium dans la formation d'os solides et d'une bonne dentition. Il n'y a pas autant de calcium dans le lait maternel que dans le lait de vache, mais le taux élevé de lactose dans le lait maternel permet au calcium qui est présent d'être bien assimilé.

La vitamine D est nécessaire pour transformer le calcium en os solides. La vitamine D est en fait une hormone produite dans le corps lorsque la peau est exposée aux rayons du soleil. Le lait maternel contient peu de vitamine D puisque le nourrisson en a déjà emmagasiné avant la naissance et qu'il peut facilement en produire lorsque sa peau est exposée au soleil.

Les bébés et les enfants qui manquent de calcium ou de vitamine D peuvent souffrir de rachitisme, un problème de ramollissement et de déformation des os. Le rachitisme sévissait aux États-Unis ainsi que dans

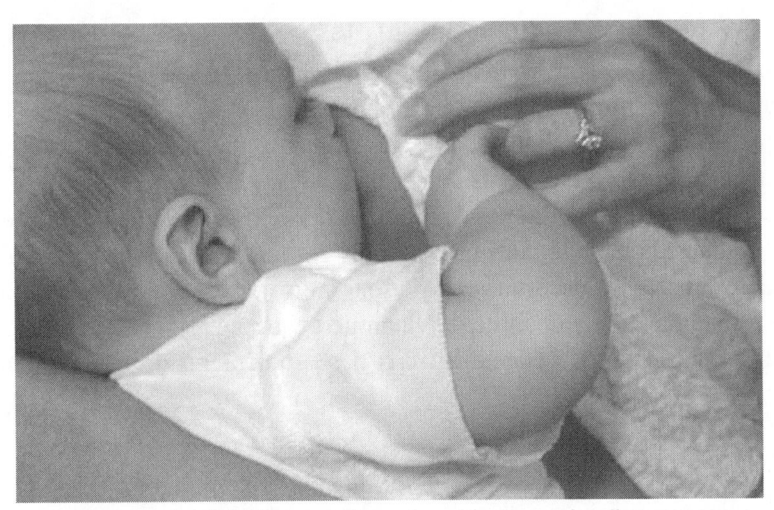

Pendant que le bébé tète tranquillement au sein de sa mère, il consomme un assortiment complexe de nutriments et de substances protectrices.

d'autres pays industrialisés au début des années 1900, mais l'ajout de vitamine D au lait de vache a permis d'éliminer progressivement ce problème. À l'aube du XXIe siècle, le rachitisme demeure un sérieux problème de santé publique dans certains pays en voie de développement.

Le rachitisme n'est pas présent chez les bébés allaités dont les mères se nourrissent bien et s'exposent régulièrement au soleil. En 1989, le *Journal of Pediatrics* publiait une étude selon laquelle « les bébés allaités qui ne reçoivent pas de suppléments ne montrent aucun signe de carence en vitamine D pendant les six premiers mois ». Toutefois, plus récemment, les pédiatres se sont inquiétés des cas de rachitisme chez les bébés exclusivement allaités, une indication que certains bébés allaités et leur mère n'obtiennent peut-être pas assez de vitamine D du soleil. Les individus à la peau foncée ont besoin d'une plus longue exposition au soleil pour produire de la vitamine D en quantité suffisante et risquent d'en manquer au même titre que les mères et les bébés qui ne passent pas assez de temps dehors ou qui le font avec la peau presque entièrement couverte de vêtements ou d'un écran solaire.

Un peu de soleil sur les joues, quelques minutes par jour, suffit au bébé pour éviter une déficience en vitamine D. Pendant la grossesse, assurez-vous d'avoir des doses adéquates de vitamine D pour que votre bébé puisse ainsi l'emmagasiner avant sa naissance et pour que votre lait en contienne assez. Les médecins recommandent actuellement aux parents de se montrer prudents en exposant leurs bébés au soleil, car l'exposition au soleil a été associée au cancer de la peau à l'âge adulte. En 2003, l'*American Academy of Pediatrics* a déclaré que tous les nourrissons devraient recevoir un supplément de vitamine D dès l'âge de deux mois. Les experts ne sont pas tous d'accord avec cette recommandation. Les suppléments peuvent être importants pour les individus à la peau plus foncée, pour ceux qui portent des vêtements traditionnels ne laissant que peu de peau à découvert, ainsi que pour ceux qui vivent dans des climats plus froids et dans les régions nordiques, où ils sont moins exposés au soleil. Si vous vous inquiétez de la quantité de vitamine D que votre bébé reçoit du soleil, consultez votre médecin au sujet des suppléments de vitamine D.

Le zinc

Le zinc présent dans le lait maternel est mieux assimilé par votre bébé que celui contenu dans les préparations lactées pour nourrissons. En fait, le lait maternel est un traitement spécifique de l'*acrodermatitis enteropathica* (AE), une maladie du métabolisme rare et héréditaire. Les nourrissons atteints de cette maladie souffrent d'une carence en zinc due à une moindre capacité à l'assimiler. Les bébés atteints de la maladie voient leur état s'améliorer sensiblement lorsqu'on leur offre du lait maternel au lieu des préparations lactées pour nourrissons. Les préparations lactées à base de lait de vache contiennent en fait plus de zinc que le lait maternel, mais le zinc contenu dans le lait maternel est plus facilement assimilé par le bébé. La littérature médicale fait état de rares cas de mères souffrant elles-mêmes d'une insuffisance de zinc affectant aussi leur lait. On résout toutefois facilement ce problème en donnant un supplément de zinc à la mère.

Outre le zinc, on a trouvé que d'autres minéraux, tels le cuivre et le manganèse, avaient, de façon significative, une meilleure disponibilité biologique dans le lait maternel que dans le lait de vache ou dans les préparations lactées pour nourrissons.

Le fluor

Les suppléments de fluor ont beaucoup attiré l'attention au cours des dernières années, car des études les ont associés à une saine dentition et à une diminution de la carie dentaire. Cependant, l'usage de suppléments de fluor continue de susciter la controverse chez certains experts. Le lait maternel contient un peu de fluor et, bien qu'en petite quantité, il semble répondre merveilleusement bien aux besoins du bébé. L'*American Academy of Pediatrics* ne recommande plus de suppléments de fluor pour les bébés de moins de six mois. Pour les enfants âgés de six mois à trois ans, l'AAP recommande des suppléments de fluor seulement pour les enfants qui habitent des régions où l'eau potable contient très peu de fluor. Trop de fluor peut causer des problèmes chez certains enfants. Des mères qui avaient utilisé des suppléments de fluor ont observé que ceux-ci rendaient leurs bébés maussades.

Les enzymes et les hormones

Le lait maternel contient de nombreuses substances dont on n'a pas encore déterminé le rôle précis dans la physiologie du bébé. Parmi les enzymes présentes dans le lait maternel se trouvent la lipase, qui aide à digérer les graisses, l'amylase, qui aide à transformer les glucides et la protéase qui hydrolyse les protéines. Celles-ci permettent aux nutriments et aux facteurs immunitaires du lait maternel d'être plus disponibles pour le bébé. Les hormones présentes dans le lait maternel peuvent influencer la façon dont la physiologie du bébé répond à l'allaitement et peuvent également influencer d'autres aspects du développement précoce. Le lait maternel contient également une hormone appelée le « facteur de croissance épidermique » qui peut avoir une incidence sur la croissance et le développement de la paroi intestinale. D'autres facteurs de croissance présents dans le lait maternel peuvent également aider à la maturation de divers tissus chez le nourrisson.

Le lait maternel, un arsenal contre les maladies

Les mères qui allaitent ont souvent constaté que lorsque toute la famille est enrhumée ou grippée, le bébé allaité, lui, se porte bien ou n'est presque pas malade. À plus grande échelle, les experts en santé publique sont conscients depuis longtemps que les bébés qui ne sont pas allaités sont plus vulnérables aux infections. Le taux de mortalité infantile est plus élevé chez les nourrissons nourris au lait artificiel, même dans les régions du monde où les gens ont accès à de l'eau potable et à de bons soins médicaux. Les taux de morbidité, c'est-à-dire la fréquence à laquelle un bébé tombe malade, sont également plus élevés chez les nourrissons nourris au lait artificiel dans les pays industrialisés comme dans ceux en voie de développement. L'allaitement est primordial pour la survie du nourrisson habitant un pays en voie de développement. Il joue également un rôle important pour maintenir en bonne santé les bébés qui viennent de familles qui jouissent d'un niveau de vie élevé.

En se fondant sur des recherches exhaustives qui démontrent que les bébés allaités sont en meilleure santé que ceux qui ne sont pas allaités, le gouvernement des États-Unis a lancé une campagne de sensibilisation à l'allaitement maternel afin de promouvoir l'importance de l'allaitement en matière de santé publique aux États-Unis.

Une perspective mondiale

L'une après l'autre, les études portant sur les mères et les bébés vivant dans la pauvreté dans les pays en voie de développement confirment l'importance de l'allaitement pour la survie des nourrissons. En 1996, une étude portant sur des bébés aux Philippines a révélé que les décès causés par des infections respiratoires et des diarrhées étaient huit à dix fois plus nombreux chez les bébés nourris au lait artificiel que chez les bébés allaités, même s'ils ne l'avaient été que partiellement durant six mois. Une étude sur la mortalité infantile dans les régions métropolitaines du Brésil a démontré que le risque de décès causé par la diarrhée était 14,2 fois plus élevé chez les nourrissons qui étaient sevrés que chez ceux qui étaient exclusivement allaités. Le risque de décès des suites d'une infection respiratoire était 3,6 fois plus élevé. Les bébés qui étaient partiellement allaités étaient plus à risque que ceux qui étaient exclusivement allaités, mais moins que ceux qui étaient nourris uniquement avec des préparations lactées pour nourrissons. Au Bangladesh, on a découvert que l'allaitement réduisait de 24 à 27 % le taux de mortalité causé par la diarrhée au cours des six premiers mois. Les enfants non allaités avaient 4,2 fois plus de risques de mourir de la diarrhée avant l'âge de cinq ans que les enfants allaités.

Ce ne sont là que quelques exemples des effets spectaculaires de l'allaitement sur la santé des nouveau-nés dans les régions du monde où la malpropreté, l'eau insalubre, la pauvreté et le manque de soins médicaux s'ajoutent à d'énormes problèmes de santé publique. Le lait maternel constitue une défense de première ligne qui protège les plus jeunes et plus vulnérables de la société. Toutefois, les changements sociaux, l'urbanisation et la promotion des produits artificiels pour nourrir les bébés ont mené à une diminution des taux d'allaitement dans les pays en voie de développement. Alors que les familles espèrent améliorer leurs revenus

Le lait maternel est essentiel à la survie des nouveau-nés dans les pays en voie de développement.

en déménageant dans les grandes villes, les femmes doivent travailler loin de leurs bébés, ce qui ne facilite en rien l'allaitement. Les mères qui désirent donner ce qu'il y a de mieux à leur bébé imitent les pratiques occidentales en lui offrant une préparation lactée pour nourrissons mais avec des résultats désastreux, puisqu'elles ne peuvent pas toujours se permettre d'en acheter en quantité suffisante, encore moins se procurer le carburant supplémentaire nécessaire pour faire bouillir l'eau pour la préparer de façon sécuritaire. Quand elles tentent de donner le biberon à leur bébé, leur propre production de lait diminue et ainsi, même si elles avaient commencé à allaiter, elles finissent en fin de compte par ne plus avoir assez de lait pour satisfaire l'appétit de leur bébé. À cause de cela, les bébés sont sous-alimentés et malades et bon nombre d'entre eux meurent. L'Organisation mondiale de la santé, l'UNICEF et d'autres organismes internationaux en santé publique s'engagent à aider les mères du monde entier à allaiter leurs bébés quelles que soient leurs conditions de vie, mais c'est tout un défi.

Les bienfaits de l'allaitement dans les pays industrialisés

Ce n'est une surprise pour personne d'apprendre que les recherches révèlent que les bébés allaités ont de meilleures chances de survie que les bébés nourris au lait artificiel dans des endroits où il n'y a pas d'eau potable et où les préparations lactées pour nourrissons sont trop dispendieuses pour le budget de la plupart des familles. Cependant, même dans les milieux prospères où il est relativement rare de voir les enfants mourir de maladies infectieuses, les bébés allaités sont avantagés par rapport à ceux nourris au lait artificiel. Ce contraste est moins évident dans des sociétés d'abondance comme celles des États-Unis, du Canada, de la Nouvelle-Zélande, de l'Australie et de l'Europe de l'Ouest, mais de plus en plus de recherches démontrent que, même dans les communautés plus riches, les bébés allaités jouissent d'une meilleure santé et que les nourrissons qui ne sont pas allaités peuvent être à risque.

Avant de vous décrire les nombreux avantages associés à l'allaitement, nous devons parler de la nécessité de changer de perspective au sujet de l'alimentation des nourrissons. Les partisans de l'allaitement ont longtemps décrit les différences entre les bébés allaités et les bébés nourris au lait artificiel comme des « avantages » de l'allaitement mais, ce faisant, on réduit l'importance des arguments. L'allaitement est plus qu'un petit « extra », tel un cours de musique ou une colonie de vacances, que des parents consciencieux peuvent se permettre d'offrir.

Si vous comparez les bébés allaités aux bébés nourris au lait artificiel sous un autre angle, les raisons d'allaiter deviennent alors plus que des « avantages ». Tout ce que les chercheurs décrivent comme un avantage de l'allaitement peut également être décrit comme un risque associé au lait artificiel. Par exemple, les recherches ont démontré que les bébés allaités étaient moins sujets aux otites, ce qui signifie que les bébés nourris au lait artificiel ont plus de risques d'avoir une otite. Nous avons tendance à croire que les otites et les nez qui coulent surviennent inévitablement chez les bébés et les bambins, mais ces maladies sont en fait un risque du lait artificiel. Les bébés qui prennent du lait maternel ne sont pas malades aussi souvent.

Alors que de plus en plus d'études scientifiques démontrent les différences notables entre le lait maternel et ses substituts, les mères doivent savoir que non seulement l'allaitement est le meilleur choix pour leur bébé, mais aussi que le lait artificiel comporte des risques pour la santé à court et à long terme.

La décision d'une mère d'allaiter ou non son bébé est une décision très personnelle et nous savons qu'il y a des situations où des substituts au lait maternel sont vraiment nécessaires. Mais, en ne divulguant pas l'information et en minimisant les différences entre le lait maternel et le lait artificiel, on empêche les parents de prendre des décisions éclairées en matière de soins à donner à leur enfant. En lisant la suite de ce chapitre, rappelez-vous que l'allaitement est la norme biologique pour les bébés humains. Ce n'est pas seulement mieux ou meilleur, mais plutôt la façon dont les bébés doivent être nourris. Les bébés sont faits pour être allaités.

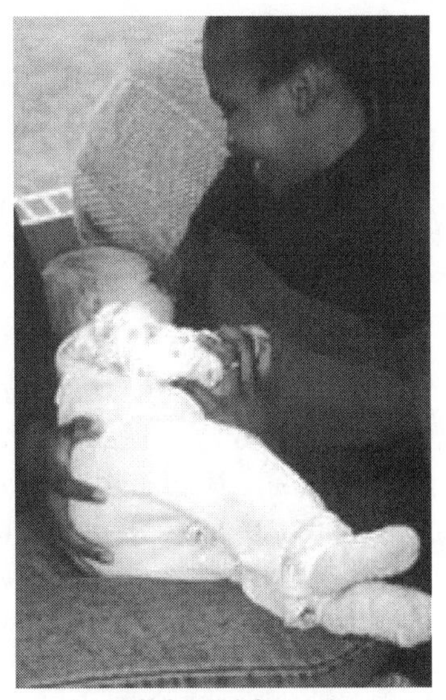

Les bébés allaités tombent malades moins souvent et moins gravement que les bébés qui ne sont pas allaités.

L'allaitement protège les bébés des infections

Les recherches dans les pays industrialisés ont démontré que l'incidence d'un grand nombre de maladies infectieuses est plus élevée chez les enfants nourris au lait artificiel que chez les bébés allaités. On compte parmi celles-ci les infections respiratoires, les otites, les infections urinaires, l'*haemophilus influenzae* de type B (HiB), la pneumonie et la méningite.

Le rôle protecteur de l'allaitement est particulièrement significatif dans les cas de maladies gastro-intestinales. Une étude réalisée en Israël rapportait que l'incidence de diarrhées aiguës chez les bébés de moins de douze mois était plus faible pendant les mois où ils étaient allaités que chez les bébés nourris au lait artificiel pendant ces mêmes mois. En 1995, une étude aux États-Unis démontrait que les bébés nourris au lait artificiel souffraient deux fois plus de la diarrhée que les bébés allaités. Dans une autre étude, les bébés allaités pendant treize semaines ou plus étaient moins sujets à des maladies gastro-intestinales pendant la première année de leur vie que les bébés nourris au lait artificiel depuis leur naissance. Même dans les pays industrialisés, la diarrhée peut représenter un danger pour les nourrissons. À travers le monde, il s'agit de l'une des principales causes de décès chez les bébés et les jeunes enfants.

L'influence de la nutrition sur les infections respiratoires est plus difficile à étudier. De nombreux facteurs, en dehors de l'allaitement, peuvent avoir une influence sur des symptômes respiratoires (des parents fumeurs ou des allergies, par exemple). Néanmoins, des études ont démontré que l'allaitement protège les bébés du rhume ainsi que d'autres types d'infections respiratoires. D'autres études ont conclu que, chez les bébés allaités, il y avait moins de risques les infections respiratoires soient graves.

De fréquentes otites peuvent diminuer la capacité du bébé à entendre, ce qui peut entraîner des problèmes de développement du langage. C'est pourquoi les spécialistes en soins pédiatriques diagnostiquent et traitent les otites en priorité. De plus, les mères de bébés qui ont souvent des otites savent à quel point leur bébé souffre, surtout la nuit. De nombreuses études démontrent que les bébés nourris au lait artificiel sont beaucoup plus à risque d'avoir des otites moyennes (infection de l'oreille moyenne) que les bébés allaités. En 1998, une étude menée sur des bébés suivis régulièrement dans des cliniques médicales en Arizona a démontré que l'allaitement pendant quatre mois était associé à un risque plus faible de développer des otites moyennes. Les bébés qui étaient exclusivement allaités pendant six mois étaient aussi moins sujets aux otites à répétition. Dans une autre étude, on a rapporté 80 % moins d'otites moyennes prolongées chez les bébés allaités. Cette protection s'est poursuivie jusqu'à la deuxième année de vie.

Les infections urinaires sont un autre de exemple de maladies qui risquent d'être plus fréquentes chez les bébés nourris au lait artificiel que chez les bébés allaités. Les bactéries qui causent des infections du système urinaire proviennent souvent des selles du bébé. Or, étant donné que le lait maternel encourage la croissance de bactéries « amies » dans les intestins du bébé, les selles du bébé allaité contiennent de moins grandes quantités de microbes causant des infections. Les facteurs immunitaires présents dans le lait maternel, qui se retrouvent finalement dans l'urine, peuvent également servir à protéger le bébé des infections urinaires.

L'allaitement et les maladies chroniques

L'allaitement a été associé à une incidence plus faible de diabète juvénile (type 1), de diabète de type 2, de maladie cœliaque (intolérance au gluten, une protéine présente dans le blé, le seigle et l'orge), de cancer chez l'enfant, de polyarthrite rhumatoïde, de sclérose en plaques, de carie dentaire, de maladies graves du foie et même d'appendicite aiguë.

Les scientifiques s'intéressent particulièrement à la relation entre l'allaitement et les maladies auto-immunes comme le diabète de type 1. Le système immunitaire défend le corps contre les substances étrangères, mais il arrive parfois qu'il se retourne contre le corps et qu'il attaque et détruise les tissus normaux créant une maladie auto-immune. Par exemple, dans le diabète de type 1, le système immunitaire attaque les cellules produisant l'insuline dans le pancréas, de telle sorte que le corps devient inapte à produire assez d'insuline pour assimiler les sucres. Les immunologistes ont proposé deux théories pour expliquer la faible incidence de diabète de type 1 chez les enfants allaités. Puisque les études démontrent qu'il existe une corrélation entre le diabète de type 1 et l'introduction précoce de lait de vache, il est possible que les bébés allaités soient protégés simplement parce qu'ils ne sont pas exposés à des protéines étrangères aussi tôt dans leur vie que les bébés nourris au lait artificiel. L'autre explication est que le lait maternel aide à construire un meilleur système immunitaire chez les bébés et que les enfants qui ne sont pas allaités ne jouissent pas de cet avantage. Le rôle de l'allaitement dans la protection contre le diabète peut reposer sur ces deux théories. La prédisposition génétique et l'environnement jouent également un rôle dans le développement du diabète et des autres maladies auto-immunes comme la maladie coeliaque.

Ce qui est intéressant ici est le fait que les facteurs immunitaires du lait maternel font plus que protéger les bébés des infections pendant les mois où ils sont allaités. Le lait maternel stimule également le développement du système immunitaire du bébé. Plusieurs études ont noté que les bébés allaités réagissaient mieux aux vaccins que les bébés nourris au lait artificiel. C'est une autre indication que l'allaitement fait partie de ce que la nature a prévu pour développer le système immunitaire du bébé. Priver le bébé des agents immunitaires présents dans le lait maternel peut avoir des conséquences bien au-delà de la petite enfance.

Le syndrome de mort subite du nourrisson

Ces dernières années, les chercheurs ont trouvé des preuves substantielles que l'allaitement diminue les risques de syndrome de mort subite du nourrisson (SMSN). D'importantes études sur le SMSN aux États-Unis, en Nouvelle-Zélande et en Angleterre ont démontré que les nourrissons qui n'étaient pas allaités avaient deux à trois fois plus de risques d'en être victimes que les nourrissons allaités. Il est possible que ces résultats soient liés aux propriétés du lait maternel qui protégent les bébés des infections. Il est également possible qu'il y ait d'autres facteurs en cause. Le nombre de cas de SMSN a chuté de façon importante, depuis que des campagnes d'information ont incité les parents à coucher leurs bébés sur le dos. Les mères qui allaitent dans leur lit la nuit remarquent que lorsque le bébé lâche le sein, il roule presque immanquablement sur le dos pour dormir !

La recherche se poursuit

Les recherches continuent de démontrer que les bébés allaités sont en meilleure santé.

Il reste encore beaucoup à apprendre sur le rôle protecteur de l'allaitement. Des médecins, des épidémiologistes, des immunologistes ainsi que d'autres scientifiques continuent d'étudier l'influence du lait maternel sur la santé du nouveau-né. Les chercheurs qui s'intéressent aux bienfaits de l'allaitement ont appris que les études cherchant des relations entre l'alimentation du nourrisson et le risque de maladie doivent être conçues soigneusement. Il importe de savoir si les bébés des groupes témoins participant à l'étude sont exclusivement allaités ou s'ils reçoivent des suppléments. Si les bébés reçoivent du lait ou de la nourriture autre que le lait maternel, il est important de savoir quelle quantité et à quel moment cet aliment a été introduit. Les bébés de l'étude ont-ils été nourris au lait artificiel depuis la naissance ou ont-ils reçu du lait maternel au cours des premières semaines ? On peut penser que les enfants exclusivement allaités – qui ne reçoivent que du lait maternel – profiteront probablement davantage des bienfaits du lait maternel que ceux qui reçoivent du lait maternel et une préparation lactée pour nourrissons. (C'est ce qu'on appelle une relation dose-effet : plus la dose est généreuse, plus la réaction est importante.) Pourtant même quelques tétées dans les premiers jours de vie si cruciaux peuvent aussi faire une différence à certains égards, ce qui peut avoir un impact sur les résultats des recherches.

Ces facteurs ainsi que bien d'autres compliquent les recherches sur l'allaitement. Il est impossible pour les chercheurs d'assigner au hasard l'allaitement à un groupe de mères et une alimentation artificielle à un autre groupe, ce qui serait complètement contraire à l'éthique. Il pourrait pourtant y avoir des différences entre les mères qui choisissent d'allaiter et celles qui choisissent le biberon. Des différences qui risquent d'affecter la croissance et le développement de leur bébé, même sans tenir compte de la façon dont il est nourri.

Les scientifiques, les médecins, les journalistes et les simples citoyens à la recherche d'information sur l'allaitement doivent lire attentivement les résultats des études et des recherches qui sont rapportés dans les médias grand-public. Certains résultats d'études peuvent ne pas correspondre à ce que nous savons sur la supériorité remarquable du lait maternel par rapport les préparations lactées pour nourrissons. Les restrictions liées à la méthodologie de l'étude peuvent souvent expliquer de curieux résultats. Rappelez-vous que la recherche scientifique est un processus évolutif qui emprunte une route sinueuse devant mener à la vérité.

L'épidémiologie est l'étude de tous les éléments qui contribuent à l'apparition ou à l'absence d'une maladie au sein d'un groupe de personnes. Les recherches épidémiologiques démontrent en très grande majorité que les bébés nourris au lait artificiel ne sont pas en aussi bonne santé que les bébés allaités. Les partisans de l'allaitement ont calculé que si chaque bébé aux États-Unis était allaité, les coûts du système de santé décroîtraient de façon fulgurante. Toutes les preuves sont en faveur du lait maternel. Mais qu'y a-t-il donc dans le lait maternel pour produire tout cela ?

Un vaccin naturel pour le nouveau-né

Qu'est-ce qui, dans le lait maternel, fait une différence pour la santé des bébés ? Le système immunitaire des bébés est immature, incapable encore de combattre lui-même les agents pathogènes dans l'environnement. Certains types d'anticorps sont transférés de la mère au bébé à travers le placenta. Ces anticorps, aussi appelés « immunoglobulines », ont été fabriqués par votre propre système immunitaire pour combattre les infections auxquelles vous avez été exposée, ce qui inclut quelques-unes des maladies contagieuses courantes chez les enfants. Même si vous êtes protégée pour la vie contre ces maladies, l'immunité que vous transmettez à votre bébé à naître sous forme d'immunoglobulines, connues sous le nom de IgG, ne le protège que temporairement jusqu'à ce son propre système immunitaire commence à se développer.

D'autres agents immunitaires passent de la mère au bébé par le lait maternel. Il y a de nombreuses années, notre conseiller médical de toujours, le Dr Herbert Ratner, a trouvé une expression qui définit parfaitement le lait maternel et ses qualités anti-infectieuses uniques : « le vaccin naturel pour le nouveau-né ». Depuis, des dizaines d'années de recherches immunologiques de plus en plus sophistiquées ont permis de

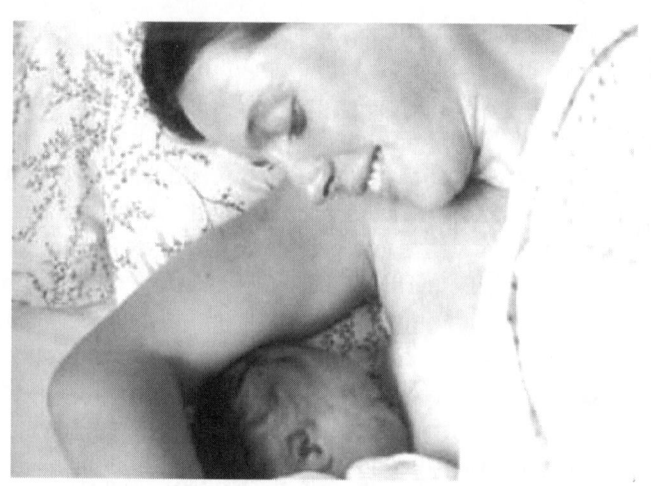

Le colostrum est appelé « le vaccin naturel pour le nouveau-né ».

découvrir que le lait maternel protège les bébés des maladies de multiples façons :

- Les bébés exclusivement allaités sont peu exposés aux microbes qui entrent dans le corps humain par le biais de la nourriture et de l'eau.
- Le lait maternel détruit les bactéries nuisibles et les virus, ce qui augmente la capacité du bébé à combattre ces envahisseurs.
- Le lait maternel favorise la croissance de bactéries « amies » dans les intestins du bébé, ce qui prévient la prolifération de bactéries nuisibles.
- Les substances présentes dans le lait maternel aide à contrôler les réactions immunitaires du bébé face à de potentiels allergènes, ce qui fait que les bébés allaités ont moins de risques de développer des allergies.
- Le lait maternel prépare le système immunitaire du bébé à mieux fonctionner plus tard.

Le lait maternel accomplit toutes ces choses grâce à l'interaction complexe de nombreuses substances biologiques. La protection immunologique que procure l'allaitement dépend de la présence d'hormones, d'enzymes, de facteurs de croissance, de cellules vivantes, de protéines, de matières grasses, d'immunoglobulines ainsi que d'autres ingrédients spécifiques. Au fur et à mesure que les immunologistes en apprennent davantage sur ce processus, il devient de plus en plus évident que les substituts commerciaux au lait maternel ne peuvent en aucun cas se comparer au produit original.

Les propriétés anti-infectieuses du lait maternel

L'anticorps le plus important dans le lait maternel est l'immunoglobuline A sécrétoire ou IgA sécrétoire. Son rôle consiste à protéger les muqueuses du corps contre les microbes, les protéines étrangères et les autres envahisseurs nuisibles. Des muqueuses tapissent l'estomac et les intestins du bébé, de même que ses voies respiratoires et ses poumons. Les microbes et les allergènes peuvent traverser les muqueuses immatures du bébé et pénétrer dans le sang. L'IgA protège ces tissus et capture les microbes avant qu'ils n'aient pu sévir. L'IgA est postée comme une sentinelle le long de la paroi gastro-intestinale et elle empêche les microbes ou les protéines étrangères de pénétrer dans les membranes et de causer des inflammations, des infections ou des réactions allergiques.

Le colostrum contient une importante quantité d'IgA. Bien que la quantité d'IgA diminue à mesure que le volume de lait augmente au cours de la première semaine postnatale, le bébé reçoit encore beaucoup d'IgA. Une femme adulte produit à peu près 2,5 grammes d'IgA par jour pour son propre usage. Par l'allaitement, son bébé, qui fait moins d'un dixième de sa taille, reçoit entre 0,5 et 1 gramme d'IgA par jour. Même après le premier anniversaire de votre bébé, des quantités importantes d'IgA ainsi que d'autres facteurs protecteurs sont encore présents dans votre lait et leur concentration s'accroît au fur et à mesure que votre production de lait diminue pendant le sevrage graduel.

Les premières tétées de colostrum préparent le système digestif du bébé pour les prochaines tétées. Les chercheurs ont découvert que la présence d'IgA dans le lait maternel stimule le bébé à produire lui-même des IgA dans sa paroi gastro-intestinale. C'est une des nombreuses raisons d'insister pour que votre bébé ne reçoive rien d'autre que votre colostrum et votre lait pendant les premiers jours de sa vie. Ces premières doses de colostrum préparent doucement le système immunitaire du bébé à la vie extra-utérine. Les unités de néonatalogie favorables à l'allaitement conservent souvent le colostrum exprimé par la mère pour l'offrir au bébé prématuré au moment de ses premiers repas par la bouche, même si ceux-ci n'ont lieu que lorsque le bébé est âgé de plusieurs semaines. Tous les IgA présents dans le colostrum peuvent avoir une importance capitale dans le développement du système immunitaire du bébé à ses débuts.

Les IgA présents dans le lait de la mère sont produits localement dans ses seins, mais le type d'anticorps qui sont produits est déterminé par les réactions immunitaires de ses intestins et de ses voies respiratoires.

Lorsque les microbes entrent dans le corps de la mère, son système immunitaire réagit en produisant des anticorps. Cette information est transmise aux muqueuses des glandes mammaires et le sein fabrique alors des anticorps IgA qui vont combattre les microbes auxquels la mère a été exposée. Ces anticorps passent dans le corps du bébé et l'aident à combattre les bactéries et les virus présents dans l'environnement qu'ils partagent. En d'autres mots, quand un bébé entre en contact avec un nouveau microbe, tout ce qu'il a à faire, c'est de le transmettre à sa mère, probablement en tétant à son sein, et le corps de celle-ci fabriquera des anticorps contre ce microbe et les redonnera ensuite au bébé à travers son lait. Les anticorps dans le lait de la mère dépendront également des microbes avec lesquels elle a été en contact dans le passé. Ces anticorps protégeront son bébé particulièrement au cours des premiers mois de sa vie, jusqu'à ce qu'il soit capable de combattre la maladie et l'infection par lui-même.

Le colostrum contient aussi de nombreuses cellules vivantes. Ces cellules, qui se retrouvent aussi dans le sang, ont la capacité de détruire ou de faire obstacle aux bactéries nuisibles et aux virus qui peuvent causer des maladies graves. Les cellules vivantes présentes dans le lait survivent dans le système gastro-intestinal du bébé et sécrètent des hormones, des facteurs de croissance et d'autres substances qui contrôlent la réaction immunitaire du corps. Elles fabriquent également des IgA et circulent à travers les muqueuses et pénètrent dans le sang où elles peuvent influencer le développement d'autres tissus dans le corps du bébé. La présence de cellules vivantes dans le lait signifie que le lait est un tissu vivant, tout comme le sang. En fait, durant les premières semaines, il y a à peu près autant de globules blancs vivants dans le lait que dans le sang. Avant même que les scientifiques n'aient découvert la présence de ces globules blancs vivants, le lait maternel était appelé par certains médecins « le sang blanc », précisément à cause de ses propriétés fortifiantes.

Les lymphocytes sont un type de cellules vivantes présentes dans le lait maternel. Les lymphocytes T dirigent les réactions immunitaires. D'autres types de lymphocytes produisent des anticorps et tuent les microbes. Le macrophage est un autre type de cellule vivante dans le lait maternel. Les macrophages peuvent engloutir les organismes nuisibles. Ils avalent les microbes et, avec l'aide d'une enzyme, le lysozyme, ils les détruisent.

Il existe beaucoup, beaucoup d'autres exemples des différentes façons dont les substances spéciales présentes dans le lait maternel travaillent ensemble à détruire les envahisseurs. Certaines enzymes aident d'autres substances dans le lait à survivre au processus de la digestion pour qu'elles puissent combattre les microbes. Dans d'autres cas, les enzymes transforment les protéines ou les graisses en composants qui peuvent ensuite accomplir leurs fonctions immunitaires. Certains lymphocytes ordonnent au corps d'attaquer les microbes, d'autres disent au système immunitaire de se reposer et de tolérer des substances telles que les protéines alimentaires qui, quoique étrangères au corps, ne sont pas dangereuses. La lactoferrine, la principale protéine du lait maternel, tue certains types de bactéries, de virus, de fongus et de tumeurs. Elle possède également des propriétés anti-inflammatoires. Les oligosaccharides, des sucres simples que l'on retrouve dans le lait maternel, empêchent les bactéries de s'accrocher aux parois du système respiratoire.

Le rôle direct et actif que joue le lait maternel dans la prévention des maladies chez le nourrisson explique pourquoi les bébés peuvent survivre, aussi longtemps qu'ils sont allaités, dans un environnement très contaminé et ce, avant même que leur propre système immunitaire ne puisse les protéger. Le système immunitaire de l'être humain, vu à travers l'interaction entre la mère et son bébé au cours de l'allaitement, est fascinant et les détails de son fonctionnement vous donnent une raison supplémentaire d'allaiter votre bébé.

Prévenir les allergies

Un plus grand risque de souffrir d'allergies est l'un des nombreux dangers du lait artificiel. Votre bébé ne sera pas allergique à votre lait, vous pouvez en être absolument certaine. C'est une loi de la nature, les nourrissons ne sont jamais allergiques à leur aliment naturel. Cependant, la façon dont le lait maternel protège des allergies et de l'asthme va au-delà du simple fait d'éviter l'introduction d'aliments allergènes comme le lait de vache. Les composants immunitaires du lait maternel éviteront à votre bébé de développer des réactions allergiques.

Les allergies apparaissent lorsqu'une substance, par ailleurs inoffensive, comme un aliment, du pollen ou de la moisissure, entre dans le corps et que celui-ci l'identifie comme étant une substance étrangère. La prochaine fois que le système immunitaire la rencontre, il se rappelle que cette substance, qu'on appelle un allergène, est étrangère. Il l'attaque donc en libérant des produits chimiques qui causent des symptômes allergiques, comme les yeux qui piquent ou le nez qui coule. Ce n'est pas l'aliment ou le pollen qui causent les désagréments de l'allergie, mais la réaction du corps.

En plus d'apprendre comment reconnaître et détruire les bactéries et les virus, le système immunitaire du bébé qui est en train de se développer doit aussi apprendre à reconnaître les substances étrangères qu'il peut tolérer. Le lait maternel, avec ses nombreux composants immunitaires, aide à enseigner ces leçons. Il empêche également les allergènes d'atteindre le système sanguin du bébé à un moment où son système immunitaire est encore immature et plus susceptible de réagir de manière excessive. C'est une des fonctions des IgA qui surveillent la paroi intestinale.

De nombreuses études ont révélé que les bébés qui étaient exclusivement allaités pendant plusieurs mois ou davantage avaient moins de symptômes allergiques plus tard dans l'enfance. En 1995, dans une étude, où des enfants ont été suivis de la petite enfance jusqu'à l'adolescence (jusqu'à l'âge de dix-sept ans), on a découvert que l'allaitement procurait une protection à long terme contre l'eczéma, les allergies respiratoires de même que les allergies alimentaires. Ce ne sont pas toutes les études sur la relation entre la nutrition du nourrisson et les allergies qui donnent des résultats aussi spectaculaires. D'autres facteurs, incluant l'hérédité et le régime alimentaire de la mère pendant la grossesse, jouent aussi un rôle dans l'apparition des allergies.

Les protéines dans le lait de vache, dans les préparations lactées pour nourrissons à base de lait de vache, ainsi que dans celles à base de soja sont reconnues pour causer des allergies. Les bébés qui sont exposés à ces protéines étrangères dès leur jeune âge peuvent y devenir allergiques. La prochaine fois qu'ils les rencontreront, leur système immunitaire peut réagir de diverses façons : maux d'estomac, vomissements, diarrhée, nez bouché, éruptions cutanées, irritabilité. Un seul biberon de préparation lactée, donnée la nuit à la pouponnière de l'hôpital, pendant que la mère « se repose », peut suffire à sensibiliser certains bébés aux protéines du lait de vache ou de soya et produire des symptômes allergiques plusieurs mois plus tard.

La meilleure façon d'éviter les allergies, particulièrement chez les bébés qui proviennent de familles où il y a des allergies alimentaires, c'est d'allaiter exclusivement pendant les six premiers mois et d'introduire ensuite les solides très graduellement. Les composants immunitaires du lait maternel aident probablement les bébés à tolérer les nouveaux aliments, il est donc important de poursuivre l'allaitement pendant que le bébé apprend à apprécier les solides. Une étude récente a démontré que les enfants qui avaient poursuivi l'allaitement plusieurs mois après l'introduction du blé dans leur régime alimentaire risquaient moins de développer une maladie coeliaque que ceux qui s'étaient sevrés tôt après avoir commencé à manger des produits du blé.

Un remède miracle

Très tôt dans son histoire, la Ligue La Leche a connu un des cas les plus dramatiques d'un bébé extrêmement allergique dont la santé s'est améliorée grâce au lait maternel. Le fils de Lorraine et Emil Bormet, David, un bébé de deux mois et demi qui était nourri au lait artificiel depuis sa naissance, souffrait presque continuellement de diarrhée, de difficultés respiratoires et d'eczéma. Les parents avaient essayé de nombreuses préparations lactées pour nourrissons, y compris celles à base de soya et de viande, sans aucune amélioration de l'état de santé de David. En dernier recours, le médecin a laissé entendre que le lait maternel était probablement le seul aliment que David pourrait tolérer.

À plusieurs kilomètres de leur ferme dans l'Illinois, Lorraine a trouvé une mère qui allaitait et qui acceptait de les aider. Après avoir pris son premier repas de lait maternel tard en soirée, David « s'est endormi et a dormi toute la nuit sans interruption pour la première fois de sa vie », a rapporté sa mère, stupéfaite.

Convaincus de la valeur du lait maternel, les Bormet se sont demandé si Lorraine pouvait entreprendre une relactation et rétablir sa sécrétion lactée même s'il s'était écoulé trois mois depuis la naissance du bébé. Ils ont communiqué avec la Ligue La Leche pour obtenir de l'information. Nous l'avons assurée que la production du lait est stimulée par la succion du bébé. C'est ainsi qu'a commencé pour elle le dur labeur d'encourager David à prendre le sein. Lorraine a communiqué régulièrement avec Marian Tompson, une des fondatrices de la Ligue La Leche, et David a continué à recevoir du lait maternel offert par de généreuses donatrices. Après huit jours de tentatives d'allaitement, des gouttes de lait sont apparues. Quelques semaines plus tard, Lorraine Bormet allaitait seule son bébé qui était maintenant comblé et en bonne santé, ne présentant plus aucun symptôme d'allergie.

Dans les années qui ont suivi l'histoire des Bormet, d'autres mères aux prises avec des allergies semblables chez leur bébé se sont adressées à la Ligue La Leche. Plusieurs d'entre elles ont découvert que, malgré un départ tardif, elles pouvaient offrir leur propre lait à leur bébé.

Cela vaut la peine d'essayer

D'autres récits enthousiastes nous parviennent de parents dont les enfants plus âgés ont souffert d'allergies au lait de vache et qui choisissent d'allaiter leur prochain bébé. Ils sont nombreux et font probablement partie des plus ardents défenseurs de l'allaitement. Kathy Driskell, de l'Illinois, raconte l'histoire de Michael, le deuxième enfant de la famille :

Nous avons vécu toute une série de problèmes avec notre première enfant, Jennifer, nourrie au lait artificiel. Elle vomissait après chaque biberon, ou presque, jusqu'à ce qu'elle ait à peu près six mois. Puis, elle a souffert d'une diarrhée chronique jusqu'à ce qu'elle ait plus de deux ans. Son pédiatre a changé sa préparation lactée plusieurs fois mais sans succès. Il a finalement conclu que c'était une allergie héréditaire.

Inutile de le dire, je désirais ardemment éviter ce cauchemar à Michael. Certaines de mes amies ont essayé de m'encourager à allaiter mais, franchement, cela me faisait terriblement peur. Je viens d'une famille nombreuse, très unie et nourrie uniquement au biberon. Je voyais déjà les membres de ma famille hocher la tête de pitié devant mon pauvre bébé affamé. Finalement, après bien des discussions, mon mari et moi avons décidé que la meilleure chose à faire pour Michael serait que j'essaie de l'allaiter une semaine ou deux. Aujourd'hui, quatorze mois plus tard, je regarde en arrière et je ris, car Michael est devenu l'enfant le plus potelé et le plus en santé que j'ai jamais pu imaginer. Inutile de mentionner qu'il n'a pas eu de problème de digestion (il régurgite même rarement). Allaiter mon fils a été une expérience que je n'aurais voulu manquer pour rien au monde.

Un bébé allaité peut être allergique

Même s'ils sont exclusivement allaités, certains bébés développent tout de même des allergies. Un bébé peut avoir des réactions allergiques à des aliments autres que les préparations lactées à base de lait de vache et de soya, aux aliments solides introduits trop tôt, par exemple, ou même aux vitamines ou aux médicaments. Vous rendrez service à votre bébé en étant attentive à ce qu'il consomme et en vous limitant à ce que son jeune organisme peut assimiler. Votre lait seul est votre meilleur pari pendant environ six mois. Tant que votre bébé ne boit que du lait maternel, son système digestif est protégé, ce qui lui donne le temps de se développer. Les aliments potentiellement allergènes, qui pourraient causer des problèmes même à l'âge de six mois, pourront être mieux tolérés plus tard, surtout si le bébé continue de téter. Évitez d'offrir des aliments qui sont reconnus pour causer des allergies. Parmi ceux-ci, il y a le lait de vache, le blanc d'œuf, les agrumes, le maïs, le blé, le soya, le poisson, les tomates, le chocolat, le chou, les baies et les noix, particulièrement les arachides. Si votre bébé montre des signes d'allergie à un nouvel aliment ou s'il y a des allergies dans votre famille, vous pourriez demander à votre médecin de retarder l'introduction des aliments solides jusqu'à l'âge de huit ou neuf mois. Allez consulter le chapitre 13 sur l'introduction des solides avant d'offrir d'autres aliments à votre bébé.

Jani Howd, du Dakota du Sud, pensait qu'il n'y avait pas de problème d'allergie dans sa famille. Elle a découvert par la suite que sa fille Angie souffrait d'allergies sévères :

Éviter les allergies ne faisait pas partie de mes priorités quand j'ai décidé d'allaiter notre premier enfant. Maintenant, deux ans plus tard, je sais, sans l'ombre d'un doute, que c'est un avantage qui ne devrait pas être pris à la légère.

Au cours de sa première année, Angie était le parfait exemple du bébé allaité comblé et en bonne santé. Son seul problème semblait être une hypersensibilité de la peau. Quand j'ai commencé à lui offrir des aliments de la table, vers l'âge de cinq mois et demi, elle a mangé de bon cœur et avec appétit. À douze mois, Angie avait une réaction allergique chaque fois qu'on lui donnait du lait de vache ou des œufs. Vers dix-huit mois, les œufs ne posaient plus de problèmes et à vingt-et-un mois, elle semblait tolérer le lait.

Peu de temps après, Angie s'est mise à faire de l'eczéma. Nous avons immédiatement retiré le lait le vache de son alimentation. Mais l'eczéma n'a pas disparu complètement tant que je n'ai pas soumis Angie à un régime strict pour déterminer avec exactitude à quels aliments elle était allergique. La disparition progressive de l'eczéma n'était pas le seul changement appréciable chez Angie. Vers l'âge de dix-huit mois, elle avait commencé à faire régulièrement des crises de colère, à ne plus dormir la nuit et à perdre l'appétit. John et moi pensions que cela était dû au fait qu'elle devenait de plus en plus autonome et nous essayions d'être patients et de la traiter avec amour.

Maintenant qu'elle mange des aliments qui lui conviennent, elle fait rarement des colères. Elle est à nouveau notre bambine allaitée, heureuse et comblée. Son appétit est revenu et son changement d'attitude est presque incroyable. L'allaitement ne prévient pas complètement les allergies, surtout dans le cas d'une personne très allergique comme Angie. Mais cela m'a rassuré d'entendre son dermatologue dire que, si elle n'avait pas été allaitée, ses allergies auraient été plus sévères, plus nombreuses, qu'elle aurait eu des problèmes de peau liés à la nourriture bien plus tôt et qu'ils auraient duré plus longtemps.

S'il y a des allergies dans votre famille, c'est souvent une bonne idée d'éviter de manger n'importe quel aliment en quantité excessive au cours de votre grossesse, particulièrement le lait de vache et les produits contenant des arachides. Il est prouvé que le bébé peut être sensibilisé avant sa naissance à un aliment consommé par sa mère.

Le bébé peut-il réagir à un aliment consommé par sa mère ?

Dans certains cas, un aliment consommé par la mère causera une réaction chez son bébé. Les protéines du lait de vache, des œufs ou de certains autres aliments consommés par la mère qui allaite peuvent traverser son tube digestif. Ces protéines « errantes » dans son sang risquent de se retrouver dans son lait. La présence de protéines étrangères dans le lait maternel peut être la façon prévue par la nature pour introduire ces substances au bébé en petites quantités, ce qui aidera son système immunitaire à apprendre à les tolérer. Cependant, certains bébés, surtout ceux qui ont tendance à développer des allergies, peuvent réagir à ces protéines étrangères. En excluant l'aliment responsable de l'allergie du régime alimentaire de la mère, les symptômes du bébé devraient disparaître. Rappelez-vous que le lait maternel lui-même est excellent. C'est simplement la protéine errante qui cause le problème. Passer au lait artificiel ne fera qu'exposer davantage le bébé à une grande concentration d'allergènes potentiels et, bien souvent, cela ne fait qu'envenimer la situation. De plus, ce bébé serait alors exposé à tous les autres risques associés aux préparations lactées pour nourrissons.

Avant de commencer à vous inquiéter que quelque chose dans votre lait rend votre bébé maussade ou lui cause des éruptions cutanées, de la diarrhée ou d'autres symptômes, envisagez d'autres possibilités. La cause du problème peut être fort simple. Le bébé a-t-il pris des suppléments de préparation lactée ou de jus ? Des vitamines ou des médicaments ? Peut-être pleure-t-il parce qu'il « couve » une maladie ? Le bébé qui tète très souvent peut faire une poussée de croissance. Examinez aussi votre propre situation. Si vous êtes continuellement fatiguée ou débordée, ralentissez votre rythme ; la vie sera plus facile pour vous et votre bébé. Prenez-vous des médicaments ou des suppléments alimentaires ? Consommez-vous de grandes quantités de caféine ou fumez-vous la cigarette ? Une de ces choses peut être la cause du problème. Les éruptions cutanées peuvent être causées par quelque chose qui entre en contact avec la peau du bébé. Parmi les causes les plus fréquentes, on trouve : les détergents, les savons, les assouplisseurs de tissus, les teintures (les draps de couleur), la laine, les plumes, les lotions, les déodorants en aérosol et tous les autres produits de soins pour la peau et les cheveux que vous utilisez.

Si les éruptions cutanées, la mauvaise humeur ou tout autre symptôme persiste, alors votre bébé exclusivement allaité réagit probablement à un aliment que vous consommez. Heureusement, il existe une méthode relativement simple et peu coûteuse pour savoir si votre alimentation est en cause. Éliminez d'abord un aliment précis de votre alimentation pendant une semaine environ et voyez si l'état de votre bébé s'améliore. Si vous avez mangé de grandes quantités d'un aliment en particulier dernièrement, quelque chose qui ne fait pas partie de votre alimentation habituelle, vous devriez éliminer celui-ci en premier. Le lait de vache constitue aussi un des premiers aliments du régime de la mère qui risque d'ennuyer le bébé. En plus du lait, assurez-vous d'éliminer aussi les autres produits laitiers comme le fromage, le yogourt et la crème glacée et tous les aliments qui contiennent du lait ou des solides du lait. Lisez les étiquettes de tout plat cuisiné pour être certaine d'éviter tout produit laitier. Il faut parfois dix jours à deux semaines pour éliminer complètement l'aliment de votre organisme, alors ne vous attendez pas à ce que les symptômes de votre bébé disparaissent immédiatement.

Si, après avoir éliminé les produits laitiers, il n'y a aucune amélioration ; essayez d'éliminer d'autres aliments durant une semaine, un à la fois (ou plusieurs en même temps), et surveillez votre bébé pour voir si les symptômes disparaissent. Parmi les autres allergènes fréquents, il y a les œufs, le blé, les agrumes, le maïs, les oignons, le poisson, les arachides, le chou, le chocolat et les autres noix. Si l'état de votre bébé semble s'améliorer quand vous éliminez un groupe d'aliments, essayez de les réintroduire, un à la fois, afin de trouver la source de l'allergie.

Il arrive à l'occasion qu'une mère puisse manger une petite portion d'un aliment au cours d'un repas sans que le bébé n'en souffre. Par contre, si cet aliment est consommé seul et en grande quantité, il cause des problèmes. Si vous avez un enfant très allergique, vous devrez sans doute faire un peu de travail de détection, mais, en allaitant, vous maîtrisez déjà en bonne partie la situation. Si vous trouvez que vous devez restreindre sérieusement votre alimentation à cause des allergies alimentaires de votre bébé, vous aurez peut-être besoin de l'aide d'un nutritionniste pour planifier des repas sains et appétissants. N'oubliez pas, ceci ne durera pas toujours. Bien des mères découvrent qu'elles peuvent commencer à introduire le ou les aliments incommodants dans leur régime alimentaire quand l'enfant grandit. Commencez par de petites quantités et ne mangez pas cet aliment à chaque repas ou même tous les jours.

Si votre bébé est sensible aux aliments que vous consommez, prenez bien soin de retarder l'introduction des aliments solides. Choisissez soigneusement les aliments que vous lui offrez.

D'autres raisons d'allaiter

Le développement cognitif

Tout comme le lait maternel joue un rôle actif dans le développement du système immunitaire du bébé, il contribue également au développement du cerveau et du système nerveux. Les études comparant des enfants allaités et des enfants nourris au lait artificiel, à différents âges et à différents stades de leur développement, démontrent que ceux qui reçoivent du lait maternel obtiennent de meilleurs résultats dans les diverses évaluations d'habiletés intellectuelles. Certaines études ont démontré que ces différences persistent plus tard dans l'enfance et dans l'adolescence.

De nombreux facteurs dans la constitution génétique et l'environnement social de l'enfant affectent son développement intellectuel. Aux États-Unis et en Europe, les femmes les plus susceptibles d'allaiter sont des femmes instruites de la classe moyenne ou supérieure et les avantages sociaux et économiques dont bénéficient leurs enfants peuvent gonfler leurs résultats aux tests de QI. L'interaction étroite et fréquente avec la mère qui fait inévitablement partie de l'allaitement peut également expliquer le développement intellectuel accru des enfants qui ont été allaités. Mais même en tenant compte ou en éliminant ces influences dans l'élaboration des études, les bébés allaités arrivent toujours premiers par rapport à ceux qui ne reçoivent pas de lait maternel. Les chercheurs sont de plus en plus convaincus que c'est quelque chose dans le lait maternel lui-même qui fait la différence.

Une étude fascinante a comparé des bébés prématurés qui avaient reçu du lait maternel à l'unité néonatale de l'hôpital avec d'autres qui n'en avaient pas reçu. Les enfants qui avaient reçu du lait maternel avaient, à l'âge de sept ans et demi et huit ans, des QI sensiblement plus élevés que

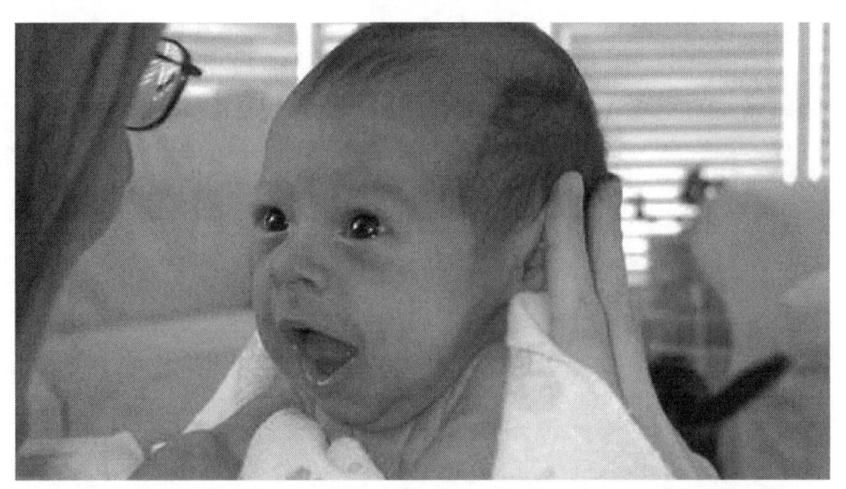

Interagir avec votre bébé accroît également son développement social et cognitif.

ceux qui n'avaient pas reçu de lait maternel. Chez les enfants qui avaient reçu à la fois du lait maternel d'une banque de lait et une préparation lactée pour nourrissons, les résultats cognitifs étaient directement liés à la quantité de lait maternel qu'ils avaient reçue (une relation dose-effet). Quand on a comparé des enfants à qui les mères avaient fourni leur propre lait à des enfants dont les mères avaient eu l'intention de fournir du lait, mais n'avaient pas réussi à le faire, les résultats élevés de QI étaient encore évidents, ce qui laisse entendre que le développement intellectuel accru qui avait été observé dans le groupe nourri au lait maternel ne pouvait pas être attribué au fait d'avoir une mère qui acceptait de faire l'effort d'exprimer son lait. Les chercheurs ont donc conclu qu'il y a quelque chose dans le lait maternel qui favorise le développement du cerveau chez les bébés prématurés.

De nombreuses autres études ont utilisé des tests standardisés pour comparer le développement intellectuel d'enfants qui étaient surtout allaités à celui d'enfants qui étaient surtout nourris au lait artificiel. Les données de vingt études de ce genre ont été examinés dans une méta-analyse, une étude qui compile et analyse les informations de nombreux projets de recherches. La méta-analyse a confirmé que les enfants nourris au lait maternel obtenaient de façon constante de meilleurs résultats dans les différentes évaluations d'habiletés cognitives. Plus la durée de l'allaitement était longue, plus les résultats étaient élevés. En tenant compte des facteurs associés à l'allaitement qui influencent le développement cognitif (par exemple, le statut socio-économique, l'éducation de la mère ou le poids à la naissance), on diminuait les différences statistiques entre les enfants allaités et ceux nourris au lait artificiel, mais même là, le groupe nourri au lait maternel arrivait premier. La différence était mince, mais elle n'en était pas moins significative. L'allaitement apparaissait plus crucial pour le développement cognitif de bébés de faible poids à la naissance, où les différences entre ceux qui recevaient du lait maternel et ceux à qui on donnait une préparation lactée pour nourrissons étaient plus grandes que chez les bébés de poids normal. Les bébés qui n'ont pas obtenu l'équivalent de plusieurs semaines de nutriments transmis par le placenta dans l'utérus semblent particulièrement vulnérables aux déficiences nutritionnelles des préparations lactées pour nourrissons. Le lait maternel leur fournit ce dont ils ont besoin pour compenser le temps qu'ils n'ont pas passé dans l'utérus.

Cela veut-il dire que votre bébé allaité sera plus intelligent que celui du voisin qui a été nourri au lait artificiel ? Bien sûr que non. De nombreux facteurs, en plus de l'allaitement, déterminent quand et comment votre bébé apprendra à marcher, parler, lire et penser. Les différences de développement que les chercheurs ont trouvées entre les bébés nourris au lait artificiel et les bébés allaités sont petites et il est important de se rappeler que ces chiffres représentent des différences statistiques entre des groupes d'enfants et non des différences entre des individus. Par contre, le fait qu'il y a des différences indique que les composants du lait maternel jouent un rôle dans le développement du cerveau des bébés. Au fur et à mesure que la science en apprendra davantage sur la façon dont fonctionne le cerveau et sur comment il développe ses capacités étonnantes, nous en saurons également plus sur le rôle de la nutrition du nourrisson dans la croissance et le développement du cerveau et du système nerveux.

Le développement de la mâchoire, de la dentition et du visage

Le fervent du culturisme s'entraînant au gymnase et le tout-petit à votre sein – les poings fermés, des perles de sueur au front et les mâchoires s'activant vigoureusement – font tous deux des exercices de musculation. Les exercices du culturiste visent à développer sa musculature ; les exercices de mastication de votre bébé auront des répercussions sur la forme de son visage, sa dentition et son sourire.

Bien sûr, l'hérédité joue un rôle dans la structure du visage. Des mâchoires carrées ou un petit menton, par exemple, peuvent être des traits de famille. Toutefois, quelle que soit la forme du visage de votre enfant, elle sera accentuée par ces simples mouvements de succion répétés à votre sein. L'allaitement favorise un bon développement facial et peut même éviter à votre enfant des problèmes de dentition ou de langage dans les années à venir.

Le bébé ne tète pas de la même manière une tétine artificielle et le sein de sa mère. Quand le bébé tète le sein, il tire le mamelon loin dans sa bouche et le tient contre son palais avec sa langue, en étirant le mamelon et en plaçant ses gencives et ses lèvres autour de l'aréole (la partie sombre). Les muscles de ses joues sont extrêmement actifs, accroissant le développement facial. La technique de succion au biberon n'implique pas autant de muscles et peut entraîner un sous-développement de la structure faciale. Le débit plus rapide de la tétine artificielle peut aussi inciter le bébé à pousser la langue vers l'avant, le bébé développe ainsi une façon incorrecte d'avaler. Si cette habitude se poursuit au-delà de la période d'alimentation au biberon, il est possible que l'alignement des dents permanentes soit affecté. La tétine artificielle, la suce ou le pouce du bébé peuvent aussi exercer une pression contre son palais, ce qui rétrécit l'arcade dentaire supérieure et limite l'espace disponible pour la dentition. Dans un rapport, présenté par des chercheurs du *John Hopkins School of Public Health* et portant sur une étude effectuée auprès de 10 000 enfants environ, on signale que plus la durée de l'allaitement est longue, moins il y a de cas de malocclusion. Les enfants qui avaient été allaités durant une année ou plus ont eu recours à 40 % moins d'orthodontie que ceux qui avaient été nourris au biberon.

D'autres aspects du développement

L'allaitement affecte de nombreuses autres façons la croissance et le développement des bébés. Des études ont démontré que des nourrissons qui étaient allaités avaient moins de risques d'être obèses plus tard dans l'enfance et à l'adolescence. Dans les premiers jours qui suivent la naissance, le lait maternel contient des taux élevés d'endorphines, des substances chimiques qui réduisent le stress et aident ainsi les bébés à s'adapter à la vie hors de l'utérus. L'allaitement peut affecter la façon dont les bébés ressentent la douleur. Dans une étude, on a trouvé que les bébés qui tétaient pendant une prise de sang avaient des degrés de douleur plus faibles que les bébés qui étaient dans les bras de leur mère sans téter.

Au fur et à mesure que la science en apprend davantage sur le développement du corps et du cerveau des nourrissons, on découvre également le rôle essentiel que joue le lait maternel dans le processus. On encourage de plus en plus l'allaitement alors qu'il devient évident que le lait maternel apporte aux bébés beaucoup plus que des calories. Il est vraiment étonnant de découvrir toutes les façons dont l'allaitement peut aider aux bébés à survivre et à grandir. Ce qui est encore plus étonnant, c'est de savoir que tous ces merveilleux ingrédients dans le lait maternel protègent les bébés de la maladie et les aident à grandir depuis des milliers d'années. Les mères qui allaitaient leurs bébés il y a des siècles, ou même il y a quelques dizaines d'années, ne savaient peut-être pas en détail pourquoi leur lait était si important pour leur bébé. Cependant, le merveilleux rapprochement que permet l'allaitement et le bonheur de voir leurs tout-petits devenir grands et forts, confirme certainement ce qu'elles savaient déjà au fond de leur cœur : ce dont le bébé a le plus besoin, c'est le lait de sa mère, le sein de sa mère et sa mère elle-même.

Pour en savoir plus

Chaque année, les revues spécialisées publient des centaines d'articles sur des recherches portant sur la lactation. Le *Center for Breastfeeding Information* (CBI) de La Leche League International garde à jour une base de données exhaustive ainsi qu'une collection de plus de 37 000 articles complets publiés dans les revues spécialisées. Visitez le site Web de la LLLI au www.lalecheleague.org pour avoir accès à des bibliographies sélectives du CBI. Consultez également l'appendice pour obtenir des renseignements sur les autres services qui sont disponibles pour les chercheurs et autres professionnels de la santé.

Chapitre 19

Les effets de l'allaitement sur la mère

La lactation est une phase inévitable et naturelle du cycle de reproduction de l'espèce humaine. La grossesse et l'accouchement sont suivis de l'allaitement. Le corps d'une mère produit du lait pour son nouveau-né, qu'elle décide de l'allaiter ou non, et le processus de lactation n'affecte pas que ses seins. Une mère bénéficie directement de plusieurs des changements qui se produisent dans son corps et qui sont associés au phénomène de la lactation. En même temps toutefois, elle doit se rappeler que, durant l'allaitement, tout ce qui affecte son corps peut également avoir un effet sur son bébé.

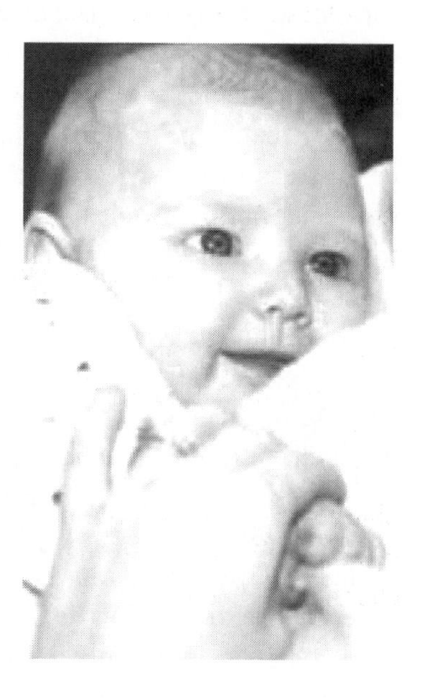

Comment le sein donne du lait

La façon dont le corps de la femme produit et dispense le lait est remarquable, tout comme le lait lui-même. Le sang de la mère apporte les matériaux bruts, tandis que les seins transforment ceux-ci en une sécrétion qui nourrit parfaitement le bébé. Ce phénomène se produit pendant des mois, voire des années, ajustant subtilement la composition du lait au fur et à mesure que les besoins nutritionnels du bébé se modifient. Les principes fondamentaux de l'allaitement, le fait que le lait maternel convient parfaitement au bébé et que la quantité de lait que produit la mère s'adapte à sa demande, sont bien connus des mères qui allaitent, mais les détails du processus continuent de faire l'objet de recherches scientifiques.

Les seins sont des glandes sécrétoires à l'intérieur desquelles des cellules, qui rappellent des grappes de raisins et qu'on appelle alvéoles, produisent du lait. Le lait voyage dans des canaux jusqu'aux orifices du mamelon. Chacun de ces ensembles d'alvéoles et de canaux constitue un lobe. La plupart des femmes possèdent entre sept et dix lobes de tissu glandulaire dans chaque sein. En plus des tissus glandulaires qui produisent le lait, le sein contient également des graisses, des nerfs et des vaisseaux sanguins, reliés ensemble par des tissus conjonctifs. Bien que la taille des seins soit surtout déterminée par la quantité de tissu adipeux qui s'y retrouve, la quantité de graisse présente dans les seins n'a aucune influence sur leur fonctionnement.

Les changements dans la taille des seins sont un des premiers signes de grossesse. Enceinte, il se peut que vous ayez du mal à boutonner votre chemisier préféré avant même que vous n'ayez de la difficulté à tirer la fermeture éclair de votre jean. L'augmentation de la taille des seins survient lorsque la progestérone et l'œstrogène stimulent la croissance des alvéoles afin qu'elles se préparent à offrir du lait à votre nourrisson. Déjà, pendant la grossesse, les seins produisent de petites quantités de colostrum, mais ce sont les changements hormonaux qui suivent l'accouchement qui enclenchent une production abondante de lait.

Après l'expulsion du placenta, les niveaux d'œstrogène et de progestérone, élevés au cours de la grossesse, baissent rapidement et c'est la prolactine, l'hormone qui dit aux alvéoles de produire du lait, qui prend la relève. La production de lait augmente rapidement dans les jours suivant la naissance. La mère sent bientôt ses seins se gonfler, alors que le lait « monte », afin qu'elle puisse nourrir son bébé.

Lorsque le bébé est mis au sein, sa succion stimule des nerfs dans l'aréole qui envoient des messages au cerveau de la mère. Le cerveau répond en libérant une autre hormone, l'ocytocine, qui provoque la contraction des cellules autour des alvéoles, expulsant le lait sécrété par celles-ci vers les canaux lactifères jusqu'au mamelon. Ainsi se produit l'indispensable réflexe d'éjection du lait, qui rend le lait de la mère toujours disponible pour son bébé affamé.

Pour que la production de lait se poursuive, il faut que le bébé retire régulièrement du lait des seins. Les mères qui allaitent, de même que les personnes qui les conseillent, savent depuis longtemps que des tétées fréquentes et efficaces, particulièrement lors des premières semaines, sont une des clés du succès de l'allaitement. Cependant, des études récentes ont observé de plus près comment le comportement du bébé au sein influence la production de lait de la mère, tout comme la capacité de celle-ci à produire et à emmagasiner du lait peut affecter le nombre de fois où son bébé tète.

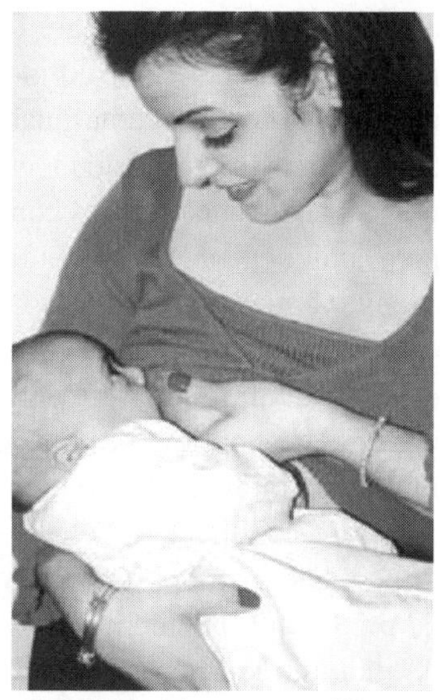
Des tétées fréquentes et efficaces permettent une production de lait abondante.

La loi de l'offre et de la demande

Les chercheurs ont observé que la production de lait n'est pas un processus constant et continu. Elle varie d'une tétée à l'autre. Un sein vide produit du lait plus rapidement qu'un sein qui est relativement plein. En d'autres termes, quand un bébé affamé prend beaucoup de lait au sein, le corps de la mère répond immédiatement en produisant rapidement plus de lait. Un bébé qui se développe rapidement peut ainsi compter sur les seins de la mère pour lui fournir tous les nutriments dont il a besoin, quand il en a besoin. Lorsque le bébé ne prend qu'une petite tétée, une « collation », le lait est remplacé plus lentement.

Combien de lait peut contenir un sein ? Les chercheurs pensent que cela varie d'une mère à l'autre. Les mères dont les seins peuvent emmagasiner une grande quantité de lait entre les tétées auront peut-être des bébés qui tètent moins souvent que celles dont les seins contiennent de plus petites quantités de lait. De telles différences peuvent expliquer pourquoi certains bébés réclament le sein toutes les deux heures, alors que d'autres peuvent attendre plus longtemps entre les tétées et recevoir tout de même assez de lait. Bien entendu, plusieurs autres facteurs influencent la fréquence à laquelle un bébé veut téter, tels l'âge du bébé, sa taille et sa personnalité. Puisque la quantité de lait qu'un bébé boit à chaque tétée détermine combien de lait la mère produit, les préférences du bébé pour s'alimenter ont une grande importance sur la quantité de lait que sa mère produit et emmagasine.

Les scientifiques continueront d'étudier la façon dont les seins produisent le lait, mais les mères ne doivent pas s'inquiéter de ne pas produire assez de lait pour leur bébé. Les études sur le rôle du bébé dans la loi de l'offre et de la demande au moment de l'allaitement ont démontré que les nourrissons ont une remarquable capacité à contrôler eux-mêmes la quantité de nourriture qu'ils consomment et, par la même occasion, la production de lait de la mère. Des bébés différents suivent des scénarios différents pour s'alimenter et les habitudes alimentaires d'un même bébé peuvent changer à mesure qu'il grandit. Toutefois, la magnifique interdépendance entre la production de lait de la mère et l'appétit du bébé garantit à chaque bébé d'obtenir toute l'alimentation dont il a besoin au sein de sa mère. La mère qui tient compte des indices que lui fournit son bébé pour savoir quand l'allaiter verra celui-ci grandir et s'épanouir exclusivement avec son lait.

Dans certains cas, cette loi de l'offre et de la demande peut être perturbée. Par exemple, un bébé qui n'est pas capable de téter efficacement ne prendra pas beaucoup de lait au sein de sa mère entraînant ainsi une diminution de la production de lait. Même si le bébé tète fréquemment parce qu'il a faim, la production de lait de la mère diminuera, parce qu'une grande partie du lait qu'elle produit n'est pas retiré du sein. Un tire-lait permettra alors de vider les seins et de maintenir la production de lait jusqu'à ce que le bébé apprenne à mieux téter. De plus, la mère peut offrir au bébé le lait qu'elle a exprimé.

Les tétées du début instaurent la production de lait

Les chercheurs en lactation ont découvert que le fait de vider souvent les seins, dans les premières semaines après la naissance, assure à la mère une ample provision de lait lorsque son bébé atteindra l'âge de trois ou quatre mois. Les chercheurs pensent que la fréquence des tétées est directement liée au développement d'un plus grand nombre de cellules réceptrices de prolactine dans le sein. Ces cellules réceptrices ont pour fonction de capter les molécules de prolactine dans le sang pour qu'elles puissent faire leur travail dans le sein. Un plus grand nombre de ces cellules pourrait signifier une production de lait plus abondante.

Le niveau de prolactine baisse dans les mois qui suivent la naissance, même si le corps de la mère continue à produire du lait. Le taux de prolactine d'une mère qui allaite demeure tout de même plus élevé que celui d'une mère qui n'allaite pas et le taux augmente après chaque tétée. Une fois que la production de lait est complètement établie, les chercheurs croient par contre que celle-ci dépend moins du taux de prolactine dans le sang de la mère et davantage de ce qui se passe dans le sein lui-même.

Le lait de fin de tétée

Les matières grasses du lait maternel apportent les calories nécessaires à la croissance du bébé. La teneur en gras du lait maternel varie au cours d'une tétée. Lorsque le bébé commence à téter, il reçoit le premier lait faible en gras, mais dès que le réflexe d'éjection du lait est déclenché, la teneur en gras du lait augmente, à mesure que les alvéoles libèrent les globules de gras dans les canaux lactifères. Ce lait de fin de tétée, riche en matières grasses, permet au bébé de se sentir rassasié après la tétée et il est important de permettre au bébé de téter assez longtemps à chaque sein pour qu'il reçoive ce lait hautement calorique. Un bébé qui tète activement est le meilleur juge pour décider quand il en a terminé avec le premier sein. (Les nouveau-nés somnolents peuvent avoir besoin d'un peu d'encouragement de leur mère pour continuer à téter jusqu'à ce que leur petit estomac soit rempli de ce lait riche en gras.)

Grâce aux ultra-sons, les chercheurs ont pu étudier ce qui se passe dans le sein lorsque le réflexe d'éjection du lait est déclenché par la succion du bébé. Ils ont observé que les canaux lactifères se dilatent pour contenir le débit de lait accru. Ils ont également découvert que la plupart des mères participant à cette étude avaient plus d'un réflexe d'éjection durant la tétée. Plus une mère avait de réflexes d'éjection, plus son bébé prenait de lait, ce qui tend à confirmer qu'on doit laisser les bébés « vider » le premier sein avant de leur offrir le second. Si on leur offre le deuxième sein trop tôt, ils ne recevront pas le lait riche en gras que leur apporte le deuxième ou le troisième réflexe d'éjection. Un tiers environ des mères ne ressentaient pas leur premier réflexe d'éjection et la plupart des mères ne ressentaient pas ceux qui suivaient.

Les images des échographies étaient celles du sein que le bébé ne tétait pas, afin que les chercheurs puissent observer ce qui se passe lorsque le lait est libéré dans les canaux lactifères, sans être retiré du sein par le bébé. Ils ont constaté que les globules de la matière grasse du lait, qui étaient expulsés vers le mamelon par le réflexe d'éjection du lait, refaisaient le chemin inverse par les canaux lactifères et qu'ils étaient emmagasinés dans les alvéoles et les petits canaux enfouis dans le sein. D'autres chercheurs ont remarqué que le pourcentage de gras dans le lait diminue à mesure que l'intervalle entre les tétées augmente. Des tétées plus fréquentes permettent peut-être de conserver ces globules de gras dans le lait au lieu de les laisser être réabsorbés par les tissus du sein.

Le comportement du bébé au sein influence donc non seulement la quantité de lait produit, mais aussi la teneur en gras du lait qu'il reçoit. Le bébé qui tète activement pendant de longues périodes recevra une plus grande quantité de lait riche en matières grasses. Le bébé qui retourne au sein pour obtenir un peu plus de lait, vingt ou trente minutes seulement après sa dernière tétée, recevra un lait à haute teneur en gras, même si la quantité de lait disponible est moins importante.

Les seins ne sont pas des biberons. Même si certains chercheurs en lactation parlent de l'importance de « vider » le sein, celui-ci n'est jamais vraiment vide. Vous n'avez pas besoin d'attendre que vos seins se « remplissent » de lait avant d'allaiter votre bébé, car il y a toujours une certaine quantité de lait disponible. Après tout, votre sein n'est pas seulement un contenant pour le lait, il est aussi l'usine de production.

Les hormones de l'allaitement

Niles Newton, une psychologue qui a été une amie et conseillère de longue date à la Ligue La Leche, a surnommé l'ocytocine, l'hormone qui déclenche le réflexe d'éjection du lait, « l'hormone de l'amour ». L'ocytocine déclenche un comportement maternel qui, selon Niles Newton, est un « ingrédient essentiel au succès de la reproduction ». La prolactine et l'ocytocine aident, l'une et l'autre, à la sensation de relaxation que les mères associent à l'allaitement. De nombreuses femmes ont remarqué qu'elles se sentent plus calmes pendant les mois où elles allaitent leur bébé et qu'elles peuvent mieux faire face aux situations qui se présentent. Une étude récente a démontré que la lactation supprime la réponse hormonale du système nerveux au stress. La nature a voulu que les mères éprouvent du plaisir à allaiter leurs bébés et que les sentiments agréables associés à l'allaitement favorisent l'attachement à leur bébé.

Il y a plusieurs années, les recherches menées par Niles Newton ont révélé que la sécrétion d'ocytocine est un réflexe conditionné. Le corps de la mère peut produire de l'ocytocine non seulement en réaction à la stimulation directe causée par la succion du bébé, mais aussi en réaction à des images familières, des sons et des activités associés à l'allaitement (ou à l'expression du lait). Des recherches plus récentes ont démontré que, chez 30 % des mères, le taux d'ocytocine augmentait lorsque leur bébé commençait à s'éveiller et que, chez 20 % d'entre elles, le taux d'ocytocine s'élevait pendant qu'elles se préparaient à allaiter. Par contre, le taux de prolactine augmentait seulement quand le bébé tétait activement au sein.

Cela vous aidera si vous connaissez une autre mère qui allaite aussi son bébé.

La D[re] Newton a également démontré que le réflexe d'éjection du lait pouvait être inhibé par le stress. Dans sa recherche, le sujet (elle-même) devait résoudre des problèmes de mathématiques complexes dans sa tête tout en allaitant. Il en est résulté une moins grande quantité de lait disponible pour le bébé. Les scientifiques croient que ce phénomène intéressant s'est développé dès les débuts de l'évolution humaine. Lorsqu'une bête sauvage ou un autre danger menaçait une mère et son bébé, il était temps pour eux de fuir, pas de s'asseoir et d'allaiter.

Il n'y a plus d'animaux sauvages à nos portes, mais il existe de nombreuses occasions où une mère se sent stressée et anxieuse. Si vous ne semblez pas avoir de réflexe d'éjection du lait, votre bébé peut tourner vers vous des yeux interrogateurs, l'air de dire : « Où est le lait, maman ? » Si c'est le cas, vous devrez alors faire un effort délibéré pour vous détendre. Prenez quelques grandes inspirations, concentrez-vous sur votre magnifique bébé et imaginez le lait jaillissant pour lui dans toute la profusion d'une splendide Voie lactée. Le Tintoret, un artiste italien du XVIe Siècle, a peint ce qui a été identifié comme le réflexe d'éjection du lait dans une oeuvre illustrant l'origine de la Voie lactée. On y voit Junon allaitant Hercule alors que son lait jaillit en une pluie d'étoiles.

Un lait de grande qualité

Votre corps s'adapte à la production de lait de diverses façons que vous ne pouvez voir. Tout comme pendant la grossesse, voici de nouveau venu le temps de vous émerveiller de la façon dont votre corps sait répondre aux besoins de votre bébé. Il est également temps de prendre particulièrement soin de vous, non pas parce que le phénomène de la lactation est fatigant ou épuisant, mais parce que le fait d'avoir un nouveau bébé est stressant. Vous affronterez mieux ce défi si vous vous nourrissez bien, si vous prenez assez de repos et si vous êtes suffisamment détendue pour vous concentrer sur ce qui est important.

Une chose dont vous n'avez pas à vous inquiéter, c'est votre lait. La quantité de lait que vous produisez dépend de la fréquence à laquelle votre bébé tète. Les études démontrent que les bébés allaités ont la remarquable capacité de contrôler eux-mêmes la quantité de lait qu'ils consomment. Les bébés allaités consomment moins de lait que ceux nourris au lait artificiel. De quatre à douze mois, ils grossissent plus lentement et ils sont plus minces que les bébés du même âge nourris au lait artificiel. Ils sont cependant en bonne santé, ils se développent bien et ne souffrent pas de la faim. Puisque le lait maternel est ce que la nature a conçu pour les bébés, il est possible que ce soient les enfants nourris au lait artificiel qui grossissent trop vite.

La qualité du lait maternel – les nutriments qu'il contient – est également une chose sur laquelle vous pouvez compter. Seule une mère souffrant de malnutrition sévère devrait s'inquiéter de savoir si son lait répond aux besoins nutritionnels de son bébé. La survie des petits d'une espèce est si importante que la nature a pris des dispositions spéciales pour s'assurer de la qualité de votre lait.

Le poids supplémentaire que vous prenez durant la grossesse fait partie de ces précautions. Il servira de carburant pour alimenter votre production de lait après la naissance du bébé. Pour éviter également des pertes d'énergie, votre métabolisme devient plus efficace durant la lactation. Le flux de sang s'accroît dans vos seins, apportant les nutriments nécessaires. L'effet calmant des hormones de l'allaitement sert aussi les intérêts de votre bébé.

D'où viennent tous les nutriments ?

Est-ce que le corps de la mère se vole à lui-même des nutriments pour produire du lait ? Il n'y a pas de réponse simple à savoir d'où viennent tous les composants du lait maternel. Il a toutefois été prouvé que les inquiétudes concernant la possibilité que les mères qui allaitent manquent de certains nutriments étaient non fondées.

Le principal sujet d'inquiétude concerne le calcium, qui est, bien entendu, essentiel à la solidité des os. Une carence en calcium peut entraîner l'ostéoporose, une dégénérescence des os, à mesure que la femme prend de l'âge. La nouvelle que le corps de la mère qui allaite utilise le calcium qui provient des réserves dans ses propres os pour produire du lait peut sembler alarmante. Les femmes qui allaitent leur bébé, surtout durant une longue période, risquent-elles d'avoir des problèmes osseux plus tard ? La réponse est non parce que, là encore, le corps prévoit des réserves supplémentaires pour la lactation.

Le calcium est absorbé plus efficacement par les intestins au moment de la lactation et pendant un certain temps après le sevrage. Les chercheurs ont découvert que, bien que les os de la mère peuvent perdre une petite quantité de calcium au cours des premiers temps de la lactation, ils se solidifient de nouveau à mesure que le bébé commence à consommer d'autres aliments et dans les mois qui suivent immédiatement le sevrage.

Des études menées sur des femmes ménopausées démontrent que celles qui ont allaité pendant de longues périodes ont une densité des os égale, sinon supérieure, à celles qui n'ont jamais allaité. Elles sont également moins à risque de fracture de la hanche. Plutôt que d'être une cause d'inquiétude, il se pourrait donc que l'allaitement offre une certaine protection contre l'ostéoporose.

Bien sûr, les mères ont besoin d'un régime riche en calcium. Le lait et les produits laitiers, tels le fromage et le yogourt, en sont de bonnes sources. Si vous devez éviter les produits laitiers pour cause d'allergie ou parce qu'ils indisposent le bébé, vous pouvez trouver du calcium dans d'autres aliments. Une tasse de bok choy (une variété de chou) procure presque autant de calcium qu'une tasse de lait. Une demi-tasse de graines de sésame moulues contient deux fois plus de calcium qu'une tasse de lait. La mélasse verte, le tofu enrichi au calcium, le chou collard, le brocoli, les feuilles du navet, le chou kale, le foie, les amandes, les noix du Brésil, les sardines et le saumon en conserve, dont on consomme habituellement les arêtes, sont d'autres aliments riches en calcium que vous devriez inclure dans votre régime alimentaire.

L'allaitement et votre cycle menstruel

Si votre bébé tète souvent, jour et nuit, vous n'aurez probablement pas d'ovulation ou de menstruation avant plusieurs mois. Votre période de fécondité est ainsi retardée. Bien qu'il vous soit possible de devenir enceinte pendant que vous allaitez, cela ne se fera pas aussi rapidement après la naissance de votre bébé que si vous n'allaitiez pas. Mise à part la production de lait, c'est l'effet le plus évident de l'allaitement sur le corps de la mère.

Beaucoup de mères remarquent que leurs menstruations ne reviennent pas avant que leur bébé ne soit âgé d'un an ou plus. À cet âge, il tète moins souvent et mange une grande variété d'aliments. Selon le regretté Dr Herbert Ratner,

> *C'est la succion du bébé qui contrôle l'ovulation chez la mère. Plus il a besoin de téter, moins il est prêt à céder sa place à un autre bébé. Moins il a besoin de téter, plus il est prêt à accepter la venue d'un petit frère ou d'une petite sœur.*

Presque toutes les mères qui allaitent leur bébé exclusivement n'ont pas de menstruation pendant les six premiers mois. C'est ce qu'on appelle l'aménorrhée de la lactation. L'allaitement exclusif signifie que le bébé dépend entièrement de sa mère pour se nourrir et pour satisfaire tous ses besoins de succion. Les tétées fréquentes de votre bébé empêchent la libération des hormones qui amène votre corps à commencer à se préparer chaque mois pour une nouvelle grossesse. L'ovulation n'a pas lieu et vous n'avez pas de menstruation.

L'aménorrhée de la lactation fait naturellement partie du cycle de reproduction de la femme. Les femmes qui ne mettent au monde que deux ou trois enfants pendant leur vie reproductive finissent par croire que le cycle menstruel est un état normal et que la période d'aménorrhée de la lactation ne l'est pas. Toutefois, passer des années sans avoir de menstruations est probablement ce que la nature avait initialement prévu pour le corps de la femme. Les mères des cultures traditionnelles de chasseurs-cueilleurs allaitaient chacun de leurs bébés pendant deux ou trois ans et profitaient de longues périodes d'aménorrhée de la lactation. Au retour de leurs règles, elles devenaient à nouveau enceintes et cela pouvait prendre encore trois ans avant qu'elles n'aient une autre menstruation. Ces femmes avaient beaucoup moins de périodes de menstruation au cours de leur vie. De nos jours, les scientifiques croient que les périodes d'aménorrhée prolongées peuvent peut-être expliquer le plus faible taux de cancer des ovaires, de l'endomètre et du sein chez les mères qui ont allaité. L'absence des hausses et des baisses hormonales répétées des cycles menstruels réguliers rend peut-être les seins et les organes reproducteurs moins vulnérables au cancer.

La mère, le père et le bébé profitent tous de l'allaitement.

Lorsque votre cycle menstruel est au repos, vous risquez moins de souffrir de problèmes d'anémie et de fatigue, puisque vous ne perdez pas de sang chaque mois. De plus, vous ne ressentirez pas les changements d'humeur et autres symptômes prémenstruels qui indisposent bien des femmes. Un père a ajouté cela à la liste des avantages de l'allaitement parce qu'il a trouvé que « la vie était facile » pendant les mois où sa femme allaitait.

L'effet contraceptif de l'allaitement

Un grand nombre d'études sur de nombreuses années ont confirmé que l'allaitement diminuait la fertilité. C'est ce que nous avaient également appris nos propres expériences et celles des milliers de mères qui ont allaité et ont été associées à la Ligue La Leche. John et Sheila Kippley, fondateurs de la *Couple to Couple League* ont recueilli des données sur des mères américaines qui ont allaité leur bébé exclusivement pendant les six premiers mois et qui ont ensuite introduit les solides de façon progressive. Ils ont découvert qu'il s'écoulait en moyenne 14,6 mois sans menstruation après la naissance. Sheila Kippley, monitrice de la Ligue La Leche, écrit dans son livre *Breastfeeding and Natural Child Spacing* : « Ce n'est qu'une moyenne. Certaines femmes, quelques exceptions, auront à nouveau leurs règles avant six mois alors que d'autres, au moment où elles allaitent, peuvent passer jusqu'à deux ans et demi sans menstruation. »

Plus récemment, des scientifiques spécialisés dans l'étude de l'infertilité au moment de la lactation, ont développé une méthode de contraception appelée Méthode de l'allaitement maternel et de l'aménorrhée de la lactation (MAMA), fondée sur les recherches effectuées dans diverses cultures à travers le monde. Cette méthode est efficace à 98 % dans les six premiers mois suivant la naissance, une efficacité comparable à celle d'autres méthodes contraceptives.

C'est une méthode sûre, simple, efficace et peu dispendieuse. En sachant exactement quelles sont les conditions qui vous rendent infertile, vous pouvez alors utiliser les effets de l'allaitement sur votre cycle de reproduction à votre avantage. Si vous répondez « non » aux trois questions suivantes, vous avez peu de chances de devenir enceinte :

1. Est-ce que vos règles sont revenues ?
2. Est-ce que vous donnez des suppléments régulièrement ou est-ce qu'il y a de longues périodes où vous n'allaitez pas, soit pendant la journée (plus de quatre heures) ou pendant la nuit (plus de six heures) ?
3. Est-ce que votre bébé a plus de six mois ?

Si vous avez répondu « oui » à l'une de ces questions, vos chances de devenir enceinte sont plus élevées. Par contre, si vous êtes séparée de votre bébé régulièrement, exprimer fréquemment du lait peut stimuler suffisamment les seins pour vous aider à demeurer infertile. Une étude récente faite au Chili sur des mères qui travaillent tend à démontrer qu'exprimer manuellement du lait au travail, à intervalles réguliers, était également efficace pour retarder le retour de la fertilité.

Le retour des règles

L'allaitement exclusif retardera toujours l'ovulation pendant un certain temps, mais le retour des règles indique généralement qu'une ovulation a eu lieu. Chez certaines femmes, particulièrement celles qui allaitent encore exclusivement, la première ou les deux premières menstruations peuvent se produire sans qu'il n'y ait eu ovulation. Cependant, une mère qui a des menstruations régulièrement doit se considérer fertile à nouveau. Le retour des règles ne signifie pas qu'on doive sevrer le bébé. L'allaitement peut et devrait se poursuivre.

Quand le bébé est plus âgé, qu'il tète moins et qu'il consomme une variété d'autres aliments, la mère qui n'a pas encore eu de menstruation a plus de chances d'ovuler avant la menstruation et de concevoir avant le retour de ses règles. Cela peut aussi arriver à la mère qui retourne travailler, qui est séparée de son bébé plusieurs heures chaque jour et qui n'exprime pas son lait, ou à celle dont le bébé qui tétait souvent se met tout à coup à dormir toute la nuit sans interruption.

Dès que le bébé commence à téter moins souvent, la mère doit être consciente que son taux d'hormones peut être modifié et que ses règles peuvent revenir à tout moment. Plus important encore, si ce changement de comportement du bébé au sein se produit subitement, l'ovulation aura probablement lieu avant le retour des premières règles.

Il est aussi possible que vos premières menstruations soient moins régulières qu'elles ne l'étaient avant la grossesse. En effet, il faut un certain temps pour que le cycle menstruel reprenne un rythme plus prévisible après un accouchement, que vous allaitiez ou non. Dans les livres de Sheila Kippley, *Breastfeeding and Natural Child Spacing* et de Merryl Winstein, *Your Fertility Signals : Using Them to Achieve or Avoid Pregnancy, Naturally,* vous trouverez des informations plus détaillées et complètes sur les changements physiologiques de votre cycle menstruel au cours de l'allaitement, de même que sur les façons de reconnaître ces changements. Pour plus de détails, consultez l'appendice.

Étant donné qu'il a été prouvé que certains types de comportements au sein retardent sensiblement le retour de la fertilité, vous n'aurez peut-être pas besoin de recourir à d'autres méthodes contraceptives pendant les premiers mois. Toutefois, quand votre période d'infertilité naturelle se terminera, vous voudrez peut-être considérer les moyens contraceptifs qui s'offrent à vous. Vos propres valeurs et vos préférences, tout comme le fait que vous allaitez, influenceront certainement vos choix.

Si une mère qui allaite choisit d'utiliser des contraceptifs, son choix le plus sûr serait les méthodes créant une barrière non hormonale. Les professionnels de la santé s'accordent à dire que l'usage par la mère d'un spermicide ne présente aucun danger pour son bébé allaité. Le stérilet (dispositif intra-utérin) est aussi considéré comme sécuritaire pour les mères qui allaitent.

Il a été prouvé que les contraceptifs hormonaux qui contiennent de l'œstrogène faisaient baisser la quantité de lait produite chez certaines mères et changeaient également la composition du lait. Les professionnels de la santé bien informés sur l'allaitement conseillent aux mères d'éviter durant la lactation les contraceptifs hormonaux qui contiennent de l'œstrogène. Une mère qui désire utiliser un contraceptif hormonal

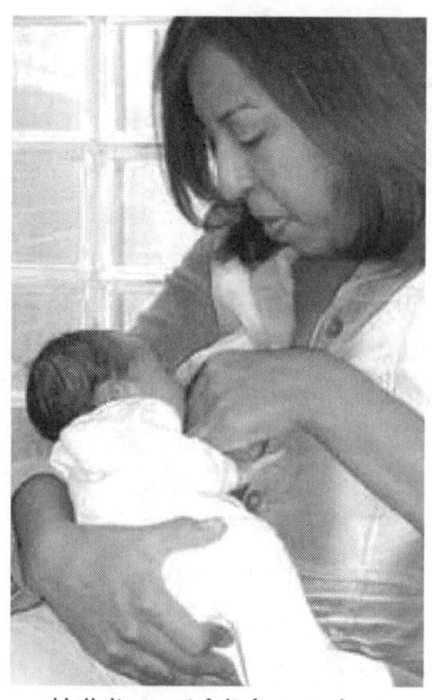

L'allaitement fait économiser de l'argent aux familles, aux gouvernements, aux compagnies d'assurances et à la société toute entière.

tout en allaitant devrait utiliser un contraceptif de type progestatif seulement, moins susceptible d'avoir un effet négatif sur sa production de lait. Certaines mères et certains professionnels de la santé ont trouvé toutefois que même les contraceptifs de type progestatif seulement pouvaient réduire la production de lait de la mère, surtout s'ils sont pris trop tôt au cours de la lactation. Il n'y a pas encore d'études concluantes sur les effets à long terme des contraceptifs hormonaux sur la mère ou sur le bébé allaité. Pour cette raison, certains professionnels de la santé conseillent aux mères qui allaitent d'éviter les contraceptifs hormonaux, particulièrement si leur bébé a moins de six mois.

Une protection contre le cancer du sein

De plus en plus d'études démontrent de façon constante que l'allaitement offre à la mère une protection contre le cancer du sein. Cette protection dépend de la durée de l'allaitement. Les femmes qui allaitent pendant plusieurs années, que ce soit un enfant ou plusieurs, bénéficient de la plus importante réduction des risques de cancer.

Une étude récente sur l'allaitement et le cancer du sein a rassemblé et analysé à nouveau les données de 47 études effectuées dans 30 pays différents. En rassemblant les données de plusieurs études, les chercheurs ont obtenu des informations sur 50 000 femmes atteintes d'un cancer du sein et un groupe témoin de 97 000 femmes qui n'avaient pas de cancer du sein. Les résultats de cette analyse ont démontré que, parmi les femmes qui avaient donné naissance à des enfants, le risque de cancer du sein diminuait de 4,3 % pour chaque année d'allaitement. Ceci s'avérait vrai quel que soit l'âge de la femme, qu'elle soit ménopausée ou non et qu'elle vive dans un pays industrialisé ou en voie de développement. Les chercheurs ont conclu que l'incidence plus élevée de cancers du sein dans les pays industrialisés (États-Unis, Europe de l'Ouest) est due en grande partie à l'absence de l'allaitement ou à sa trop courte durée. Vraisemblablement, les seins qui sont utilisés comme la nature l'a prévu sont mieux protégés de la maladie.

Une autre découverte intéressante sur les taux de cancer du sein a été rapportée dans une étude, effectuée en 1994, qui a démontré que les femmes qui avaient été elles-mêmes allaitées étaient sensiblement moins à risque de développer un cancer du sein. Les cas de cancer du sein avant et après la ménopause diminuaient de 26 à 31 % chez les femmes qui avaient été allaitées. Chose intéressante, cette étude indique que les femmes qui ont été allaitées ont plus de chances d'allaiter leurs propres enfants, mais ceci n'avait rien à voir avec la réduction des risques mis en évidence dans l'étude.

Même si les rapports révèlent que l'allaitement réduit les risques de cancer du sein, une mère ne devrait jamais ignorer une masse dans son sein. Dans de rares cas, une mère qui allaite peut développer un cancer du sein. La plupart des masses présentes dans le sein en lactation sont des kystes résultant d'une rétention de lait (galactocèles), des infections (mastites ou canaux obstrués) ou des tumeurs bénignes (fibromes). Cependant, toute masse qui ne se résorbe pas ou qui grossit devrait être examinée par votre médecin. Si d'autres tests s'avèrent nécessaires, essayez de trouver un médecin qui connaît bien l'allaitement et qui peut évaluer la situation sans insister pour que vous sevriez votre bébé.

Économique, écologique, pratique et agréable

« En tant que mère ayant fait l'expérience des deux modes d'alimentation, je peux vous dire qu'il n'y a rien de plus pratique que l'allaitement » affirme Katie Hartsell, du Kansas. « Quand le bébé commence à pleurer, la mère a déjà une réserve de lait à la bonne température disponible pour lui. Pas besoin d'attendre que le biberon soit réchauffé. C'est une véritable économie pour le budget familial et il n'y a aucune perte. »

L'allaitement permet de faire des économies considérables, surtout si on considère le coût des préparations lactées prêtes à servir et des biberons jetables. Un jeune couple, qui essayait de prévoir les dépenses qu'entraîneraient leur nouveau-né et leur premier appartement, a été surpris par la « somme substantielle » qui s'ajoutait au coût hebdomadaire de la nourriture avec l'achat régulier de préparations lactées pour nourrissons. On estimait récemment que, pour un enfant, le coût d'achat de préparations lactées pendant un an se situait entre 1 160 $US et 3 915 $US, selon la marque et le type de préparation utilisée.

Viola Lennon, une des fondatrices de la Ligue La Leche, propose de consacrer l'argent économisé grâce à l'allaitement à l'achat d'un gros appareil ménager. Un père de la Nouvelle-Zélande, Harry Parke, de Cambridge, racontait à un groupe de pères :

Ma femme et moi avons estimé qu'avec l'allaitement de notre premier fils, Christopher, nous avions considérablement économisé au cours de la première année. Nous n'avions pas eu à utiliser de préparations lactées pour nourrissons, de stérilisateur, d'aliments solides tôt, d'électricité, de moyens de contraception, etc. Raewyn a tout de suite décidé que l'argent ainsi économisé servirait à l'achat d'un congélateur et il est maintenant dans l'entrée !

À un moment donné, aux États-Unis, le prix des préparations lactées pour nourrissons a augmenté si rapidement que l'industrie dans son ensemble a fait l'objet d'une enquête de la *Federal Trade Commission*. Le prix des préparations lactées pour nourrissons avait augmenté six fois plus vite que celui du lait de vache. Les mères américaines à faible revenu peuvent recevoir des suppléments alimentaires pour elles-mêmes, leurs bébés et leurs jeunes enfants grâce au programme WIC (*Women, Infants, and Children*) mis sur pied par le gouvernement fédéral. Le prix des préparations lactées pour nourrissons a fait monter en flèche les coûts de ce programme. En 1986, seulement 38 % des mères participant au programme WIC allaitaient leur bébé à leur sortie de l'hôpital. Dans un rapport publié en 1987 par le ministère américain de l'Agriculture, on évaluait à 29 millions de dollars l'économie annuelle si les mères participant au programme WIC allaitaient leur bébé pendant seulement un mois.

En 1996, le programme WIC, au Colorado, a établi que 74 000 $US pourraient être économisés chaque mois, si seulement 50 % des nouvelles mères participant au programme choisissaient d'allaiter durant cinq à six mois. Ils ont également estimé que le pays économiserait 9,3 millions de dollars US par mois si 50% des mères du programme WIC à travers le pays allaitaient pendant cinq à six mois.

L'allaitement réduit également les dépenses en santé, que ce soit pour les familles, les compagnies d'assurances, les gouvernements ou la société. Un rapport du ministère américain de l'Agriculture, publié en 2001, calculait les économies que le pays réaliserait si plus de mères allaitaient.

On indique qu'une somme minimale de 3,6 milliards de dollars américains serait économisée si le taux d'allaitement actuel (64 % à l'hôpital ; 29 % à six mois) augmentait pour atteindre le taux d'allaitement recommandé par le ministre de la Santé des États-Unis (75 % à l'hôpital ; 50 % à six mois). Ces chiffres sous-estiment probablement les économies totales, puisqu'ils ne représentent que les économies réalisées sur les traitements de trois maladies infantiles : l'otite moyenne, la gastro-entérite et l'entérocolite nécrosante.

Les implications à l'échelle mondiale

Dans les pays du tiers-monde ou en voie de développement, les conséquences sur l'économie sont désastreuses lorsque les mères choisissent d'abandonner l'allaitement. Gabrielle Palmer, une nutritionniste et conseillère en allaitement de Grande-Bretagne, écrivait dans *The Politics of Breastfeeding* :

> *Le lait maternel est une denrée qu'on ignore dans les comptes nationaux et dont on ne tient pas compte lors des enquêtes sur la consommation des aliments. Pourtant, il fait économiser des millions de dollars en coûts de santé et d'importation au pays. Le ministre de la Santé du Mozambique a calculé, en 1982, qu'une simple augmentation de 20 % de l'alimentation au biberon coûterait au pays l'équivalent de 10 millions de dollars américains, et cela n'inclut pas le coût du carburant, les frais de distribution et les dépenses en santé. On a aussi calculé qu'il faudrait utiliser tout le carburant requis par un des principaux programmes forestiers uniquement pour faire bouillir de l'eau. Si les inventeurs de voitures qui consomment peu d'essence sont récompensés, pourquoi pas les femmes qui économisent l'énergie ? Pour nourrir trois millions de bébés au biberon, il faut 450 millions de boîtes de conserve de préparations lactées, ce qui représente 70 000 tonnes de métal non recyclé dans les pays industrialisés.*

Quand vous serez devenue une mère expérimentée en allaitement, vous passerez probablement deux ou trois heures par jour, assise dans votre fauteuil préféré, à offrir à votre bébé tous les bienfaits émotionnels, nutritionnels et immunologiques de votre lait. Vous considérerez que cela fait partie intégrante de votre routine quotidienne. Vous prendrez peut-être un moment pour réfléchir au fait que vous donnez à votre tout-petit le meilleur départ qui soit dans la vie, mais vous ne vous arrêterez peut-être jamais pour penser à toutes les conséquences de votre geste. Peut-être n'avez-vous pas pris conscience que votre décision d'allaiter a des répercussions économiques, écologiques et politiques ?

Les mères qui choisissent d'allaiter changent le monde à leur façon.

À travers le monde, la tendance à se tourner vers l'alimentation artificielle a des effets désastreux sur la santé des mères et des bébés. Nous pouvons être fières des efforts entrepris par la Ligue La Leche pour renverser cette tendance. Il y a presque cinquante ans, les sept fondatrices voulaient aider leurs amies et leurs voisines afin qu'elles profitent des bienfaits de l'allaitement. Actuellement, le rayon d'action de l'organisme s'étend aux mères de tous les coins du monde qui ont besoin de cette même forme d'encouragement et de soutien de mère à mère. La Ligue La Leche travaille de concert avec l'UNICEF, l'Organisation mondiale de la santé et les gouvernements locaux pour aider à procurer aux mères du soutien et des informations sur l'allaitement. En devenant membre de la Ligue La Leche et en contribuant à notre organisation, vous participez à transmettre un message d'entraide aux mères du monde entier qui souhaitent donner à leurs enfants le meilleur départ possible dans la vie.

Les femmes qui choisissent d'allaiter changent le monde à leur façon. Elles protègent l'environnement, améliorent l'état de santé de leur nourrisson et contribuent à la conservation de précieuses ressources. L'exemple de leur tendresse et de leur générosité façonne un mode de vie attentif aux familles et aux communautés.

Votre lait est toujours disponible

En tant que mère qui allaite, vous pouvez, à la dernière minute, partir pour une randonnée familiale, un long voyage ou un pique-nique d'une journée – des situations où les préparations lactées peuvent s'altérer. Vous pouvez vous préparer et faire vos bagages sans vous demander si vous aurez une quantité suffisante de préparation lactée, un produit qui n'est peut-être pas disponible partout. Vous n'aurez pas non plus à vous inquiéter de la qualité de l'eau potable puisque le bébé allaité n'a pas besoin de supplément d'eau.

Quel que soit l'endroit où vous êtes, votre bébé aura son lait. C'est très rassurant surtout dans les cas, rares mais combien difficiles, où on est coupé de notre source d'approvisionnement habituelle de nourriture. Cela ne se produit pas souvent, mais des mères ayant vécu des expériences de ce genre nous ont dit qu'elles étaient très contentes que leur tout-petit n'ait pas eu à subir le choc de ces événements fâcheux.

Une violente tempête de neige imprévue a bloqué une famille du Midwest américain dans sa voiture. Tandis que le mari partait chercher du secours, la femme a blotti son bébé sous son manteau, ce qui les a gardé tous deux au chaud, puis elle l'a allaité et il s'est endormi. Cette jeune mère a trouvé que le sentiment de normalité associé à l'allaitement l'avait aidée à rester calme jusqu'à l'arrivée d'une équipe de secours.

Les situations d'urgence

Une autre famille a été forcée de dormir une nuit dans les montagnes. Les Walker, de l'Ohio – la mère, le père, Scott, cinq ans, et Adam, un an, porté sur le dos de son père – étaient partis un après-midi pour une courte randonnée, mais ils n'ont pu retourner à leur véhicule que 21 heures plus tard. « Nous avions parcouru ces sentiers tellement souvent qu'on croyait les connaître par cœur », écrit Judy Walker. Lorsqu'ils ont pris le chemin du retour, ils se sont engagés par mégarde sur un autre sentier qui, comme ils l'ont appris plus tard, ne menait nulle part. Cette nuit passée dans une région éloignée a été froide, pluvieuse et tellement noire « qu'on ne pouvait pas se voir ». Judy termine en disant :

> *Mon mari a passé la nuit à nous couvrir de feuilles pour nous protéger de la pluie et Adam s'est réveillé toutes les heures, affamé, trempé, en pleurs. Je l'allaitais chaque fois, car c'était la seule chose qui le calmait. Je remercie le ciel d'avoir eu du lait chaud pour le rassasier et le consoler pendant cette nuit froide et humide.*

Annie Fortin, du Québec, raconte ce que sa famille a vécu lors du verglas survenu en 1998 :

Étant une résidente du fameux « Triangle de glace », j'ai pu encore une fois mettre du poids dans la balance qui confirme le choix que j'ai fait d'allaiter mon enfant. C'est vraiment lorsque j'ai réalisé que la panne allait durer que je me suis mise à penser à toutes celles qui, pour différentes raisons, n'avaient pas fait ce choix. Je me suis sentie triste pour ces parents qui, quelquefois, devaient bien se demander comment ils feraient pour chauffer les biberons. J'ai pensé aussi à l'avantage que procure le lait maternel au niveau des défenses immunitaires des bébés, lorsque j'ai lu à quelle vitesse se propageaient la grippe et la gastro-entérite dans les centres d'hébergement pour les personnes sinistrées. De plus, j'ai vraiment constaté à quel point le fait d'allaiter m'aidait à me défendre et à me recentrer sur les choses essentielles lors de ce fâcheux évènement.

Durant cette longue panne d'électricité, nous avons dû quitter la maison, car il y faisait trop froid et nous réfugier chez mes beaux-parents. Nous avons eu bien du plaisir, mais c'était quand même beaucoup de chambardement pour mon petit Jérémy. Au moins une chose n'avait pas changé et c'était que, courant électrique ou pas, aussitôt qu'il le désirait, il pouvait boire du lait au même goût et à la même température que d'habitude. Je suis certaine que cette constance, cette stabilité a joué un rôle important dans le fait qu'il s'est si bien adapté à ces nouvelles situations.

Une expérience agréable

L'allaitement devrait constituer une expérience agréable pour la mère. Une femme qui allaite avec fierté et satisfaction est consciente que l'allaitement est une expérience sensuelle. Elle sait également que c'est un aspect tout à fait sain et normal de sa sexualité. Dorothy V. Whipple, une médecin, a écrit dans *The Journal of the American Medical Women's Association* :

Donner le sein à un bébé est un moment particulièrement émouvant pour une femme qui accepte et apprécie sa féminité. La sensation physique est agréable, la bouche gourmande et avide entourant le tissu érectile et sensible du mamelon est agréable en soi. Le corps entier et la personnalité sont envahis par des sentiments de quiétude, de bonheur, de plénitude. Cette sensation n'est pas orgasmique, elle ressemble plutôt à la douce euphorie après l'orgasme. Cela apporte à la femme une profonde compréhension personnelle de son rôle de femme. Cela crée également un lien entre elle et les femmes des autres époques et des autres cultures. La femme mature qui satisfait à toutes les fonctions de sa féminité sait qu'elle a sa place dans le grand ordre de l'univers.

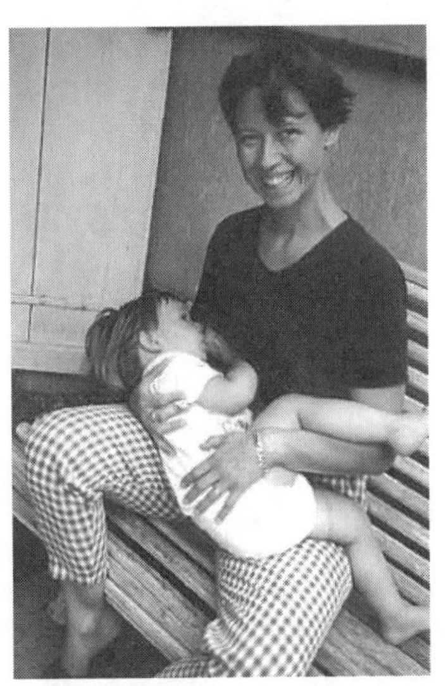

Allaiter est censé être une expérience agréable.

Dans sa description de l'apprentissage de l'amour par le bébé, Selma Fraiberg parle de la satisfaction réciproque que procure l'allaitement :

Alors qu'il est allaité, le bébé est blotti dans les bras de sa mère. Le plaisir de téter, de satisfaire sa faim, la proximité du corps de sa mère sont intimement liés au visage maternel. Le bébé apprend à associer ce visage, le visage de sa mère, à un moment agréable et réconfortant. Si nous observons un bébé en train de téter, nous voyons sa peau se teinter graduellement de rose, une réaction sensuelle de plaisir et de bien-être.

Quand un bébé est au sein, toute la surface de son ventre est en contact avec le corps de sa mère. Ce plaisir sensuel lui fait prendre davantage conscience de son propre corps. Les mères qui allaitent ressentent aussi des sensations agréables quand le bébé tète. Cela ne devrait pas causer de gêne. Il s'agit simplement d'une des récompenses, d'une des façons dont le plaisir sensuel réciproque lie la mère à son bébé et le bébé à sa mère.

À la liste des caractéristiques uniques de l'allaitement nous devons en ajouter une autre : son universalité. Le bébé au sein représente la langue commune du maternage. Les bébés ont des besoins fondamentaux qui ne changent pas, quel que soit l'endroit où ils naissent et peu importe l'époque. De plus, ce geste naturel et merveilleux d'allaiter votre toutpetit garde toujours cette éternelle qualité. C'est un lien entre les mères et même un signe du pouvoir féminin. La femme puise sa force dans sa capacité à nourrir son enfant. Et, grâce à l'effet apaisant de l'allaitement, un havre de paix est assuré. C'est un petit miracle qui appartient de plein droit aux mères, aux bébés et aux familles du monde entier.

HUITIÈME PARTIE

DES MÈRES QUI EN AIDENT D'AUTRES

Chapitre 20

À propos de la Ligue La Leche

La Ligue La Leche a vu le jour grâce au désir, au rêve à vrai dire, que toutes les mères qui veulent allaiter leur bébé puissent le faire. Nous, les sept fondatrices, avions surmonté bien des difficultés avant de parvenir à allaiter avec aisance et assurance. Nous connaissions trop de mères qui n'avaient pas réussi à allaiter simplement parce qu'elles n'avaient personne vers qui se tourner pour obtenir de l'information et des conseils.

Comment tout a commencé

C'est au cours d'un pique-nique paroissial que Mary White et Marian Tompson ont conclu qu'il devait y avoir une façon d'aider leurs amies qui voulaient allaiter, mais qui ne vivaient que frustration et échec. Par cet après-midi de l'été 1956, Mary et Marian, leur bébé allaité dans les bras, ont discuté de la façon d'aider les femmes à connaître les joies et la satisfaction profonde qu'apporte l'allaitement.

Dans les semaines qui ont suivi, Mary en a parlé à Mary Ann Kerwin, sa belle-sœur, et à Mary Ann Cahill, qui a fait part de l'idée à Betty Wagner. De son côté, Marian en a parlé à Edwina Froehlich, qui a téléphoné à sa bonne amie Viola Lennon. Nous avions toutes connu au moins une expérience d'allaitement. Nous n'avions pas de plans très ambitieux sur la façon d'aider nos amies, mais nous étions pleines de bonne volonté. Deux médecins de notre localité, les Drs Herbert Ratner et Gregory White, nous ont conseillées sur les aspects médicaux de l'allaitement et nous ont fait bénéficier de leur sagesse et de leurs connaissances de la nature humaine.

Sûres de nos informations et enthousiastes à l'égard de l'allaitement, nous avons invité nos amies enceintes à une réunion chez Mary White un soir d'octobre 1956. Ce que nous avons alors donné à nos voisines qui s'intéressaient au sujet, et ce que les 40 000 monitrices de la Ligue La Leche qui nous ont succédé continuent de donner, c'était de l'information, des encouragements et du soutien. La chaleur des relations de mère à mère et l'attention accordée à chacune ont été la pierre angulaire de notre organisme depuis le début. Bien que la Ligue La Leche soit devenue un organisme mondial présent dans 66 pays et comptant plus de 3 000 groupes (répartis aux États-Unis, au Canada, en Nouvelle-Zélande, en Europe, en Afrique, en Asie, en Amérique Latine et en Amérique du Sud), notre but demeure toujours le même : informer et encourager chaque nouvelle mère afin qu'elle acquière l'assurance dont elle a besoin pour allaiter son bébé.

La Ligue La Leche est maintenant reconnue à l'échelle internationale comme une autorité en matière d'allaitement. Des mères, des pères, des médecins, des infirmières, des consultantes en lactation ainsi que d'autres professionnels du monde entier se sont adressé à elle pour obtenir son expertise en allaitement. La Leche League International agit en tant qu'organisme consultatif non gouvernemental pour l'UNICEF, un organisme des Nations unies (ONU) et l'Organisation mondiale de la santé (OMS). Elle agit également en tant qu'organisme bénévole privé reconnu auprès de la *US Agency of International Development* (USAID), une agence de développement international. Elle est aussi membre accrédité de la *US Healthy Mothers, Healthy Babies National Coalition*, une coalition nationale pour les mères et les bébés en santé. Elle est également membre du *Child Survival Collaborations and Resources Group* (CORE) qui œuvre dans les pays en voie de développement et membre fondateur de l'Alliance mondiale pour l'allaitement maternel (WABA).

Les séminaires pour les médecins, tenus chaque année en Amérique du Nord par la LLL, attirent des médecins de tous les coins du monde. Ils sont parrainés par l'*American Academy of Pediatrics* et l'*American College of Obstetricians and Gynecologists*. L'*American Academy of Family Physicians* y participe en tant qu'organisme coopérant. Ces séminaires sont également accrédités par l'*American Medical Association – Category 1 of the Physicians Recognition Award*, l'*American Osteopathic Association*, l'*American Dietetic Association* et l'*International Board of Lactation Consultant Examiners*.

Les fondatrices de la Ligue La Leche aiment se retrouver avec des mères et leurs enfants.

Des ateliers pour les spécialistes en lactation ont lieu chaque année, au printemps et à l'automne, dans les régions, pour répondre aux besoins des professionnels de la santé qui se spécialisent dans les soins aux mères qui allaitent et à leurs bébés. Des crédits de formation continue sont offerts aux consultantes en lactation (IBCLC) et aux infirmières diplômées.

La Ligue La Leche et la francophonie

Au Québec

Au début des années 60, deux nouvelles mamans de langue anglaise, Martha Larouche de Kénogami et Barbara Pitre d'Arvida, sont mises en contact par l'intermédiaire de La Leche League International. Ces dernières communiquaient avec la LLLI depuis quelque temps pour mieux réussir leur allaitement. Heureuses de l'aide qu'elles y avaient reçue, Martha et Barbara voulaient partager leurs nouvelles connaissances sur l'allaitement avec leur amies et voisines de langue française. Au printemps de 1960, Martha et Barbara tiennent, pour la première fois à l'extérieur des États-Unis, une série de réunions en français, au Centre commémoratif de Kénogami. C'était là une première mondiale qui allait avoir des suites.

Sans aucun doute, la publication, en 1966, de la traduction française de *The Womanly Art of Breastfeeding*, *L'Art de l'allaitement maternel*, a été un événement marquant pour l'essor de la Ligue La Leche au Québec. Pour la première fois, un volume en français devenait l'ouvrage de référence des mamans désireuses de réussir leur allaitement.

En 1970, la Ligue La Leche s'implante dans la grande région de Montréal, puis s'étend à tout le Québec, le Nouveau-Brunswick, l'Ontario, le Manitoba et même la Colombie-Britannique.

En janvier 1978, paraît la première revue francophone officielle de la LLL : *La Voie Lactée*. Plusieurs bénévoles mettent la main à la pâte et arrivent à publier, tous les deux mois, une revue d'information et de témoignages. Elle rejoint les populations francophones du Canada, de la France, de la Belgique, de la Suisse romande et même de l'Afrique.

Au début des années 80, une subvention de Santé Canada permet la parution de la nouvelle édition de *L'Art de l'allaitement maternel*.

En 1984, Ginette Bélanger-Chartier prend la direction du secrétariat général de la Ligue La Leche au Québec et coordonne la traduction et la distribution de plusieurs livres, brochures et feuillets d'information au fil des ans avec la collaboration de plusieurs monitrices bénévoles.

En 1980, un premier congrès LLL francophone accueille plus de 500 personnes. Depuis lors, la Ligue La Leche organise tous les ans un congrès où des dizaines d'ateliers sont offerts aux parents, aux monitrices et aux stagiaires.

Depuis 1987, un symposium annuel sur l'allaitement réunit chaque automne près de 300 professionnels de la santé. Ces journées de formation donnent aux participants des crédits reconnus par leurs corporations respectives.

En 1994, dans le cadre de l'année de la famille, le programme « Grandir ensemble » permet l'obtention de subventions qui rendent possible la réalisation de trois projets d'envergure. Ces projets ont pour objectif de promouvoir l'allaitement maternel et d'offrir une information pratique aux parents de bébés allaités. Le premier est la production d'une cassette de trois vidéos d'environ 20 minutes chacun, qui est largement diffusée dans les hôpitaux, les CLSC, les écoles de nursing et de diététique. Le deuxième permet de remettre à chaque nouvelle mère un numéro spécial de *La Voie Lactée*, tiré à 200 000 exemplaires. Le troisième projet réalisé est une nouvelle édition de *L'Art de l'allaitement maternel.* Cet ouvrage est à la fois la traduction de l'édition du 35e anniversaire de *The Womanly Art of Breastfeeding* et une adaptation qui reflète les différences culturelles de la francophonie. La France, la Belgique et la Suisse romande se joignent au Québec afin de partager les témoignages de mères et de pères qui vivent l'allaitement.

Depuis, la Ligue La Leche a publié deux autres éditions spéciales de *La Voie Lactée* ainsi qu'un encart inséré dans les grands quotidiens du Québec et tiré à plus de 600 000 exemplaires. Grâce au travail de nombreux bénévoles, la Ligue La Leche a maintenant un site Web : www.allaitement.ca. On y trouve de l'information sur une multitude de sujets liés à l'allaitement, ainsi qu'une section réservée aux membres et aux professionnels de la santé qui offre une documentation plus spécifique sur les divers enjeux de l'allaitement.

La traduction des publications de La Leche League International se poursuit afin d'en rendre le plus grand nombre possible accessible en français. Parmi nos dernières parutions, on compte le *Traité de l'allaitement maternel, À propos du sevrage... quand l'allaitement se termine* et cette nouvelle version de *L'Art de l'allaitement maternel.*

Au Québec, divers organismes travaillent à soutenir et à promouvoir l'allaitement maternel. La Ligue La Leche se veut un rassembleur parmi tous ces acteurs, tant au niveau institutionnel qu'au niveau des groupes d'entraide. Ainsi, la Ligue La Leche siège depuis quelques années à la Coalition québécoise en allaitement maternel, est membre de diverses associations en lien avec l'allaitement et travaille en collaboration avec le ministère de la Santé et des Services sociaux, les directions de santé publique et les acteurs locaux des institutions médicales.

Aujourd'hui, en 2005, la Ligue La Leche compte plus de 80 monitrices qui offrent des services dans tout le Québec et une partie de l'Est Ontarien. La relève afflue et plusieurs stagiaires, qui poursuivent leur formation, assureront, à leur tour, la même qualité de services auprès des futures mères. L'avenir réserve encore de belles surprises aux monitrices et aux mères du Québec...

En France

Les premières réunions de La Leche League en France ont eu lieu en 1973, sur l'initiative de femmes américaines ayant connu l'association aux États-Unis. Les premiers groupes se créent en région parisienne, avec Karima Khatib et Beverly Ivol. Les premières animatrices françaises seront Françoise Delepoulle, à Lille, et Joëlle Cukier, en Provence.

En 1979, l'association LLL France était officiellement créée. À l'époque, les animatrices se comptaient sur les doigts d'une seule main. Vingt-cinq ans plus tard, près de 260 animatrices aident les mères dans 150 groupes.

Quelques dates jalonnent cette histoire de LLL France.

1981 : Suzan Colson est la première CLA (Coordonnatrice du Département d'accréditation) francophone. Ceci permet le décollage de LLL France.

1982 : La première réunion européenne a lieu à Zurich. Suzan Colson y assistait. Cette réunion eut lieu à l'initiative de la Division internationale. Depuis, d'autres réunions se sont déroulées en Grande-Bretagne, en Hollande, en Suisse et ont encore lieu aujourd'hui tous les deux ans.

1983 : LLL France devient une *Area* (région de LLLI) à part entière, avec neuf groupes.

1986 : LLL France réunit près de 500 professionnels de la santé à l'Unesco pour un colloque portant sur la « conduite pratique de l'allaitement ». Forte de ce succès, LLL France crée l'Institut de formation (IFAM) pour les professionnels de la santé. Devenu en 1993 le Département de LLL France Formation, il a assuré 4 000 heures de formation, soit entre 100 et 150 jours de formation par an.

1989 : LLL France lance deux publications trimestrielles, *Allaiter Aujourd'hui* et la *LLLettre des associés médicaux* (devenue depuis *Les Dossiers de l'allaitement*). Elle édite également un grand nombre de feuillets et de brochures, certains traduits et adaptés de l'anglais, d'autres inédits.

1992 : Pour la première fois, grâce à des animatrices de LLL, l'examen de consultant en lactation a lieu en France et en français.

Dans le cadre de l'Initiative Hôpitaux Amis des Bébés, LLL France est amenée à travailler avec des professionnels de la santé du Gabon et de la Côte d'Ivoire, pays africains francophones, et à La Réunion.

1994 : Le premier Congrès public européen a eu lieu à Vienne (Autriche). Un autre congrès européen a eu lieu à Nothingham en 1998.

2004 : LLL France fête son 25e anniversaire. Devenue une des plus grosses régions de LLLI, LLL France compte en 2004 près de 260 animatrices. 125 stagiaires se forment pour être bientôt accréditées.

LLL France répond à plus de 10 000 appels via le répondeur national et le site de LLL France www.lllfrance.org, entièrement refait en 2003, reçoit en moyenne 700 visites par jour. Les mères peuvent y trouver de nombreux dossiers thématiques sur toutes les questions qu'elles se posent, y connaître l'actualité de l'allaitement et de LLLF, découvrir les articles vendus par la boutique et trouver les coordonnées des animatrices de leur localité, ainsi que les dates et lieux des réunions organisées près de chez elles (dans la plupart des départements).

Les Journées internationales de l'allaitement, journées de conférences destinées aux professionnels de la santé, accueillent tous les deux ans plus de 600 professionnels.

En Suisse romande

C'est avec beaucoup d'enthousiasme que Christine Luthi a commencé à former le premier groupe LLL francophone en Suisse, au début de 1982. Forte de son expérience d'allaitement de ses premier et deuxième enfants et de sa formation d'animatrice LLL suivie aux États-Unis pendant les années où elle y a vécu avec sa famille, elle décidait d'implanter le premier groupe.

De langue maternelle allemande, Christine avait fait la connaissance de quelques animatrices de Suisse alémanique pendant ses vacances au pays. Elles étaient les pionnières de la LLL Suisse. En effet, c'est en 1973 que Christina Hurst a tenu la première réunion LLL près de Zurich.

Aux États-Unis, Christine était entourée de plusieurs animatrices et la quasi-totalité de ses amies faisaient partie de la LLL. Le maternage selon la philosophie de la LLL lui venait donc « naturellement ». Rentrée en Suisse, ce fut une autre histoire, car c'est elle qui montrait un autre chemin et elle se heurtait souvent à son entourage. Quel changement !

Il existait très peu de documentation de la LLL en allemand et strictement rien en français. Il fallait s'adresser au Québec pour en avoir en français. Il a fallu mettre beaucoup d'énergie pour faire des traductions anglais-français et allemand-français.

Les contacts avec les mères étaient plutôt encourageants. Par contre, ceux avec les professionnels de la santé s'avéraient difficiles, car la LLL était totalement inconnue en Suisse romande. Le nom de notre association n'aidait pas non plus, car sa prononciation n'est pas facile pour des francophones.

Les deux premières années, la LLL Suisse romande pouvait déjà profiter de l'expérience de quatre animatrices. Être les premières animatrices était d'une part gratifiant, mais d'autre part, l'isolement pesait à la longue. Cependant, les rapports avec les animatrices de la Suisse alémanique, qui avaient connu les mêmes problèmes, donnaient du courage.

D'autres animatrices ont au fil du temps repris le flambeau, entretenant la flamme et apportant une notoriété à la LLL en Suisse romande. Aujourd'hui, une dizaine d'animatrices francophones sont actives dans cette partie de la Suisse. Leurs coordonnées se retrouvent sous www.romandie.stillberatung.ch . Elles soignent leurs relations avec les collègues de la partie germanophone du pays, partageant notamment une centrale téléphonique au n° 00 41 81 943 33 00 (secrétariat national). En outre, elles entretiennent des liens avec les animatrices de France, notamment dans le domaine de la formation continue et des publications.

En Belgique

Annette Foltmar nous raconte comment la LLL s'est implantée en Belgique :

Je suis venue du Danemark en Belgique en 1983, car mon mari commençait à travailler à la Commission de la Communauté Européenne. Je n'étais pas anxieuse de déménager parce que je connaissais l'existence d'un groupe LLL à Bruxelles et je savais que là je pourrais toujours trouver des amies.

J'ai donc rejoint Barbara Craven qui était animatrice depuis environ 1982, l'année durant laquelle Jill Nenninger avait dû quitter la Belgique. Jill avait mis sur pied le premier groupe LLL en Belgique au moins cinq ans auparavant, ce qui veut dire que LLL existe régulièrement en Belgique depuis 1977 au moins.

Liliane Marage et Catherine Marcandella devinrent les premières animatrices belges, respectivement en 1991 et 1992. En 1991, je décidais alors d'arrêter d'être animatrice active après 17 ans.

En novembre 1993, les quatre animatrices actives ont fondé une « association sans but lucratif » de LLL Belgique, et elles me demandèrent d'en devenir la présidente d'honneur, ce qui était pour moi une bonne conclusion à ma carrière dans LLL Belgique.

En janvier 1992, un tournant marque LLL Belgique : le groupe était scindé en deux. Un groupe anglophone et un groupe francophone se réunissaient séparément.

Depuis lors « la machine est lancée » : il y a actuellement cinq animatrices en fonction, parmi lesquelles deux sont d'origine belge, plusieurs autres (principalement belges) suivent ou terminent leur formation d'animatrice et huit groupes se réunissent en plusieurs endroits du pays ! Notre petit bulletin « LLLiaison » a pris de l'ampleur et nous permet de communiquer aux mamans les dates des réunions, de lire des témoignages, d'obtenir de l'information et du soutien. De plus en plus LLL est reconnue comme acteur en Belgique en matière d'allaitement maternel. Ainsi, de plus en plus de demandes d'information, de collaboration, de participation à des salons parviennent d'associations diverses, d'écoles d'infirmières, etc. LLL fait enfin partie des associations et personnalités qui fondèrent en 1992 le Réseau Allaitement Maternel en Belgique francophone.

Au Luxembourg

Le petit pays du Luxembourg, entre la France, la Belgique et l'Allemagne, ne compte pas 500 000 habitants et c'est pourtant une *Area LLL.* Philippa Seymour, qui venait du Royaume-Uni, avait fondé le premier groupe LLL (anglophone) à Luxembourg, à son accréditation comme animatrice LLL, en janvier 1979. Elle avait été dans un groupe à Bitbourg en Allemagne (une base militaire des États-Unis) pas trop éloigné d'ici. Le premier groupe luxembourgeois suivit en 1981, qui fut bientôt suivi de plusieurs autres groupes luxembourgeois, français, portugais et japonais. « Ce n'est pas le travail qui manque, car pour l'instant nous ne sommes que huit animatrices et trois stagiaires. Nos mamans lisent les publications LLL entre autres en français, en allemand, en anglais ou en japonais. Pour notre 25e anniversaire, nous sommes devenues une association sans but lucratif. Nous sommes une équipe sympathique et efficace ! »

Comment la Ligue La Leche peut vous aider

Au fil des ans, la Ligue La Leche a eu le privilège d'aider des centaines de milliers de mères à allaiter leurs bébés. Pour nous, la Ligue La Leche, c'est simplement une mère souriante tenant son bébé dans ses bras, fière d'elle et désirant ardemment faire part de son expérience. Le coeur et l'âme de la Ligue La Leche, ce sont des mères qui vous ressemblent et qui trouvent satisfaction et joie à nourrir leur bébé.

Où qu'elles soient, les monitrices de la Ligue La Leche se réjouissent de savoir qu'en aidant les mères à allaiter leurs bébés, elles aident aussi à affermir et fortifier les liens d'amour qui se tissent dans l'enfance et qui durent toute la vie.

Notre organisme

Notre nom, La Leche, vient de l'espagnol et se prononce "lé-tché". Cela se traduit simplement par « le lait ». Ce nom nous a été inspiré par une

Des mères partagent de l'information et s'encouragent l'une et l'autre
lors des réunions de la Ligue La Leche.

chapelle consacrée à la mère du Christ à St. Augustine, en Floride. On l'appelle « Nuestra Señora de la Leche y Buen Parto », ce qui signifie « Notre-Dame du lait abondant et de l'heureuse délivrance ».

Notre siège social, situé à Schamburg, dans l'État de l'Illinois, aux États-Unis, emploie 30 personnes. Chaque année, des gens du monde entier, qui cherchent à obtenir de l'aide et de l'information sur l'allaitement, communiquent avec la LLLI par correspondance, téléphone, télécopieur et courrier électronique. On trouve des organismes affiliés à la LLLI au Canada, au Québec, en Grande-Bretagne, en Suisse, en Allemagne et en Nouvelle-Zélande. La Ligue La Leche est un organisme non confessionnel et sans but lucratif qui fonctionne uniquement grâce aux dons, aux contributions des membres et à la vente d'articles.

Le soutien professionnel

Des médecins et des professionnels de la santé provenant du monde entier forment le *Health Advisory Council*. Ce conseil est consulté pour les questions d'ordre médical et l'évaluation des nouvelles recherches. Les membres du conseil révisent les publications de la Ligue La Leche qui comportent de l'information médicale. En complément au *Health Advisory Council*, il y a des médecins du monde entier qui agissent comme médecins associés de la Ligue La Leche.

Un conseil consultatif juridique, le *Legal Advisory Council*, et un conseil consultatif en gestion, le *Management Advisory Council*, complètent le conseil consultatif professionnel de la LLLI, soit le *LLLI Professional Advisory Board*.

Les publications

Le manuel de base de la Ligue La Leche, *The Womanly Art of Breasfeeding*, s'est vendu à plus de trois millions d'exemplaires. Il est disponible en neuf langues, en cassette audio (en anglais) et en braille (en anglais). D'autres publications de la LLLI sont disponibles dans 23 langues différentes.

La Ligue La Leche est la plus importante source d'information sur l'allaitement au monde. Actuellement, La Leche League International publie 35 livres et plus de 100 brochures et feuillets d'information. On retrouve une liste de près de 200 livres, feuillets d'information et brochures dans le catalogue de la LLLI, de même que des tire-lait, des porte-bébés, des CD-ROM, des vidéos et d'autres articles susceptibles d'intéresser les femmes qui allaitent et leur famille.

Le site Web de La LLLI www.lalecheleague.org offre de nombreuses possibilités d'en apprendre plus sur l'allaitement. Des informations sont aussi disponibles dans d'autres langues que l'anglais. Vous pouvez y consulter le catalogue de la LLLI et commander en ligne en toute sécurité, en apprendre davantage sur l'historique de la Ligue La Leche, de même que lire les articles du périodique *New Beginnings* ainsi que d'autres publications de la LLL. Sur le site Web, vous trouverez des réponses aux questions fréquemment posées ainsi que des formulaires d'aide que vous pouvez remplir afin d'obtenir une réponse personnalisée sur une situation d'allaitement spécifique. Vous y trouverez également des liens qui vous mèneront aux sites LLL des pays francophones et des autres régions du monde. Ces liens vous aideront à trouver la monitrice et le groupe LLL le plus près de chez vous. Vous aurez également la possibilité de participer à des réunions en ligne.

Les congrès

Des congrès internationaux et régionaux destinés aux parents et aux professionnels ont lieu périodiquement. Les conférenciers invités sont des experts dans le domaine de l'allaitement, des soins et de l'éducation des enfants, de l'accouchement, de la nutrition et autres domaines connexes. À titre de conférenciers et de panellistes, des médecins, des éducateurs, des chercheurs, des auteurs et des parents offrent un éventail d'expériences et d'opinions.

Les membres

Les membres de la Ligue La Leche ont pour principal souci de donner à leurs bébés ce qu'il y a de mieux. En tant que membre de la LLL, vous aurez la satisfaction de faire partie d'un réseau mondial de mères qui ont l'expérience de l'allaitement et qui partagent de l'information, du soutien et des encouragements.

Selon les pays, l'adhésion à la LLL vous permet de profiter :

- d'un abonnement d'un an à un périodique, une source d'inspiration, où vous trouverez des conseils pratiques, des photos, des critiques de livres et des informations sur l'allaitement ;
- de la compagnie d'autres mères de bébés et de jeunes enfants au cours des réunions mensuelles des groupes de la LLL ;
- de toute l'information contenue dans les volumes qui se trouvent dans la bibliothèque de votre groupe ;
- de rabais sur la plupart des articles offerts dans le catalogue de la LLLI et sur les frais d'inscription aux événements spéciaux de la LLL, y compris les congrès.

En devenant membre de la Ligue La Leche, vous appuyez les efforts des monitrices bénévoles de votre groupe local. Vous faites alors partie d'un réseau international d'entraide de mère à mère qui a près de 50 ans d'expérience dans le partage de la sagesse maternelle.

Les réunions de la Ligue La Leche

Les réunions de la LLL sont des groupes de discussion informelles souvent tenues au domicile de membres du groupe ou dans d'autres lieux faciles d'accès. Les informations sont communiquées selon une programmation préétablie de sujets qui couvrent les aspects pratiques, physiques et psychologiques de l'allaitement.

Les réunions de la Ligue La Leche constituent une extraordinaire source d'information et d'encouragement, où peuvent se forger de nouvelles amitiés entre mères qui ont beaucoup de choses en commun. Si vous assistez aux réunions de la LLL pendant votre grossesse, vous serez bien préparée à l'allaitement lorsque arrivera votre bébé.

Au cours de ces réunions de la Ligue La Leche, la monitrice du groupe partage ses connaissances sur l'allaitement et sur des sujets connexes. Elle encourage les mères à poser des questions et à faire part de leurs propres expériences. Pour chaque question ou difficulté soulevée, il y a généralement plusieurs mères qui peuvent offrir des solutions ou des suggestions. Il est à la fois excitant et rassurant de voir les bébés du groupe grandir et s'épanouir. Il est agréable de constater à quel point chaque bébé est unique et de voir les relations chaleureuses et merveilleuses qui s'établissent entre chaque mère et son bébé. Les bébés sont toujours les bienvenus aux réunions de la Ligue La Leche.

Nos monitrices ou animatrices sont d'abord et avant tout des mères qui ont allaité leur bébé. Elles désirent partager leurs connaissances en allaitement ainsi que leur enthousiasme avec les mères qui leur demandent de l'aide. L'expérience personnelle et une formation spéciale les préparent à ce rôle. Chaque monitrice a complété une démarche spécifique avant d'être accréditée et de pouvoir représenter officiellement la Ligue La Leche.

Où trouver la Ligue La Leche ?

Plus de 3 000 groupes de la Ligue La Leche à travers le monde tiennent des réunions mensuelles, il y a donc de fortes chances qu'il y ait un ou plusieurs groupes près de chez vous. Les monitrices déploient beaucoup d'efforts pour annoncer leurs réunions afin que les mères puissent trouver rapidement et facilement le groupe LLL de leur localité.

Presque tous les groupes font paraître un avis de réunion dans les journaux locaux. Consultez-les ou appelez au bureau du journal et demandez si on peut vous indiquer comment rejoindre le groupe de la Ligue La Leche de votre région.

Vous pourrez trouver la Ligue La Leche dans l'annuaire téléphonique de certaines grandes villes. S'il n'y a aucune inscription, téléphonez à la maternité ou l'unité des naissances des grands hôpitaux ou à des obstétriciens et pédiatres de votre région. Vous trouverez peut-être des renseignements sur les groupes de la Ligue La Leche de votre localité aux cours prénatals ou à la bibliothèque municipale. Au Québec, vous pouvez aussi communiquer avec votre CLSC pour obtenir cette information.

Pensez aussi à vous informer auprès de vos amies et de vos voisines enceintes ou qui ont de jeunes enfants. Parmi elles, vous en trouverez probablement une qui aura assisté à des réunions de la Ligue La Leche et elle se fera un plaisir de vous mettre en contact avec une monitrice de votre région.

Selon le pays que vous habitez, pour obtenir de l'information sur les services offerts par la LLL près de chez vous et pour rejoindre des monitrices de langue française, vous pouvez également communiquer avec :

EN BELGIQUE
La Leche League Belgique
Répondeur national : 02/268.85.80
Courriel : info@lalecheleague.be
Site Web : http://users.pandora.be/la.leche.league/

AU CANADA
Ligue La Leche
12, rue Quintal
Charlemagne, Québec, J5Z 1V9
Téléphone : (514) 990-8917
Sans frais : 1-866-255-2483
Courriel : information@allaitement.ca
Site Web : www.allaitement.ca

EN FRANCE
La Leche League France
Boîte postale 17,
78620 L'Etang La Ville
Répondeur national : 01 39 584 584
Courriel : contact@lllfrance.org
Site Web : www.lllfrance.org

AU LUXEMBOURG
La Leche League Luxembourg
29, rue Follereau
L-1529 Luxembourg
Répondeur : 26 71 05 43
Courriel : lalecheleague@internet.lu
Site Web : www.lalecheleague.lu

EN SUISSE
La Leche League Suisse
Centrale téléphonique : 00 41 81 943 33 00
Site Web : www.romandie.stillberatung.ch

Aimeriez-vous nous aider ?

Peut-être n'y a-t-il pas de groupe dans votre localité et ce livre a été votre seul guide pendant votre allaitement. Au fil des mois et à mesure que votre bébé grandit et s'épanouit grâce à votre lait, vous constatez peut-être que d'autres mères vous posent des questions à propos de l'allaitement. On sait ce que c'est, nous avons commencé ainsi ! Vous avez du plaisir à faire cela ? Écrivez-nous pour savoir comment démarrer un groupe de la Ligue La Leche ?

La Ligue La Leche a besoin de mères comme vous qui ont lu ce livre, suivi ses recommandations et allaité leur bébé avec joie. S'il n'y a pas de groupe de la Ligue La Leche près de chez vous et que vous souhaitez devenir une monitrice de la Ligue La Leche, écrivez-nous à une des adresses indiquées à la fin du livre pour obtenir une copie de notre dépliant gratuit « Devenir monitrice ».

Si vous être membre d'un groupe de la Ligue La Leche, la monitrice de votre groupe local pourra vous donner les informations nécessaires.

Le présent ouvrage et ses auteures

Lorsque nous avons écrit la première édition de *The Womanly Art of Breastfeeding* dans les années 50, nous étions toutes les sept des mères à temps plein, à la maison. La rédaction s'est effectuée entre les autres tâches, pendant que le bébé dormait ou s'amusait tout près, peut-être avec un frère ou une sœur d'âge préscolaire. Plus souvent qu'autrement, notre bureau était la table de la cuisine et nous devions ramasser les pages manuscrites à la hâte à l'heure des repas.

Nous nous étions entendu dès le départ sur le fait que notre famille demeurait notre priorité. Cette entente nous donnait la liberté de mettre de côté le travail de la Ligue La Leche lorsque notre famille avait besoin de nous.

À mesure que nos enfants ont grandi et que les circonstances ont changé, certaines d'entre nous ont accepté un travail rémunéré au siège social de La Leche League International. L'intérêt que nous avons manifesté, il y a de cela presque 50 ans n'est pas moindre aujourd'hui, même si nous sommes à présent à la retraite. Nous continuons toutes à travailler sur des projets de la LLL lorsque notre aide est requise et nous sommes membres du *Founders' Advisory Council*, le conseil consultatif des mères fondatrices.

Quand nous avons fondé la Ligue La Leche, chacune d'entre nous connaissait un ou plusieurs autres membres du groupe, mais certaines se rencontraient pour la première fois. Nous étions loin d'être toutes semblables. Certaines avaient nourri des enfants plus âgés au biberon, d'autres avaient eu le bonheur d'allaiter leur premier bébé. Seize ans séparent la plus âgée et la plus jeune du groupe et nous sommes toutes différentes. Nous sommes toutefois fermement unies par notre conviction de l'importance du maternage et de la valeur de l'allaitement.

Puisque notre philosophie repose surtout sur ce que nous croyons le plus valable, suite à notre expérience personnelle, nous vous présentons le cheminement de chacune d'entre nous.

Mary Ann Cahill, McHenry, Illinois : En 1956, l'année où la Ligue La Leche fut fondée, la famille Cahill, de Franklin Park, en Illinois, travaillait de tout son cœur à « bâtir des êtres humains ». « Le terme plus usuel serait " éducation des enfants " », explique Mary Ann, « mais nous étions des idéalistes et des rêveurs, comme le sont jusqu'à un certain point la plupart des parents de jeunes enfants. Pour Chuck et moi, c'était une époque vraiment fascinante. » Dans les années qui suivirent, la famille est passée de six à neuf enfants – Bob, Elisabeth, Tim, Teresa, Mary, Joe, Margaret, Charlene (Charlie) et Franny – et il y avait toujours de la place à table pour Janet, une fille adoptive qui passa plusieurs de ses années scolaires chez la famille Cahill. La famille a déménagé dans une plus grande maison à Libertyville en 1960 et, plus récemment, Mary Ann a déménagé dans une maison plus petite à McHenry. Son mari, Chuck, est décédé en 1978. « Je n'oublierai jamais les démonstrations d'amitié et de soutien des gens de la LLL à cette occasion, ni aucun de leurs gestes de sympathie à l'égard de ma famille et de moi-même. »

Les jours de maternage intense font maintenant partie du passé et les enfants Cahill vivent maintenant dans différentes régions de l'Illinois, du Wisconsin, du Missouri et du Colorado. Ils sont eux-mêmes des pères et des mères qui travaillent dans le domaine de l'entretien, du travail social, du design et des services postaux et qui sont devenus médecin, pharmacien, interprète pour les mal-entendants, bibliothécaire et enseignant. « Lorsque nous sommes tous réunis, nous passons de merveilleux moments ensemble » explique Mary Ann. « Les espoirs et les rêves, les prières et le dur labeur pour "bâtir des êtres humains" en valent la peine. Je n'aurais pu rêver d'une vie plus satisfaisante. ». Mary Ann n'est plus membre du personnel du siège social de la LLLI depuis 1995 et elle a travaillé à temps partiel dans un hôpital local. Une de ses activités préférées demeure toutefois le travail qu'elle accomplit avec les autres fondatrices au *Founders' Advisory Council.* En 2001, Mary Ann a écrit un livre relatant les souvenirs des fondatrices sur l'historique de la Ligue La Leche. *Seven Voices, One Dream* a connu un vif succès lors de son lancement à la Conférence annuelle de la LLLI de cette année-là.

Dans le but de mettre à jour l'histoire de sa famille pour cette édition de *L'Art de l'Allaitement Maternel*, Mary Ann écrit :

Je vis toujours à McHenry, maintenant reconnue comme « la communauté qui croît le plus rapidement en Illinois ». Bientôt, au lieu de vastes champs, je ne verrai plus que des toits de maison, mais j'ai décidé de reconnaître qu'ils avaient leur beauté propre.

Je travaille maintenant à l'église à cinq minutes de chez moi. C'est une paroisse jeune et accueillante, remplie de vie, et je suis heureuse d'en faire partie.

Mes enfants sont ma plus grande joie. Malheureusement six de mes dix enfants vivent à l'extérieur de l'état. En juin 2003, quand Fran, qui vit dans le Colorado, a annoncé qu'elle viendrait avec sa famille à McHenry pour le baptême du petit David, le mot s'est répandu et tout le clan s'est réuni – enfants, petits-enfants, arrière-petits-enfants – 42 en tout. Ceux qui habitent ici ont préparé ma maison et le terrain de volleyball adjacent pour une grande joute. Après les retrouvailles et les embrassades, les nouveaux arrivants ont aidé à préparer un véritable festin. Pendant trois jours, nous avons tous célébré. C'était extraordinaire, vraiment extraordinaire !

Je suis optimiste, car je vois tant de bonnes jeunes mères avenantes et des pères tout aussi bons qui font de leur mieux pour bien élever leurs enfants et les rendre attentifs aux autres. Oui, les familles d'aujourd'hui subissent des pressions énormes. Pour cette raison, nous devons être là les uns pour les autres, pour les soutenir, les encourager et les guider le mieux possible. Oui, pour voir à ce que la Ligue La Leche continue d'être forte, dynamique et accessible au nombre toujours croissant de mères qui allaitent, de bébés et de familles.

Edwina Froelich, Inverness, Illinois : Bien qu'Edwina ait apprécié la douzaine d'années passées à travailler comme secrétaire pour diverses compagnies situées au cœur du centre-ville de Chicago, elle avait toujours prévu, même souhaité, de se marier et fonder une famille. Elle a rencontré John l'année de ses 33 ans et ils se sont mariés six mois plus tard. Elle avait 36 ans lorsqu'elle a donné naissance à son premier enfant. La plupart des femmes des années 40 et 50 accouchaient bien avant la trentaine. Il n'est donc pas surprenant qu'Edwina se soit attiré des mises en garde sévères sur les dangers d'accoucher à un âge si « avancé » ! De plus, lui a-t-on fait savoir, les seins d'une femme ne donnent plus de lait, passé 30 ans. Fort heureusement, ses « vieilles » glandes mammaires ont produit du lait en abondance pour ses trois fils. Il est intéressant de noter que, 50 ans plus tard, il est assez commun pour une femme d'avoir un ou des bébés dans la trentaine et de les allaiter sans problème.

La famille Froehlich s'est agrandie pour accueillir trois brus et les neuf petits-enfants qu'elles ont eus. Paul et Marilyn, David et Sharon, ainsi que Peter et Paula, ont chacun trois enfants. Edwina pense que ses trois fils se sont surpassés en choisissant leurs épouses. Toutes trois sont des jeunes femmes exceptionnelles, des épouses dévouées et des mères très attentionnées. Marilyn est devenue une monitrice de la Ligue La Leche. Après s'être retirée du conseil d'administration de la LLLI, Edwina est devenue une membre active du *Founders' Advisory Council.* Elle y a été désignée pour planifier les réunions, prendre les notes et distribuer les procès-verbaux.

Son rôle préféré reste celui de grand-maman auprès de ses petits-enfants, Leanne, Kristin et Steven, qui sont à présent à l'université ; Katrina et Michael, qui sont entrés à l'école secondaire à l'automne 2003, ainsi que Laura, Colleen, Jenna et Christian, qui fréquentent encore l'école primaire. Leur grand-père John est décédé en 1997. En janvier 2003, Edwina a finalement quitté Franklin Park et la maison qu'elle a habité pendant 40 ans pour emménager dans une autre maison à dix minutes de ses enfants et petits-enfants.

Mary Ann Kerwin, Denver, Colorado : Quand Mary Ann et Tom Kerwin sont devenus parents pour la première fois en 1955, Mary Ann désirait ardemment allaiter même si aucune de ses amies ne le faisait. Son inexpérience, associée à un bébé dormeur, a rendu les choses difficiles au début. Greg et Mary White (Mary est la sœur de Tom Kerwin) lui ont donné des conseils utiles et l'ont encouragée. Mary Ann et son premier bébé sont bientôt devenus un couple heureux, grâce à l'allaitement. Le principal regret de Mary Ann, concernant son premier allaitement, c'est d'avoir sevré son bébé à l'âge de neuf mois. Cela a été un période douloureuse et éprouvante pour la mère et le bébé, mais Mary Ann a appris de cette expérience. Tous ses autres bébés ont pu se sevrer à leur propre rythme. Les Kerwin ont huit enfants : Tom, Ed, Greg, Mary, Anne, Katie, John et Mike. Deux d'entre eux sont médecins, deux sont avocats. L'un est libraire, l'autre est journaliste, un autre est ingénieur en informatique et le plus jeune est professeur en géologie. Un neuvième enfant, Joseph, né en 1959, est décédé à l'âge de six semaines, victime du syndrome de mort subite du nourrisson. Ils ont à présent sept merveilleux gendres et brus, ainsi que treize petits-enfants.

Après avoir été présidente du conseil d'administration de la LLLI de 1980 à 1983, Mary Ann a fait un retour aux études et a obtenu un diplôme universitaire en droit en 1986. L'expérience acquise auprès de ses enfants lui a donné la détermination et l'autodiscipline nécessaire pour atteindre son but. Elle a pratiqué le droit au Colorado jusqu'en 2000 et est restée active au sein du conseil d'administration de la LLLI jusqu'en 2001. À l'heure actuelle, Mary Ann est membre du *Founders' Advisory Council* de la LLLI.

Mary Ann aime s'impliquer auprès de ses enfants et de leurs enfants. Six des huit familles habitent à proximité. Ils célèbrent souvent les fêtes et les occasions spéciales ensemble. Mary Ann essaie de faire des sorties avec les plus jeunes de ses petits-enfants, plusieurs fois par semaine, pour offrir un répit à leurs mères occupées. Elle adore la natation, le vélo, la lecture, le chant, la randonnée pédestre, le tennis et les jeux, toutes des choses qu'elle peut pratiquer avec ses petits-enfants.

Mary Ann se sent privilégiée que tous ses petits-enfants aient pu être allaités, même si plusieurs mères ont dû surmonter des difficultés.

Mary Ann nous raconte :

Notre fille Mary a donné naissance prématurément à nos deux premiers petits-enfants. Même si son fils aîné, Michael, est né avec deux mois d'avance, Mary a pu en fin de compte l'allaiter exclusivement. Elle a reçu de l'aide et de l'encouragement de monitrices de la LLL et de consultantes en lactation formées par la LLL.

Le personnel de l'hôpital l'a aussi beaucoup soutenue. Dre Marianne Neifert a fait en sorte que Mary puisse utiliser un tire-lait électrique à double pompage pour stimuler sa sécrétion lactée afin que Michael puisse recevoir son lait. Mary était heureuse d'exprimer son lait, car cela lui permettait de donner à son bébé le meilleur départ possible dans la vie. En lui offrant son lait, elle a pu mieux surmonter le chagrin qu'elle ressentait à cause de la naissance prématurée.

Au début, Michael prenait le lait de Mary au moyen d'un tube, puis il est passé au biberon et ensuite il a pris le sein avec une téterelle. En quelques semaines, il était assez fort pour prendre toutes ses tétées au sein. Son frère Ben est né cinq semaines trop tôt, mais il a commencé à téter au sein après quelques jours.

Les deux garçons, maintenant des adolescents, se développent bien et n'ont gardé aucune séquelle de leur naissance prématurée, en grande partie grâce au succès de l'allaitement.

Les brus de Mary Ann ont magnifiquement réussi l'allaitement de huit autres petits-enfants. Tous ont été allaités immédiatement après la naissance.

La troisième fille de Mary Ann, Katie, a cependant vécu une expérience d'allaitement pénible avec son premier et son troisième bébé. Son premier bébé n'est parvenu à téter efficacement qu'au bout de trois semaines. Le second bébé était un « pro » de l'allaitement dès la naissance. Mais le troisième bébé n'a été allaité exclusivement qu'à partir de l'âge de deux mois et demi.

Mary Ann explique :

Katie n'aurait pas réussi à allaiter sans le soutien et une aide considérable de nombreuses consultantes en lactation formées à la LLL. Elles l'ont aidée à relever les défis d'un bébé dormeur, d'une mauvaise prise du sein, d'un palais très bombé, d'un possible reflux gastrique et enfin d'une surabondance de lait qui, ironiquement, causait une prise de poids faible. Pour surmonter tout cela,

Katie devait tirer son lait avant les tétées pour que le bébé puisse obtenir assez de ce lait riche de fin de tétée dont les bébés allaités ont besoin ! Après avoir franchi ce dernier obstacle, le poids de son bébé a augmenté de façon significative.

En réfléchissant à l'héritage de la Ligue La Leche, Mary Ann reconnaît que son premier but demeure le soutien à toute mère qui désire allaiter. Ainsi, elle est membre du *Colorado Breastfeeding Taskforce*, où elle travaille à faire augmenter le taux d'allaitement, notamment chez les mères à faible revenu, en se concentrant à aider les mères au cours des premières semaines particulièrement cruciales. Mary Ann sait qu'à partir du moment où la mère a développé un lien d'attachement profond avec son bébé, sa capacité de materner ne peut aller qu'en augmentant dans les années à venir. Mary Ann travaille également à faire adopter aux États-Unis une législation qui permettrait aux mères d'allaiter partout où elles le désirent. Elle est en effet déçue de constater qu'en ce nouveau millénaire les mères soient encore victimes de préjugés de la part de personnes qui tentent de les empêcher d'allaiter leur bébé dans des endroits, tels les aéroports, les musées, les restaurants et les magasins.

Mary Ann croit que ses enfants ainsi que leurs conjoints font un meilleur travail dans le domaine de l'allaitement et dans leur rôle de parents qu'elle ne l'a fait. Elle sait qu'à l'occasion l'allaitement n'est pas facile et qu'être un bon parent représente un défi quotidien.

Elle croit cependant que ses enfants et leurs conjoints ont eu un bon départ grâce à l'influence de La Leche League International. Elle déclare :

Quoi que j'aie pu faire pour aider les autres pendant ces cinq dernières décades, cela m'a été rendu des milliers et des milliers de fois. Il n'y a aucun doute que la Ligue La Leche a enrichi ma vie, la vie des membres de ma famille et les vies d'innombrables familles du monde entier !

Viola Lennon, Park Ridge, Illinois : Les dix petits Lennon de Viola sont venus au monde dans toutes les tailles et, juste pour prouver qu'il n'y avait pas de défi trop grand pour elle, elle a même accouché de jumelles en 1961. À cette époque, c'était déjà un exploit que d'allaiter un seul enfant, alors Viola a causé tout un émoi dans le voisinage quand elle s'est calmement mise à allaiter exclusivement ses deux filles, Catherine et Charlotte. Quand elle était bébé, Cathy était très éveillée et buvait au moins toutes les deux heures, alors que Charlotte, plus dormeuse, tétait beaucoup moins que sa sœur, mais prenait du poids plus rapidement. Elle s'est aussi sevrée cinq mois après Cathy. Les jumelles étaient les sixième et septième enfants de la famille. Elizabeth, Mark, Mimi, Rebecca et Matthew les avaient précédées et elles furent suivies de Martin, Maureen et Gina. Alors qu'elle était bébé, Mimi avait des coliques et Viola a supposé que c'était le signe d'un tempérament nerveux. Cependant, Mimi est devenue une jeune femme calme et d'humeur facile.

Viola a été la première présidente du conseil d'administration de la LLLI dont elle a présidé les réunions pendant plusieurs années. Elle a également travaillé au financement dans le *LLLI Funding Development Department* pendant de nombreuses années. À l'heure actuelle, elle agit comme consultante pour *La Leche League's Alumnae Association*, une association ouverte à toutes les membres et monitrices actives ou à la retraite. Elle est également membre du *Founders' Advisory Council.*

Viola a été la dernière des fondatrices à devenir grand-mère. À l'heure actuelle, elle a 18 petits-enfants. Ses enfants et petits-enfants habitent tous à proximité, ce qui permet à la famille Lennon de tenir souvent de grandes réunions familiales.

Marian Tompson, Evanston, Illinois: Bien qu'elle ait changé de médecin pour chacun des ses trois premiers bébés, Marian a été incapable d'allaiter aucun d'entre eux plus de six mois. Chaque médecin lui conseillait de faire ce qui était habituel à l'époque: allaiter uniquement toutes les quatre heures, donner à l'occasion un biberon complémentaire pour s'assurer que le bébé buvait suffisamment et introduire les aliments solides à six semaines. Avec son troisième bébé, il n'a pas fallu longtemps avant que son médecin lui dise qu'elle n'avait plus de lait. Il lui a expliqué que ce phénomène était courant lorsqu'une mère devait s'occuper de plusieurs enfants en bas âge. Heureusement, à la naissance de leur quatrième bébé en 1955, Marian et son mari, Tom, ont découvert l'aide et le soutien dont ils avaient besoin auprès du Dr Gregory White et de sa femme Mary. Leur bébé, Laurel, qui est née à la maison, a été allaitée plus d'un an et s'est sevrée d'elle-même. Ce qui a également été le cas pour les trois autres bébés nés par la suite, chacun étant allaité plus longtemps que le précédent. Tom, « qui était mon véritable partenaire et mon principal soutien dans tout ce que j'ai été capable d'accomplir pendant ces années où j'ai été présidente de la LLLI», est décédé en 1981. Les sept enfants Tompson, Melanie, Deborah, Allison, Laurel, Sheila, Brian et Philip sont maintenant adultes. Leurs propres enfants ont tous été allaités. Ils vivent maintenant en Arizona, dans le New Jersey et en Floride, mais la plupart d'entre eux habitent encore en Illinois. Pour la plus grande joie de Marian, ses enfants et leurs conjoints, de même que ses 15 petits-enfants et à présent ses trois arrière-petits-enfants allaités, se rassemblent à Noël dans son appartement d'Evanston pour partager du plaisir et des jeux.

Marian a été la première et la seule présidente de La Leche League International pendant 24 ans. Pendant 17 de ces années, elle a également présidé les réunions du conseil d'administration de la LLLI, elle a occupé le poste de rédactrice en chef de ce qui est maintenant *New Beginnings* et elle a été celle qui a mis sur pied les séminaires sur l'allaitement pour les médecins. Son enthousiasme à aider les mères qui allaitent est toujours évident, encore aujourd'hui, lorsqu'elle participe à des congrès de la Ligue La Leche et autres rencontres dans le monde entier. En 1995, elle a fait partie d'un groupe de partisans de l'allaitement qui ont assisté, à Beijing, en Chine, à la cinquième conférence de l'ONU sur la condition féminine, pour s'assurer que l'allaitement soit envisagé comme solution à plusieurs problèmes qui y étaient discutés. Elle siège au *Founders' Advisory Council* de la LLLI ainsi qu'au conseil consultatif international de la WABA (Alliance mondiale pour l'allaitement maternel). Elle siège également aux conseils consultatifs de nombreux autres organismes qui oeuvrent dans le domaine de la naissance et de la vie familiale.

En 2000, Marian a fondé et assume encore à ce jour la direction générale de *AnotherLook*, un organisme sans but lucratif, qui s'est donné comme mission de recueillir des informations, soulever des questions cruciales et encourager les recherches sur l'allaitement dans le contexte du VIH/SIDA. «*AnotherLook* est réellement une suite de mon travail à la Ligue La Leche», explique Marian :

> *Je veux être sûre que toutes les mères, même celles qui ont été diagnostiquées séropositives au VIH, puissent avoir accès à de l'information sur l'allaitement qui s'appuie sur des preuves scientifiques pour assurer les meilleurs chances possibles à leurs bébés.*

Betty Wagner Spandikow, Springville, Tennessee : Betty a allaité tous ses enfants, dès 1943, en grande partie grâce à sa mère qui a su lui donner l'aide pratique dont elle avait besoin. C'est à son sixième enfant que Betty a dû faire face à de nouveaux défis. Dorothea pleurait beaucoup et n'était heureuse que dans les bras de sa mère. Betty a jugé nécessaire de restreindre toutes ses activités extérieures et de réorganiser sa vie autour de cette petite fille qui avait tant besoin d'elle. Dorothea avait plus de trois ans avant qu'elle ne commence à s'aventurer loin de sa mère. Presque en même temps, soit vers l'âge de trois ans et demi, elle est devenue une petite fille extravertie et très sûre d'elle. Les Wagner ont eu sept enfants, Gail, Robert, Wayne, Mary, Peggy, Dorothea et Helen. La fille de Betty, Mary, a été la première, parmi les filles des fondatrices de la LLLI, à devenir monitrice de la Ligue La Leche.

Betty a été directrice générale de la LLLI pendant 19 ans. Elle a pris sa retraite de ce poste, mais continue ses activités au sein du *Founders' Advisory Council.* Betty a 24 petits-enfants et 14 arrière-petits-enfants. Tous ont été allaités avec succès.

Le mari de Betty est décédé en 1979. Betty a épousé Paul Spandikow en 1991, un père de sept enfants et grand-père de 15 petits-enfants. Ils partagent leur temps entre leur lieu de résidence à Springville, au Tennessee, et de nombreux voyages dans les régions du pays où sont établis leurs enfants, petits-enfants et arrière-petits-enfants.

Mary White, River Forest, Illinois : La première tentative d'allaitement de Mary a été comme celle de la plupart des mères des années 40 : désastreuse ! En peu de temps, son bébé Joseph est passé au biberon. À la naissance de son deuxième enfant, son mari Greg, un médecin, était de retour de l'armée américaine et elle a eu le soutien dont une mère qui allaite a besoin. Bill, Peggy, Katie, Anne, Jeannie, Mike, Mary, Clare, Molly et Liz ont tous été allaités avec joie, sans qu'il n'y ait jamais aucun biberon dans la maison. Seuls les trois premiers sont nés à l'hôpital, les autres sont nés à la maison et ont un écart de deux à cinq ans, dû uniquement à la méthode la plus naturelle d'espacement des naissances qui soit : l'allaitement. Mary avait 47 ans lorsque sa fille Liz est née : « Il s'agit de la grossesse la plus courte que j'aie jamais vécue, car pendant les trois premiers mois, je croyais être en ménopause ! »

Leur fille aînée, Peggy, est décédée des suites d'un cancer à l'âge de 18 ans, en 1968. Leurs trois fils sont médecins de famille comme leur père.

Neuf de leurs enfants sont mariés et leur 55e petit-enfant vient de naître. Tous leurs petits-enfants ont été allaités et presque tous sont nés à la maison. Leur plus jeune fille, Liz, a dû avoir une césarienne d'urgence pour son premier-né mais, par la suite, elle a accouché naturellement de deux autres enfants. Les White ont à présent 16 arrière-petits-enfants, incluant des jumeaux, Martin et Bridget, pesant chacun plus de 3 kg à la naissance.

En 2001, Mary et Greg ont quitté leur maison familiale à trois étages pour aller vivre dans un condominium dans la même ville. Greg a pris sa retraite en 2000 et, malheureusement, il est décédé en juin 2003. Les White ont été mariés pendant près de 60 ans.

Mary assiste encore aux congrès régionaux de la Ligue La Leche et elle adore parler de son sujet préféré, soit le besoin des mères et des bébés d'être ensemble. Le dévouement de Mary à pratiquer ce type particulier de maternage qui fait partie intégrante de l'allaitement a toujours été une source d'inspiration à la Ligue La Leche. Si vous demandiez à Mary quel est son rôle le plus important en tant que mère, elle vous répondrait que c'est d'inculquer à ses enfants l'amour et la confiance en Dieu pour toute la vie.

Les personnes qui nous ont aidées

Un personnel de bureau dévoué et de nombreux consultants professionnels ont travaillé de longues heures à préparer le manuscrit de la troisième édition de *The Womanly Art of Breasfeeding* en 1981. Mary Ann Cahill en avait écrit la majeure partie avec l'aide des autres fondatrices.

La quatrième édition révisée, parue en 1987, a été compilée et éditée par Judy Torgus, une monitrice de longue date de la Ligue La Leche et éditrice des publications de la LLLI. Judy a révisé et édité toutes les éditions subséquentes avec l'aide de Gwen Gotsch et d'autres personnes.

La présente édition de 2004 a également été mise à jour par Judy Torgus, à présent directrice des publications de la LLLI, et Gwen Gotsch, rédactrice en chef à la LLLI, avec l'assistance de Joyce Kashe, en informatique. Les fondatrices ont passé en revue tous les changements et ont ajouté les commentaires qu'elles ont jugé nécessaires. Plusieurs des nouvelles recommandations de la présente édition sur la mise au sein, la prise du sein et la production de lait s'appuient sur les informations contenues dans l'édition révisée en 2003 du *Breastfeeding Answer Book*, rédigé et documenté par Nancy Mohrbacher, IBCLC, et Julie Stock, MA, IBCLC. Nancy Jo Bykowski, IBCLC, qui travaille au département des publications de la LLLI, a fourni l'information générale sur plusieurs sujets et a cherché des témoignages et des commentaires de monitrices habitant à l'extérieur des États-Unis. Carol Huotari, IBCLC, et directrice du *Center for Breastfeeding Information* de la LLLI a également participé aux recherches et a révisé les mises à jour.

À chaque révision de *L'Art de l'allaitement maternel*, l'information mise à jour s'appuie sur les plus récentes recherches ainsi que les expériences vécues par des mères qui allaitent. Même si certaines recommandations spécifiques sur l'allaitement ont changé au cours des années, les questions fondamentales et les inquiétudes des mères sont demeurées les mêmes. En conséquence, le message de la Ligue La Leche n'a pas changé depuis près de 50 ans. Nous croyons que l'allaitement est le meilleur moyen pour la mère d'apprendre à connaître son bébé et à développer les capacités dont elle a besoin pour faire des choix éclairés pour le bien de sa famille.

La plupart des témoignages sont tirés de *New Beginnings*, la revue bimestrielle de la LLLI destinée à ses membres, de *La Voie Lactée,* qui paraît au Québec, d'*Allaiter Aujourd'hui*, qui est publié en France et d'*Aroha*, destiné aux membres en Nouvelle-Zélande. Nous tenons à remercier les parents qui nous ont fait part de leurs expériences, de même que tous ceux et celles qui ont offert les photos qui apparaissent dans le livre.

Nous sommes très reconnaissantes à toutes les personnes mentionnées ainsi qu'à toutes les autres – trop nombreuses pour que nous puissions les nommer – qui nous ont aidées à faire de *L'Art de l'allaitement maternel* un classique du genre.

L'influence de la Ligue La Leche

De nombreux changements survenus au cours des 49 dernières années relativement aux soins du bébé sont attribuables à l'influence de la Ligue La Leche. En 1956, on introduisait les aliments solides généralement quand le bébé avait entre un et trois mois. En s'appuyant sur des recherches médicales sérieuses ainsi que sur le fait qu'elles avaient réussi à maintenir leur production de lait en retardant l'introduction des solides, les fondatrices de la Ligue La Leche ont recommandé de retarder l'introduction des solides jusqu'à l'âge de quatre à six mois. Aujourd'hui, l'*American Academy of Pediatrics* et l'Organisation mondiale de la santé s'accordent pour retarder l'introduction des solides jusqu'à six mois. Peu de mères se font dire maintenant de donner des solides dans les premiers mois.

La Ligue La Leche a commencé avec le rêve que toutes les mères qui désirent allaiter puissent le faire.

Aux débuts de la Ligue La Leche, les bébés étaient séparés de leur mère après la naissance pour une période aussi longue que vingt-quatre heures. La Ligue La Leche a plaidé haut et fort : le bébés a besoin de sa mère et la mère tire aussi avantage d'un allaitement tôt après la naissance et d'un lien d'attachement ininterrompu avec son bébé. De nos jours, les femmes s'attendent à tenir leur nouveau-né dans leurs bras immédiatement après la naissance. Ce qui était impensable, il y a près de 50 ans, est devenu pratique courante aujourd'hui et la Ligue La Leche a aidé les mères à l'obtenir.

La Dre Ruth Lawrence, auteure de *Breastfeeding : A Guide for the Medical Profession*, recueille des données historiques sur l'allaitement. Des extraits de magazines et de publicités datant des années 40 et 50 démontrent, selon elle, qu'on entretenait le doute dans l'esprit de la mère à cette époque. On lui faisait croire qu'elle devait élever ses enfants en suivant les conseils des « experts ».

Lynn Weiner, historienne et professeure à l'Université Nothwestern, croit qu'en amenant les femmes à se responsabiliser, la Ligue La Leche a ouvert la voie aux groupes d'entraide et les femmes ont ainsi pu reprendre le contrôle sur les questions de santé familiale. Sept femmes ont entrepris de rendre le bébé à sa mère à une époque où ce sont les hommes, qui en tant qu'experts, dominaient le domaine des soins aux enfants.

Les femmes des années cinquante venaient à la Ligue La Leche avec des questions très simples. Comment savoir si j'ai assez de lait ? Comment savoir si mon bébé a faim ? Quand dormira-t-il toute la nuit ? Encore aujourd'hui, les femmes s'adressent à la LLL pour obtenir des réponses, du soutien et pour être encouragées, car nous sommes reconnues pour cela. La raison la plus fréquemment invoquée par les mères qui cessent d'allaiter au cours des premières semaines est qu'elles pensaient ne pas avoir assez de lait.

De ses débuts modestes, la Ligue La Leche est devenue un organisme international, reconnu dans le monde entier comme une autorité dans le domaine de l'allaitement. La Ligue La Leche s'est transformée en un groupe expérimenté, fort et essentiel qui influence le monde dans lequel nous vivons.

La Ligue La Leche demeure au premier plan en plaçant les besoins du bébé allaité à l'ordre du jour de l'agenda mondial. Lorsque les chefs d'état se sont rencontrés à l'occasion du Sommet mondial pour les enfants en 1990, la Ligue La Leche était représentée. En 1991, la Ligue La Leche a participé à la formation de l'Alliance mondiale pour l'allaitement maternel (WABA), un réseau global d'organismes et d'individus voué à la protection, à la promotion et au soutien à l'allaitement.

Aux États-Unis, un programme de la Ligue La Leche (WIC) a été mis sur pied pour inciter les mères à faible revenu, issues des minorités, à allaiter leurs enfants. Ce programme s'est depuis étendu à d'autres pays. Le *Breasfeeding Peer Counselor Program* de la LLLI travaille de concert avec les centres locaux de services de santé, incluant les cliniques WIC aux États-Unis, pour offrir des informations exactes sur l'allaitement ainsi que du soutien de mère à mère.

En 2003, La Leche League International a été directement impliquée dans la planification et la réalisation d'une campagne publicitaire d'une durée de trois ans, commanditée par le gouvernement des États-Unis, pour encourager les mères à allaiter leurs bébés. Le ministère de la Santé et des Services sociaux des États-Unis reconnaît que l'allaitement est une question de santé publique et a fait appel à l'expertise de La Leche League International et à son réseau de bénévoles pour appuyer cet effort. Cette campagne nationale de sensibilisation à l'allaitement va bien au-delà de tout ce que les fondatrices avaient pu imaginer lorsqu'elles se sont rencontrées, il y a près de 50 ans de cela, à Franklin Park, en Illinois, pour aider leurs voisines et amies à en apprendre un peu plus sur l'allaitement.

Les sept fondatrices de la Ligue La Leche ont assisté au Congrès de la LLLI de 2001.

Le mot de la fin – De la part des fondatrices

Pour terminer, nous souhaitons, toutes les sept, exprimer notre gratitude et remercier du fond du cœur celles et ceux qui ont contribué de façon importante au développement de la Ligue La Leche.

En premier lieu, nous aimerions rendre hommage à deux médecins, les Drs Herbert Ratner et Gregory White, tous deux décédés récemment. Eux-mêmes pères d'enfants allaités, ces deux médecins étaient des perles rares en 1956. Sans leurs conseils et leur appui inconditionnel, il est presque certain que nous, qui avons fondé la Ligue La Leche, aurions trouvé extrêmement difficile de faire face aux critiques et parfois même à l'hostilité du monde médical face à deux fonctions féminines essentielles : l'accouchement naturel et l'allaitement maternel. Notre propre enthousiasme, de même que notre appréciation de ces deux fonctions, ont survécu grâce à l'appui solide de ces deux médecins. Nous leur en serons éternellement reconnaissantes et nous souhaitons également les remercier de la part des mères à qui nous avons transmis ce que nous avions appris. Avec le temps, beaucoup d'autres médecins courageux nous ont également soutenues dans nos efforts et ont généreusement partagé leurs connaissances avec nous. Nous sommes très conscientes de leur aide et nous leur en sommes reconnaissantes. Mais ce sont les Drs Ratner et White qui ont pris la parole à une époque où leurs voix étaient des plus nécessaires.

Nous désirons également exprimer notre grande reconnaissance envers nos monitrices bénévoles de la Ligue La Leche. Ce sont les efforts quotidiens de milliers de généreuses bénévoles, qui sont devenues des monitrices de la Ligue la Leche, qui ont permis de bâtir notre organisation. Sans leurs efforts constants au fil des ans, la Ligue La Leche ne serait pas ce qu'elle est aujourd'hui.

Appendices

Il existe une grande variété de livres pouvant vous aider à approfondir vos connaissances sur l'allaitement, l'accouchement, la nutrition et l'art parental. Nous sommes fières des livres publiés par La Leche League International parce qu'ils reflètent la même philosophie qu'on peut retrouver dans les pages du présent volume. Tous les livres que nous publions peuvent être commandés par courrier et envoyés directement à votre domicile. Ces livres peuvent également être achetés ou empruntés auprès des groupes locaux de la Ligue La Leche. Vous pouvez en trouver certains à la librairie du coin ou à la bibliothèque.

Nous vous encourageons à lire et à apprendre tout ce que vous pouvez sur votre rôle de parent. Fiez-vous à votre instinct et suivez vos penchants naturels lorsque vous choisissez les suggestions et l'information qui semblent le mieux convenir à votre famille. La pierre angulaire de la philosophie de la Ligue La Leche est de vous encourager à en apprendre le plus possible sur les besoins des bébés et des enfants afin de les comprendre et d'y répondre dès la naissance et au fur et à mesure que l'enfant grandit. Et n'oubliez jamais que les bébés comme les enfants ont besoin de beaucoup, beaucoup, beaucoup d'amour.

Les livres que nous publions

BREASTFEEDING ANSWER BOOK, Third Edition (2003)
Nancy Mohrbacher et Julie Stock
Ce livre est assurément l'ouvrage de référence pour les personnes qui travaillent à aider les mères à établir et à profiter d'une relation d'allaitement satisfaisante avec leur bébé.
Aussi disponible sur CD-ROM.
Disponible en français sous le titre : *Traité de l'allaitement maternel*

BREASTFEEDING PURE & SIMPLE, Revised Edition
Gwen Gotsch
Une introduction aux notions de base qui guidera les nouvelles mères durant les premiers mois de l'allaitement. Écrit dans un langage clair, direct et agrémenté de nombreuses photos, c'est un livre invitant et facile à lire.
Disponible en français sous le titre : *L'Allaitement tout simplement*

HOW WEANING HAPPENS
Diane Bengson
Ce livre relate les expériences personnelles de mères qui ont sevré leurs enfants de plusieurs manières différentes et répond aux questions de toutes sortes que se posent les parents au sujet du sevrage.
Disponible en français sous le titre : *À propos du sevrage... quand l'allaitement se termine*

MOTHERING YOUR NURSING TODDLER, Revised Edition
Norma Jane Bumgarner
Chaleur, sagesse et intelligence transparaissent de cette discussion très vivante portant sur l'allaitement des enfants âgés de plus d'un an. En plus d'aborder le « pourquoi allaiter un bambin », ce livre aide la mère à relever les défis liés à l'allaitement d'un bébé plus âgé.
Disponible en français sous le titre : *Le bambin et l'allaitement*

NIGHTTIME PARENTING : HOW TO GET YOUR BABY AND CHILD TO SLEEP, Revised Edition
William Sears, MD
L'auteur explique pourquoi le sommeil des bébés est différent de celui des adultes, comment le sommeil partagé peut aider toute la famille à mieux dormir et rassure les parents sur l'importance de répondre aux besoins de leur bébé, même la nuit.
Disponible en français sous le titre : *Être parent le jour... et la nuit aussi*

THE FUSSY BABY : HOW TO BRING OUT THE BEST IN YOUR HIGH-NEED CHILD, Revised Edition
William Sears, MD
Vous y trouverez des suggestions pour rassurer le bébé, dont la méthode du « retour dans l'utérus », et un guide sur les pleurs du bébé. Le livre comporte des chapitres sur les coliques, la nutrition, le rôle du père, comment apaiser le bébé maussade et éviter l'épuisement de la mère. En plus de vous offrir beaucoup de soutien, l'auteur vous rassure et vous donne des trucs pour survivre au jour le jour.
Disponible en français sous le titre : *Que faire quand bébé pleure?*

BREASTFEEDING YOUR PREMATURE BABY, Revised Edition
Gwen Gotsch
Ce livre offre une information claire et concise sur l'allaitement du bébé prématuré et sur l'importance d'allaiter ces petits nourrissons. Il fournit également

une information complète sur l'expression, la conservation du lait maternel et les façons de nourrir le bébé.

MOTHERWISE : 101 TIPS FOR A NEW MOTHER
Alice Bolster
Un petit recueil de conseils pratiques et inspirants dans un format facilement accessible pour les nouvelles mères occupées.

FATHERWISE : 101 TIPS FOR A NEW FATHER
Alice Bolster
Un recueil de conseils pratiques et inspirants pour les nouveaux pères. Écrit dans un format facile à lire, on y retrouve des suggestions de jeunes pères et de pères expérimentés pour favoriser l'attachement entre le père et son enfant.

BECOMING A FATHER : HOW TO NURTURE AND ENJOY YOUR FAMILY,
Revised Edition
William Sears, MD
Le Dr Sears relate son propre cheminement dans la paternité, le bonheur de s'impliquer comme père et comment survivre aux changements que les enfants apportent au mariage.

GROWING TOGETHER : A PARENT'S GUIDE TO BABY'S FIRST YEAR
William Sears, MD
Des photos illustrent les différents aspects du développement (moteur, langagier, social et cognitif) de l'enfant de la naissance jusqu'à un an. Le Dr Sears explique aux parents comment réagir pour favoriser le développement de leur bébé. Il donne des trucs sur l'art parental, l'allaitement et la stimulation du nourrisson.

MOTHERING MULTIPLES : BREASTFEEDING AND CARING FOR TWINS OR MORE!!! Revised Edition
Karen Gromada
Une foule de conseils pratiques venant de mères de jumeaux expérimentées. Tout ce qu'une mère a besoin de savoir afin de relever le défi que représente la venue de plus d'un bébé.

ADVENTURES IN TANDEM NURSING
Hilary Flower
Ce livre mêle les résultats des dernières recherches, les témoignages et l'humour. Il apporte une foule d'idées aux mères qui tentent de définir les limites de l'allaitement tout en se préparant à la venue d'un nouveau bébé dans la famille. Il fournit de l'information pour aider les mères à décider si l'allaitement en tandem leur convient.

DEFINING YOUR OWN SUCCESS BREASTFEEDING AFTER BREAST REDUCTION SURGERY
Diana West
Ce livre explore les nombreux aspects de l'allaitement chez la mère qui a subi une réduction mammaire. Aux résultats des plus récentes recherches s'ajoutent les témoignages et les conseils de mères qui ont allaité. On y aborde les questions et les mythes liés à l'allaitement après une réduction mammaire.

OF CRADLES AND CAREERS : A GUIDE TO RESHAPING YOUR JOB TO INCLUDE A BABY IN YOUR LIFE
Kaye Lowman
Offrant des trucs pour concilier l'allaitement et le travail, le travail partagé et les congés de maternité, ce livre encourage les femmes à explorer tout ce qui s'offre à elles et à choisir ce qui fonctionnera le mieux pour elles-mêmes et leur famille.

PLAYFUL LEARNING : AN ALTERNATIVE APPROACH TO PRESCHOOL
Anne Englehardt et Cheryl Sullivan
Conçu comme un guide polyvalent pour les adultes qui travaillent avec de jeunes enfants, on y trouve des bricolages de toutes sortes, des recettes simples, des expériences scientifiques, des projets d'exploration de la nature, des activités musicales et bien plus encore.

SAFE AND HEALTHY : A PARENT'S GUIDE TO CHILDREN'S ILLNESSES AND ACCIDENTS
William Sears, MD
Afin de vous guider dans les moments les plus stressants de votre rôle de parent, le Dr Sears répond ici aux questions les plus fréquentes sur les maladies infantiles. Il vous dit quand appeler le médecin et ce qu'il faut faire dans les situations où un avis médical n'est pas nécessaire.

SEVEN VOICES, ONE DREAM
Mary Ann Cahill
Un collage pittoresque de souvenirs qui relate la naissance de La Leche League International : les défis, les joies, les rêves et comment ils se sont réalisés sous la direction de sept femmes.

A SPECIAL KIND OF PARENTING : MEETING THE NEEDS OF HANDICAPPED CHILDREN
Julia Darnell Good et Joyce Good Reis
Les enfants souffrant d'un handicap exigent beaucoup des parents au point de vue physique et affectif. Ce livre peut guider les parents à travers les difficultés et les aider à voir leur enfant handicapé comme un individu.

Les livres pour enfants

THE CUDDLERS
Texte de Stacy Towle-Morgan
Illustrations de Marvin Jarboe
Ce livre pour enfants dépeint l'amour chaleureux qui se vit dans une famille quand les enfants se retrouvent en sécurité dans le lit de leurs parents.

MAGGIE'S WEANING
Mary Joan Deutschbein
Le point de vue charmant d'une enfant sur l'allaitement. Se remémorant les moments qu'elle a passés au sein de sa mère, Maggie confie ses pensées sur les joies et les défis de laisser peu à peu l'allaitement derrière soi.

MICHELE : THE NURSING TODDLER
Texte de Jane M. Pinczuk
Illustrations de Barbara Murray
Dans ce livre, on parle de grandir dans une famille où il y a beaucoup d'amour. Profitant du lait de sa mère, des câlins de son père et des visites spéciales de ses grand-parents, Michele s'épanouit, passant du stade de nourrisson à celui de bambin. Elle développe en même temps sa confiance en elle et un sentiment de fierté.

ANTOINE DEVIENT GRAND FRÈRE
Texte de Valerie Elizabeth Burn, Isabelle Côté et Roxanne Gendron
Illustrations de Anne Michaud
Les éditions du soleil de minuit
Un album illustré qui s'adresse aux enfants de 3 ans et plus. Il raconte les hauts et les bas de la vie d'un frère aîné. Dans ce livre, les mères allaitent tout naturellement leur bébé.

Les livres de recettes

WHOLE FOODS FOR THE WHOLE FAMILY Revised Edition
Roberta Johnson, éditrice
Une foule de recettes qui se préparent rapidement et à l'avance, des idées pour utiliser les restes, des recettes pour les diètes spéciales et pour ceux qui souffrent d'allergies, des suggestions pour les premiers aliments du bébé et des menus pour des repas préparés à la dernière minute. Dans les recettes, on n'utilise que des aliments complets n'ayant subi aucune transformation et des quantités minimales de sel et de sucre. La quantité de protéines et de calories est indiquée après chaque recette.
Disponible en français sous le titre : *MiLLLe et une recettes santé*

WHOLE FOODS FOR BABIES AND TODDLERS
Margaret Kenda
Un livre qui offre une information complète sur l'introduction d'aliments sains dans l'alimentation des tout-petits et qui vous permettra d'acquérir des connaissances pour développer de saines habitudes alimentaires à tout âge. Avec des recettes qui peuvent être servies à toute la famille, ce livre encourage une saine alimentation pour toute la vie.

WHOLE FOODS FOR KIDS TO COOK
Ce livre de recettes pour enfants comporte des recettes simples que même des enfants d'âge préscolaire peuvent préparer avec un peu d'aide de maman et papa. Certaines sont destinées à des enfants plus âgés qui ont déjà cuisiné.

WHOLE FOODS FROM THE WHOLE WORLD
Virginia Sutton Halonen, éditrice
Ce livre de recettes allie le bon goût des aliments complets à une variété de plats typiques du monde entier.

D'autres livres utiles

En plus des livres que nous publions, La Leche League International distribue une sélection de livres offrant des informations utiles aux parents et aux professionnels. Vous en trouverez quelques-uns dans la liste suivante. Pour une liste à jour complète, appelez au 1-800-LA-LECHE et nous vous ferons parvenir un exemplaire gratuit du catalogue de la LLLI. Pour commander, appelez au 847-519-9585.

Allaitement

The American Academy of Pediatrics New Mother's Guide to Breastfeeding
American Academy of Pediatrics et Joan Younger Meek, éditeurs

Bestfeeding : Getting Breastfeeding Right for You
Mary Renfrew, Chloe Fisher et Suzanne Arms.

Breastfeeding and Natural Child Spacing : How Ecological Breastfeeding Spaces Babies, Revised Edition
Sheila Kippley

So That's What They're For! Breastfeeding Basics
Janet Tamaro

Ultimate Breastfeeding Book of Answers
Dr Jack Newman et Teresa Pitman

Grossesse et accouchement

The Birth Book : Everything You Need to Know to Have a Safe and Satisfying Birth
William and Martha Sears

The VBAC Companion : The Expectant Mother's Guide to Vaginal Birth After Cesarean
Diana Korte

Your Fertility Signals : Using Them to Achieve or Avoid Pregnancy Naturally
Merryl Winstein

Maternité

Confessions of an Organized Homemaker : The Secrets of Uncluttering Your Home and Taking Control of Your Life
Deniece Schofield

The Hidden Feelings of Motherhood
Kathleen Kendall-Tackett

Éducation des enfants

The Discipline Book : Everything You Need to Know to Have a Better-Behaved Child—From Birth to Age Ten
William and Martha Sears

The Baby Book : Everything You Need to Know About Your Baby from Birth to Age Two
William and Martha Sears

The Family Bed : An Age Old Concept in Child Rearing
Tine Thevenin

Good Nights, The Happy Parent's Guide to the Family Bed
Jay Gordon

How to Talk So Kids Will Listen and Listen So Kids Will Talk
Adele Faber and Elaine Mazlish

The Successful Child, What Parents Can Do to Help Kids Turn out Well
William and Martha Sears

Sweet Dreams, A Pediatrician's Secrets for Your Child's Good Night's Sleep
Paul M. Fleiss

Parenting Through Crisis : Helping Kids In Times of Loss, Grief, and Change
Barbara Coloroso

Pour les professionnels

Breastfeeding : A Guide for the Medical Profession, 5th edition
Ruth A. Lawrence, MD

Breastfeeding Conditions and Diseases
Anne Merewood, MA, IBCLC, et Barbara L. Phillip, MD, IBLCE

Impact of Birthing Practices on Breastfeeding : Protecting the Mother and Baby Continuum
Mary Kroeger, CNM, MPH et Linda J. Smith, BSE, FACCW, IBCLC

Medications and Mothers' Milk
Thomas Hale, PhD

Brochures et feuillets d'information

Divers livrets, brochures et feuillets d'information traitant de sujets spécifiques sont disponibles auprès de votre groupe local de la Ligue La Leche ou à la La Leche League International. Pour une liste à jour plus complète, demandez un exemplaire du catalogue de la LLLI. Voici certains des titres disponibles :

En français

A propos de la Ligue La Leche
Allaitement de jumeaux
Allaitement d'un bébé souffrant d'une maladie chronique
Allaitement maternel après une césarienne
Allaitement maternel avec prothèses mammaires
Boit-il assez?
Confusion sein-tétine
Conservation du lait maternel
Entre pères au sujet de l'allaitement
Est-ce qu'il est sage ce bébé?
Expression manuelle du lait maternel
L'allaitement maternel prend-il trop de temps?
La suce oui ou non
L'allaitement de non-jumeaux
Les avantages de l'allaitement
Les premières semaines
Les premiers jours
Les premiers solides de votre bébé
Les tire-lait
L'importance d'un bon départ

Mamelons douloureux
Que faire quand bébé pleure?
Votre bébé fait-il la grève de la tétée?

En anglais

Approaches to Weaning
Breastfeeding a Baby with Down Syndrome
Breastfeeding after a Cesarean Birth
Breastfeeding the Baby with Reflux
Breastfeeding Twins
The Diabetic Mother and Breastfeeding
A Mother's Guide to Pumping Milk
Nursing a Baby with a Cleft Lip or Cleft Palate
Positioning Your Baby at the Breast
Working and Breastfeeding, The Balancing Act

Visually Impaired Resource List from LLLI
Fournit la liste actuelle du matériel disponible en braille et sur cassettes audio. Pour plus d'informations, commandez la brochure gratuite.

Center for Breastfeeding Information
Une source fiable pour les professionnels de la santé, les chercheurs, les consultantes en lactation et les étudiants en médecine à la recherche de littérature sur l'allaitement, de références à jour, de listes bibliographiques et d'informations générales. Pour plus d'informations, commandez notre brochure gratuite ou consultez le site Web de la LLLI au www.lalecheleague.org/cbi/cbi.html

En France, les professionnels de la santé peuvent s'adresser au
Programme des référents médicaux,
68 rue Paul-Vaillant Couturier,
93330 Neuilly-sur-marne,
dossiers@lllfrance.org

Santé Canada a également publié deux dépliants qui pourraient vous être utiles :

10 conseils pour allaiter
www.allaitement.ca/sec/pubs/autresDepl/10 conseils pour allaiter.pdf

10 raisons pour allaiter
www.allaitement.ca/sec/pubs/autresDepl/10 raisons pour allaiter.pdf

Les aides techniques à l'allaitement

La plupart des mères et des bébés n'ont pas besoin d'équipement ou de produits spécialisés. Toutefois, dans le cas où de l'aide s'avère nécessaire pour poursuivre l'allaitement, La Ligue La Leche offre certains produits qui peuvent être utiles. Certains de ces articles sont disponibles auprès de votre groupe LLL ou vous pouvez les commander directement à La Leche League International.

Whisper Wear Double Pump Kit
Ce tire-lait, conçu pour imiter la sensation de la succion du bébé, est le premier tire-lait « mains libres » sur le marché.

Pump In Style®
Un tire-lait Medela.

Nurture III Double Electric Breast Pump
Un tire-lait électrique à double pompage de Bailey Medical Engineering.

Purely Yours®
Un tire-lait Ameda.

Lact-Aid Nursing Trainer Systems
Idéal pour un usage de courte durée, ce dispositif d'aide à l'allaitement permet aux mères d'offrir des suppléments de lait maternel ou de préparation lactée au sein. L'ensemble standard comprend une courroie ajustable au cou, un crochet pour le sac, une passoire, un entonnoir, une seringue pour nettoyer et le manuel d'instructions. Une provision de 50 sacs est aussi incluse.

Supplemental Nursing System (SNS)™ de Medela
Dans ce dispositif d'aide à l'allaitement, un contenant de plastique est suspendu au cou de la mère et deux tubes minces, fixés à chaque sein, fournissent les suppléments au bébé qui tète. Le SNS est utile avec un bébé qui prend bien le sein mais qui a des besoins spéciaux. Ce dispositif est utilisé pour une relactation, pour les bébés ayant une faible succion et pour les bébés adoptés.

Hazelbaker™ Fingerfeeder de Medela
Ce dispositif est un accessoire transitoire qui peut être utilisé sur une courte période pour apprendre à saisir le sein aux bébés qui éprouvent des difficultés. Une ampoule souple en silicone contient le supplément ou le lait que la mère a exprimé. Pour nourrir le bébé, le lait coule dans un tube attaché au doigt de la mère.

Boucliers ou coquilles Ameda
Ces boucliers sont conçus pour corriger les mamelons invaginés.

Articles additionnels

Lansinoh® Brand Lanolin for Breastfeeding Mothers
Conçue spécialement pour les mères qui allaitent à partir d'un procédé breveté qui enlève les allergènes et les impuretés, Lansinoh® est la lanoline la plus pure au monde. Entièrement naturelle, sans eau pour diluer son efficacité ou additifs pour causer de l'irritation, Lansinoh® n'a pas à être enlevée avant la tétée et peut être utilisée en toute confiance, sans crainte pour la santé de la mère et du bébé. La lanoline *Lansinoh® for Breastfeeding Mothers* est approuvée par la LLLI.

Over the Shoulder Baby Holder
Ce porte-bébé (*sling*) se porte en bandoulière et a un rembourrage supplémentaire autour de la tête et des jambes du bébé. Il convient aux nouveau-nés et aux bambins. Il peut s'ajuster afin que les hommes comme les femmes puissent le porter confortablement. Disponible dans plusieurs imprimés. Une vidéocassette d'information est incluse.

SlingEzee
Fait de coton à 100 %, ce porte-bébé (*sling*) qui se porte en bandoulière est bien rembourré à l'épaule et autour du torse et des jambes du bébé pour un confort maximum. Peut être utilisé de la naissance jusqu'à ce que le bébé pèse 16 kg (35 lb). Une vidéocassette est incluse. Disponible dans plusieurs imprimés.

À noter, qu'il est possible que votre groupe LLL vende des modèles qui soient légèrement différents de ceux présentés ici.

Traitement de photothérapie à domicile

Ces unités peuvent être louées et utilisées à la maison pour traiter la jaunisse lorsque le taux de bilirubine est trop élevé. Certains hôpitaux et des entreprises spécialisées dans les fournitures médicales louent ou prêtent ce type de matériel.

BiliBed
Medela, Inc.
P.O. Box 660 McHenry, IL 60051-0660
USA
800-435-8316, 888-633-3528
Fax : 815-363-1246
www.medela.com

Système de photothérapie *Wallaby*
Fiberoptic Medical Products
Suite 300 Commerce Plaza
5100 Tilghman St.
Allentown, PA 18104 USA

Des services de la Ligue La Leche en français

EN BELGIQUE
La Leche League Belgique
Répondeur national : 02/268.85.80
Courriel : info@lalecheleague.be
Site Web : http ://users.pandora.be/la.leche.league/

AU CANADA
Ligue La Leche
12, rue Quintal
Charlemagne, Québec, J5Z 1V9
Téléphone : (514) 990-8917
Sans frais : 1-866-255-2483
Courriel : information@allaitement.ca
Site Web : www.allaitement.ca

EN FRANCE
La Leche League France
Boîte postale 17,
78620 L'Etang La Ville
Répondeur national : 01 39 584 584
Courriel : contact@lllfrance.org
Site Web : www.lllfrance.org

AU LUXEMBOURG
La Leche League Luxembourg
29, rue Follereau
L-1529 Luxembourg
Répondeur : 26 71 05 43
Courriel : lalecheleague@internet.lu
Site Web : www.lalecheleague.lu

EN SUISSE
La Leche League Suisse
Centrale téléphonique : 00 41 81 943 33 00
Site Web : www.romandie.stillberatung.ch

D'autres organismes de soutien

American College of Nurse-Midwives
818 Connecticut Ave., NW, Suite 900, Washington DC 20006 USA
202.728.9860 www.acnm.org
Des professionnelles de la santé qui offrent une approche naturelle pour l'accouchement.

AnotherLook
P.O. Box 383 Evanston IL 60204-0383 USA
847.869.1278 www.anotherlook.org
Organisme qui recueille de l'information, soulève des questions cruciales et encourage la recherche sur l'allaitement maternel dans un contexte de VIH/SIDA.

Association of Labor Assistants & Childbirth Educators (ALACE)
P.O. Box 390436, Cambridge MA 02139 USA
617.441.2500 www.alace.org
Guide les parents qui attendent un enfant et forme des accompagnantes à la naissance et des éducatrices prénatales.

The Bradley Method : American Academy of Husband-Coached Childbirth
Box 5224, Sherman Oaks CA 91413-5224 USA
800.423.2397 www.bradleybirth.com
Offre de l'éducation prénatale au moyen de films, de cours, de conférences et d'ateliers.

Birth Works, Inc.
P.O. Box 2045, Medford NJ 08055 USA
888.862.4784 www.birthworks.org
Offre des cours prénatals et des programmes de certification pour les éducatrices prénatales et les doulas.

La méthode Bonapace de préparation à la naissance
(citée dans un témoignage)
1-888-685-8495 ou au http://www.bonapace.com/

Cesareans/Support, Education, and Concern, Inc. (C/SEC)
22 Forest Rd., Framingham MA 01701 USA
508.877.8266
Offre de l'information sur plusieurs aspects de la naissance par césarienne.

The Compassionate Friends, Inc.
P. O. Box 3696 Oak Brook IL 60522-3696 USA
877.969.0010 630.990.0010 www.compassionatefriends.org
Organisme d'entraide offrant amitié et écoute aux parents, grand-parents, frères et sœurs qui vivent un deuil.

The Couple-to-Couple League
P.O. Box 111184, Cincinnati OH 45211-1184 USA
513.471.2000 www.ccli.org
Organisme multiconfessionnel qui offre de l'aide aux couples dans la pratique du planning familial naturel, enseigne l'allaitement écologique et la méthode sympto-thermique pour prédire l'ovulation.

Depression After Delivery, Inc.
91 East Somerset Street, Raritan NJ 08869 USA
1-800-944-4773 www.depressionafterdelivery.com
Offre du soutien aux femmes et aux familles qui sont aux prises avec des problèmes de santé mentale en lien avec la maternité.

Doulas of North America (DONA)
PO Box 626, Jasper IN 47547 USA
888.788.3662 www.dona.org
Pour trouver une doula pour un accompagnement à la naissance dans votre région. (si vous habitez les États-Unis)

Family and Home Network (autrefois *Mothers at Home*)
9493-C Silver King Court, Fairfax VA 22031 USA
800.783.4666 703.352.1072 www.familyandhome.org
Encourage les familles qui s'occupent de leurs propres enfants. Publie un journal mensuel, « Welcome Home. »

Family Voices, Inc.
3411 Candelaria NE, Suite M, Albuquerque NM 87107
505.872.4774 888.835.5669 www.familyvoices.org
Réseau national de familles et d'amis qui parlent au nom des enfants qui ont des besoins spéciaux.

The InterNational Association of Parents & Professionals for Safe Alternatives in Childbirth (NAPSAC)
Rt. 4 Box 646, Marble Hill MO 63764
573.238.2010 www.napsac.org
Des parents, des professionnels de la santé et des éducatrices prénatales qui éduquent les parents afin qu'ils puissent assumer plus de responsabilités durant la grossesse et l'accouchement.

International Board of Lactation Consultant Examiners (IBLCE)
7309 Arlington Blvd., Suite 300, Falls Church VA 22042-3215 USA
703.560.7330 www.iblce.org
Prépare et administre les examens de certification pour les consultantes en lactation.

International Cesarean Awareness Network (ICAN)
1304 Kingsdale Avenue, Redondo Beach CA 90278 USA

800.686.4226 310.542.6400 www.ican-online.org
Cherche à prévenir les césariennes non nécessaires et à promouvoir l'accouchement vaginal après une césarienne.

International Childbirth Education Association (ICEA)
P.O. Box 20048, Minneapolis MN 55420 USA
952.854.8660 www.icea.org
Organisme bénévole qui regroupe des gens qui croient que la maternité doit être centrée sur la famille et les soins aux nourrissons.

International Chiropractic Pediatric Association
5295 Highway 78, Suite D362
Stone Mountain, GA 30087-3414 USA
770-982-9037 www.4icpa.org
Réfère à des chiropraticiens qui ont les compétences pour traiter des enfants.

International Lactation Consultant Association (ILCA)
1500 Sunday Dr., Suite 102, Raleigh NC 27607 USA
919.861.5577 www.ilca.org
Réfère à des consultantes en lactation diplômées.

Lamaze International
2025 M Street, Suite 800, Washington DC 20036-3309 USA
800.368.4404 202.367.1128 www.lamaze.org
Offre une formation et une certification de préparation à l'accouchement selon la méthode Lamaze.

National Association of Childbearing Centers (NACC)
3123 Gottschall Road, Perkiomenville PA 18074 USA
215.234.8068 www.birthcenters.org
Organisme qui peut vous aider à trouver une maison de naissance près de chez vous. (si vous habitez aux États-Unis)

Neuro-Developmental Treatment Association
1540 South coast Highway, Suite 203
Laguna Beach, CA 92651 USA
800-869-9295 www.ndta.org
Réfère à des thérapeutes qui utilisent une approche globale pour traiter des personnes souffrant de problèmes du système nerveux central.

Pediatric/Adolescent Gastroesophageal Reflux Association (PAGER)
P.O. Box 486, Buckeystown MD 21717-0486 USA
301.601.9541 www.reflux.org
Fournit de l'information et du soutien aux parents dont les enfants souffrent de reflux gastro-oesophagien.

World Alliance for Breastfeeding Action (WABA)
Alliance mondiale pour l'allaitement maternel
P.O. Box 1200, 10850, Penang, Malaysia
60.4.6584816 www.waba.org.my
Parraine la Semaine mondiale de l'allaitement maternel et d'autres projets de promotion et de soutien à l'allaitement.

Des sites Web utiles

Ces sites Web fournissent de l'information pouvant intéresser les mères qui allaitent. Certains peuvent s'éloigner du sujet de l'allaitement.

Dr Thomas Hale
neonatal.ttuhsc.edu/lact/
Auteur du livre bien connu *Medications and Mothers' Milk*

Kathleen Kendall-Tackett, Ph.D., IBCLC
www.GraniteScientific.com
Monitrice LLL, psychologue et auteure de certaines publications de la LLLI. Elle donne fréquemment des conférences sur la dépression post-partum chez les mères qui allaitent.

Dr James McKenna
www.nd.edu/~jmckenn1/lab/
Chercheur spécialisé dans le sommeil qui a étudié les phases de sommeil chez les bébés et les mères qui dormaient ensemble et comment celles-ci différaient de celles de mères et de bébés qui dormaient séparément.

Dr Jack Newman
www.breastfeedingonline.com/newman.shtml
Auteur bien connu et conférencier qui prône des pratiques médicales qui encouragent l'allaitement.

Dr William Sears
www.askdrsears.com
Auteur bien connu de plusieurs livres disponibles dans le catalogue LLLI.

Linda Smith, IBCLC
www.bflrc.com
Auteure bien connue et conférencière sur les questions techniques de la lactation.

Breastfeeding After Reduction Information and Support Site
www.bfar.org
Offre de l'information et de l'encouragement aux mères et aux professionnels de la santé. Créé par Diana West, auteure du livre *LLLI Defining Your Own Success : Breastfeeding After Breast Reduction.*

The Craniosacral Association of North America
www.craniosacraltherapy.org
Réfère à des ostéopathes.

La technique Marmet d'expression manuelle du lait maternel

Plus que toute autre méthode à ce jour, la technique Marmet d'expression manuelle du lait qui favorise le réflexe d'éjection du lait a donné de bons résultats chez des centaines de mères. Même les mères expérimentées, qui ont déjà réussi à exprimer leur lait manuellement, trouveront que cette technique permet de recueillir plus de lait. Mais surtout celles qui n'avaient pu auparavant exprimer qu'une petite quantité de lait ou pas du tout, obtiendront d'excellents résultats avec cette technique.

LA TECHNIQUE EST IMPORTANTE

Lorsqu'on observe une mère qui exprime son lait, il est difficile de bien distinguer tous ses mouvements. La main, dans ce cas, est plus rapide que l'œil. Ainsi, plusieurs mères trouvent-elles difficile d'exprimer manuellement leur lait, même après avoir assisté à une démonstration ou en avoir lu une brève description.

Certes, il est possible d'exprimer du lait en se servant de méthodes manuelles moins efficaces. Cependant, ces méthodes, lorsqu'elles sont utilisées souvent et régulièrement, peuvent facilement abîmer les tissus mammaires, entraîner des ecchymoses et même irriter la peau.

La technique Marmet d'expression manuelle a été mise au point par une mère qui, pour des raisons médicales, a dû exprimer son lait pendant une longue période de temps. Ayant constaté que son réflexe d'éjection du lait n'agissait pas aussi bien que pendant les tétées, elle mit alors au point une méthode de massage et de stimulation pour favoriser ce réflexe. La clé du succès de cette technique réside donc dans le jumelage de ces deux méthodes : l'expression du lait et le massage.

Cette technique est efficace et ne devrait causer aucun problème. On l'apprendra facilement en suivant attentivement les instructions. Comme pour tout autre apprentissage, il est important de s'exercer avec application.

LES AVANTAGES

Exprimer manuellement son lait présente de nombreux avantages par rapport aux méthodes mécaniques d'expression du lait :

Certains tire-lait mécaniques peuvent être inconfortables et inefficaces.

Plusieurs mères préfèrent exprimer leur lait manuellement parce que c'est une méthode plus naturelle.

Le contact peau-à-peau est plus stimulant que la sensation du plastique, ce qui facilite généralement le réflexe d'éjection du lait.

La méthode est pratique.

Elle est supérieure du point de vue écologique.

Elle est toujours « à portée de la main ».

Et surtout, elle est gratuite!

LE FONCTIONNEMENT DU SEIN

Le lait est produit dans les cellules qui sécrètent le lait (alvéoles). Lorsque ces cellules sont stimulées, elles expulsent le lait dans les canaux lactifères (réflexe d'éjection du lait). Une petite partie du lait peut descendre le long des canaux et s'accumuler sous l'aréole dans la partie appelée canaux lactifères terminaux (portion distale des canaux lactifères).

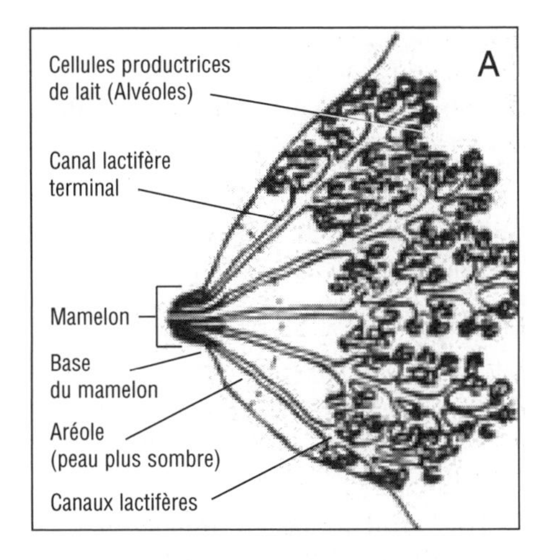

POUR EXPRIMER LE LAIT
Comment drainer les canaux lactifères terminaux

Placez le pouce, l'index et le majeur sur le sein à environ 2,5 à 3,125 cm (1 à 1 1/4 pouce) de la base du mamelon.

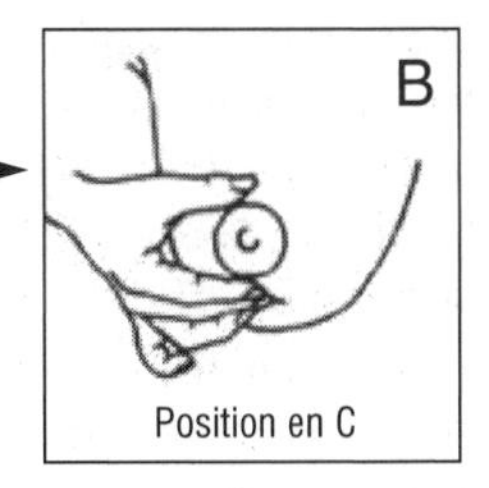

Position en C

Utilisez cette mesure comme guide seulement, car elle n'équivaut pas nécessairement au contour de l'aréole, le diamètre de celle-ci pouvant varier d'une femme à l'autre.

Placez le dessous du pouce au-dessus du mamelon à « midi » et le dessous des deux autres doigts sous le mamelon à « 6 heures » en formant la lettre « C » avec la main, tel qu'illustré. C'est la position de départ.

Notez que le pouce et les doigts sont placés de manière à être en ligne avec le mamelon.

Évitez d'entourer le sein.

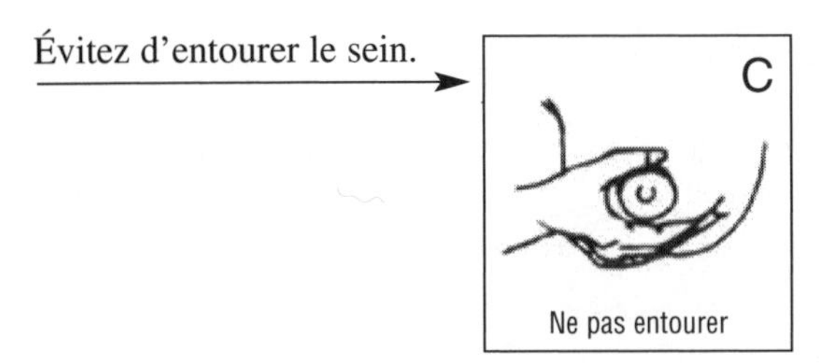

Ne pas entourer

Appuyer fermement et directement les doigts contre la cage thoracique.

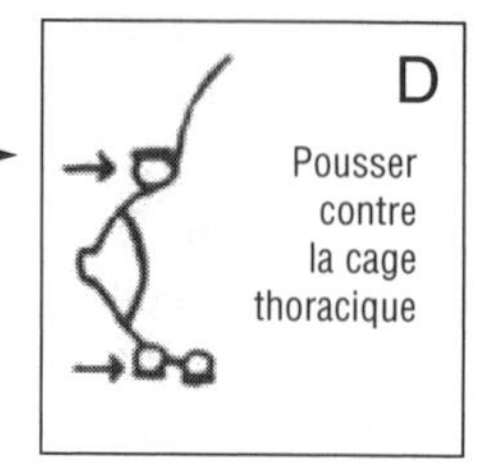

Évitez d'écarter les doigts.

Si vous avez des seins volumineux, soulevez le sein avant d'appuyer contre la cage thoracique.

Roulez simultanément le pouce et les deux doigts vers l'avant comme pour prendre vos empreintes digitales.

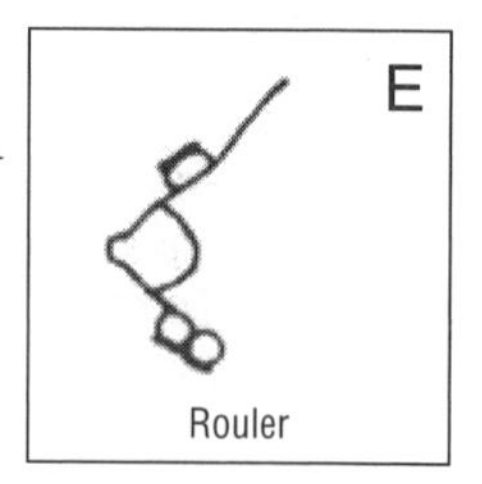

Finissez le mouvement de roulement. Ce mouvement de roulement du pouce simule le mouvement de vague de la langue du bébé et la contre-pression des deux autres doigts simule l'action du palais du bébé. Le mouvement d'expression du lait imite la succion du bébé en comprimant et en drainant les canaux lactifères terminaux sans blesser les tissus fragiles du sein.

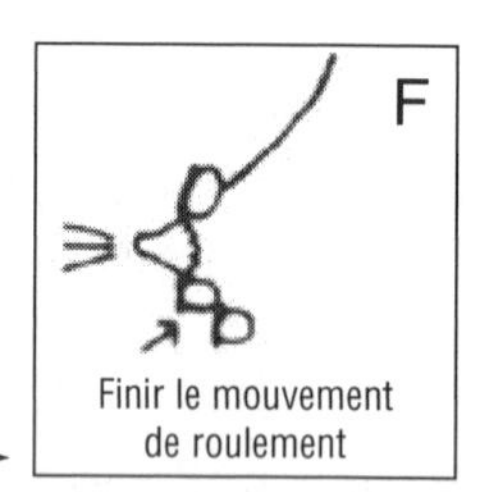

Observez dans les illustrations D, E et F la position des ongles du pouce et des doigts durant le mouvement.

Répéter en cadence pour drainer les canaux lactifères terminaux.

Placez, poussez, roulez; placez, poussez, roulez...

Déplacez le pouce et les doigts autour du mamelon de manière à atteindre d'autres canaux lactifères terminaux. Utilisez les deux mains sur chaque sein. L'illustration G montre les positions des mains sur le sein droit.

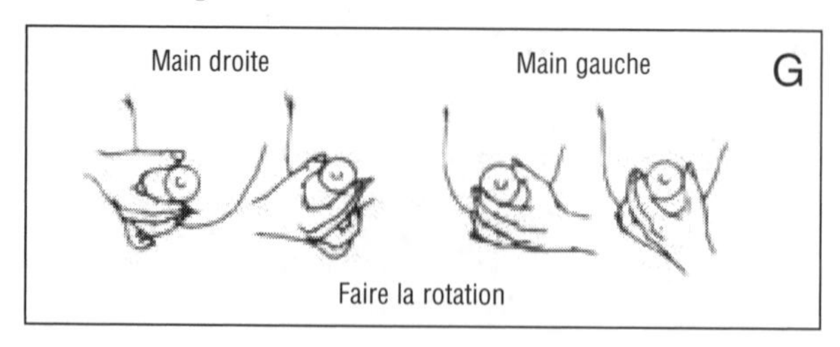

Observez la position des doigts en fonction des positions sur l'horloge (illustration G) : 12 h et 6 h, 11 h et 5 h, 1 h et 7 h, 3 h et 9 h.

Évitez de comprimer le sein, puisque cette manœuvre peut entraîner des ecchymoses.

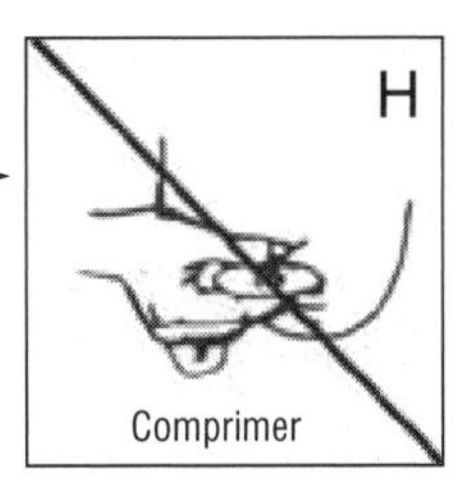

Comprimer

Évitez de tirer sur le mamelon et sur le sein car cela peut causer des dommages aux tissus du sein.

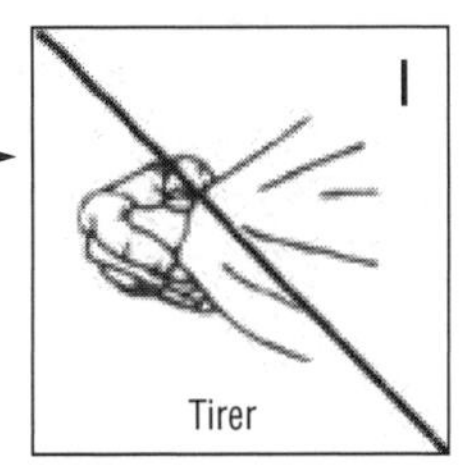

Tirer

Évitez de glisser sur le sein car cela peut irriter la peau.

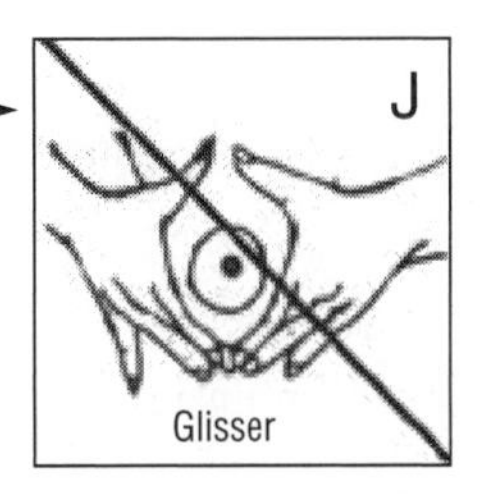

Glisser

POUR FACILITER LE RÉFLEXE D'ÉJECTION
Comment stimuler l'écoulement du lait

Massez les cellules qui sécrètent le lait et les canaux lactifères.

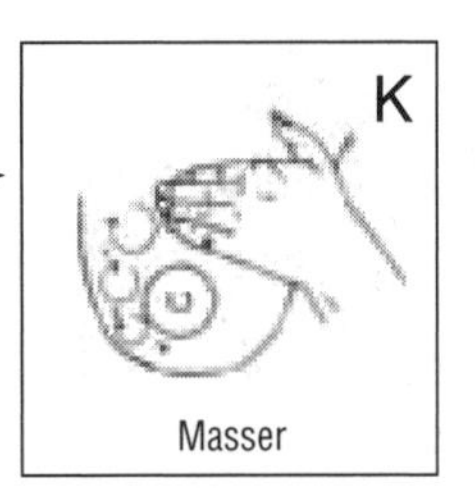

Masser

Commencez par le haut du sein. Appuyez fermement contre la cage thoracique.

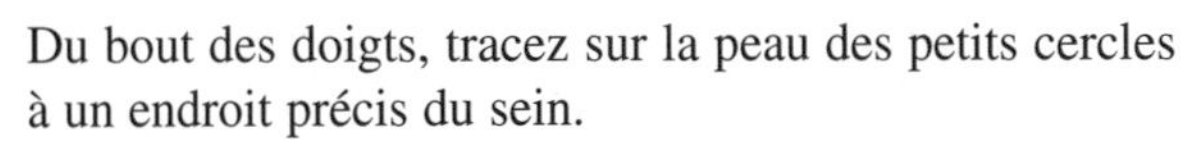

Du bout des doigts, tracez sur la peau des petits cercles à un endroit précis du sein.

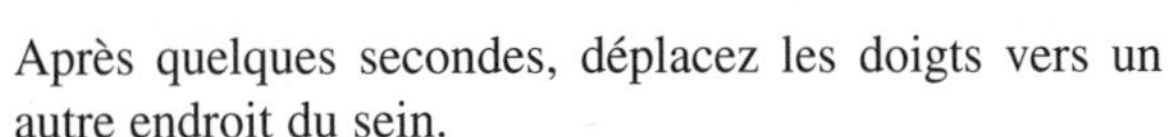

Après quelques secondes, déplacez les doigts vers un autre endroit du sein.

Ne glissez pas vos doigts sur la peau du sein.

Continuez de masser le sein en spirale jusqu'à ce que vous atteigniez l'aréole.

Le mouvement et la pression exercés ressemblent à ceux utilisés durant un examen du sein.

Caressez la surface du sein de haut en bas jusqu'au mamelon en un mouvement semblable à un léger chatouillement.

Continuez ce mouvement de haut en bas jusqu'au mamelon en faisant le tour du sein.

Ce léger massage vous aidera à vous détendre et contribuera à stimuler le réflexe d'éjection.

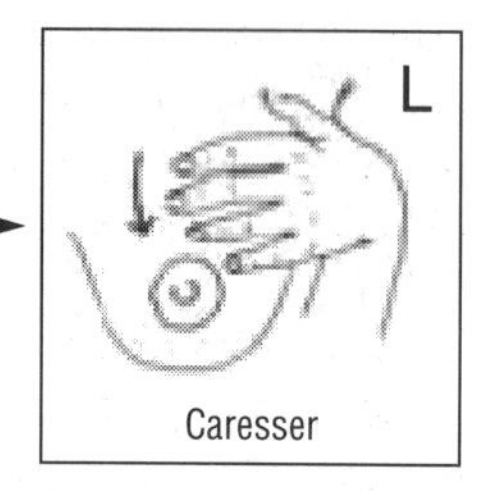

Caresser

Secouez le sein en vous penchant vers l'avant de manière à ce que la gravité aide au réflexe d'éjection.

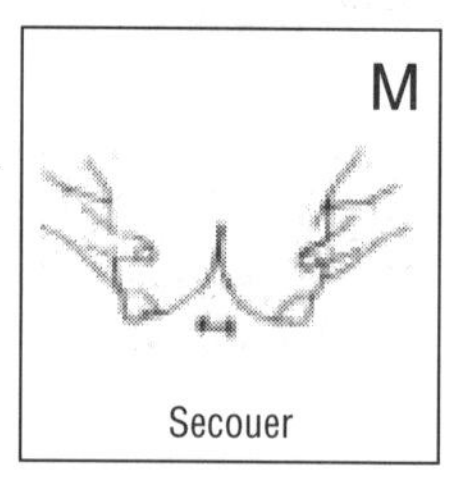

Secouer

MARCHE À SUIVRE

Les mères qui doivent exprimer leur lait pour remplacer complètement une tétée ou pour maintenir leur production de lait quand le bébé ne peut téter devraient procéder ainsi :

- Exprimer le lait de chaque sein jusqu'à ce que l'écoulement diminue.
- Faciliter le réflexe d'éjection en massant, caressant, secouant les deux seins.
- Cela peut se faire simultanément pour les deux seins et ne prend qu'une minute environ.
- Répéter à deux autres reprises toute la marche à suivre pour exprimer le lait des deux seins et stimuler le réflexe d'éjection. L'écoulement du lait diminue généralement plus rapidement la deuxième et la troisième fois à mesure que les canaux lactifères se drainent.

DURÉE

Toute l'opération devrait prendre environ 20 à 30 minutes lorsque l'expression manuelle remplace une tétée.

- Exprimez chaque sein pendant 5 à 7 minutes.
- Massez, caressez, secouez durant environ une minute.
- Exprimez chaque sein pendant 3 à 5 minutes.
- Massez, caressez, secouez durant environ une minute.
- Exprimez chaque sein pendant 2 à 3 minutes.

À noter : Si la production de lait est bien établie, les durées indiquées vous serviront simplement de guide. Observez l'écoulement de votre lait et changez de sein lorsque l'écoulement de lait diminue. S'il n'y a pas encore de lait ou s'il n'y en a que très peu, respectez scrupuleusement les temps indiqués. Chaque portion de la marche à suivre ou les durées indiquées peuvent être utilisées ou répétées si nécessaire.

Références bibliographiques

Chapitre 1

L'ensemble des avantages de l'allaitement maternel.
American Academy of Pediatrics Work Group on Breastfeeding. Breastfeeding and the use of human milk. *Pediatrics* 1997; 100(6):1035-37.
Heinig, M. J. and Dewey, K. G. Health Advantages of breastfeeding for infants : a critical review. *Nutr Res Rev* 1996; 9:89-110.
Cunningham, A. S., Jelliffe, D. B., and Jelliffe, E. F. P. Breastfeeding and health in the 1980s: a global epidemiological review. *J Pediatr* 1991; 118(5):659-66.

L'allaitement tôt après l'accouchement amène l'utérus à se contracter.
Chua, S. et al. Influence of breastfeeding and nipple stimulation on postpartum uterine activity. *Br J Ob Gyn* 1994; 101:804-05.

L'allaitement favorise le développement de la mâchoire et du visage.
Labbok, M. H. and Hendershot, G. E. Does breastfeeding protect against malocclusion ? *Am J Prev Med* 1987; 3:227-32.

Prévention de l'obésité.
Dewey, K. G. Is breastfeeding protective against child obesity ? *J Hum Lact* 2003; 19(1):9-18.

Protection contre les allergies.
Oddy, W. H. et al. Maternal asthma, infant feeding, and the risk of asthma in childhood. *J Allergy Clin Immunol* 2002; 110:65-67.
Saarinen, U. M. et al. Breastfeeding as prophylaxis against atopic disease: prospective follow-up study until 17 years old. *Lancet* 1995; 346(8982):1065-69.
Wright, A. L. et al. Relationship of infant feeding to recurrent wheezing at age 6 years. *Arch Ped Adolesc Med* 1995; 149:758-63.

Le lait maternel protège les nourrissons des infections.
Goldman, A.S. Modulation of the gastrointestinal tract of infants by human milk. Interfaces and interactions: An evolutionary perspective. *J Nutr* 2000; 130:426S-431S.
Goldman, A. S. et al. Anti-inflammatory properties of human milk. *Acta Paediatr Scand* 1986; 75:689-95.
Dewey, K. G. et al. Differences in morbidity between breastfed and formula-fed infants. *J Pediatr* 1995; 126(5) pt 1:696-702.

Un développement accru du cerveau et du système nerveux du bébé.
Xiang, M. et al. Long-chain polyunsaturated fatty acids in human milk and brain growth during early infancy. *Acta Pediatr* 2000; 89(2):142-47.
Anderson, J. W. et al. Breastfeeding and cognitive development: a meta-analysis. *Am J Clin Nutr* 1999; 70:525-35.

Un QI plus élevé est associé aux composants du lait maternel.
Lucas, A. et al. Breast milk and subsequent intelligence quotient in children born preterm. *Lancet* 1992; 33:261-62.
Mortensen, E. L. et al. The association between duration of breastfeeding and adult intelligence. *JAMA* 2002; 28(15): 2365-71.

L'allaitement retarde le retour des menstruations et de l'ovulation.
Lewis, P. et al. The resumption of ovulation and menstruation in a well-nourished population of women breastfeeding for an extended period of time. *Fertil Steril* 1991; 55(3):529-36.

Les mères qui allaitent perdent du poids graduellement sans restreindre leur apport calorique.
Dewey, K. et al. Maternal weight-loss patterns during prolonged lactation. *Am J Clin Nutr* 1993; 58:162-68.

L'allaitement protège la mère du cancer du sein.
Enger, S. M. et al. Breastfeeding experience and breast cancer risk among postmenopausal women. *Cancer Epidemiol Biomarkers Prev* 1998; 7:365-69.

L'allaitement protège la mère du cancer des ovaires, des infections urinaires et de l'ostéoporose.
Gwinn, M. L. et al. Pregnancy, breastfeeding, and oral contraceptives and the risk of epithelial ovarian cancer. *J Clin Epidemiol* 1990; 43(6):559-68.
Coppa, G. V. et al. Preliminary study of breastfeeding and bacterial adhesion to uroepithelial cells. *Lancet* 1990; 335:569-71.
Polatti, F. et al. Bone mineral changes during and after lactation. *Obstet Gynecol* 1999; 94(1):52-56.

L'allaitement améliore la capacité de la mère à interagir avec son bébé.
Sears, W. BECOMING A FATHER. Schaumburg IL: La Leche League International, 2003.
Lavelli, M. and Poli, M. Early mother-infant interaction during breast and bottle feeding. *Inf Behav Dev* 1998; 21(4):667-84

Chapitre 2

Les sentiments d'estime de soi liés à l'expérience de la naissance.
Korte, D. and Scaer, R. *A Good Birth, A Safe Birth,* 3rd ed. Boston: Harvard Common Press, 1992.

Les effets des médicaments utilisés pendant le travail et l'accouchement.
Rasjo-Arvidson, A. et al. Maternal analgesia during labor disturbs newborn behavior: effects on breastfeeding, temperature, and crying. *Birth* 2001; 28(1):5-12.
Crowell, M. K. et al. Relationship between obstetric analgesia and time of effective breastfeeding. *J Nurse Midwif* 1995; 39(3):150-56.
Sepkowski, C. et al. The effects of maternal epidural anesthesia on neonatal behavior during the first month. *Dev Med Child Neurol* 1992; 34:1072-80.

L'allaitement tôt après la naissance favorise l'arrivée du lait.
Yamauchi, Y. and Yamanouchi, H. Breastfeeding frequency during the first 24 hours after birth in full-term neonates. *Pediatrics* 1990; 86:171-75.

La séparation de la mère et du bébé peut causer des difficultés à l'allaitement.
Righard, L. and Alade, M. Effects of delivery room routines on success of first breastfeed. *Lancet* 1990; 336:1105-07.

L'incidence de prématurité, de détresse respiratoire et d'autres complications est plus élevée lors de l'accouchement par césarienne.
Korte, D. and Scaer, R. *A Good Birth, A Safe Birth,* 3rd ed. Boston: Harvard Common Press, 1992.

L'accouchement vaginal après une césarienne.
Korte, D. *The VBAC Companion: The Expectant Mother's Guide to Vaginal Birth after Cesarean.* Boston: Harvard Common Press, 1997.

Choisir un professionnel de la santé.
Wright, A. L. and Schanler, R. J. The resurgence of breastfeeding at the end of the second millennium. *J Nutr* 2001-02; 13192):421S-425S.
Freed, G. L. et al. National assessment of physicians' breastfeeding knowledge, attitudes, training, and experience. *JAMA* 1995; 273(6):472-76

Les effets de la position au sein sur les mamelons douloureux.
Frantz, K. Baby's position at the breast and its relationship to sucking problems. LLLI Conference, 1983, 1985.

Les glandes de Montgomery nettoient et lubrifient les mamelons.
Williams, J. Anatomy and physiology of breastfeeding. ILCA Conference, July 1992.

Le traitement des mamelons invaginés.
Main Trial Collaborative Group. Preparing for breastfeeding: treatment of inverted and non-protactile nipples during pregnancy. *Midwifery* 1994; 10:200-14.

Chapitre 3

L'efficacité du soutien de mère à mère.
Grieve, V. and Howarth, T. The counseling needs of women. *Breastfeeding Review* 2000; 8(2):9-15.
WABA. *Mother-to-Mother Support for Breastfeeding.* 1993.

Les mères qui allaitent ont besoin d'information et de soutien.
Lawrence, R. and Lawrence, R. *Breastfeeding: a Guide for the Medical Profession,* 5th ed. St Louis: Mosby, 1999.
Lawrence, R. A. The management of lactation as a physiologic process. *Clin Perinatology* 1997; 14(1):1-10.

Chapitre 4

Les aptitudes du nouveau-né.
Klaus, M. and Klaus, P. *Your Amazing Newborn.* Cambridge, MA: Perseus Books, 1998.

Le réflexe d'éjection du lait.
Newton, M. and Newton, N. The let-down reflex in human lactation. *Pediatrics* 1948; 33:69-87.
Kent, J. Physiology of the expression of breast milk, part 2. Presented at Medela Breast Pump Research Conference, Boca Raton FL, 2002.

L'allaitement fréquent diminue l'engorgement.
Moon, J. and Humenick, S. Breast engorgement contribution variables and variables amenable to nursing intervention. *JOGNN* 1989; 18:309-15.
Hill, P. and Humenick, S. The occurrence of breast engorgement. *J Hum Lact* 1994; 10:79-86.

L'utilisation de feuilles de chou pour traiter l'engorgement.
Nikodem, V. et al. Do cabbage leaves prevent breast engorgement? A randomized, controlled study. *Birth* 1993; 20:61-64.

L'allaitement fréquent et sans restriction ne cause pas de douleur aux mamelons.
de Carvalho, M. et al. Does the duration and frequency of early breastfeeding affect nipple pain? *Birth* 1984; 11:81-84.
Mohrbacher, N and Stock, J. THE BREASTFEEDING ANSWER BOOK, 3rd edition. Schaumburg, IL: La Leche League International, 2003.

Laisser le bébé décider du moment de la fin de la tétée.
Woolridge, M. and Fisher, C. Colic, "overfeeding," and symptoms of lactose malabsorption in the breastfed baby: a possible artifact of feed management? *Lancet* 1988; 2(8605):382-84.

Offrir les deux seins à chaque tétée.
Woolridge, M. et al. Do changes in pattern of breast usage alter the baby's nutrient intake? *Lancet* 1990; 336:395-97.

Allaiter souvent et éviter les tétines artificielles.
Nylander, G. et al. Unsupplemented breastfeeding in the maternity ward. *Acta Obst Gyn Scand* 1991; 70:205-09.
Righard, L. Are breastfeeding problems related to incorrect breastfeeding techniques and the use of pacifiers and bottles? *Birth* 1998; 25(1):40-44.

L'usage de la téterelle en silicone.
Wilson-Clay, B. Clinical use of silicone nipple shields. *J Hum Lact* 1996; 12(4):279-85.

Éviter les échantillons-cadeaux de préparation lactée offerts à l'hôpital.
Snell, B.T. et al. The association of formula samples given at hospital discharge with the early duration of breastfeeding. *J Hum Lact* 1991; 8:67-72.

Chapitre 5

Les nourrissons de Nouvelle-Guinée tètent fréquemment.
Jelliffe, D. B. *Infant Nutrition in the Subtropics.* Geneva: World Health Organization, 1968.

Il n'est pas nécessaire de compter les tétées.
Francis, B. Successful lactation and a woman's sexuality. *J Trop Pediatr Env Health,* 1976; 22:4.

L'usage de la suce peut conduire à un sevrage précoce.
Barros, F. C. et al. Use of pacifiers is associated with decreased breastfeeding duration. *Pediatrics* 1995; 95(4):497-99.
Howard, C. et al. The effects of early pacifier use on breastfeeding duration. *Pediatrics* 1999; 103(3):e33(1-6).

Le gain de poids normal pour le bébé allaité.
Dewey, K. et al. Growth of breastfed and formula-fed infants from 0 to 18 months. The DARLING study. *Pediatrics* 1992; 89(6):1035-41.

Le bébé pleure moins s'il est porté.
Hunziker, U. and Barr, R. Increased carrying reduces infant crying: a randomized controlled trial. *Pediatrics* 1986; 77-641.

Un seul biberon de préparation lactée peut causer des allergies.
Host, A. et al. A prospective study of cow's milk allergy in exclusively breastfed infants. *Acta Paediatr Scand* 1988; 77:663-70.

Chapitre 6

Les effets de la séparation.
Sears, W. THE FUSSY BABY, Rev Edition. Schaumburg IL: La Leche League International, 2002.

L'alimentation de la mère peut causer des coliques.
Clyne P. and Kluczycki, A. Human breast milk contains bovine IgG. Relationship to infant colic ? *Pediatrics* 1991; 87(4):439-44.

Le traitement chiropratique des coliques.
Wiberg, J. et al. Compared with Dimethicone, 2 weeks of spinal manipulation reduced infant colic behaviour at 4-11 days after initial treatment. *J Manip Physiol Ther* 1999; 22:517-22.

Les besoins nocturnes.
Sears, W. NIGHTTIME PARENTING, Rev Edition. Schaumburg IL: La Leche League International, 2000.

Les bébés reçoivent 25 % de leur lait la nuit.
Jelliffe, D. B. and Jelliffe, E.F.P. *Human Milk in the Modern World,* Oxford University Press, 1978.

Le sommeil partagé diminue les risques de SMSN.
Sears, W. *SIDS: A Parents' Guide to Understanding and Preventing Sudden Infant Death Syndrome.* Boston: Little, Brown and Company, 1995.

Chapitre 7

Une bonne position au sein prévient les mamelons douloureux.
Mohrbacher, N and Stock, J. THE BREASTFEEDING ANSWER BOOK, 3rd edition. Schaumburg, IL: La Leche League International, 2003.
Wilson-Clay, B. and Hoover, K. *The Breastfeeding Atlas,* 2nd edition. Austin, TX: Lact-News Press, 2002.

La cicatrisation en milieu humide est efficace pour le traitement des mamelons douloureux.
Huml, S. Cracked nipples in the breastfeeding mother. *Advance for Nurse Practitioners* 1995; 29-31.

Le traitement du muguet.
Amir, L. et al. *Candidiasis and Breastfeeding.* Lactation Consultant Series II. Schaumburg, IL: La Leche League International, 2002.

Le choix d'un tire-lait.
Frantz, K. *Breastfeeding Product Guide 1994.* Sunland, CA: Geddes Productions, 1993.
Mohrbacher, N and Stock, J. THE BREASTFEEDING ANSWER BOOK, 3rd edition. Schaumburg, IL: La Leche League International, 2003.

Les recommandations pour la conservation du lait maternel.
Barger, J. and Bull, P. A comparison of the bacterial composition of breast milk stored at room temperature and stored in the refrigerator. *IJCE* 1987; 2:29-30.
Pardou, A. Human milk banking: influence of storage processes and of bacterial contamination on some milk constituents. *Biol Neonate* 1994; 65:302-09.
Arnold, L. Storage containers for human milk: an issue revisited. *J Hum Lact* 1995; 11(4):325-28.

Le lait maternel dégelé peut se conserver au réfrigérateur pendant 24 heures.
Arnold, L. *Recommendations for Collection, Storage, and Handling of a Mother's Milk for Her Own Infant in the Hospital Setting* 3rd edition. Sandwich, MA, 1999.

Le traitement de la mastite et des canaux obstrués.
Lawrence, R. and Lawrence, R. *Breastfeeding: A Guide for the Medical Profession,* 5th ed. St Louis: Mosby, 1999.

Il n'y a aucun danger à allaiter avec des implants mammaires.
Berlin, C. Silicone breast implants and breastfeeding. *Pediatrics* 1994; 94(4):547-49.
FDA. Breast implants: an information update. Rockville, MD: *US FDA,* March 1996.

L'allaitement après une chirurgie du sein.
West, D. DEFINING YOUR OWN SUCCESS: BREASTFEEDING AFTER BREAST REDUCTION SURGERY. Schaumburg, IL: La Leche League International, 2001.

La croissance normale des bébés allaités.
Dewey, K. et al. Growth of breastfed babies deviates from a pooled analysis of US, Canadian, and European data sets. *Pediatrics* 1995; 96(3):495-503.

L'allaitement prévient l'obésité.
Kramer, M. Do breastfeeding and delayed introduction of solid foods protect against subsequent obesity ? *J Pediatr* 1981; 98:883-87.
Gillman, M. W. et al. Risk of overweight among adolescents who were breastfed as infants. *JAMA* 2001; 285:2461-67.

Chapitre 8

Ce que les femmes qui travaillent pensent de leurs expériences d'allaitement.
Auerbach, K. and Guss, E. Maternal employment and breastfeeding: a study of 567 women's experiences. *Am J Dis Child* 1984; 138:958-60.

Les femmes qui sont retournées au travail avant que leur bébé n'ait atteint l'âge de deux mois ont connu plus de difficultés avec l'allaitement.

Kearney, M. and Cronenwett, L. Breastfeeding and employment. *JOGNN* 1991; 20(6):471-80.

Donner des biberons trop tôt peut causer de la confusion entre la tétine et le mamelon.
Neifert, M. et al. Nipple confusion: toward a formal definition. *J Pediatr* 1995; 126(6):S125-S129.

Profiter pleinement du congé de maternité.
Sears, W. and Sears, M. *The Baby Book*, revised ed. Boston: Little, Brown and Company, 2003.

L'allaitement est avantageux pour les employeurs.
Cohen, R. et al. Comparison of maternal absenteeism and infant illness rates among breastfeeding and formula-feeding women in two corporations. *Am J Health Promo* 1995; 10(2):148-53

Les recommandations pour la conservation du lait maternel.
Barger, J. and Bull, P. A comparison of the bacterial composition of breast milk stored at room temperature and stored in the refrigerator. *IJCE* 1987; 2:29-30.
Pardou, A. Human milk banking: influence of storage processes and of bacterial contamination on some milk constituents. *Biol Neonate* 1994; 65:302-09.
Arnold, L. Storage containers for human milk: an issue revisited. *J Hum Lact* 1995; 11(4):325-28.

Le lait maternel décongelé peut se conserver au réfrigérateur pendant 24 heures.
Arnold, L. *Recommendations for Collection, Storage, and Handling of a Mother's Milk for Her Own Infant in the Hospital Setting.* 3rd edition. Sandwich, MA, 1999.

Les études démontrent que le lait maternel ralentit la croissance des bactéries.
Pardou, A. Human milk banking: influence of storage process and of bacterial contamination on some milk constituents. *Biol Neonate* 1994; 65:302-09.

Le lait maternel protège les enfants qui fréquentent la garderie.
Jones, E. et al. Relationship between infant feeding and exclusion rate from child care because of illness. *J Am Diet Assoc* 1993; 93(7):809-11.

Chapitre 9

Le bébé a besoin que ce soit toujours les mêmes personnes qui s'occupent de lui.
Brazelton, T. B. and Greenspan, S. I. *The Irreducible Needs of Children: What Every-Child Must Have to Grow, Learn, and Flourish.* Cambridge, MA: Perseus Publishing, 2000.

Chapitre 10

L'implication des pères.
Sears, W. BECOMING A FATHER, Rev Ed. Schaumburg IL: La Leche League International, 2003.

Les récompenses d'être parent.
Stewart, D. *Fathering and Career: Keeping a Healthy Balance.* Marble Hill, MO: NAPSAC, Int'l, 1987.

Chapitre 12

Les besoins en liquide des mères qui allaitent.
Dusdieker, L. et al. Effect of supplemental fluids on human milk production. *J Pediatr* 1985; 106(2):207-11.

Les sources de calcium pour les mères qui allaitent.
Behan, E. *Eat Well, Lose Weight while Breastfeeding.* New York: Villard Books, 1994.

Les effets de la caféine sur les bébés allaités.
Berlin, C. and Daniel C. Excretion of theobromine in human milk and saliva. *Pediatr Res* 1981; 15:492.
Nehlig, A. and Debry, G. Consequences on the newborn of chronic maternal consumption of coffee during gestation and lactation: a review. *J Am Coll Nutr* 1994; 13(1):6-21.

Les mères végétaliennes peuvent avoir besoin d'un supplément alimentaire.
Kuhne, T. et al. Maternal vegan diet causing a serious infantile neurological disorder due to Vitamin B12 deficiency. *Eur J Pediatr* 1991; 150:205-08.

Les mères qui allaitent ont tendance à perdre du poids sans restreindre leur apport calorique.
Dewey, K. et al. Maternal weight-loss patterns during prolonged lactation. *Am J Clin Nut*r 1993; 58:162-66.
Heinig, M. et al. Lactation and postpartum weight loss. *Mechanisms Regulating Lactation and Infant Nutrient Utilization* 1992; 30: 397-400.

Les études démontrent que l'exercice n'est pas nuisible aux mères qui allaitent.
Dewey, K. and McCrory, M. Effects of dieting and physical activity on pregnancy and lactation. *Am J Clin Nutr* 1994; 59(Suppl):446S-59S.
Dewey, K. et al. A randomized study of the effects of aerobic exercise by lactating women on breast milk volume and composition. *NEngl J Med* 1994; 330(7):449-53.

L'exercice peut augmenter la production de lait de la mère.
Lovelady, C. et al. Lactation performance of exercising women.*Am J Clin Nutr 1*990; 52:103-09.

Chapitre 13

Les pédiatres recommandent du lait maternel exclusivement pendant les 6 premiers mois.
American Academy of Pediatrics Workgroup on Breastfeeding. Breastfeeding and the use of human milk. *Pediatrics* 1997; 100(6): 1035-37.

Les aliments solides se substituent au lait maternel dans l'alimentation du bébé.
Cohen, R. et al. Effects of age of introduction of complementary foods on infant breast milk intake, total energy intake, and growth: a randomized intervention in Honduras. *Lancet* 1994; 344:288-93.

L'introduction hâtive de solides diminue l'effet protecteur des anticorps chez les bébés.
Duncan, B. et al. Exclusive breastfeeding for at least 4 months protects against otitis media. *Pediatrics* 1993; 91(5):867-72.

Le lait maternel protège des réactions allergiques aux aliments.
Taylor, B. et al. Transient IgA deficiency and pathogenesis of infantile atopy. *Lancet* 1973; ii:111-13.

Les suppléments de vitamines pour les bébés allaités.
American Academy of Pediatrics. Fluoride supplementation for children: interim policy recommendations. *Pediatrics* 1995; 95:777.
Greer, F. R. and Marshall, S. Bone mineral content, serum, vitamin D metabolic concentrations, and ultraviolet B light exposure in infants fed human milk with and without vitamin D2 supplements. *J Pediatr* 1989; 114(2):204-12.

Le soleil et les suppléments de vitamine D.
American Academy of Pediatrics. Prevention of rickets and vitamin D deficiency: new guidelines for vitamin D intake. *Pediatrics* 2003; 111(4):908-10.

Laisser le bébé choisir les aliments et la quantité qu'il désire.
Birch, L. et al. The variability of young children's energy intake. *NEng J Med* 1991; 324(4):232-35.

Chapitre 14

L'allaitement continue d'offrir une protection immunitaire.
Prentice, A. Breastfeeding and the older infant. *Acta Paediatr Scand* 1991; 374: 78-88.
Goldman, A. Immunologic components in human milk during the second year of lactation. *Acta Paediatr Scand* 1983; 72:461-62.
Van den Bogaard, C. et al. The relationship between breastfeeding and early childhood morbidity in a general population. *Family Medicine* 1991; 23:510-15.

L'âge du sevrage dans d'autres cultures.
Mead, M. and Newton, N. Cultural patterns of perinatal behavior, in *Childbearing: Its Social and Psychological Aspects,* ed. S. Richardson and Guttmacher, A. Baltimore MD: Williams and Wilkins Company, 1967.
Dettwyler, K. A time to wean. BREASTFEEDING ABSTRACTS 1994; 14:3-4.

Les mères signalent moins de maladies lorsque leur bambin est encore allaité.
Gulick, E. The effects of breastfeeding on toddler health. *Pediatric Nurs* 1986; 12:51-54.

La carie dentaire chez les enfants allaités.
Sinton, J. et al. A systematic overview of the relationship between infant feeding caries and breast-feeding. *Ont Dent* 1998; 75(9): 23-27.
Oulis, C. et al. Feeding practices of Greek children with and without nursing caries. *Pediatr Dent* 1999; 21(7): 409-16.
Roberts, G. et al. Patterns of breast and bottle feeding and their association with dental caries in 1 to 4 year old South African children. *Comm Dent Hlth* 1993; 10:405-13.
Wendt, L. K. et al. Analysis of caries-related factors in infants and toddlers living in Sweden. *Acta Odont Scand* 1996; 54(2):131-37.

Le lait maternel peut prévenir la carie dentaire.
Erickson, P. R. and Mazhari, E. Investigation of the role of human breast milk in caries development. *Pediatr Dent* 1999; 21(2): 86-90.

Erickson, P. et al. Estimation of the caries related risk associated with infant formulas. *Pediatr Dent* 1998; 20(7):385-403.
Rugg-Gunn. A. et al. Effect of human milk on plaque pH in situ and enamel dissolution in vitro compared with bovine milk, lactose and sucrose. *Caries Res* 1985; 19(4):327-34.

Poursuivre l'allaitement lorsque la mère est enceinte.

Flower, H. ADVENTURES IN TANDEM NURSING: BREASTFEEDING DURING PREGNANCY AND BEYOND. Schaumburg, Il: La Leche League International, 2003.
Moscone, S. and Moore, J. Breastfeeding during pregnancy. *J Hum Lact* 1993; 9(2):83-88.
Newton, N. and Theotokatos, M. Breastfeeding during pregnancy in 503 women: does a psychobiological weaning mechanism exist in humans ? *Emotion and Reproduction* 1979; 20B:845-49.

Allaiter à la fois un bambin et un nouveau-né.

Gromada, K. Breastfeeding more than one: multiples and tandem breastfeeding. *NAA-COG* 1992; 3(4):656-66.

Prendre des décisions à propos de l'allaitement en tandem.

Flower, H. ADVENTURES IN TANDEM NURSING: BREASTFEEDING DURING PREGNANCY AND BEYOND. Schaumburg, Il: La Leche League International, 2003.

Chapitre 15

La discipline et les punitions.

Sears, W. and Sears, M. *The Discipline Book.* Boston: Little, Brown, and Company, 1995.

Qu'est-ce que la fessée enseigne ?

Brazelton, T. B. and Greenspan, S. I. *The Irreducible Needs of Children: What Every Child Must Have to Grow, Learn, and Flourish.* Cambridge, MA: Perseus Publishing, 2000.
LeShan, E. *When Your Child Drives You Crazy.* New York: St. Martin's Press, 1985.

Le besoin d'estime de soi.

Samalin, N. *Loving Your Child Is Not Enough.* New York: Penguin Books, 1987.

L'influence de la télévision sur le comportement des enfants.

American Academy of Pediatrics Committee on Communications. Children, adolescents, and television. *Pediatrics* 1995; 96(4):786-87.
Sears, W. and Sears, M. *The Successful Child.* Boston: Little, Brown and Company, 2002.

Chapitre 16

Les effets des anesthésiques utilisés lors de l'accouchement par césarienne.

Spigset, O. Anaesthetic agents and excretion in breast milk. *Acta Anaesthesiol Scand* 1994; 38:94-103.
Righard, L. and Alade, M. Effects of delivery room routines on success of first breast-feed. *Lancet* 1999; 336:1105-07.
Sepkowski, C. et al. The effects of maternal epidural anesthesia on neonatal behavior during the first month. *Dev Med Child Neurol* 1992; 34:1072-80.

Les effets de l'accouchement par césarienne sur l'allaitement.

Kearney, M. et al. Cesarean delivery and breastfeeding outcomes. *Birth* 1990; 17(2):97-103.

Les bébés nés à terme qui ont la jaunisse ne souffrent d'aucun effet négatif à long terme.
Newman, T. and Maisels, M. Evaluation and treatment of jaundice in the term newborn: a kinder, gentler approach. *Pediatrics* 1992; 89(5):809-18.

Des tétées fréquentes aident à maintenir le taux de bilirubine à un niveau normal.
Gartner, L. and Herschel, M. Jaundice and breastfeeding. *Ped Clinics in N Amer*2001; 48(2):389-99.

Des taux plus élevés de bilirubine peuvent être bénéfiques.
Hegyi, T. et al. The protective role of bilirubin in oxygen-radical diseases of the preterm infant. *J Perinatol* 1994; 14(4):296-300.

La durée de l'allaitement est affectée par le traitement de la jaunisse .
Kemper, K. Neonatal jaundice in the development of the vulnerable child syndrome. BREASTFEEDING ABSTRACTS 1990; 10:7.
American Academy of Pediatrics (AAP) Subcommittee on Neonatal Hyberbilirubinemia. Neonatal jaundice and kernicterus. *Pediatrics* 2001; 108(3):763-65.

Utiliser la photothérapie pour diminuer le taux de bilirubine tout en poursuivant l'allaitement.
Martinez, J. et al. Hyperbilirubinemia in the breastfed newborn: a controlled trial of four interventions. *Pediatrics* 1993; 91(2):470-73.

Les suppléments d'eau ne diminuent pas la jaunisse.
Gartner, L. and Lee, K. Jaundice in the breastfed infant. *Clin Perinatol* 1999; 26(2);431-35.
Kuhr, M. and Paneth, N. Feeding practices and early neonatal jaundice. *J Pediatr Gastroenterol Nutr* 1982; 1:485-88.
Nicoll, A. et al. Supplementary feeding and jaundice in newborns. *Acta Paediatr Scand* 1982; 71:759-61.

Un allaitement tôt et fréquent stabilise les taux de glucose dans le sang.
Eidelman, A. Part 2: The management of breastfeeding: hypoglycemia and the breastfed neonate. *Pediatr Clin N Am* 2001; 48(2):1-10.
Hawdon, J. et al. Prevention and treatment of neonatal hypoglycemia. *Arch Dis Child* 1994; 70:F60-F65.
Wang, Y. S. et al. Preliminary study on the blood glucose level in the exclusively breastfed newborn. *J Trop Pediatr* 1994; 40:187-88.

Le lait maternel est plus facilement digéré par les bébés prématurés.
Schanler, R. et al. Feeding strategies for premature infants: randomized trial of gastrointestinal priming and tube-feeding method. *Pediatrics* 1999; 103(2):434-39.
Schanler, R. et al. Feeding strategies for premature infants: beneficial outcomes of feeding fortified human milk versus preterm formula *Pediatrics* 1999; 103(6):1150-57.
Schanler, R. and Hurst, N. Human milk for the hospitalized preterm infant. *Sem Perinatol* 1994; 18(6):476-84.

De meilleurs résultats de QI chez les bébés prématurés nourris au lait maternel.
Lucas, A. et al. Breast milk and subsequent intelligence quotient in children born preterm. *Lancet* 1992; 339:261-64.
Golding, J. et al. Association between breastfeeding, child development, and behaviour. *Early Human Dev* 1997; 49 Suppl:S175-84.

Moins d'infections chez les bébés prématurés nourris au lait maternel.
Caplan, M. et al. Necrotizing enterocolitis: a review of pathogenic mechanisms and implications for prevention. *Pediatric Pathology* 1993; 13:357-69.
Hylander, M. et al. Human milk feedings and infection among very low birth weight infants. *Pediatrics* 1998; 102(3):1-6.

Des différences dans le lait de mères ayant accouché prématurément.
Luukkainen, P. et al. Changes in fatty acid composition of preterm and term human milk from 1 week to 6 months of lactation. *J Pediatr Gastroenterol Nutr* 1994; 18:355-60.
Lemons, J. et al. Differences in the composition of preterm and term human milk during early lactation. *Pediatr Res* 1982; 16:113-16.

Des suppléments ou des fortifiants peuvent être ajoutés au lait maternel pour les bébés prématurés.
Robertson, A. and Bhatia, J. Feeding premature infants. *Clin Pediatr* 1993; n:36-44.
Valentine, C. et al. Hindmilk improves weight gain in low birthweight infants fed human milk. *J Ped Gastro Nutr* 1994; 18:474-77.

Les effets de la méthode kangourou sur la physiologie du nourrisson.
Acolet, D. et al. Oxygenation, heart rate, and temperature in very low birthweight infants during skin-to-skin contact with their mothers. *Acta Paediatr Scand* 1989; 78:189-93.
Anderson, G. Kangaroo care and breastfeeding for preterm infants. BREASTFEEDING ABSTRACTS 1989; 9:7-8.
Ludington-Hoe, S. with Golant, S. *Kangaroo Care: The Best You Can Do to Help Your Preterm Infant.* New York: Bantam Books, 1993.

Les mères ont plus confiance en elles après avoir pratiqué la méthode kangourou.
Affonso, D. et al. Reconciliation and healing for mothers through skin-to-skin contact provided in an American tertiary level intensive care nursery. *Neonat Network* 1993; 7(6):43-51.

Les mères produisent plus de lait après avoir pratiqué la méthode kangourou.
Hurst, N. et al. Skin-to-skin holding in the neonatal intensive care unit influences maternal milk volume. *J Perinatol* 1997; 17(3):213-17.

L'alimentation à la tasse pour les bébés prématurés.
Dowling, D. et al. Cup-feeding for preterm infants: mechanics and safety. *J Hum Lact* 2002; 18(1):13-20.
Lang, S. et al Cup feeding: an alternative method of infant feeding. *Arch Dis Child* 1994; 71:365-69.
Marinelli, K. et al. A comparison of the safety of cup feedings and bottle feedings in premature infants whose mothers intend to breastfeed. *J Perinatol* 2001; 21(5):350-55.

L'allaitement maternel est moins stressant pour le bébé prématuré que l'alimentation au biberon.
Meier, P. Bottle and breastfeeding: effects on transcutaneous oxygen pressure and temperature in small preterm infants. *Nurs Res* 1988; 37:36-41.

Une téterelle facilite la prise du sein à certains prématurés.
Meier, P. Nipple shields for preterm infants: effect on milk transfer and duration of breastfeeding. *J Hum Lact* 2000; 16(2):106-14.

L'utilisation d'un pèse-bébé électronique pour calculer ce que le bébé a bu.
Meier, P. et al. The accuracy of test-weighing for preterm infants. *J Ped Gastro Nutr* 1990; 5:50-52.

Allaiter un bébé atteint du syndrome de Down.
Aumonier, M. and Cunningham, C. Breastfeeding in infants with Down's Syndrome. *Child Care Health Development* 1983; 9:247-55.
Mizuno, K. and Ueda, A. Development of sucking behavior in infants with Down's Syndrome. *Acta Paediatr* 2001; 90:1384-88.

La chirurgie pour une fissure labiale ou une fente palatine.
American Society of Anesthesiologists (ASA). Practice guidelines for preoperative fasting and the use of pharmacologic agents to reduce the risk of pulmonary aspiration: application to healthy patients undergoing elective procedures. *Anesthesiology* 1999; 90(3):896-905.
Cohen, M. et al. Immediate unrestricted feeding of infants following cleft lip and palate repair. *J Craniofac Surg* 1992; 3(1):30-32.
Weatherly-White, R. et al. Early repair and breastfeeding for infants with cleft lip. *Plas Reconstruc Surg* 1987; 79:886-87.

Les bébés qui ont une fente palatine peuvent téter plus efficacement avec un obturateur de palais.
Turner, L. et al. The effects of lactation education and a prosthetic obturator appliance on feeding efficiency in infants with cleft lip and palate. *Cleft Palate-Craniofac J* 2001; 38(5):519-24.

Les avantages immunologiques de l'allaitement pour le bébé qui a une fente palatine.
Paradise, J. et al. Evidence in infants with cleft palate that breast milk protects against otitis media. *Pediatrics* 1994; 94(6):853-60.

Les symptômes de la fibrose kystique peuvent être retardés si le nourrisson est allaité.
Holliday, K. et al. Growth of human milk-fed and formula-fed infants with cystic fibrosis. *J Pediatr* 1991; 118:77-79.

Les nourrissons atteints de phénylcétonurie peuvent être partiellement allaités.
Greve, L. et al. Breastfeeding in the management of the newborn with phenylketonuria: a practical approach to dietary therapy. *J Am Diet Assoc* 1994; 94:305-09.

Les bébés qui avaient été allaités avant que ne soit diagnostiquée leur phénylcétonurie ont eu des résultats de QI plus élevés à l'âge scolaire.
Riva, E. et al. Early breastfeeding is linked to higher intelligence quotient scores in dietary treated phenylketonuric children. *Acta Paediatr* 1996; 85:56-58.

Chapitre 17

L'allaitement maternel est moins stressant pour le bébé malade que l'alimentation au biberon.
Marino, B. et al. Oxygen saturations during breast and bottle feedings in infants with congenital heart disease. *J Pediatr News* 1995; 10(6):360-64.

Allaiter plus d'un bébé.
Gromada, K. K. MOTHERING MULTIPLES: BREASTFEEDING AND CARING FOR TWINS OR MORE!!! Schaumburg, IL: La Leche League International, 1999.

Allaiter des triplés ou des quadruplés.
Mead, L. et al. Breastfeeding success with preterm quadruplets. *JOGNN* 1992; 21(3):221-27.
Duggin, J. Breastfeeding triplets—it can be done! *Breastfeed Rev* 1994; II(10):469-70.

La relactation.
Auerbach, K. and Avery, J. Relactation: a study of 366 cases. *Pediatrics* 1980; 65:236-48.
Phillips, V. Relactation in mothers of children over 12 months. *J Trop Pediatr* 1993; 39:45-48.

Des plantes et des médicaments peuvent être utilisés pour stimuler la lactation.
DaSilva, O. et al. Effect of domperidone on milk production in mothers of premature newborns: a randomized, double-blind, placebo-controlled trial. *Can Med Assoc J* 2001; 164(1):17-21.
Ehrenkranz, R. and Ackerman, B. Metoclopramide effect on faltering milk production by mothers of premature infants. *Pediatrics* 1986; 78(4):614-20.
West, D. DEFINING YOUR OWN SUCCESS: BREASTFEEDING AFTER BREAST REDUCTION SURGERY. Schaumburg, IL: La Leche League International, 2001.

Poursuivre l'allaitement si le bébé a la diarrhée.
Vonlanthen, M. Management of diarrhea: to continue to breastfeed or not? BREASTFEEDING ABSTRACTS 1995; 14:26-27.

Il n'est pas nécessaire d'éviter d'allaiter si le bébé a la diarrhée ou s'il vomit.
Brown, K. and Lake, A. Appropriate use of human and non-human milk for the dietary management of children with diarrhoea. *J Diarrhoeal Dis Res* 1991; 9(3):168-85.

Si le bébé peut prendre quelque chose par la bouche, ce devrait être le lait de sa mère.
Ruuska, T. Occurrence of acute diarrhea in atopic and nonatopic infants: the role of prolonged breastfeeding. *J Pediatr Gastroenterol Nutr* 1992; 14L27-33.

L'intolérance secondaire au lactose.
Sears, W. SAFE AND HEALTHY. Schaumburg, IL: La Leche League International, 1989.

Les bébés allaités ont moins d'épisodes de reflux.
Heacock, H. et al. Influence of breast versus formula milk on physiological gastroesophageal reflux in healthy, newborn infants. *J Pediatr Gastroenterol Nutr* 1992; 121:913-15.
Newman, J. and Pitman, T. *The Ultimate Breastfeeding Book of Answers*. Roseville, California: Prima Publishing, 2000.

La durée du jeûne préopératoire pour le bébé allaité.
American Society of Anesthesiologists (ASA). Practice guidelines for preoperative fasting and the use of pharmacologic agents to reduce the risk of pulmonary aspiration: application to healthy patients undergoing elective procedures. *Anesthesiology* 1999; 90(3):896-905.

La perte de poids initiale et la reprise de poids de naissance chez les bébés allaités.
DeMaijo, S. et al. Initial weight loss and return to birth weight criteria for breastfed infants: challenging the "rules of thumb." *Am J Dis Child* 1991; 145:402.

L'utilisation de la compression du sein.
Newman, J. and Pitman, T. *The Ultimate Breastfeeding Book of Answers.* Roseville, California: Prima Publishing, 2000.

L'usage de la téterelle en silicone.
Wilson-Clay, B. and Hoover, K. *The Breastfeeding Atlas,* 2nd edition. Austin, TX: Lact-News Press, 2002.

L'alimentation à la tasse comme alternative au biberon.
Lang, S. et al. Cup feeding: an alternative method of infant feeding. Arch Dis Child 1994; 71:365-69.

Complémenter avec le lait de la mère.
Valentine, C. et al. Hindmilk improves weight gain in low birth weight infants fed human milk. *J Ped Gastro Nutr* 1994; 18:474-77.

Les causes possible du gain de poids lent: la caféine, la nicotine, les contraceptifs hormonaux et la santé de la mère.
Nehlig, A. and Debry, G. Consequences on the newborn of chronic maternal consumption of coffee during gestation and lactation: a review. *J Am Coll Nutr* 1994; 13(1):6-21.
Dahlstrom, A., et al. Nicotine and cotinine concentrations in the nursing mother and her infant. *Acta Paediatr Scand* 1990; 79:142-47.
Erwing, P. To use or not to use combined hormonal oral contraceptives during lactation. *Fam Plan Perspect* 1994; 26(1)26-33.
Lawrence, R. and Lawrence, R. *Breastfeeding: a Guide for the Medical Profession,* 5th edition. St. Louis: Mosby, 1999.

Un bébé qui a un frein de la langue court peut avoir de la difficulté à téter correctement.
Ballard, J. L. et al. Ankyloglossia: assessment, incidence, and effect of frenuloplasty on the breastfeeding dyad. *Pediatrics* 2002; 110(5):e63.

L'utilisation de plantes et de médicaments pour augmenter la sécrétion lactée.
DaSilva, O. et al. Effect of domperidone on milk production in mothers of premature newborns: a randomized, double-blind, placebo-controlled trial. *Can Med Assoc J* 2001; 164(1):17-21.
Ehrenkranz, R. and Ackerman, B. Metoclopramide effect on faltering milk production by mothers of premature infants. *Pediatrics* 1986; 78(4):614-20.
Huggins, K. Fenugreek: one remedy for low milk production. *Medela Rental Roundup* 1998; 15(1):16-17.
West, D. DEFINING YOUR OWN SUCCESS: BREASTFEEDING AFTER BREAST REDUCTION SURGERY. Schaumburg, IL: La Leche League International, 2001.

Exceptionnellement, il peut arriver qu'une mère soit incapable de produire assez de lait pour son bébé.
Neifert, M. and Seacat, J. Lactation insufficiency: a rational approach. *Birth* 1987; 14:182-88.
Willis, C. and Livingstone, V. Infant insufficient milk syndrome associated with maternal postpartum hemorrhage. *J Hum Lact* 1995; 11(2):123-26.
Widdice, L. The effects of breast reduction and breast augmentation surgery on lactation: an annotated bibliography. *J Hum Lact* 1993; 9(3):161-67.

Les bébés allaités prennent du poids plus lentement après l'âge de trois mois.
Dewey, K. et al. Breastfed infants are leaner than formula-fed infants at one year of age: the Darling study. *Am J Clin Nutr* 1993; 57:140-45.

L'allaitement est sans danger pour une mère atteinte de l'hépatite.
American Academy of Pediatrics (AAP) Committee on Infectious Diseases. *Red Book.* 25th ed. Elk Grove Village, IL: AAP, 2000.

L'allaitement est sans danger pour une mère atteinte de tuberculose.
Lawrence, R. and Lawrence, R. *Breastfeeding: a Guide for the Medical Profession*, 5th edition. St. Louis: Mosby, 1999.

Les médicaments utilisés pour une anesthésie générale ne sont pas dangereux pour le bébé allaité.
Spigset, O. Anaesthetic agents and excretion in breast milk. *Acta Anaesthesiol Scand* 1994; 38:94-103.

Des sources d'information sur l'allaitement et les médicaments.
American Academy of Pediatrics Committee on Drugs. The transfer of drugs and other chemicals into human milk. *Pediatrics* 2001; 108(3):776-89.
Anderson, P. Drug use during breastfeeding. *Clin Pharmacy* 1991; 10:594-623.
Briggs, B., Freeman, R., and Yaffe, S. *Drugs in Pregnancy and Lactation,* 6th ed. Philadelphia/London: Williams and Wilkins, 2002.
Hale, T. *Medications and Mothers' Milk,* 10th ed. Amarillo, TX: Pharmasoft, 2002.
Mohrbacher, N. and Stock, J. THE BREASTFEEDING ANSWER BOOK, 3d rev. ed. Schaumburg, IL: La Leche League International, 2003.
Rose, M. et al. Excretion of iodine-123-hippuran, technetium-99m-red blood cells, and technetium-99m-macroaggregated albumin into breast milk. *J Nucl Med* 1990; 31:978-84.

Les vaccins qui sont sans danger pour les mères qui allaitent.
Centers for Disease Control. General recommendations on immunization. *MMWR* 2002; 51(RR02); 1-36.

Le calendrier de vaccination pour le bébé allaité.
Gordon, Jay. *Listening to Your Baby: A New Approach to Parenting Your Newborn.* New York: Perigee, 2002.

Les bébés allaités réagissent mieux aux vaccins.
Pabst, H. et al. Differential modulation of the immune response by breast- or formula-feeding of infants. *Acta Paediatr* 1997; 86(12):1291-97.

Dans une maison où il y a des fumeurs, l'allaitement protège le bébé des maladies respiratoires.
Nafstad, P. Breastfeeding, maternal smoking and lower respiratory tract infections. *Eur Respir J* 1996; 9:2623-29.
Woodward, A. et al. Acute respiratory illness in Adelaide children; breastfeeding modifies the effect of passive smoking. *J Epid Commun Health* 1990; 44:224-30.

La cigarette peut diminuer la production de lait, le taux de prolactine et nuire au réflexe d'éjection du lait.
Hopkinson, J. et al. Milk production by mothers of premature infants: influence of cigarette smoking. *Pediatrics* 1992; 90(6):934-38.

Andersen, A. et al. Suppressed prolactin but normal neurophysin levels in cigarette smoking breastfeeding women. *Clin Endocrinol* 1982; 17:363.
Lawrence, R. and Lawrence, R. *Breastfeeding: a Guide for the Medical Profession,* 5th edition. St. Louis: Mosby, 1999, p. 534.

L'alcool passe dans le lait maternel.
Lawton, M. Alcohol in breast milk. *Aust NZ Obstet Gynecol* 1985; 25(1):71-73.

Les bébés tétaient davantage mais recevaient moins de lait après que leur mère eut consommé de l'alcool.
Mennella, J. and Beauchamp, G. The transfer of alcohol to human milk: effects on flavor and the infant's behavior. *N Engl J Med* 1991; 325(14):981-85.
Mennella, J. Regulation of milk intake after exposure to alcohol in mothers' milk. *Alcohol Clin Exp Res* 2001; 25(4):590-93.

L'usage de stupéfiants devrait être évité.
Wilton, J. Breastfeeding and the chemically dependent woman. *NAACOG Clin Issues Perinat Women Health Nurs* 1992; 3(4):667-82.

Le THC se retrouve dans le lait maternel et l'urine du bébé.
Perez-Reyes, M. and Wall, M. Presence of delta-9-tetrahydrocannabinol in human milk. *N Engl J Med* 1982; 307:819-20.

La cocaïne se retrouve dans le lait de la mère.
Chasnoff, I. et al. Cocaine intoxication in a breastfed infant. *Pediatrics* 1987; 80:836-38.

Des résultats supérieurs aux tests cognitifs pour les bébés allaités.
Koopman-Esseboom, C. et al. Effects of polychlorinated biphenyl/dixoin exposure and feeding type on infants' mental and psychomotor development. *Pediatrics* 1996; 97(5):700-6.
Rogan, W. J. and Gladen, B. C. Breastfeeding and cognitive development. *Early Hum Dev* 1993; 31:181-93.

Le taux de pesticides présents dans le lait maternel varie d'une fois à l'autre.
Johansen, H.R. et al. Congener-specific determination of polychlorinted biphenyls and organochlorine pesticides in human milk from Norwegian mothers living in Oslo. *J Tox Envir Hlth* 1994; 42:157-71.

Les mères souffrant d'une maladie chronique ou d'un handicap peuvent allaiter.
Lawrence, R. and Lawrence, R. *Breastfeeding: a Guide for the Medical Profession,* 5th edition. St. Louis: Mosby, 1999.

Les mères peuvent vivre une rémission temporaire de leurs symptômes pendant qu'elles allaitent.
Butte, N. et al. Milk composition of insulin-dependent diabetic women. *J Pediatr Gastroenterol Nutr* 1987; 6:939.
Nelson, L. Risk of multiple sclerosis exacerbation during pregnancy and breastfeeding. *JAMA* 1988; 259:3441-43.

Les mères diabétiques peuvent allaiter.
Gagne, M. et al. The breastfeeding experience of women with type 1 diabetes. *Health Care Women Int* 1992; 13:249-60.

Webster, J. et al. Breastfeeding outcomes for women with insulin-dependent diabetes. *J Hum Lact* 1995; 11(3):195-200.

Le taux de transmission du VIH est plus faible avec l'allaitement exclusif qu'avec l'allaitement mixte.

Coutsoudis, A. et al. Method of feeding and transmission of HIV-1 from mothers to children by 15 months of age: prospective cohort study from Durban, South Africa. *AIDS* 2001; 15(3):379-87.
Coutsoudis, A. Morbidity in children born to women infected with human immunodeficiency virus in South Africa: Does mode of feeding matter? *Acta Paediatr* 2003; 92:890-95.

Des questions sans réponse à propos du VIH et de l'allaitement.

Coutsoudis, A. and Rollins, N. Breast-feeding and HIV transmission: the jury is still out. *J Pediatr Gastroenterol Nutr* 2003; 36:434-442.

Choisir un antidépresseur compatible avec l'allaitement.

Birnbaum, C. et al. Serum concentrations of antidepressants and benzodiazepines in nursing infants: a case series. *Pediatrics* 1999; 104(3):e11(1-6).
Hale, T. and Berens, P. *Clinical Therapy in Breastfeeding Patients,* 2nd ed. Amarillo, TX: Pharmasoft, 2002.
Lamberg, L. Safety of antidepressant use in pregnant and nursing women. *JAMA* 1999; 282(3):222-23.
Newport, D. et al. Antidepressants during pregnancy and lactation: defining exposure and treatment issues. *Sem Perinatol* 2001; 25(3):177-90.

Le sevrage brusque peut intensifier la dépression.

Nicholas, L. et al. Psychoneuroendocrinology of depression: prolactin. *Psychoneuroendocrinology* 1998; 21(2):341-57.
Susman, V. and Katz, J. Weaning and depression: another postpartum complication. *Am J Psychiatry* 1988; 145(4):498-501.

Chapitre 18

Le lait de la mère change au cours de la journée.

Harzer, G. Changing patterns of human milk lipids in the course of lactation and during the day. *Am J Clin Nutr* 1983; 37:612-21.

Le lait de mères qui donnent naissance à des bébés prématurés est plus approprié aux besoins nutritifs du bébé prématuré.

Lemons, J. et al. Differences in the composition of preterm and term human milk during early lactation. *Pediatr Res* 1982; 16:113-16.

Les nourrissons tétaient plus vigoureusement après que leur mère eut consommé des capsules d'ail.

Menella, J. and Beauchamp, G. Maternal diet alters sensory qualities of human milk and the nursling's behavior. *Pediatrics* 1991; 88(4):737-44.

Le rôle de la taurine dans le développement du nourrisson.

Gaull, G. E. Taurine in the nutrition of the human infant. *Acta Paediatr Scand* 1982; 269(Suppl):38-40.

L'importance des acides gras polyinsaturés à longue chaîne dans le lait maternel.
Birch, E. E., et al. Breastfeeding and optimal visual development. *J Pediatr Ophthal Strab* 1993; 30:33-38.
Bjerve, K. N. et al. Omega-3 fatty acids: essential fatty acids with important biological effects, and serum phospholipid fatty acids as markers of dietary W-3 fatty acid intake. *Am J Clin Nutr* 1993; 57(Suppl):801-95S.

Plus tard dans la vie, les bébés allaités ont un taux de cholestérol moins élevé.
Bergstrom, E. et al. Serum lipid values in adolescents are related to family history, infant feeding, and physical growth. *Atherosclerosis* 1995; 117:1-3.

Les mères qui souffrent de malnutrition sévère peuvent avoir un lait plus faible en gras que les mères bien nourries.
Smith, C. Effects of maternal undernutrition upon newborn infants in Holland (1944-1945). *J Pediatr* 1947; 30:229-43.

La teneur en gras du lait maternel diminue à mesure que l'intervalle entre les tétées augmente.
Woolridge, M. Baby-controlled breastfeeding: biocultural implications, in *Breastfeeding: Biocultural Perspectives,* ed. P. Stuart Macadam and K. A. Dettwyler. New York: De Gruyter, 1995.

L'absorption du fer présent dans le lait maternel.
Griffin, I. and Abrams, S. Part 2: The management of breastfeeding: iron and breastfeeding. *Pediatr Clin N America* 2001; 48(2):1-12.

Les bébés exclusivement allaités n'étaient pas anémiques à l'âge d'un an.
Pisacane, A. et al. Iron status in breastfed infants. *J Pediatr* 1995; 127(3):429-31.

Les suppléments de fer peuvent interférer avec les composants immunitaires du lait maternel.
Bullen, J. J. et al. Iron-binding proteins in milk and resistance to escherichia coli infection in infants. *Br Med J* 1972; 1:69-75.

On n'a pas trouvé de rachitisme chez les bébés allaités.
Greer, F. R. and Marshall, S. Bone mineral content, serum vitamin D metabolite concentrations, and ultraviolet B light exposure in infants fed human milk with and without vitamin D2 supplements. *J Pediatr* 1989; 114(2):204-12.

Un peu de soleil quelques minutes par jour prévient une déficience en vitamine D.
Specker, B. Do North American women need supplemental vitamin D during pregnancy or lactation ? *Am J Clin Nutr* 1994; 59(Suppl):4845-915.
Specker, B. et al. Sunshine exposure and serum 25-hydroxyvitamin D concentrations in exclusively breastfed infants. *J Pediatr* 1985; 107:372-76.

Les recommandations actuelles concernant la vitamine D.
American Academy of Pediatrics. Prevention of rickets and vitamin D deficiency: new guidelines for vitamin D intake. *Pediatrics* 2003; 111(4):908-10.

L'absorption du zinc présent dans le lait maternel.
Sandstrom, B. et al. Zinc absorption from human milk, cow's milk, and infant formulas. *Am J Dis Child* 1983; 137:726-29.

American Academy of Pediatrics. Fluoride supplementation of children: interim policy recommendations. *Pediatrics* 1995; 95(5):777.

Une diminution de la morbidité et de la mortalité chez les nourrissons allaités.
Yoon, P. W. et al. Effect of not breastfeeding on the risk of diarrheal and respiratory mortality in children under 2 years of age in Metro Cebu, the Philippines. *Am J Epidemiol* 1996; 143(11):1142-48.
Victora, C.G. et al. Evidence for protection by breastfeeding against infant deaths from infectious diseases in Brazil. *Lancet* 1987; 2:319-22.
Clemens, J. D. et al. Breastfeding and the risk of severe cholera in rural Bangladeshi children. *Am J Epidemiol* 1990; 131(3):400-11.

Une étude menée en Israël sur la diarrhée aiguë.
Lerman, Y. et al. Epidemiology of acute diarrheal diseases in children in a high standard of living in a rural settlement in Israel. *Pediatr Infect Dis J* 1994; 13(2):116-22.

L'incidence de la diarrhée chez les enfants allaités et ceux nourris au lait artificiel.
Dewey, K. G. et al. Differences in morbidity between breastfed and formula-fed infants. *J Pediatr* 1995; 126:696-702.

Il y a moins de maladies gastro-intestinales chez les bébés allaités pendant au moins 13 semaines.
Howie, P. W. et al. Protective effect of breastfeeding against infection. *BMJ* 300:11-16, 1990.

L'allaitement protège du rhume et des autres infections respiratoires.
Wright, A. L. et al. Breastfeeding and lower respiratory tract illness in the first year of life. *Br Med J* 1989; 299:945-49.
Howie, P. W. et al. Protective effect of breastfeeding against infection. *Br Med J* 1990; 300:11-16.

Les infections respiratoires sont moins graves chez les bébés allaités.
Cushing, A. H. et al. Breastfeeding reduces risk of respiratory ilness in infants. *Am J Epidemiol* 1998; 147:863-70.
Bachrach, V. R. G., et al. Breastfeeding and the risk of hospitalization for respiratory disease in infancy: A meta-analysis. *Arch Pediatr Adolesc Med* 2003; 157:237-43.

Les bébés nourris au lait artificiel risquent davantage de souffrir d'une otite moyenne.
Owen, M. J. et al. Relation of infant feeding practices, cigarette smoke exposure, and group child care to the onset and duration of otitis media with effusion in the first two years of life. *J Pediatr* 1993; 123:702-11.
Duffy, L. C. et al. Exclusive breastfeeding protects against bacterial colonization and day care exposure to otitis media. *Pediatrics* 1997; 100:e7.

En 1998, une étude en Arizona a révélé que le risque de souffrir d'une otite moyenne était plus faible chez les bébés allaités.
Duncan, B. et al. Exclusive breastfeeding for at least 4 months protects against otitis media. *Pediatrics* 1993; 91:867-72.

80 % moins d'épisodes d'otites prolongées dans le groupe de bébés allaités.
Dewey, K. G. et al. Differences in morbidity between breastfed and formula-fed infants. *J Pediatr* 1995; 126:696-702.

Les infections urinaires sont plus probables chez les nourrissons nourris au lait artificiel.

Marild, S., U. Jodal, L. and A. Hanson. Breastfeeding and urinary tract infection [letter]. *Lancet* 1990; 336:942.

Pisacane, A. et al. Breastfeeding and urinary tract infection. *J Pediatr* 1992; 120:87-89.

Des facteurs immunitaires présents dans le lait maternel protègent l'appareil urinaire.

Hanson, L. A. Breastfeeding stimulates the infant immune system. *Science and Medicine* 1007; 4(6):12-21.

Des taux de maladies chroniques plus faibles chez les enfants allaités.

Davis, M. K. Breastfeeding and chronic disease in childhood and adolescence. *Pediatr Clin N Am* 2001; 48(1):125-41.

Une incidence plus élevée de SMSN chez les bébés non allaités.

Hoffman, H. J. et al. Risk factors for SIDS: results of the National Institute of Child Health and Human Development SIDS Cooperative epidemiological study. *Ann N Y Acad Sci* 1988; 533:13-30.

Un bébé allaité reçoit 0,5 à 1,0 gr d'IgA chaque jour.

Hanson, L. A. Breastfeeding stimulates the infant immune system. *Science and Medicine* 1007; 4(6):12-21.

Le lait maternel stimule le développement du système immunitaire.

Oddy, W. H. The impact of breastmilk on infant and child health. *Breastfeeding Review* 2002; 10(3):5-18.

La mère produit des anticorps pour son bébé.

Hanson, L. A. Breastfeeding stimulates the infant immune system. *Science and Medicine* 1997; 4(6):12-21.

Les cellules vivantes du lait maternel survivent dans le système gastro-intestinal du bébé.

Oddy, W. H. The impact of breastmilk on infant and child health. *Breastfeeding Review* 2002; 10(3):5-18.

Les bébés exclusivement allaités souffrent moins d'allergies.

Merrett, T. G. et al. Infant feeding and allergy: 12-month prospective study of 500 babies born into allergic families. *Ann Allergy* 1988; 61:13-20.

Lucas, A. et al. Early diet of preterm infants and development of allergic atopic disease: randomized prospective study. *Br Med J* 1990; 300:837-40.

Halken, S., A. Host, L. Hansen, et al. Effect of an allergy prevention programme on incidence of atopic symptoms in infancy. *Ann Allergy* 1992; 47:545-33.

Saarinen, U. M. et al. Breastfeeding as prophylaxis against atopic disease: propsective follow-up study until 17 years old. *Lancet* 1995; 346(8982):1065-69.

Wright, A. L. et al. Epidemiology of physician-diagnosed allergic rhinitis in childhood. *Pediatrics* 1994; 94(6):895-901.

Un allaitement continu protège de la maladie coeliaque.

Ivarsson, A. et al. Breastfeeding protects against celiac disease. *Am J Clin Nutr* 2002; 75:914-21.

Le bébé peut-il réagir à un aliment ingéré par la mère ?

Gerrard, J. W. Allergies in breastfed babies to foods ingested by the mother. *Clin Rev Allergy* 1985; 2-143-49.

Jakobsson, I. and Lindberg, T. Cows' milk proteins cause colic in breastfed babies: a double-blind crossover study. *Pediatrics* 1983; 71:268-71.
Lust, K. et al. Maternal intake of cruciferous vegetables and other foods and colic symptoms in exclusively breastfed infants. *J Am Diet Assoc* 1996; 96(1):46-48.
Clyne, P. and Kulczycki, A. Human breast milk contains bovine IgG: relationship to infant colic ? *Pediatrics* 1991; 87(4):439-44.

Un QI plus élevé chez les bébés prématurés nourris au lait maternel.

Lucas, A. et al. A randomised multicentre study of human milk versus formula and later development in preterm infants. *Arch Dis Child* 1994; 70:F141.46.

Des études sur le développement intellectuel.

Anderson, J. W. et al. Breastfeeding and cognitive development: a meta-analysis. *Am J Clin Nutr* 1999; 70:525-35.
Mortensen, E. L. et al. The association between duration of breastfeeding and adult intelligence. *JAMA* 2002; 28(15): 2365-71.

L'allaitement protège contre la malocclusion.

Labbok, M. H. and Hendershot, G. E. Does breastfeeding protect against malocclusion ? An analysis of the 1981 Child Health Supplement to the National Health Interview Survey. *Am J Prev Med* 1987; 3:227-32.
Davis, D. et al. Infant feeding practices and occlusal outcomes: a longitudinal study. *J Can Dent Assoc* 1991; 57(7):593-94.

À l'adolescence, les bébés allaités sont moins sujets à l'obésité.

Gillman, M. W. et al. Risk of overweight among adolescents who were breastfed as infants. *JAMA* 2001; 285:2461-67.

Les endorphines dans le lait maternel.

Zanardo, V. et al. Beta endorphin concentrations in human milk. *J Pediatr Gastroenterol Nutr* 2001; 23(2):160-64.

Des degrés de douleur plus faibles chez les bébés qui étaient allaités.

Carbajal, R. et al. Analgesic effect of breastfeeding in term neonates: randomised controlled trial. *BMJ* 2003; 326:13-15.

Chapitre 19

Un sein vide produit du lait plus rapidement.

Daly, S. E. et al. The determination of short-term breast volume changes and the rate of synthesis of human milk using computerized breast measurement. *Exp Physiol* 1992; 77:79-87.
Wilde, C. J. Autocrine regulation of milk secretion by a protein in milk. *Biochem J* 1995; 305:51.

La capacité d'emmagasiner du lait.

Cregan, M. and Hartmann, P. Computerized breast measurement from conception to weaning: clinical implications. *J Hum Lact* 1999; 15(2):89-96.
Daly, S. et al. The short-term synthesis and infant-regulated removal of milk in lactating women. *Exp Physiology* 1993; 78:209-20.

Les nourrissons peuvent contrôler eux-mêmes la quantité de nourriture qu'ils ingèrent.
Marasco, L. and Barger, J. Cue feeding: wisdom and science. BREASTFEEDING ABSTRACTS 1999;18(4):27-28.

Un nombre accru de cellules réceptrices de la prolactine.
De Coopman, J. Breastfeeding after pituitary resection: Support for a theory of autocrine control of milk supply ? *J Hum Lact* 1993; 9(1):35-40.
Perry, H. M. and Jacobs, L. S. Rabbit mammary prolactin receptors. *J Biologic Chem* 1978; 253:1560.

Une étude échographique du réflexe d'éjection du lait.
Kent, J. Physiology of the expression of breast milk, part 2. Presented at the Medela Innovations in Breast Pump Research Conference, Boca Raton, Florida, July 2002.

Le teneur en gras du lait maternel diminue à mesure que l'intervalle entre les tétées augmente.
Woolridge, M. Baby-controlled breastfeeding: biocultural implications, in *Breastfeeding: Biocultural Perspectives,* ed. P. Stuart Macadam and K. A. Dettwyler. New York: De Gruyter, 1995.

L'allaitement aide à la mère à composer avec le stress.
Altremus, M. et al. Suppression of hypothalmic-pituitary-adrenal axis responses to stress in lactating women. *J Clin Endocrinol Metab* 1995; 80(9):2954-59.

Le réflexe d'éjection du lait.
Newton, M. and Newton, N. R. The let-down reflex in human lactation. *J Pediatr* 1948; 33:698-704.

Le niveau d'ocytocine augmentait lorsque les bébés s'agitaient.
McNeilly, A. S. et al. Release of oxytocin and prolactin in response to suckling. *BMJ* 1980; 281:834.

Les bébés allaités consomment moins de lait et grossissent plus lentement.
Butte, N. et al. Human milk intake and growth in exclusively breastfed infants. *J Pediatr* 1984; 104:187-95.
Dewey, K. et al. Growth of breastfed and formula-fed infants from 0 to 18 months. The DARLING study. *Pediatrics* 1992; 89(6):1035-41.

Le métabolisme du calcium pendant la lactation.
Kalkwarf, H. J. et al. Intestinal calcium absorption of women during lactation and after weaning. *Am J Clin Nutr* 1996; 63(4):526-31.
Sinigaglia, L. et al. Effect of lactation on postmenopausal bone mineral density of lumbar spine. *J Reprod Med* 1996; 41(6):439-43.
Henderson, P. et al. Bone mineral density in grand multiparous women with extended lactation. *Am J Obstet Gynecol* 2000; 182(6):1371-77.

Un risque plus faible de fracture de la hanche chez les femmes qui ont allaité.
Cumming, R. and Klineberg, R. Breastfeeding and other reproductive factors and the risk of hip fractures in elderly women. *Int J Epidemiol* 1993; 22(4):684-91.

L'allaitement retarde la fertilité.
Kippley, Sheila. *Breastfeeding and Natural Child Spacing.* Cincinnati, OH: Couple-to-Couple League International, Inc., 1999.

La méthode de l'allaitement maternel et de l'amménorrhée de la lactation.
Labbok, M. The lactational amenorrhea method (LAM): another choice for breastfeeding mothers. BREASTFEEDING ABSTRACTS 1993; 13:3-4.

La MAMMA pour les femmes qui travaillent.
Valdes, V. et al. The efficacy of the lactational amenorrhea method (LAM) among working women. *Contraception* 2000; 62:217-19.

L'œstrogène diminue la production de lait.
Tankeyoon, M. et al. Effects of hormonal contraceptives on milk volumes and infant growth: WHO Special Programme of Research, Development, and Research Training in Human Reproduction Task Force on Oral Contraceptives. *Contraception* 1984; 30(6):505-22.

Les contraceptifs de type progestatif seulement peuvent affecter la production de lait.
Nichols-Johnson, V. The breastfeeding dyad and contraception. BREASTFEEDING ABSTRACTS 2001; 21(2):11.

Les effets à long terme des contraceptifs hormonaux sur les bébés allaités.
Harlap, S. Exposure to contraceptive hormones through breast milk: are there long-term health and behavioral consequences? *Int J Gynecol Obstet* 1987; 25(Suppl):47-55.

Une étude qui réunit et analyse les données sur l'allaitement maternel et le cancer du sein.
Collaborative Group on Hormonal Factors in Breast Cancer. Breast cancer and breastfeeding: collaborative reanalysis of individual data from 47 epidemiological studies in 30 countries, including 50,302 women with breast cancer and 96,973 women without the disease. *Lancet* 2002; 360:187-95.

Les femmes qui ont été allaitées risquent moins de développer un cancer du sein.
Freudenheim, J. et al. Exposure to breast milk in infancy and the risk of breast cancer. *Epidemiology* 1994; 5(3):324-31.

Des estimations récentes du coût d'achat de préparations lactées pour nourrissons.
Breastfeeding Support Consultants. *Information on Infant Feeding Costs.* April 1998 (basé sur les prix dans les supermarchés de l'Illinois et en Caroline du Nord).

Le calcul des économies qui seraient réalisées aux États-Unis si plus de femmes allaitaient.
Weimer, D. *The Economic Benefits of Breastfeeding: A Review and Analysis. Economic Research Service.* US Department of Agriculture, Food Assistance and Nutrition Research Report No. 13. March 2001.

Des économies à l'échelle mondiale.
Palmer, G. *The Politics of Breastfeeding.* London: Pandora Press, 1999.

Le plaisir d'allaiter.
Whipple, D. V. Breastfeeding in today's world. *J Am Med Women Assoc* 1965; 10:936-37.

Chapitre 20

Les réactions du bébé.
Fraiberg, S. How a baby learns to love. *Redbook* 1971.

Index

T

U

V

W

Y

Z